글로벌지역학총서 27

# 전환기 베트남의 전통과 공동체, 그리고 국가

이 저서는 2018년 정부(교육부)의 재원으로 한국연구재단 대학인문역
량강화사업(CORE)의 지원을 받아 수행된 저서임

글로벌지역학총서 27

# 전환기 베트남의 전통과 공동체, 그리고 국가

최호림 지음

# 서문

## 역사가 될 전환기 베트남에 대한 민족지

이 책은 (탈)사회주의 국가의 전환기적 상황에 관한 민족지적 연구의 결과로서, 민간의례 활성화를 중심으로 베트남 전통의 변화와 지속 및 국가-사회관계의 성격을 탐색한 것이다. 하노이에서 장기 현지연구를 통해 필자는 민간 전통의 재생이 단순히 최근의 정치경제적 변화의 결과가 아니라, 혁명 이전부터 지속되어 온 지방 내부의 사회관계와 문화적인 요구에서 비롯된 것임을 규명하고자 했다. 전통의 부활 혹은 의례의 활성화는 지방의 주민들이 국가 정책에 대하여 집합적인 대응을 형성하는 많은 방식 중의 하나이며, 전통의례 자체가 지방 수준에서 당-국가가 권위를 유지하고 강화하기 위한 문화적·도덕적 자원으로 활용되었다. 본서의 핵심 주장을 요약하면 다음과 같다.

사회주의 국가는 총체적인 혁명을 위하여 생산의 집단화와 함께 의례개혁을 추진하였으나, 개혁의 구체적인 내용과 영향은 다면적이며 애매모호하였다. 지방마다 집단화 정책의 요구와는 별개의 사영경제, 즉 '사적인 계략'이 계속 발휘되어 왔다. 탈집단화 이후에도 토지전용, 미등록 이주, 무허가 건축 등 금지된 일들이 일상적으로 벌어졌다. 대개 이러한 '저항'은 가족, 친족, 이웃과 마을공동체의 일상적인 사회관계에서 비롯된 도덕과 의무에 따른 것이다. 이러한 문화적 동기에 편승하여 지방 공동체가 국가와 인민 사이의 '조정지대' 역할을 해왔다. 국가가 지방의 모든 수준에서 국가권력의 계획을 관철하기 위해서 '원주민' 사회 토착의 문화적, 도덕적 역동성을 경과하여야 했다. 결과적으로 당-국가의 정책 목표와 상관없이 지방 고유의 이해에 매여 있는 '지방사회 속의 국가'가 형성된다.

베트남 사회주의 정부는 '새생활 운동'과 함께 구래의 민간의례를 개혁하여 새로운 국가 이데올로기와 규범을 주입하고자 했다. 그러나 결과는 양면적이다. 성공적으로 제거된 요소도 있지만, 많은 구습이 '전통'이라는 이름으로 유지되어 왔다. 전통과 사회주의는 단절과 지속이라는 모순적 상황에서 공존한다. 베트남 국가는 '문화관리' 정책을 통하여 지방 사회와 문화에 지속적으로 침투해왔다. 의례개혁의 결과 당과 국가의 이념이 '전통적' 관념을 이용해서 재등장하였다. 베트남의 지방에서 발견된 국가-사회관계에서 양자는 뚜렷하게 구분되어 있는 실체가 아니라 상호침투하고 공존하는 연속성을 지닌다. 국가/사회, 혹은 국가/지방의 이분법을 벗어나기 위해서 이 연구는 '국가 안의 사회', '사회 안의 국가'라는 관점을 제시한다. 즉 양자를 끊임없이 변화, 상호작용, 교차하는 과정에 놓여있는 것으로 파악하는 것이다.

베트남에서 발견이 국가 개념에 대하여 재고할 수 있는 단서를 제공한다. 본 연구를 통해 민간 전통의 지속과 단절의 역사적 계기마다 국가가 등장하고 있음을 알 수 있다. 국가는 인민의 일상 속에서 구체적인 계기들을 통해 변화하는 일련의 제도와 행위들로서 인식될 수 있다. 지방의 국가 대리자는 곧 주민 자신이거나, 일상의 사회관계와 도덕적 요구에 따라 주민들과 직접 상호작용하는 존재이다. 국가는 지방의 대리자를 통해 마을과 주민들에 대한 자신의 인식과 통치에 영향을 주는 나름대로의 이질적인 경험들을 겪게 된다. 이런 점에 비추어 국가는 단지 통치 기구나 정책만으로 구성되는 것이 아니라, 피통치자들에게 호소하는 규범과 가치들, 즉 문화적인 정당성으로 구성되어 있다.

본서는 16년 전 발표한 필자의 박사학위 논문 [베트남의 의례활성화와 국가-사회관계: 하노이의 한 프엉(坊)을 중심으로]를 출판하는 것이다. 일부의 오타나 비문을 제외하고 학위논문을 거의 수정하지 않았다. 논문이 통과되고 5년 쯤 지난 무렵에 처음 학위논문을 출판하고자 했을 때는 현지조사 마을을 다시 찾아 자료를 업데이트하고, '낡은' 숫자를 모두 '새' 숫자로 바꾸고, 새로운 인물을 등장시켜야겠다고 생각했었다. 그러나 이후 많은 시간이 흘러 새 것이 또 금세 낡은 것이 되고 말았다. 지금 이렇게 '당당하게' 수정없이 출판하는 것은 자신 논문의 수월성을 자부해서가 아니라 당대의 사회상을 상세히 기술한 민족지는 후일에 역사가 되기 때문이다.

필자가 베트남에 처음 발을 디딘 것은 1995년 2월이다. 그리고 하노이에서 베트남어를 배우기 시작한 것은 그해 여름이었고, 여러 현장을 찾아다니며 베트남 사회문화의 다양한 면모와 시장경제의 변화를 관찰하기 시작한 것은 이듬해 초쯤이다. 그러나 그때부터 필자가 박사학위 논문 연구를 위해 하노이의 현지조사 마을에 들어서기까지는 상당한 시간이 필요하였다. 1999년 가을 '내 마을'을 찾아 연구를 시작하였을 때, 베트남어를 익히고 현지에서 생존하기 위해서 하노이에서 오랫동안 헤매어 다녔던 경험이 많은 힘이 되었다. 필자가 현지어를 배우고 사람들의 관습을 익혀온 과정은 베트남 사람들이 흔히 "길거리에서 배우기" 또는 "먼지 속의 연구"(*hoc bui*)라고 부르는 것이다. 그러나 하노이 방언을 구사할 수 있고 친족 호칭을 적절하게 사용하고 베트남에서 수년 간 살아온 경험에도 불구하고, 마을에 들어섰을 때 필자는 완전한 외부인이었다. 필자를 외부인이자 '기자'와 같은 일시적인 조사자로 간주하는 마을 주민들의 압도적인 인식 사이에서 자신을 인류학자로 입지시키는데 수개월 이상의 시간이 걸렸다.

논문을 마무리하던 2003년 1월, 그리고 그 이후 몇 차례 마을을 다시 방문했을 때 필자는 단순한 이방인이 아니었음을 느낄 수 있었다. 독자들이 책을 읽으면서 이러한 느낌에 공감하리라는 기대가 있다. 현지연구 과정은 '다른 문화'에 관한 지적인 탐구의 과정일 뿐만 아니라, 연구자와 주민들의 상호작용이 끊임없이 만들어 주는 새로운 질문과, 어제의 결론에 대한 회의와 또 새로운 가설들이 연속되는 여로이다. 나의 현지연구는 희로애락이 점철된 생존과정이었고, 나를 하노이 사람으로 버틸 수 있게 하고, 결국은 그곳에 많은 정을 남기게 되는 인간적인 훈련과정이었다. 또한 이러한 과정은 필자 자신이 매우 복잡한 기원을 가진 학문적 전통의 미완성의 산물임을 깨닫는 시간이었다.

현지연구 동안 필자는 현대 베트남의 학계, 언론계, 그리고 지방의 담론들을 지배하고 있는 '문화'와 '역사'에 대한 정의의 안과 밖, 또는 그 반대편 모두에서 연구를 진행하였다. 주민들에게 필자가 하는 연구는 현지의 기자나 문화간부의 틀에 박힌 조사과정과 전혀 다르다는 점을 확신시키는 데 많은 노력이 필요하였다. 면담과정에서 공식적인 역사적 사건, 마을 사찰의 고색(古色), 그리고 마을 특유의 "미풍양속" 외에 그들의 삶에 대한 많은 다른 면들을 알아야 한다는 것을 설득시켜야 하였다. 필자가 알고자 하는 것보다는 마을 주민들 스스로가 말할 가치가 있는 것이라는 판단에 따라 알려주는 사실들에 대해 반복적으로 듣는 수개월의 과정이 지난 이후에 비로소, 주민들은 점차 필자에게 그들의 일상사와 관심들을 말하는 것을 편하게 느끼기 시작하였다. 그러나 조사가 끝나길 무렵, 마을의 노인들과 여러 조직의 지도자와 간부들이 마을 사당의 유구함과 아름다움, 그리고 수호신의례를 비롯한 '전통'의 독특성을 자랑하는 것을 주로 들어야 했던 초기의 수개월이 결코 시간 낭비가 아니었음을 깨닫게 되었다. 그리고 주민들의 일상의 삶을 배우고자 기다렸던 당시의 인내가 결코 과실이 없는 것이 아니었다. 논문의 구성에 동원된 많은 자료들이 연구자의 의도보다는 연구대상의 의도에 의해 나에게 은근히 주입된 것들이라고 할 수 있다.

필자는 특히 역사적 접근의 의미를 강조하고자 한다. '역사'는 원래 그 모습대로 존재해 왔던 과거라는 국한된 의미로만 사람들에게 주입되고 기억되는 것이 아니다. 지배적인 담론에서 역사는 공식적으로 선택된 사실들의 버전이지만, 사람들의 경험과 기억 속에 녹아있고 인류학적 현지조사 과정에서 드러나게 되는 것은 살아 있는 사람들의 수만큼이나, 그리고 그들의 경험과 기억이 현실의 삶에서 가지는 실제 영향의 차이들만큼이나 다양한 해석의 스펙트럼을 제공한다. 당원과 전통주의자들, 한 때 봉건적 잔재로 자기비판을 하고 착취계급으로 규정되기도 하였던 마을의 위신 있는 원로들, 사회주의 국가의 공식적인 성 평등 이데올로기의 혜택과 실제의 모순을 동시에 담지하고 있는 부녀자들, '전통'에 대해서 아무런 경험이 없지만 마을의 행사가 즐거운 아이들, 전쟁 열사 가족과 참전용사들은 모두 조사자에게 엄청나게 다양한 버전의 역사와 현재를 표현해 주었다. 말해지는 역사, 말할 수 없는 역사, 기억되어야 하는 역사, 잊힌 역사 등등. 이러한 과정은 연구자에게 역사가 개인의 삶을 어떻게 변화시켜왔는지 뿐만 아니라, 역사 내의 여러 사건이 그 현장 또는 그 기억의 현장에 존재하였던 다양한 사람들에게 어떻게 만들어지고, 경험되고 해석됐는지도 보여주었다.

지난 20여 년 하노이의 급격한 도시화와 팽창으로 인해 '나의 마을'은 '전통' 마을의 면모를 대부분 상실하였다. 이제 약초 농사를 짓는 주민은 없다. 그럼에도 마을 유적과 수호신 사당은 여전하고 사람들은 대를 이어 그 곳에 살고 있다. 현지조사에서 만난 모든 사람에게 감사한다.

이 책이 출판되는 과정에 부경대학교 인문역량강화(CORE)사업단의 도움이 컸다. 특히 정해조 단장님, 현민 교수, 박명숙 연구원께 감사드린다.

하나님을 믿는 사람, 아내의 헌신과 인내가 없다면 필자의 연구는 지속될 수 없다. 이 책이 어떤 축복이 된다면 모두가 아내 덕이다.


2019년 2월, 저자 씀.

# 목 차

# 제1장

# 서론:
# 베트남 문화와
# 국가-사회관계 연구

## 1. 연구목적

1986년 '도이 머이'(*doi moi*, 改革 또는 刷新) 이전 시기 베트남에 관한 연구는 거시적이고 개괄적인 연구와 통계적 분석에 국한되어 있었다. 주로 정치학과 경제학 분야에서 발표되었던 이러한 연구들은 공산당의 경제정책과 국가기구의 성격에 초점이 있었고, 대부분 베트남 정부와 세계은행, 국제연합 등 국제기구에서 발행된 양적 자료나 언론매체의 자료에 근거한 것들이었다(Vickerman 1986; Vo Nhan Tri 1990; Kimura 1989 등). 개혁정책 도입 이후 비로소 국내외 많은 분야 학자들의 관심을 끌기 시작하였으며, 서구학자들에 의한 베트남 연구도 비로소 활성화되고 있다. 1990년대 후반 개혁정책의 성과들이 가시화됨에 따라 경험적인 연구를 바탕으로 베트남의 정치, 경제적, 사회적 변동을 다룬 연구들도 증가하기 시작하였다.[1]

---

1) 이 연구들은 대체로 국가적 수준에서 개혁의 원인과 영향, 지방수준에서 개혁이 미친 정치, 경제, 사회적 영향에 관하여 다루고 있다. 가령, 베트남의 정치적 자유화에 대한 전망과 함께 당-국가(Party-State)의 구조적 성격에 관하여 다룬 정치학 분야의 연구(Womack 1992; Thayer 1992; Porter 1993), 시장의 역할을 강조하고 시장경제의 발전을 촉진하는 사회경제적 제도 건설의 중요성

점차 현지연구에 대한 제약이 줄어듦에 따라 지방 수준에서의 미시적 연구와 질직, 인류학적 연구도 가능해졌다(Luong 1992; 1993; 1997; 1998; Kerkvliet 1995a; 1995b; Malarney 1996; 1998; 2001; Kleinen 1999; Gammeltoft 1999).

이러한 선행연구들은 포괄적으로 보아 국가-농민 또는 국가-사회 관계, 사회경제적 분화, 그리고 민간의 '문화적 활동'의 활성화 혹은 '전통의 지속과 재생산'에 관한 주제들을 다루고 있다고 대별할 수 있다. 이 연구들의 기본적인 시각에는 몇 가지 공통적인 편향이 발견된다. 우선, 국가-농민, 또는 국가-사회관계를 다루었던 정치학, 정치사회학, 또는 인류학적 연구들 대부분이 국가와 사회, 당과 인민 등을 단지 분석을 위한 개념적 범주로서뿐만 아니라 실제 이분된 실체로서 다루고 있다는 점을 지적할 수 있다. 시장경제 제도 도입 이후의 사회경제적 분화와 관련된 주제를 주로 다루어 왔던 경제학 및 비교사회학 분야의 연구들도 유사한 함정에 빠져 있다. 이들은 통계 자료나 간접적인 이차 자료에 의존하고 있다는 방법상의 한계뿐만 아니라, 국가를 시장 외부의 힘으로 간주하고 있는 이론적인 문제점을 내포하고 있다. 즉, 시장의 논리가 국가에 의해 억눌려 있다가 도이 머이와 함께 자율성을 회복하고 있다고 분석함으로써, 결국 국가는 원래 시장을 중심으로 하는 사회적 힘(social forces)으로부터 분리되어 있다는 논리를 전제하고 있다. '문화적 활동'의 활성화에 주목하는 연구들은 대부분 '공동체', '소전통' 등의 개념으로 단위 사회의 문화적 동질성을 강조한다. 민중의 저항이라는 시각에서 유사한

---

을 주장하는 제도주의 경제학자들의 연구(Fforde and Seneque 1995), 그리고 암묵적 또는 명시적으로 베트남 정치경제와 사회의 미래에 대한 전망을 제시하고자 시도한 연구(Turley 1993; Fforde and Seneque 1995) 등이 발표되었다.

주제를 다루는 연구에서도, 집합적인 대응 혹은 집합적인 정체성을 강조함으로써 궁극적으로 같은 문제점을 가지고 있다. 즉, 이러한 연구들은 동질적인 것으로 표현되거나 주장되는 사회적 단위가 역사적 과정을 통해 이질적인 요소로 분화됐고, 현재에도 매우 이질적인 요소로 구성되어 있음을 탐색하는 데 약점이 있다.

　'문화적 활동'의 활성화에 주목하는 연구는, 특히 도이 머이 이후 구조적 변동의 상황에서 사람들이 과거 또는 '촌락공동체'에 대한 향수를 표현하는 것에 주목하고 있다는 점에서 피상적으로는 내부적인 관점을 취하고 있다고 볼 수도 있다. 베트남의 관변 연구자들도 시장경제의 영향이 점차 증가하는 상황에서 '전통적인' 생활에 대한 이러한 향수를 표현한다(Truong 2001: x). 이들은 농민의 "소전통"(little tradition)이라는 낭만적인 관점에 기초하여 농촌 공동체의 내적인 동질성을 강조하고, '문화'란 곧 동질성을 표현하는 것으로서 '전통'과 결부되어 있거나 혹은 "소전통"과 동일한 것으로 간주하고 있다(Redfield 1955; Phan Ke Binh 1999[1930]). 그러나 1960-70년대 이미 농민사회에 관한 인류학적 연구들에서 소전통 개념 및 그와 결부된 낭만주의적 시각은 대부분 폐기되기 시작하였다(Wolf 1969; Popkin 1979; Scott 1976). 이들은 특히 농업사회의 사회적 재생산과 변동을 이해하기 위해서는 무엇보다도 동질적인 공동체의 이미지에서 벗어나야 한다고 주장한다. 나아가 차이(differentiation)와 함께 이질성(heterogeneity)을 농민층의 성격규명에 가장 근본적인 규정으로 받아들이지 않으면, 촌락의 사회경제적인 분화의 역동성을 결코 가시화할 수 없다는 극단적인 주장도 있었다(Smith 1989: 27). 필자는 전통에 대한 낭만주의적 시각을 단순히 부정하는 것에 머물지 않고, '전통'이 지방 수준에서 국가와 사회를 구성하고 있는 다양한 층위의 인민들에 의해 재생되고 있는 측면과 '전통' 자체가 경합되고 있는 역동적인 맥락에 주목하고자 한다.

개혁 정책이 실시된 후 북부베트남에서 민간신앙의 장소들이 역사 및 문화유적 또는 관광지로 복구되고 있다. 아울러 억눌려 있던 전통적인 사회관습들이 부활되고, 마을축제나 종교적인 의례가 재생되거나 새로이 만들어지는 양상에 주목한 연구들이 발표되었다(Ho Tai 2001; Kleinen 1999). 이러한 현상을 국가가 도이 머이 정책을 시행한 이후의 정치·경제적 조건의 변화에 따른 결과로 해석하려는 시도가 많다. 그러나 실제로 사회의 각 분야에서 국가주도의 혁명과 개혁은 이미 도이 머이 정책 실시 이전부터 많은 한계와 저항에 부딪혀 왔으며, 실제 인민의 생활영역에서 사회주의 이념 및 정책들과 상반되는 일들이 일상적으로 이루어져 왔다(Malarney 1996). 이러한 현상들은 도이 머이 정책 실시 이후, 특히 1990년대 들어서 보다 일반화되었으나 많은 부분 이전부터 있었으며, 오히려 이러한 '아래로부터의' 자생적인 요구가 국가 수준의 개혁조치의 원인임을 지적하는 연구들이 최근에 발표되고 있다(Luong 1992; 1993; Kerkvliet 1995b). 이러한 연구들은 인민의 일상적인 생활의 영역에서 베트남 사회주의 당-국가의 정책과 지배가 제대로 작용하지 않고 있음을 보여준다. 그러나 자세히 들여다보면 국가기구들은 이러한 민간의 활동이나 저항에 대하여, 그것들이 궁극적으로 당과 국가의 지배를 위협하는 요소가 되지 않도록 적절한 조치를 취하고, 심지어 지방수준에서는 사회영역의 자율적인 활동들을 명시적 혹은 묵시적으로 지원하거나 허용하는 등 적절한 기능을 발휘하고 있다.

필자는 현재 베트남에서 발견되는 여러 사회문화적 현상들은 국가-사회관계의 틀 내에서 양자의 힘의 균형 또는 불균형에 따라 역동적으로 변화하는 것들이지만, 양자의 관계를 단순히 대립적인 구도에서 밀고 당기기, 또는 국가의 지배력의 정도에 따라 '켜고 끄기'(on and off)식으로 단절의 국면이 반복되는 것으로 보는 시각의 한계를 지적하고자 한다. 따라서 국가-사회관계에 관해서는 이분법을 탈피하여 '연속성'(continuity)의 관점의 필요성을 제기하고자 한다. 베트남 사회 전반에서 이루어지고 있는 자본주의적 요소의 도입, 비공식 경제부문의 지속적인 재생산과 활성화, '전통'의례의 부활과 강화, 지방의 자치적 의례 및 관련 민간 조직의 활성화 등의 현상에는 단절과 연속의 두 측면이 공존하고 있으며, 필자는 특히 연속성에 주목하고자 한다.

본 연구는 민족지적, 역사적 연구를 통해 (탈)사회주의 국가의 과도기적 혹은 전환기적인 사회에 대한 연구에 기여하고자 하는 목적을 가지고 있다. 이러한 목적에 따라 첫째, 지방의 지역적 공동체로서 도시내 촌락을 구성해 온 동질성과 이질성의 복합적인 성격을 해석하고자 한다. 즉, 경제적·물질적 기반의 차이뿐만 아니라 지방 토착의 역사적·문화적 요소에 의해 구성되고 재생산되어 온 사회적 분화와 함께 지방 정치구조의 역사적인 연속과 단절의 과정을 고찰하고자 한다. 둘째, 사회주의 국가에 의한 의례개혁과 최근의 민간의례의 부활 등 소위 '공동체' 및 '전통의 재창조' 현상에 대한 분석과 해석을 통하여, 그러한 현상의 이면에 있는 주민들간의 여러 형태의 사회관계의 성격을 고찰하고자 한다. 그리고, 지방사회에서 국가의 존재형태와 베트남 사회주의 당-국가와 사회의 관계를 탐색하고자 한다.

따라서 본 연구는 현재가 역사적 경과를 통해 구성되어 왔음을 탐색하기 위한 접근 방법을 취하고 있다. 필자는 1945년 혁명 이전 시기부터 현지연구를 수행할 당시까지의 조사지역과 그것을 둘러싼 국가직인 변화에 관하여 고찰히였다. 이러한 접근을 통하여 하나의 과정으로서 혁명과 개혁, 그리고 사회경제적 재생산 과정은 단순히 가치, 의미, 관습에만 영향을 미치는 것이 아니라 촌락공동체 내의 개인들과 다양한 집단들 사이의 사회적 관계들에도 영향을 미친다는 생각을 하게 되었다. 그리고 이러한 미세한 지방 수준의 변화가 보다 광범위한 지역의 사회적 구성 및 국가와 어떻게 연결되어 있는지에 관심을 갖게 되었다. 필자는 하노이의 한 '프엉'(*phuong*, 坊)[2] 지역의 마을을 사례로 전통촌락의 정체성을 유지하고 있는 지역적인 단위와 그것을 구성하는 사회정치적 관계의 변화과정을 추적하면서, 주민들간의 상호작용뿐만 아니라 국가와 주민의 상호작용의 성격을 탐구하고자 한다. 이를 위하여 경제적인 분화 이외의 다양한 요소에 의한 사회분화가 이루어져 있음을 전제로, 특히 이주시기, 당의 조직과 민간의 조직 등 사회적·정치적 분화의 복합성과 역동성의 의미에 초점을 두고자 한다. 그리고 마을의 이질적이고 분화된 공동체 내부와 이러한 미시적인 지역 단위를 넘나드는 외부의 영향을 고찰함으로써, 지방수준에서 인민과 사회주의 국가의 상호작용의 성격을 밝히고자 한다.

---

2) '프엉'(phuong)은 베트남 도시지역의 기초 행정단위이다. 프엉의 위상과 국가기구의 구성에 관해서는 다음 장에서 다룰 것이다.

## 2. 선행연구

### 1) 베트남의 국가-사회관계와 '프엉'에 관한 연구

오늘날 탈사회주의 사회 연구에서 국가 권력이 어느 정도로 인민의 사적 영역을 장악하고 있는가에 대한 논의가 중심주제 중의 하나로 등장하고 있다. 즉 국가-사회, 혹은 국가-인민의 관계에 관한 연구이다. 전환기 베트남의 국가-사회관계와 관련된 기존의 논의는 크게 두 가지로 대별할 수 있다.[3] 즉, 국가의 정책이 인민의 생활의 많은 면에 실제 강력하게 침투하고 작용하고 있어서, 사회의 대안적인 요구는 상대적으로 미약하다는 입장이 있는 반면에, 국가의 통제 외부의 사회적인 힘들의 존재하며 이것의 압력에 의해 국가의 정책결정 및 시행에 영향을 미친다는 시각이 있다.

정치학 분야에서 소위 "전체주의적 접근"(totalitarian approach)의 학자들은 공산주의는 전체주의 체제로서 전 사회를 압도적으로 지배하고 있다는 입장을 견지하고 있다(Truong 2001: 8). 이러한 입장은 다시 두 가지로 대별할 수 있다. 첫째는, 위로는 국가의 중앙에서부터 아래로는 지방 촌락의 풀뿌리와 노동현장에 이르기까지 자율적인 사회 조직 및 그 대안들을 선점하고 있는 당-국가(party-state)가 존재하고(Womack 1992: 180), 베트남 시스템은 "단일조직의 사회주의"(mono-organizational socialism)이며, 당의 지도와 명령 구조로부터 독립적인 조직의 여지는 거의 없다고 보는 관점이다(Thayer

---

3) 베트남연구에서 활성화되고 있는 국가-사회관계와 시민사회에 관한 연구는 분석틀과 이론의 면에서 모두 중국연구의 영향을 많이 받았다. 관련된 중국연구는 크게, 국가에 방점을 두는 견해(Potter and Potter 1990; Unger 1989)와 사회에 방점을 두는 견해(Shue 1988; Oi 1989; Anagnost 1987)로 구분할 수 있다. 이들은 모두 국가와 사회의 대립적 관계를 전제로 하고 있다(김광억 2000: 56-7).

1992: 111-12). 따라서 주요 정책 결정, 지도력 설정과 핵심 간부의 억할 등 관료체제의 작용 방식을 국가-사회관계의 설명의 중심에 두는 경향이 강하다. 즉, 대부분의 중요한 의사결정은 관료주의 정치제도 내에서 제한된 수의 최고위 간부들에 의해 이루어지며, 대중들의 의견은 거의 고려되지 않는다고 보았다(Porter 1993: 101). 이러한 입장에서는 지방의 반응이나 불만은 오직 당 주도의 대중조직을 통해서만 전달된다. 베트남에서 시민사회의 발생은 단일조직의 사회주의가 부식되기를 기다려야 될 것이라고 보았다(Thayer 1992). 일부 학자들은 베트남의 미래가 시장경제의 발달과 일당지도체제의 유지라는 모순을 해결하는 국가의 능력에 달려 있다고 강조하기도 하였다(Womack 1992).

두 번째 관점은 첫째의 논점을 수정한 것으로서, 사회적 힘이 정책에 영향을 미칠 수 있으나 오직 국가가 직접 지배하고 있는 조직을 통해서만 가능하거나, 혹은 국가가 사회적인 힘의 영향을 허용하되 오직 협조적인 기관의 형태에서만 가능하다는 입장이다. 가령 노동자, 농민, 여성, 지식인 조직 등은 "동원권위주의"(mobilization authoritarianism)라는 체계 내에서 공산당이 감독하는 것으로 제한되어 있으며, 만일 당의 권위가 위임된 통로를 통하여 제시된 것이라면 인민 대중의 관심사 또한 국가의 지도자들의 정책 논의에 영향을 미칠 수 있다는 것이다(Turley 1993: 330-31).

국가의 역할을 지나치게 강조하고 있는 이러한 시각은 모두 거시적인 관점에 기초하고 있어서, 지방수준에서 사회적 힘들의 역동성을 살피는 데 장애가 된다. 이에 대한 대안으로 사회 또는 사회적인 힘에 방점을 두는 견해가 제시된다. 즉 국가는 모든 문제에서 자신의 방식을 관철시킬 수 있는 단일한 힘으로 간주하고 사회는 너무 무기력한 것으로 보는 개념들에 대해 대안을 제시한 것이다.[4] 우선, 베트남은 불충분한 자원과 여타의 부적합성으로 인하여, 프로그램을 기획 또는 조정하고 정책을 시행하는 국가의 실제적인 관리 능력은 지배적인 국가가 갖추어야 할 것에 비하면 상당히 미약하다고 본다 (Woodside 1997: 318-401; Thrift and Forbes 1986: 81-83, 101-104). 나아가 국가의 통제에 저항하는 사회집단과 사회적 과정들이 여전히 잔존하고 있으면서 국가 정책의 영향 이상으로 베트남의 경제와 사회를 구성해오고 있다는 것이다. 미약한 행정기구들과 "침투하는 시민 사회"(penetrating civil society)의 조합이 국가가 요구하고 있는 것과 실제 사이의 격차를 설명해 주는데 도움이 된다(Thrift and Forbes 1986: 165). 이러한 관점에서 국가의 통제 외부의 사회적인 힘들의 존재가 인정되며, 사회주의 혁명의 이념에 기반한 국가 정책의 많은 부분이 사회의 요구에 부딪히고 결국은 그 요구를 수용하게 되는 과정을 설명할 수 있다. 인민들은 개인적으로 혹은 집단적으로 국가의 제재와 통제 밖에서 공식적인 계획이나 지시와 모순되고 심지어 이를 부정하는 일들을 하고 있으며, 국가가 정책을 추진하는 과정에 장애를 만들기도 한다(Kerkvliet 1995a: 398-402).

나아가 베트남에서의 사회적 힘들은 국가의 침투 또는 권위주의적 활동의 외부에 남아 있을 뿐만 아니라, 심지어 국가가 행하는 일들에 대해서 영향을 미치기도 한다는 점에 기초하여 사회의 힘을 더욱 강조하는 접근이 있다. 즉, 사회의 압력을 통하여 국가가 정책을

---

4) 이러한 경향의 대부분의 정치학자들은 제도적인 변화 자체에 대한 분석보다는 개혁이 가져다줄 미래의 정치적인 성과를 예견하는 것에 더 관심을 보이고 있다(Burawoy and Verdery 1999). 일부의 연구가 비록 중국을 비롯한 다른 사회주의 국가들과 베트남은 역사적인 차이가 있음을 인식하고 있지만(Miller 1992; 정연식 1999), 그들의 연구는 대부분 서구적인 경제적 자유화의 이상에 기반하고 있다.

바꿀 수 있다는 입장이다(Kerkvliet 1995b: 67; Porter 1993: 118-26). 이런 맥락에서 공산당 및 국가가 제재하는 조직 외부에 있는 일반 인민들로부터의 압력이 국가 정책에 어떠한 영향을 미쳤는지에 관한 연구가 수행되었다. 가령 구매력 확대, 토지소유권 등 농민들의 요구와 압력이 집단화의 후퇴와 가격정책의 수정을 유도하였다는 분석이 제시되었다(White 1985; Fforde 1989). 공산당이 아래로부터의 압력에 대하여 계속 반응해 왔으며, 독립적인 정치권력의 자원들이 존재하고 국가 지도자들이 이들의 힘에 의한 정책변화를 인정하고 있다는 분석도 제시되었다(Ngo Vinh Long 1993; Beresford 1988). 이렇게 국가의 지배에 대한 사회의 저항력을 강조하는 입장에서는 공히 촌락이나 지방수준에서 이루어지는 소위 '전통적'인 사회관계 및 관념의 저변이 혁명의 과정에서도 쉽게 변화하지 않았음에 주목하고 있다. 따라서 국가가 요구하는 혁명도 전통적인 사회관계에 근본적인 침해가 되지 않고, 최소한의 일상적인 도덕적 의무를 사회에서 수행할 수 있는 정도에서 관철되었음을 일관되게 보여주려고 하였다.

한편, 국가-사회관계를 연구의 표제로 삼거나 직접 분석적으로 다룬 것은 아니지만, 개혁을 유발한 사회주의 경제제도의 결정과 변화과정에 유의함으로써 포괄적으로 국가-사회, 혹은 국가-인민의 관계를 암시하고 있는 경제학적 연구도 발표되었다. 서구 자유주의 경제학자들의 분석은, 특히 시장의 힘이 국가 정책에 상반되는 경제적 결과를 낳고 있는 점에 주목함으로써, 전체주의적 시각의 한계를 넘어서고 있다. 가령, 1974-79년 기간 북부베트남의 농업합작사에 관한 분석에서 합작사가 특히 자원의 할당이라는 측면에서 심각한 기능부전을 드러내었음이 밝혀졌다(Fforde 1989: 115-132). 가구 단위의 생산활동이 합작사의 공식적인 생산목표와 정해진 규칙에 의해 진행되기보다는 지방민들의 이해에 따른 나름의 전략에 의해 이루어질수록 경쟁력을 지니고 있었으며, 지방의 이해가 국가가 의도하는 노동의 집단적인 관리를 저해하는 요소로 작용하였음도 드러났다(White 1983). 따라서 1980년대 초반 급속히 진행된 탈집단화 과정은 합작사 관리의 기능부전을 해결할 방안을 모색하기 위한 정책입안자들 사이의 논쟁의 결과였다(Fforde 1989: 208-211).

이들 연구가 근본적으로 정치 또는 사회와 경제를 분리시키는 연구틀에 기반하고 있지만,5) 지방의 "사적인 계략"(private plot)을 고찰함으로써 국가-사회관계 및 주민의 일상적 저항에 주목하는 연구와 연결될 수 있었다. 이들 연구는 집단농업과정에서 중요한 두 가지 관찰을 하였다. 첫째, 국가가 제재하고 있는 농경지의 "사적인 계략적 사용"을 포함하여, 사적인 생산수단들 위에 가족노동력을 영속적으로 사용하고 있다는 점을 관찰하였다(White 1983; Fforde 1989). 둘째, 국가와 지방기관이 시장을 폐지하거나 그것의 영향을 최소화하려고 부단히 노력하였음에도 불구하고 "자유시장"(*cho den*, black market)이 계획경제하에서도 지속적으로 존재하였음을 관찰하였다(Vu Tuan Anh and Tran thi Van Anh 1997; Luong 1998; Abrami 2001).

이러한 연구의 의의는 "사적인 계략"이라는 측면을 통해 국가의 요구가 인민의 실천 속에 일방적으로 관철된 것은 아니었음을 보여주었다는 데에 있다. 그러나 이들 연구에서 구체적으로 지방 내부의

---

5) 베트남 개혁의 영향에 관한 연구에서 제도경제학자들의 결점은 무엇보다도 정치적인 요소보다 시장의 힘을 지나치게 강조하는 경향이 있다는 점과, 거시경제분석에 초점을 두어 개인들의 일상 생활이 지니는 함의를 간과하고 있는 점에 있다. 그러나 보다 근본적인 문제는, 정치학적 접근과 마찬가지로, 이들 연구들이 사회의 구성요소를 기계적으로 분절하는 시각, 즉 정치, 경제, 사회 또는 문화의 영역으로 각각 분리시키는 시각에 깊이 뿌리 박혀 있다는 점이다(Truong 2001: 9-10).

어떠한 요구가 국가의 요구를 부정하도록 하였는지에 관한 통찰은 부족하나. 이런 측면에서 지방 내부의 사회관계와 문화적·도덕적 가치를 강조한 연구에 주목할 수 있다. 가령 상품화의 개념으로 가구경제의 사회적 재생산에 관한 인류학적 연구를 수행한 쯔엉은 1981년 이후 탈집단화 과정은 가구경제를 정당화하였고 마을의 다양한 사회적 요소들의 상품화의 길을 열어주었다고 설명하였다 (Truong 2001). 그녀는 식민기부터 사회주의 혁명기에도 지속되었던 단순상품생산(simple commodity production)이 개혁 이후의 상품화된 생산관계와 비상품화된 생산관계 양자의 혼합을 통해 어떠한 특징을 지니게 되었는지를 밝히면서, 상품화과정에서 가구, 친족, 그리고 촌락공동체 내부의 영역에서 미불노동이 역동적으로 활용되었음을 고찰하였다(Truong 2001). 그녀의 연구는 사회주의 혁명에 따른 생산의 집단화에도 불구하고 지방 특유의 사회관계와 도덕적인 유대는 지속되고 있으며, 탈집단화 이후 다른 많은 사회관계들이 점차 자본주의화되고 있음에도 불구하고, 특정의 사회관계들은 상품화되지 않고 남게 된다는 점을 드러내고 있다. 즉 친족, 우정, 이웃관계, 촌락공동체의 유대 등이 상품화되지 않은 영역을 매개하는 것으로 유지된다. 이러한 입장은 역설적으로 지방수준에서 국가의 정책은 지방의 사회관계에 내재된 규범과 가치 또는 위계를 통해 관철되어 왔으며, 특정 사회관계의 상품화과정은 다른 비상품적 관계의 지속을 통해 가능한 것이었음을 설명할 수 있다. 집단화와 탈집단화 모두 가족, 친족, 이웃 등 공동체의 유대를 재확인하고 강화하는 과정과 병행되기도 한다. 애정, 희생, 도덕적 부채, 상호부조 등 촌락민의 일상생활에 포함되어 있는 주관적인 요소들은 국가의 혁명과 개혁의 영향 내부와 외부 양쪽에 걸쳐 있다.

나아가, 지방 수준에서 개인들이 국가와 상호작용하는 방식에 초점을 두어 국가-사회의 상호작용을 고찰한 연구도 발표되었다. "일상의 정치"(everyday politics)에 관한 연구는 이러한 접근법을 잘 보여주고 있다.[6] 커크블리엣은 홍하델타 농민들의 집단화에 대한 대응양상에 주목하여, 지방의 역동성을 국가 정책의 변화와 연계시키고 있다(Kerkvliet 1995b). 그의 연구는 1960년대 이후 북부베트남의 가장 기층에 속하는 개인들의 생산집단화에 대한 반응에 관심을 집중하였고, 이러한 대응의 축적이 어떻게 국가적인 범위의 정책변화를 이끌어내었는지를 보여주었다. 그는 1980년대 후반 농업정책의 변화는 개인들의 일상적인 불만과 행동의 결집에 대한 국가의 대응이었다고 설명한다. 비록 조직되지 않았고, 위에서부터 주어진 체제 안이나 주변에서 일상적으로 개별적인 책략을 통해 표현되는 것이지만, 눈에 띄지 않는 행위들이 축적되면서 점차 국가 지도자들의 배를 멈추게 하고 또 어쩔 수 없이 변화를 요구하는 결과를 만들게 되었다는 것이다(Kerkvliet 1995b: 413).

그러나 이러한 거시적인 수준의 변화들이 실제 그러한 대응과 저항을 수행한 개인들에게는 별 의미가 없거나, 혹은 주입된 바의 공식적인 의미만을 되새길 수도 있으며, 심지어 아무런 영향을 미치지 않을 수도 있다는 점을 보지 못하고 있다. 농민들이 그럭저럭 체제

---

6) "일상의 정치"는 "저항의 일상적 형태"(everyday forms of resistance)라는 개념으로부터 영향을 받은 것이다(Kerkvliet 1995a, 1995b; Scott 1985). 말레이시아 촌락 연구에서 스캇은 자신이 "미세 기술"(micro-technique)이라고 정의한 개인의 일상적인 활동들은, 그것을 통해 농민이 억압받고 있는 존재로서 감정을 표현하고 있기 때문에 의미 있는 것이라고 주장하였다. 이러한 표현들은 억압에 대한 효과적인 무기로 간주될 수 있다(Scott 1985: 298-303). 주로 소규모 단위의 사회를 대상으로 사회관계의 복합적인 짜임새를 연구하는 인류학자로서는 스캇의 모델이 특히 다음 두 가지 점에서 매력적이다. 첫째, 구조에 대한 실천적인 '행위자', 즉 가령 국가에 대한 개인의 감정, 행동과 상호작용적인 대응에 대한 관심을 유도한다. 둘째, 구성원의 활동이 단지 정치적 혹은 경제적인 조건에 대한 대응과 적응으로서 뿐만 아니라, 일상 생활에서 요구되는 사회적 요건으로서 수행되는 상대적으로 규모가 작고 경계가 뚜렷한 공동체의 문화적 속성을 재확인시켜 준다(Scott 1976, 1985).

주변에서 어떤 형태로든 생존하고 있을 뿐이며, 일상적인 생활이 국가의 정책입안자들에게 중요한 저항으로 비춰졌을지라도, 그들은 그들 스스로의 행위로 유발된 구조적인 변화에 반드시 관련되어 있지 않을 수도 있다. 어떻게 이기적이고 자율적인 개별 농민들이 사회적으로 의미있는 변화를 창출하기 위한 집단적인 행동에 결집되었는가의 문제는 여전히 해답이 제시되지 않은 채로 남아있다. 커크블리엣은 지방에서의 농민행동의 과정보다는 국가적 수준에서의 정책에 대한 영향에 보다 관심을 가짐으로써 이러한 접근의 난점을 드러내고 있다.

필자의 현지연구 경험에 비추어볼 때 실제 마을에서 일상적으로 이루어지는 개혁과 '전통'의 복구과정, 그리고 그러한 구조적 조건에서 실천하는 개인들의 행위의 차원에서는 국가-사회는 구분되지 않으며, 공식적인 지위를 통해 구분이 인식되고 있더라도 마을 수준에서 상호 중첩적인 침투와 영향 주고받기를 지속하는 연속성을 지니고 있었다. 국가-인민의 상호접촉을 보다 분명하게 이해하기 위해서는 국가의 규범과 가치들이 지방의 그것들과 어떻게 모순되며 혹은 공조하는지, 그 규범과 가치가 어떻게 하여 지방 주민들에게 요구되는지, 그리고 주민들 스스로 고유한 지방의 담론들로 어떻게 그것들을 드러내는지 밝혀야 한다.[7] 따라서, 국가-사회, 혹은 국가-인민의 실질적인 접촉 지점과 접촉 양상에 관한 연구들을 검토할 필요

---

7) 오이는 중국 농촌에서의 중앙-지방관계를 분석하면서, "촌락은 국가와 사회의 상호교차점에 놓여 있다. 서로에게 환원될 수 없다. 여기에서 우리는 국가의 법규와 지시가 <촌락민들과 지방 간부들에 의해> 어떻게 굴절되고, 꼬이고 무시되는지 관찰할 수 있다"고 하였다(Oi 1989: 3, < >안은 인용자 삽입). 베트남의 지방 수준에서의 국가-사회관계 연구는 사회에 보다 많은 공간을 제공하는 지방 간부와 주민들의 활동을 강조하는 중국의 사례연구와 유사한 점이 많다. 중국 농촌사회 연구에서 인민들이 공식적으로 부여된 것보다 큰 권력을 가지고 있다는 점에 주목하였다(김광억 1993, 2000; 장수현 1998).

가 있다. 이런 점에서 국가-인민의 조정지대로서의 필자의 조사 대
상인 '프엉'에 관한 연구에 주목할 수 있다.

　국가의 공식 행정단위 말단의 생활현장에서 국가-인민의 관계에
주목하기 위해서 "조정지대"(mediation space)라는 개념에 유념할 필
요가 있다. '조정지대'는 지방의 당-국가 기구나 조직의 정책집행이
어떻게 인민들에 의한 조정을 용이하게 하고 결국 당-국가가 사회를
지배할 수 있도록 자격을 부여하는지에 초점을 두는 "타협적 국
가"(accommodating state) 입장에 속하는 개념이다(Koh 2000: 8-10).[8]
당-국가의 지배가 실제 어떻게 유지되는가에 관하여, "타협적 국가"
입장에서는 구체적으로 사회가 당-국가의 규범과 다르게 어떤 일들
을 조정하고 책략을 발휘하는 공간이 있으며, 사회가 당-국가의 상
위 수준에 영향을 미쳐서 그러한 규범이 사회의 관행에 부합하도록
변화시킨다고 본다. 따라서 국가-사회관계는 관용, 상호반응, 그리고
상호영향의 특성을 지니고 있으나, 그러한 성격이 전체적으로는 당-
국가의 지배의 틀 내에서 이루어진다는 입장이다. 이러한 입장은 당
-국가의 대리인들이 그들의 지배를 엄격하게 강제하려고 하지만, 부
분적으로 환경의 영향을 강하게 받으며, 지속적으로 대중의 지지를
원하고 있기 때문에 어떤 상황적 조건에서는 인민들과 타협할 수도
있다는 점을 강조하는 것이다. 워맥은 이러한 점에서 베트남 당-국
가의 성격이 "대중을 고려하고," "의사(擬似) 민주주의적"이라고 보
았다(Womack 1987: 484-85).[9]

---

8) 코의 분류에 따르면, 베트남의 국가-사회관계 연구에는 "타협적 국가", "관료 사회주의(bureaucratic
socialism)", "구조적 지배(structural dominance)" 학파 등 세 가지 연구 경향이 있다(Koh 2000: 9).
이들 각각은 당-국가의 사회 지배의 정도에 대하여 상이한 견해를 가지고 있지만, 모두가 베트남 당-
국가가 사회를 지배하고 있다는 점에는 동의하고 있다. 특히 베트남 당-국가는 대안적인 정당이나
당-국가의 관리구조 외부에 사회 운동의 존재를 용인하지 않는다는 점에 의견일치를 보인다.
9) 유사한 견해에서 이루어진 연구들에서는, 순화된 네오-스탈린주의 경제정책에 주목하거나(Beresford

'타협적 국가'의 입장 중에도 특히 행위 수준을 강조한 연구에 주목할 필요가 있다. 일상적인 관계와 행위의 측면을 관찰하면 간부들이 자신을 고용한 당-국가보다 지방 공동체와 동일시한다는 점이 지적될 수 있다(Koh 2000: 12). 여기에는 두 가지 동기가 작용한다. 첫째, 간부들은 서로의 이익을 위해 자신에게 비공식적인 이면공작을 하는 인민들과 자신을 위해 정책을 선택적으로 적용한다는 점이다. 둘째, 이러한 선택적인 결정의 일부는 지방의 도덕적·문화적 역동성에 근거하는 것이라는 점이다(Luong 1993: 139). 최근 연구에서 지도자와 지도력에 대한 인식이 당-국가의 인식과 어떤 점에서는 상이하여 지방의 지도자 선거과정에서 같은 공동체에 거주하는 지방 정치인에 대한 주민들의 시각에 그러한 인식의 차이가 영향을 준다는 점이 밝혀졌다(Malarney 1997: 900). 당-국가가 지지하는 후보가 지방의 규범에 부합하지 않기 때문에 지역선거에서 패배하는 사례도 발견된다. 이러한 사례를 통해 간부들은 지방의 규범이 당-국가의 규범과 상이한 점이 있기 때문에 때로는 역할 갈등에 직면하고 있음을 이해할 수 있다.

본 연구는 이러한 선행연구의 관점을 수렴하여 프엉 또는 그 이하 수준에서 지방의 당-국가기구 및 대리자가 국가의 정책을 집행하는 역할과 주민들과의 상호작용을 분석함으로써, 일상적인 국가-사회관계에서의 조정지대를 설명하고자 한다. 특히 지방 자체에 내재된 이질성이 집단적으로 표현되는 과정에서 드러나는 도덕적·문화적 역동성은 국가와 사회의 구분에 대해 문제를 제기하게 한다. 하노이에

---

1993), 1960년대 농업집단화를 강제하는 대신에 일부 가족농을 허용한 배경에 관해 연구하였다(Kerkvliet 1998). 1990년대에 들어 단일조직의 틀 외부의 보다 많은 사회조직들의 참여를 관용하게 된 과정이나(Kerkvliet 1997), 공산주의 치하 전 시대에 걸친 무계획적인 도시화에 관한 연구(Thrift & Forbes 1986)도 제시되었다.

서는 이러한 도덕적, 문화적 차원이 매우 중요하다는 것을 지적해야 한다. 국가와 인민 사이의 타협은 자동적인 결과가 아니라, 주민, 지방 간부, 당국 등 삼자간의 지속적인 상호작용 과정에서 발생한다. 프엉 수준의 당-국가의 대리인들은 대부분 지방의 토착민들이다. 즉 인민이다. 이들은 일상적으로 각자가 처한 지방 고유의 동기에 의해 유발된 정치적 선택을 행한다. 이런 점에서 '문화'를 부각시킬 필요가 있다.

## 2) 국가의 '문화관리'와 의례에 관한 연구

현대 인류학에서 '소전통'의 관점의 폐기와 함께 구성원이 공유하는 고정불변의 동질적인 삶의 방식과 관념체계를 의미하는 '문화' 개념의 영향도 약해지고 있다. 필자는 권력이 편재되어 있고, 사회적 분화와 이질성을 특징으로 하는 모든 단위의 사회에서 문화는 한편으로는 사회 구성원들에 의해 자발적으로 만들어지는 것이지만, 다른 한편으로는 국가의 정치 엘리트에 의해 의식적으로 구성되거나 방향이 정해질 수 있다는 점에 주목하고자 한다. 그리고 이 두 측면은 구체적인 역사적 맥락 안에서 끊임없이 상호침투 또는 상호작용하는 것이며, 인민의 일상 생활의 여러 영역에 대한 국가권력의 영향력이 강한 사회일수록 두 측면은 단지 개념적으로만 구분될 뿐 현상적으로는 구분되지 않고 공존하게 된다. 혁명을 겪은 사회에 대한 연구에서 첫째의 측면은 민중의 요구 혹은 저항에 의해 생산되고 재생산되는 자발적인 창출물이라는 점을 강조하는 것이고, 둘째의 측면은 국가권력 또는 그 대리자들에 의한 문화적 규제 또는 관리의 측면을 강조하는 것이다.

그러나 문화의 자발적인 창출과 의식적인 관리 사이의 균형은 사회유형에 따라, 그리고 한 사회에서도 역사적 계기에 따라 다양한 변이가 존재한다. 가령, '문화적 관리'의 과정은 일당체제를 유지하거나, 근대화 및 산업화, 군사혁명 이후의 사회경제적 재건설, 혹은 식민지배로부터 벗어나거나 사회주의를 건설하는 등의 목표를 긴급하게 추구하기 위하여 단일하고 공고한 지배엘리트를 구성하고 있는 사회들에서 보다 명백하게 나타나고 있다(Malarney 2001; Kim Kwang-Ok 1998: Oh Myung-Seok 1998; Ho Tai 2001). 즉, 문화적 관리는 새로운 형태의 권력구조를 형성하고 있는 사회에서 분명히 나타난다. 새로운 정치엘리트가 지배력을 확대하고자 하는 초기의 단계에서 이전의 낡은 사회가 모든 분야에서 급격한 변혁을 겪을 때, 문화적 관리는 더욱 확장되고 활발하게 되며, '문화혁명'이 될 수도 있다. 그러나 기존의 사회구조 전체의 급격한 변혁보다는 국가 주도하에 진행된 "고요한 혁명"(silent revolution)에 관하여 관심을 가질 필요가 있다(Lane 1981: 4). 특히, 기존의 사회구조를 대부분 손상시키지 않은 채 이데올로기의 행위적 차원, 즉 일상적인 사회관계 속에 깊이 박혀있는 도덕적 정향을 드러내는 수단으로서 관습적으로 반복되는 의식과 의례에 초점을 둔 개혁에 주목하는 것이다.[10] 이런 점에서 필자는 세속적인 지향을 갖는 의례, 수행자들의 자발성뿐만 아니라 '위로부터' 후원을 받아 구성되는 의례, 오랜 과거로부터 축적된 것이 아니라 지금도 '전통'의 이름으로 창조되고 있으며 여타의 사회생활에 이식되고 있는 의례 등에 관심을 갖게 되었다.

---

10) 레인은 소비에트 사회의 의례를 분석하면서, "문화"를 한편으로는 예술, 법, 종교 등의 형식화된 이데올로기적 구성물로서, 다른 한편으로는 사회구성원들이 자신과 사회 또는 외부의 물질적인 환경간의 관계, 그리고 사회적·지적 생산물 등에 대해 인식하는 보다 비공식적 방식을 뜻하는 개념으로 사용하고 있다(Lane 1981: 1-2).

따라서 우선 의례가 무엇인지 살펴볼 필요가 있다. 의례 개념을 규정하는데 있어서 학문분야나 학자에 따라 자의성과 애매모호성이 존재한다. 리치는 "의례라는 용어를 어떻게 이해해야 하는가에 대해 매우 광범위한 의견 불일치의 가능성이 존재한다"(Leach 1968: 521)고 하였다. 여기서는 개념자체에 대한 논의보다는 현대 산업사회의 문화관리와 정치적 사회화의 도구로서 의례체계에 관한 연구에 관련된 논의만을 검토하고자 한다.

의례 또는 의례적 활동은 관계의 애매모호성과 갈등이 존재하는 사회적 맥락에서 발생하는 것이며, 그것을 해결하거나 위장하기 위해 수행되는 것이다. 이런 점에서 의례를 통해 표현되는 공동체는 "상상의 공동체"(imagined community) 혹은 "상징적으로 구성된 공동체"(symbolic construction of community)이다(Anderson 1983; Cohen 1985). 의례는 종교적일 수도 있고 세속적일 수도 있다. 따라서 의례를 상징을 사용하는 형식화되고 반복적인 사회적 활동이며, 사회 관계를 표현하고 규정하는 것으로 정의할 수 있다(Lane 1981: 11). 의례가 그것의 표면적인 의미를 위해 중요한 것이 아니라, 수단-목적 관계의 외부에 존재하는 초월적인 원리를 나타내고 또 그것과 관련하여 해석되어야 한다는 점에서, 의례는 상징적인 본성을 지닌다. 초월적인 원리는 의미의 위계의 최상층에서 낮은 수준의 의미들을 지시하고 구성하는 신념과 가치들로 구성된다(Geertz 1973).

의례가 항상 개인과 집단 사이의 사회적 관계에 대한 조항을 내포하고 있는 한 그 관계는 의례적 행위의 틀로서 드러나거나 변형되는 것으로 표현된다. 기어츠는 의례가 "관계의 모델"(a model of)과 "관계를 위한 모델"(a model for) 둘 모두를 제공한다고 보았다(Geertz 1973: 94). 만일 사회적 맥락이 일시적으로 약화되어 불분명하거나 혼란스러워진 상황에서 의례를 통해 결과적으로 관계의 애매모호성이 제거되면 "~의 모델" 측면이 뚜렷하게 부각된다. 그러나 만일 사회적 맥락에 갈등이 항존하며, 관계의 이념적인 형태와 행위자에게 영향을 주는 실제의 관계 사이에 커다란 격차가 존재하면, "~을 위한 모델"의 측면이 보다 뚜렷해진다. 따라서, 의례는, 통제 가능한 질서 잡힌 행위의 패턴으로서, 상황의 모호한 측면들을 조작하거나 재규정하는 효과적인 기제를 구성한다(Lane 1981: 12).

전체를 구성하는 하위의 사회 단위들 대부분이 내적으로 분화되어 있는 사회에서 갈등의 당사자들이 그 갈등을 인식하고, 그 갈등으로 서로가 공개적으로 나누어져 있다면, 의례는 공공연히 실행되지 않는다. '공동체'라고 주장되지만 실제 갈등이 잠복되어 있다면, 관계의 의례적인 실행이 더욱 필요해진다. 그런데 여기에서 의례 참가자들은 반드시 의례의 모든 사회적인 함의를 완전히 파악할 필요는 없다. 갈등은 의례에서 반드시 표현되지 않으며, 단지 암시적으로 다루어질 수도 있다. 그럼에도 불구하고 의례가 지속되기 위해서는 모순과 갈등의 당사자 모두에게 그들의 사회관계가 중요한 것으로 인식되어야 한다. 갈등적인 사회적 맥락에서 만일 그 갈등이 숨어 있는 것이라면, 의례는 사회관계에서 성공적으로 추출될 수 있다. 따라서 이러한 사회적 맥락에서 의례의 역할은 의례적인 활동과 상징들로 표현되는 가치의 합의를 유발하는 것이다. 가치합의에 대한 정치 엘리트의 열망이 크면 클수록, 의례의 "~을 위한 모델"의 측면을 발전시키고자 하는 노력이 많아진다(Lane 1981: 12-13). 이 때 의례는 '문화관리'의 도구로 채택될 수 있다. 이러한 관점은 의례의 기능적인 측면을 강조하지만, 의례의 조직 과정 자체가 곧 분화와 갈등을 드러내는 무대가 될 수 있음을 간과하고 있다. 의례에는 합의를 유발하는 기능과 상이한 요구와 갈등을 표현하는 측면이 공존할 수 있다.

한편, 의례의 내적 구조, 즉 "~을 위한 모델"과 "~의 모델"의 어느 측면이건 모델 자체에 대한 탐구가 의례분석의 중요한 기초가 된다는 입장을 가진 연구도 있다. 의례구조의 핵심적인 구성요소로서 "모델화하는 역량"에 대한 인식은 기어츠가 처음 제기하였고, 이후 많은 연구에서 적용되었다(Geertz 1973). 먼의 경우 "상징적 행동들은, 행위자가 자신을 둘러싼 상황에 내재된 여러 가지 가능성에 따라 적응적으로 인식의 방향을 정하는 역량에 따라 작용한다. 의례적 행동은, 해결하고자 하는 문제 또는 바라는 결과를 모델화하여 상황의 즉각적인 측면들을 재구성하는 메시지를 창출함으로써 행위자의 경험에 영향을 미친다"고 주장하였다(Munn 1973: 593). 그러나 그녀는 구조주의적 시각을 취함으로써, 행위자들의 사회관계가 어떻게 모델화되어야 하는지, 누구의 모델이 다른 사람들의 모델을 지배하고, 왜 그러한지 등의 문제와 모델화를 둘러싸고 갈등적인 관념이 존재할 가능성을 간과하였다. 반면에 오트너는 모델화 과정에서 전략적 편견의 의식적인 원천으로서 집단이해가 전제되어 있다고 보았다(Ortner 1975: 134). 필자가 주목하는 관점 또한 구조적인 측면에서 모델화된 의례수행과 상징 자체가 아니라, 그 속에 내재된 사회적 분화와 이해관계가 상충하는 측면이다.

따라서 의례와 이데올로기의 관계를 명료화할 필요가 있다. 의례는 그것을 창출한 사람들의 규범과 가치를 표현한다. 소규모 집단 수준이 아니라 사회 전반의 범위에서 수행되는 의례는 정치 엘리트의 가치, 즉 지배이데올로기를 표현한다. 그러나 이것이 곧 의례와 이데올로기 양자 사이에 필연적으로 일대일 대응관계가 성립함을 의미하는 것은 아니다. 의례는 이러한 이데올로기의 교의를 선택적인 방법으로 구현할 수도 있고, 이데올로기의 서로 다른 구성요소들 중 강조점을 변경할 수도 있다. 선택, 생략, 또는 강조되는 요소들은 당시의 정치엘리트가 공식 이데올로기에 대하여 어떤 해석을 부여하는지를 보여주는 지표가 된다. 따라서 의례의 연구에서 특히 어떤 가치가 강조되고, 무엇이 무시되는지. 그리고 의례전문가들이 공식적인 이데올로기에 대해 부여하는 가치와 의미를 해석할 수 있다.

지방수준에서 국가의 '문화관리'가 어떻게 적용되며, 의례활성화에 어떠한 영향을 미치고 있는지를 살피기 위해서는 지방 고유의 동기가 '문화'에 대한 포괄적인 인식과 연결되어 있다는 점을 고찰하여야 한다. 최근 베트남연구에서 지방 고유의 동기들에 많은 관심을 기울이게 된 것은 개혁 이후의 사회정치적 상황에서 개조된 '문화' 개념과 함께 '문화'를 새롭게 강조하는 분위기와 관련되어 있다. 사회주의 국가 건설 초기에는 기존의 유교적인 위계를, 평등, 노동의 가치와 계급투쟁을 중시하는 마르크스주의 이데올로기로 대체하려고 시도하였다. 국가는 국가이데올로기를 보강하기 위한 선택적인 아젠다를 통하여 '문화'의 구성요소로서 지방의 '봉건적'(*phong kien*)이고 '미신적'(*me tin di doan*)이며, '낭비적'(*lang phi*)인, 그리고 '낙후'(*lac hau*)되고 반과학적이라는 부정적인 의미의 '전통'을 거부하였다. 그러나 개혁 후 약 15년간 국가는 '문화'의 새로운 개정판을 저작하고자 시도하였는데, 즉 '글로벌리제이션'(*toan cau hoa*)에 직면하게 된 국가적인 상황에서, '문화'를 공업화와 현대화를 위한 "위대한 민족의 힘"으로 각색하고자 하였다(Bui Dinh Phong 2001). '문화'는 개혁의 원천과 영향을 탐구하는 베트남 학자들의 관심을 끌었다(Dao Duy Anh 1992; Dinh Xuan Lam & Bui Dinh Phong 2001).

대부분이 호찌민 주석의 민족주의를 강조하지만, 그 내용의 일부는 뒤르껭과 베버주의 전통의 영향과 함께 근대화의 시각을 채택하였다. 즉 '전통'과 '근대'를 구분하여 전통을 인습적인 문화와 등치하고, 경제적 합리성을 근대와 동일시하는 개념에 기반한 연구들이다. 베트남 학자들에 의한 민족문화의 연구는 개혁의 방향과 연관되어 있지만, 궁극적으로 '소전통'의 개념에서 크게 벗어나지 못하고 있다.

반면에 서구학자들의 연구에서, 베트남 문화를 구성하는 일부의 요소들이 문화적인 "오명"(stigma)과 시장의 "정당성"(legitimacy)이라는 새로 개조된 용어들로 다시 고찰되었다(Truong 2001: 8). 이러한 입장은 "근대성"(modernity)과 "근대화"(modernization)의 틀 내에 있는 인류학자들에게도 나타난다. 이러한 연구들 중에는 상업과 교역의 정당성에 대해 상징적인 오명을 갖는 것으로서의 문화적 규범과 가치를 논한 것도 있고(Malarney 1997; 1998), 뚜렷하게 구별되는 공동체나 촌락들 내의 상호 모순적인 사회경제적, 이데올로기적 체계들 간의 다면적인 상호작용에 관하여 역사적인 탐구를 수행한 연구도 있다(Luong 1993; Kleinen 1999).

멀라니가 하노이 교외 팅 리엣(*Thinh Liet*) 마을의 현지연구를 통해 구성한 민족지는 민간의례와 관련된 국가의 전략과 지방의 반응을 다루면서, 베트남 문화에서 근본적인 모순의 짝을 이루는 위계와 평등의 이분법에 관해 고찰하였다(Malarney 1996). 그러나 그는 정치적, 경제적 상황의 변화에도 불구하고 이러한 이분법을 정태적으로 적용시키고 있으며, 평등에 관한 국가의 이념이 지방의 언어를 통해 어떻게 인지되고 있는지를 간파하지 못하였다. 그리고 촌락 유대의 도덕적인 핵심인 '정감'(*tinh cam*)을 모든 주민들이 공유하고 있는 전체적인 인식으로 간주하고 있다. 이러한 동질화된 유대의 개념과 비역사적인 '위계-평등'의 이원주의를 넘어서기 위해서는 훨씬 넓고 포괄적이며 다차원적인 국가의 아젠다를 살펴볼 필요가 있다(Anagnost 1994; Luong 1994, 1997; Keyes, Hardcare & Kendall 1994). 한편, 의례의 재활성화 과정을 변화하고 있는 정치적, 사회경제적 맥락에 관한 문화인류학적 해석의 방법으로 접근한 연구가 진전되었다. 클라이넨은 랑 또(Lang To) 마을에서 1954년 이전의 원로들과 이후의 사회주의 엘리트들 사이에 존재하는 경쟁과 갈등의 이면에 존재하는 사회경제적인 분화를 밝히고자 하였다(Kleinen 1999). 그의 연구는 동질적인 '소공동체'(little community) 개념에 대하여 매우 설득력 있게 비판하였고, 마을 인구를 구성하고 있는 다양한 분절들 사이의 역사적인 긴장과 대립에 관해 분석하였다.

민간의례의 지속 또는 부활과 관련하여 사회의 힘에 주목하는 연구들도 일부 발표되었다. 멀라니는 앞에서 언급한 연구에서 국가가 정치적 혁명 이후에 과소비와 봉건적인 폐습의 척결을 위해 추진하여 왔던 일종의 '베트남식 문화혁명'인 "새생활(doi song moi)운동"이 효과적으로 진행되지 않았음을 보여주고 있다(Malarney 1996). 르엉도 유사한 맥락에서 국가가 주도하고자 하였던 의례개혁이 시작한지 얼마 되지 않는 시기부터 실제 실패하였고, 특히 도이 머이 정책, 농업집단화의 후퇴, 개별경작과 토지사용권의 확대 등 일련의 경제개혁 조치 이후에 나아진 경제상황에 의해 소위 '전통의례'가 보다 강하게 복원되거나 재생되고 있음을 잘 보여주고 있다(Luong 1993). 이러한 연구들은 일상 의례의 간소화를 포함한 사회주의 국가의 의례개혁이 민간 '전통'의 강한 저항에 의해 후퇴하였음을 보여주었다.

그러나 서구학자들에 의해 주도되고 있는 이상의 논의들 대부분이 국가와 사회의 대립적 관계를 전제하고 있으며, 국가가 개혁정책을 실시하고 사회에 대한 지배력을 완화하였기 때문에 지방의 의례가 활성화되었다고 설명한다. 그러나 필자가 현지에서 관찰한 전통의 발명이나 복원 현상을 이해하기 위해서 국가와 사회를 연속성에서 고려하는 새로운 시각이 필요하다. 즉 국가와 사회가 개념적으로는 대립적인 관계로 분리되어 있으나, 실제에서는 국가의 요구가 사회의 자발적인 움직임의 저변에 많은 부분 침투해 있으며, 동시에 사회의 요구는 국가의 결정과 실제의 시행에 있어서 명시적으로 관철되거나 묵시적으로 허용되는 현상이 발견된다.

## 3) '도이 머이'의 영향과 사회분화에 관한 연구

1990년대 이후 베트남 연구에서 양적으로 가장 왕성한 연구결과를 생산한 주제는 도이 머이의 다양한 사회·경제적 영향과 효과에 관한 것이다. 이러한 연구들 중에서 특히 사회계층간에 소득 격차가 증가하고 있음을 관찰한 연구가 다수를 이룬다. 지난 20여 년 간 농촌의 사회경제적 분화의 심화라는 주제는 베트남과 서구학자 모두에게 주요한 연구관심이 되어왔다. 이에 관한 베트남학자들의 연구경향은 "계급분화의 역사적 필연성"이라는 정통 마르크스주의적 관점에서 탈피하여 대안적인 이론과 방법론을 혼합하는 방향으로 변화해 왔다(Dang Canh Khanh 1991; Chu Van Lam 1992). 한편 서구학자들은 토지소유의 집중, 경제적 양극화, 사회 갈등의 가속, 지역 격차 등을 언급하며 개혁의 영향에 대하여 비판적인 입장을 취하고 있다(Fforde and de Vylder 1996; Kerkvliet 1995b; Luong and

Unger 1998; Watts 1999).

1986년 개혁조치 이후 경제정책에서의 결정적인 변화는 베트남의 사회주의 정책입안자나 제도권 학자들 사이에 농민의 사회경제적 분화에 대한 관심이 증대한 것이다.[11] 개방에 따른 국제적인 학술교류의 증대로 베트남 학자들이 탈집단화 이후 재생된 가구경제의 고찰에서 신고전경제학의 관점을 채택하게 되었지만, 여전히 국가의 역할에 대해서는 고전적인 마르크스주의의 입장을 유지하고 있다 (Truong Trieu Vu 1991; Chu Van Vu et al 1995). 대부분의 베트남 학자들은 사회계층화가 계획경제 체제에서조차도 오랫동안 하나의 현실이었으며, 경제자유화 이후 더욱 강화되고 있음에 동의하고 있다. 일부는 부정적인 사회적 결과의 신호가 나타나고 있음에도 불구하고 사회계층화는 생산력을 증대하는 효과가 있기 때문에 필요하다고 주장한다(Dang Canh Khanh 1991). 게다가 사회주의 정권 하에 있기 때문에, 분화가 곧 계급 형성과 같은 결과를 배출한다고 볼 수 없다고 주장한다. 그들은 착취란 사회주의 국가가 정권을 잡고 있는 한 결코 일어날 수 없는 것이라고 판단하고 있다(Truong Trieu Vu 1991: 174; Chu Van Lam 1992: 175).

한편, 최근의 베트남학자들도 과거 금지되었던 이론적인 접근과 연구방법을 통하여 사회경제적인 분화와 불평등에 관한 시각과 용어들을 내면화하기 시작하였다. 그러나 베트남학자들이 신고전주의 경제학의 이론틀을 받아들일수록 경제와 사회를 분리시키는 논리로

---

11) 사회주의 국가에서 사회경제적 분화와 계급형성은 "저주받은 문제"라고(Evans 1988) 지적되어 왔지만, 사회주의 혁명을 추진하던 당시부터 이미 베트남의 학자와 정치가들의 중요 관심사가 되었다. 그들 중 많은 사람들은 일찍이 20세기 초반부터 마르크스주의 계급이론의 영향을 받았다. 같은 문제에 관한 모택동의 저작과 비교하여 중요하고 미묘한 사회적 경제적 차이가 있음에도 불구하고, 베트남의 마르크스주의자들은 궁극적인 계급양극화에 대한 강한 믿음을 가지고 있었다(Truong Chinh and Vo Nguyen Giap 1959[1937]).

더욱 빠져들고 있다. 이러한 개념적인 분리는 거시적인 통계조사 방법에 의존하는 연구가 늘어나면서 더욱 뚜렷하게 나타난다(Dao The Tuan 1997; Tran Van Tho et al. 2000).

베트남학자와 달리 현실정치와 지배이데올로기의 제한을 받지 않는 서구학자들은 비판적인 관점에서 사회경제적 분화를 다루었다 (White and Marr 1988). 중앙과 지방의 국가기구에서 개혁 이후 가구에 대한 평등한 토지배분의 원칙을 확고히 수행하고자 시도하였음에도 불구하고, 농민들의 사회경제적 분화는 진행되고 있음이 관찰되었다(Fforde and de Vylder 1996). 더구나 한 지역에서 빈부 격차와 지역간 격차가 더욱 심화되고 있으며, 농촌에서의 계급 양극화와 토지 무소유계급의 형성은 이제 시간 문제라고 전망하였다(Luong and Unger 1998). 일부의 연구는 부의 지표와 빈곤의 원인을 규명하면서, 주로 지방의 수공업생산과 소기업 등 비농업 부문의 성격, 지역 노동시장의 발달 등의 주제에 관심을 집중하였다. 비농업 활동들이 농촌 주민들의 주요 소득원이 되면서 빈부격차의 원인이 되었다고 주장한다(Watts 1999: 169-172).

서구학자들은 비교연구를 통해 지역간 격차와 불균등의 문제도 다루었다.[12] 북부 농촌의 복합적인 사회제도들, 촌락민과 친족 사이의 협동, 그리고 공전과 공동의 관개사업의 유지 등이 매우 불안정한 자연환경과 자원의 결핍이라는 상황에서 위험을 줄이는 전략으로 비추어졌다. 이와 대조적으로, 남부베트남의 개방적 사회구조, 상대적으로 느슨한 친족관계, 공전의 부재 등은 새로운 개척지로의 이

---

12) 지역간 비교연구는 주로 북부 홍하델타와 남부 메콩델타 지역에 집중되어 있는데, 개혁 이전 시기의 연구에서도 주요한 관심거리였다(Hickey 1964; Rambo 1983). 이러한 초기의 연구들은 지역적 격차에 관하여 주로 근대화 또는 생태학적 시각에서 접근하였다.

주와 적응의 결과로 설명되고 있다(Rambo 1983). 토지 소유 집중과 양극화는 타협적이고 약화된 집단농업체제의 급속한 해체로 말미암아, 남부지역에서 보다 일찍 나타나고 빠르게 진행되었다고 설명되었다(Watts 1999: 166). 반면에, 탈집단화 이후 북부지역에서 토지거래가 증가하였음에도 불구하고, 북부베트남의 토지분배는 상대적인 평등성을 반영하고 있다고 주장된다. 이러한 현상은 지방의 자율성과 유연성, 지방특유의 관습 등 홍하델타의 역사적으로 특수한 맥락에서 비롯된 것이다(Watts 1999: 173). 이러한 비교연구는 전환기 지방 고유의 역사에 대한 이해에 주목할만한 기여를 하였다. 이 연구들은 지방마다의 이질적인 조건을 전제함으로써, 전국범위의 농업정책의 변화가 지방의 특수성에 따라 다면적인 경로를 취하였음을 제시하였다(Fforde and Luong 1996). 농업 탈집단화 이후의 다면적인 경로는 지방 각각의 고유한 동기에 기반한 우선적인 과제를 위한 열린 공간에 의해 형성되었고, 또 그것을 강화하는 데 기여하고 있다고 분석되고 있다(Kerkvliet 1995b; Watts 1999).

이상과 같은 도이 머이의 영향과 사회분화에 관련된 기존연구는 촌락공동체 내부 구성의 복합성을 이루는 물적인 토대를 설명하는 데 많은 도움이 된다. 그러나 실제 지방 수준에서 중요하게 작용하고 있는 사회분화의 기준은 경제적인 요인보다 훨씬 복잡하고 다층적인 요소가 얽혀 있음을 충분히 설명하지 못하고 있다. 가령 쯔엉은 이주가 홍하델타 농촌 내부의 이질성을 설명하는 중요한 역사적인 요인이었음을 지적하였지만(Truong 2001), 이주의 원인과 그 결과 만들어지는 사회분화는 경제적인 측면에 있다고 해석하고 있다. 필자의 조사 지역에서도 이주가 중요한 사회분화의 역사적인 원인으로 작용하였지만, 도시지역 마을의 경우 이주 시기와 정착 기간, 그리고 가족 및 친족관계, 지방의 사회정치적 자원과의 근접성 등 복합적인 사회문화적 요인과 함께 고려되어야 함을 지적하고자 한다.

## 3. 현지연구와 글의 구성

### 1) 연구대상의 선정과 현지연구 과정

필자가 집중적인 현지연구를 수행한 다이 옌 마을(*Lang Dai Yen*)은 하노이 내성 지역 꾸언 바 딘(*Quan Ba Dinh*)의 프엉 응옥 하(*Phuong Ngoc Ha*)에 속해 있다. 필자는 구체적인 현지연구 대상을 선정하기 위해서 연구주제와의 적합성뿐만 아니라, 현실적인 조사 가능성을 고려하여야 했다. 우선 연구주제 및 목적에 부합하는 연구 대상을 선정하기 위하여 필자는 전통적 자연촌락으로서의 경계와 정체성을 지속하고 있는 마을을 선정하고자 했다. 특히 전통수공업과 같이 그러한 정체성의 경제적, 물질적 조건과 수호신의례와 같은 상징적 구성물이 존재하고 있는 지역, 집합적 정체성에도 불구하고 주민들의 사회적 분화가 내재되어 있는 지역, 최근의 도이 머이에 따른 새로운 사회적 분화와 의례활성화를 비롯한 다양한 민간활동의 현상을 관찰할 수 있는 곳 등의 기준에 부합하는 마을을 정하고자 했다. 그런데 최근에 매립과 개발을 통해 새로 건설된 일부 지역을 제외하고 하노이와 인근 홍하델타의 대부분 마을이 이러한 기준에 부합한다고 볼 수 있다. 한마디로 사회적 분화의 역사적인 과정과 국가-사회관계, 주민들의 상호작용과 집단정체성의 경합의 무대로서 민간의례 활성화 현상은 북부 베트남 어디에서나 관찰할 수 있다고 해도 과언이 아니다. 유사한 맥락에서 본 연구에서 다루어지는 자료의 출처는 프엉 응옥 하에 국한되지 않으며 하노이와 홍하델타 지역 전체라고 할 수 있다. 이런 점에서 필자의 연구는 향후 베트남 연구에서 가능한 일반화 또는 비교연구의 틀과 자료를 제공할 수 있다고 생각한다.

따라서 구체적인 연구대상은, 외국인 연구자가 고려해야 할 연구 외부의 장애를 최소화할 수 있는 절차에 따라 무난한 곳, 즉 베트남의 시스템이 허용하는 지역이 선정되었다. 이러한 요소가 필자의 연구 관심만큼 또는 그 이상 중요한 요소로 작용하였다. 베트남사회주의공화국의 수도 하노이에서 인류학적인 장기 연구를 보장받는 길은 국가권력에 편입되어 있는 연구기관의 협조를 받는 길밖에 없다. 그것은 단순히 관련된 권력기관의 공식적인 승인을 통해 장기연구를 허락받는 차원의 문제일 뿐만 아니라, 이후 조사지역 주민들로부터 연구자의 존재를 인정받는 여러 차원의 문제들과도 결부되어 있기 때문이다. 현지연구가 거의 마무리될 무렵에야 비로소 깨달은 것이었지만 필자는 결국 실제 연구가 가능한 지역, 즉 연구가 허용된 지역을 선정하게 된 것이었다.

필자의 베트남 현지연구 과정은 크게 세 시기로 구분될 수 있다. 첫째는 1995년 7-8월과 12월부터 1996년 3월 중순까지 5개월간 어학연수와 함께 조사지 선정을 비롯한 예비 연구를 행했던 기간이다.[13] 이 기간에는 베트남국립공과대학(*Dai hoc Bach Khoa* 백과대

---

13) 필자가 처음 베트남에 입국한 것은 베트남공산당창립 65주년 기념일이었던 1995년 2월 3일이었다. 당시 4주간의 일정으로 남부 호찌민시에서 시작하여 북부 하노이와 국경에 이르는 전국일주를 추진하였으나, 중남부 해안도시 냐 짱(*Nha Trang*)에서 불의의 교통사고를 당하여 8일만에 귀국하였다. 당시 비행기를 갈아타기 위해 하노이에서 하룻밤을 보냈는데, 시내 바 딘(*Ba Dinh*) 혁명광장과 일부의 외국인 전용호텔을 제외하고 불을 밝힌 곳이 없었다. 어둠 속에서 설명하기 힘든 긴장과 안도의 모순적인 감정을 느끼면서 베트남과 필자의 '악연'을 되새기게 되었고, 결국 그 인연으로

학) 부설 '합작연구소'와 하노이국립사범대학(*Dai hoc Su Pham*)의 베트남어 연수과정에 편입하여 현지어를 익히고, 하노이국가종합대학(현 베트남국립대학교 하노이인문사회과학대학) 역사학과 교수로부터 하노이의 역사와 도시구조에 관한 개인 수업을 받았다. 그리고 인문사회과학연구소(현 베트남사회과학원)의 여러 젊은 학자들과 교류하고, 도시와 근교의 주요 수공업 및 원예작물 재배 지역을 방문하면서 연구지역 선정 및 예비 연구를 실시하였다.[14]

두 번째 현지연구는 1996년 7월부터 1997년 6월까지 진행하였다. 이 기간의 초기에는 사범대학과 하노이국립대학 역사학과에서 언어학습과 하노이학 관련 보충 수업을 병행하면서 집중적인 현지연구를 위한 마을 선정작업을 추진하였다. 결과적으로 시내 '36개 길드거리'의 '항 마'(*pho Hang Ma*)와 이곳에 도시화가 진행되면서 생산기능이 일부 이전한 배후지역인 '꺼우 져이'(*Cau Giay*), '쟈 럼'(*Gia Lam*) 등 근교의 일부 마을에 방문 조사하는 것으로 결정하고 연구를 진행하였다. 그러나 하노이에서 외국인의 현지연구에는 많은 제약이 상존하고 있는데, 라뽀를 형성하는 것으로도 그러한 제약을 극복하는 것이 힘겨울 경우가 종종 있다. 36개 길드거리에서 장기조사를 진행하는 중, 연구비자를 갱신하는 것이 불가능한 상황이 벌어지고, 또한 연구비조달에도 문제가 발생하여 부득이하게 현지연구를

---

수도 하노이에서 연구하겠다는 결심을 하였다.

14) 이 기간 중에 방문, 조사하였던 마을로는 응옥 하 외에, 찌에우 쿡(*Trieu Khuc*), 응우 싸(*Ngu Xa*) 등과 시내 중심가의 36개 길드거리 중 항 마(*Hang Ma*), 항 동(*Hang Dong*) 등이 있다. '찌에우 쿡'은 양잠 및 직물업을 전통 산업으로 계승하고 있는 하 동(*Ha Dong*)의 마을인데, 1996년 하노이 내성의 꾸언 타인 쑤언(*Quan Thanh Xuan*)에 편입되었다. '응우 싸'는 동(銅) 및 은제품 수공업을 전문으로 하는 마을로 구시가지 북동쪽의 쭉 바익(*Truc Bach*, 白竹) 호수 변에 위치한다. '항 마'와 '항 동'은 시내 중심가의 36개 수공업 거리에 위치하며, 각각 의례용품과 동제품 가공 및 판매를 전문으로 하는 곳이다. '36개 길드거리'(*36 Pho Phuong*)에 관해서는 본 논문의 제2장을, 그리고 '항 마'거리에 관해는 제4장과 5장을 참조할 수 있다.

중도에 포기하게 되었다.

세 번째 현지연구는 1999년 9월부터 2001년 8월까지 진행되었다.[15] 1999년 현지연구를 위해 다시 하노이에 도착하여, 하노이인문사회과학연구소 부설 민간문화원(*Vien Van hoa Dan gian*)과 상담하면서, 비교적 외국인 학생의 접근이 용이하다고 소개받은 몇 개 마을 중에 '우리 마을'(*Lang Dai Yen*)을 집중적인 연구지역으로 재선정하게 되었다. 이 곳은 필자가 이미 1995년 말 연구지 선정을 위해 몇 차례 방문한 바 있었던 응옥 하의 한 마을이며, 당시에 나를 인도해 주었던 사람이 유적관리위원회의 부위원장의 자리에 있어서 큰 어려움이 없이 마을에 들어갈 수 있었다. 본 논문 구성에 활용된 자료들은 대부분 세 번째 현지연구 기간에 수집되었다.[16] 그러나 하노이 사람들이 혁명과 개혁의 과정에서 경험한 바는 어느 마을에서건 유사하게 발견되고 있으며, 실제 첫째와 두 번째 연구기간 중에 필자의 경험과 조사를 통하여 획득한 자료들이 본조사 기간에 많은 도움을 주었다.

이처럼 필자가 학위논문을 위한 현지조사지에 들어서는 데에는 상당한 기간이 필요하였다. 조사 마을에 다시 들어서게 되었을 때, 필자가 베트남어를 익히고 조사지를 찾기 위해서, 그리고 단순히 생존하기 위해서 하노이에서 오랫동안 헤매어 다녔던 경험이 많은 힘이 되었다. 필자가 현지어를 배우고 사람들의 관습을 익히는 과정에

---

15) 이 기간 중 2000년 7월부터 2001년 3월까지의 기간 동안에 필자는 하노이에 체류하였지만, 조사 마을에 들어가 있지는 않았다. 이 기간 중 마을 방문은 주로 주말과 휴일에 이루어졌고, 그 대부분이 프엉의 간부들을 방문하는 것이었다.

16) 필자는 2003년 1-2월 보충연구를 위해 다시 하노이를 찾았다. 이 기간에는 음력 설(*tet*)을 비롯하여 연말 및 신년을 축하하는 의례와 축제가 집중되는 시기이다. 이 기간 중에 필자는 마을에서 몇 가지 의례에 참여하고 추가적인 조사를 한 것 외에도, '문화관리' 관련 기관의 관계자들과 면접하고, 문화정책과 관련된 자료들을 추가로 수집하였다. 이 기간에 수집된 자료들 중에 일부가 본 논문에 활용되었다.

적용한 방법은 베트남 사람들이 흔히 "길거리에서 배우기" 또는 "먼지 속의 연구"(*hoc bui*)라고 부르는 것이었다.

그러나 하노이 베트남어를 구사할 수 있고 친족 호칭을 적절하게 사용하고 하노이에서 살아온 생활의 경험에도 불구하고, 마을에 들어섰을 때 필자는 완전히 외부인이었다.[17] 그런데도 한국의 '가장 유명한 대학'의 연구생이라는 점과, 하노이에서 가장 권위 있는 국립대학과 국립연구소의 지원을 받았다는 점이 마을 지도자들에게 조사를 허락하게 하는 강력한 요소가 되어 주었음을 알 수 있었다. 때마침 소위 '한류' 현상이 마을에도 영향을 미쳐 필자는 조사 기간 중 주민들이 즐겨보는 한국 TV 드라마에 출연하는 연기자들의 면모에 관한 신기한 정보제공과 함께, 드라마에 묘사된 '한국문화'의 해설가로서 역할을 하면서 질문만이 아니라 대답도 할 것이 있는 제법 사람다운 이방인으로서 라뽀를 형성해나갈 수 있었다. 그러나 무엇보다도 필자가 마을에서 연구자로서뿐만 아니라, 주민들의 일상생활에 참여하는 존재로서 자리를 잡게 된 것에는, 필자가 소위 '문화간부'(*can bo van hoa*, 幹部文化)의 역할을 할 수 있을 것이라는 기대를 주민들이 하게 된 이후였다. 특히 국립연구기관 소속 교수 및 연구원과 여러 차례 동행함으로써 마을 주민들이 필자를 '국가의 승인을

---

17) 현지조사 초기에 주민들이 이방인 연구자를 부를 때, 처음 대하는 사람에게 개인들이 각각 습관적으로 친숙함을 표현하기 위해 사용하는 용어를 사용하였다. 공식 호칭이나 극존칭에 가까운 "옹"(*ong*)을 쓰거나 나이가 적은 남자에게 예의를 갖춘 호칭이 되는 "아인"(*anh*)이 대부분이었고, 일부 청소년들과 아이들이 필자가 서울에서 대학 강사를 한다는 소개를 받고는 "터이"(*thay*, 선생님)라고 부르는 경우가 대부분이었다. 다만 아이들은 친족 호칭에 가장 가까운 어감을 가진 "박"(*bac*) 또는 "쭈"(*chu*)로 불렀는데, 이것도 사실 부모 세대의 낯선 사람에게 단지 "아저씨"라고 부르는 호칭 외에 별다른 규칙을 익히지 못한 아이들의 습관에서 비롯된 것일 뿐, 나에 대한 친숙함을 표현하는 것은 아니었다. 베트남에서 성, 나이, 친밀도가 다른 여러 명이 같이 대화를 하면, 도대체 언제 어떤 호칭이 누구를 지칭하는 것인지 혼란스러움을 겪게 된다. 특히 친밀도에 따라 고정된 호칭이 정해지기 전에는 같은 사람이 상황에 따라 여러 호칭을 사용하기도 한다. 필자는 친숙하지 않은 주민들에게도 의도적으로 친숙한 사람들 사이에 익숙한 친족용어를 사용하였다.

받은, 위험하지 않은 존재'로 인식하게 되었다.[18]

베트남의 사회과학계 연구자들은 종종 자신의 발견들을 학술지뿐만 아니라 언론에 발표한다. 따라서 연구가 행해지는 곳의 주민들은 조사 후 일정 기간이 지나면 자신의 마을 이름이 미디어에 올려질 것을 기대한다. 부분적으로는 지역민들이 자신의 마을이 뉴스가 된 것에 대한 기대로 인하여, 서로 다른 분야의 연구자들도 똑같이 '기자'(*nha bao* 또는 *phong vien*)로 불리는 경우가 많이 있다. 조사 초기에 필자의 목적과 상황을 자세히 이해하지 못하는 마을 사람들은 필자에게 한국의 '가장 유명한 대학'에서 자신의 마을에 관심을 두고 연구하러 와주어서 고맙다는 표현을 여러 번 하였다. 많은 사람들은 마을 이름이 이제 한국의 학계에도 알려지게 되었다는 점을 믿어 의심치 않는 듯 하였다. 필자는 논문이 최소한 그런 목적을 지닌 것이 아님이 명백하다는 것을 알고 있었기 때문에, 이후에 발표될 논문에 마을 이름을 기재함으로써 마을을 유명하게 하는 보답보다는 다른 방식으로 그 기대에 미치지 못함으로 생기는 미안함을 상쇄하여야 했다. 가령, 한국에 대한 질문에 성실히 답하고 관련된 자료를 구해주거나, 선물을 준비하여 주민들의 대소사에 참여하였고, 특히 마을 행사에 참여할 때마다 촬영한 사진을 인화하여 그 속에 등장한 인물들의 가족에게 선물하였다. 시간이 흘러 주민들과의 관계가 깊어질수록 나를 통해 마을이 유명해질 것이라는 기대를 하는 주민들은 줄어들었지만, 필자는 마을 주민들의 경조사에 참여하여 일일이 물질

---

18) '문화간부' 또한 순수하게 연구를 목적으로 조사지역에 체류할 수 있는 기간은 제한되어 있다. 하노이의 대학에서 실습 자료조사를 위해 보내는 대학생들의 경우 3개월 이상을 체류하는 경우는 드물고, 베트남의 민족학자들도 6개월 이상 장기 현지연구를 하는 경우가 거의 없다. 역사가들, 민속학자들, 그리고 '문화간부'와 언론기자들은 주로 이미 잘 알려진 곳이나 알려질 잠재적인 가능성이 많은 지방에 며칠 또는 몇 주 방문하는 것이 고작인데, 그들은 주로 그 지방의 역사적 사건들, 건축물 등의 유적, 그리고 지방의 독특한 관습과 풍물, 또는 '문화'에 대하여 질문한다.

적인 기여를 하는 것은 계속 하여야 했다. 필자를 이 곳에 살 사람이 아니고 외부인이자 조사자로 간주하는 현지의 압도적인 인식 사이에서 자신을 인류학자로 입지 시키는데 수개월 아니 그 이상의 시간이 걸렸다.

2001년 3월, 그리고 보충조사를 위해 2003년 1월 마을을 다시 방문했을 때 필자는 단순한 이방인이 아니었음을 여러 가지로 확인할 수 있었다. 필자의 역할은 연구자의 역할을 일부 뛰어넘기도 하였다. 필자는 마을의 각종 공식의례에 참여하여 기부하고, 사진을 찍고, 비디오를 촬영하고 편집하여 돌려주는 역할을 계속하여야 했다. 특히 의례에 대한 필자의 헌금은 마을 사당의 행사방명록에 여러 차례 올라 있었고, 이제는 제법 마을의 대소사에 초대되는 것이 당연시되었고, 공식의례에서 꽃을 선물하고 연단에서 축하의 말을 해야 할 정도가 되었다. 베트남에서의 현지연구 과정은 단순히 '다른 문화'에 관한 지적인 탐구의 과정일 뿐만 아니라, 현지에서 연구자와 주민들의 상호작용이 끊임없이 만들어 주는 새로운 질문과, 어제의 결론에 대한 회의와 또 새로운 가설들이 연속되는 여로였다. 현지연구는 희로애락이 점철된 생존과정이었고, 나를 하노이 사람으로 버틸 수 있게 하고, 결국은 그곳에 많은 정을 남기게 되는 인간적인 훈련과정이 되었다. 또한 이러한 과정은 필자 자신이 매우 복잡한 기원을 가진 학문적 전통의 미완성의 산물임을 깨닫는 시간이기도 하였다.

현지연구 동안 필자는 현대 베트남의 학계, 언론계, 그리고 지방의 담론들을 지배하고 있는 '문화'와 '역사'에 대한 정의의 안과 밖, 또는 그 반대편 모두에서 연구를 진행하였다. 주민들에게 필자가 하는 연구는 현지의 기자나 문화간부의 틀에 박힌 조사과정과 전혀 다르다는 점을 확신시키는 데 많은 노력이 필요하였다. 면담과정에서 공식적인 역사적 사건, 마을 사찰의 고색(古色), 그리고 마을 특유의 "미풍양속" 외에 그들의 삶에 대한 많은 다른 면들을 알아야 한다는 것을 설득시켜야 하였다. 필자가 알고자 하는 것보다는 마을 주민들 스스로가 말할 가치가 있는 것이라는 판단에 따라 알려주는 사실들에 대해 반복적으로 듣는 수개월의 과정이 지난 이후에 비로소, 주민들은 점차 필자에게 그들의 일상사와 관심들을 말하는 것을 편하게 느끼기 시작하였다. 그러나 조사가 끝나갈 무렵, 마을의 노인들과 마을의 여러 조직의 지도자들과 간부들이 마을 사당의 유구함과 아름다움, 그리고 수호신의례를 비롯한 '전통'의 독특성을 자랑하는 것을 주로 들어야 했던 초기의 수개월이 결코 시간 낭비가 아니었음을 깨닫게 되었다. 그리고 주민들의 일상의 삶을 배우고자 기다렸던 당시의 인내가 결코 과실이 없는 것이 아니었다. 논문의 구성에 동원된 많은 자료들이 연구자의 의도보다는 연구대상의 의도에 의해 나에게 은근히 주입된 것들이라고 할 수 있다.

이상과 같은 현지연구 기간에 수집된 참여관찰과 면접자료 및 그에 대한 필자의 해석과 함께 현지의 관련 문헌과 기존 연구 결과들도 검토되었다. 결과적으로 논문작성을 위해 필자가 사용한 방법은 크게 역사적인 접근방법과 공시적, 민족지적인 방법의 결합이라고 할 수 있다. 우선 역사적 방법으로는, 하노이 및 대상 촌락의 공식적, 비공식적인 지방사 자료의 활용, 가구별 이주 사례의 수집 및 분석, 촌락의 입지 및 도시 확장에 따른 변화 과정, 다른 지역의 관련된 배후지 마을과의 횡적 연대의 배경과 관련된 전설, 유물에 대한 분석 등이 수행되었다. 그리고 공시적, 민족지적 방법으로는 연구목적에 따른 주요 연구항목들과 관련한 참여관찰 및 반복적인 심층 면접, 그리고 담론과 이벤트 분석 등으로 구성되었다.

필자는 특히 역사적 접근의 의미를 강조하고자 한다. '역사'는 원래 그 모습대로 존재해 왔던 과거라는 국한된 의미를 지닌 것으로 사람들에게 주입되고 기억되는 것이 아니다. 지배적인 담론에서 역사는 공식적으로 선택된 사실들의 버전이지만, 사람들의 경험과 기억 속에 녹아있고 인류학적 현지조사 과정에서 드러나게 되는 것은 살아 있는 사람들의 수만큼이나, 그리고 그들의 경험과 기억이 현실의 삶에서 가지는 실제 영향의 차이들만큼이나 다양한 해석의 스펙트럼을 제공하고 있다. 당원과 전통주의자들, 한 때 봉건적 잔재로 자기비판을 하고 착취계급으로 규정되기도 하였던 마을의 위신 있는 원로들, 사회주의 국가의 공식적인 성 평등 이데올로기의 혜택과 실제의 모순을 동시에 담지하고 있는 부녀자들, '전통'에 대해서 아무런 경험이 없지만 마을의 행사가 즐거운 아이들, 전쟁 열사 가족과 참전용사들은 모두 엄청나게 다양한 버전의 역사와 현재를 표현해 주었다. 말해지는 역사, 말할 수 없었던 역사, 기억되어야 하는 역사, 잊혀진 역사 등등. 이러한 과정은 연구자에게 역사가 개인의 삶을 어떻게 변화시켜왔는지 뿐만 아니라, 역사 내의 여러 사건이 그 현장 또는 그 기억의 현장에 존재하였던 다양한 사람들에게 어떻게 만들어지고, 경험되고 해석됐는지도 보여주고 있었다.

## 2) 책의 구성

이 책은 모두 5개의 장으로 구성되어 있다. 제2장과 3장에서는 연구지역의 일반적인 배경에 관한 민족지적 기술과 함께, 역사적 맥락에서 지방사회 공동체의 재생산 및 내부의 이질성의 지속과 변화에 관하여 설명하고자 한다. 우선 제2장에서는 "도시 속의 농촌"으로서의 정체성이 표현되고 있는 지리적인 맥락과 함께, 주민들의 분화를 설명하는 특징적인 요소로서 '전통산업'과 원주민-이주민의 관계에 관하여 고찰한다. 그리고 프엉 수준에서의 당-국가의 형태와 대중조직 및 지도자의 성격에 관하여 살펴볼 것이다. 제3장에서는 전혁명기에서 현재에 이르기까지의 사회정치적 재생산과정의 연속적인 특징과 사회분화의 성격을 고찰하고자 한다. 특히 식민기-사회주의 혁명기-집단화 및 대미전쟁- 탈집단화와 도이 머이로 이어지는 역사적인 경과에서 경제적, 사회정치적 측면에서 변화와 지속을 해석하였다. 특히 이 장에서는 이후의 의례활성화 과정에서 살펴볼 수 있듯이 반복적으로 표현되고 있는 "동질적인 공동체"를 실제 구성하고 있는 이질성을 강조하고자 한다.

제4, 5, 6장은 민간의례활성화와 관련하여 국가 기능의 연속성과 지방 내부의 사회분화를 반영하는 집합적인 대응의 측면을 고찰하고자 한다. 제4장에서는 국가의 의례개혁을 통하여 국가주도의 총체적인 혁명의 필요성을 지방주민들에게 주입하고자 하였으나, 많은 저항에 부딪혔으며 또한 그 결과가 일면적이지 않음을 설명하고자 한다. 특히 국가, 또는 그 대리자가 민간의례의 직접 수행자로 등장한 점에 주목하였고, 국가의 의도가 지방에 내재되고 축적되어온 기존의 가치 및 사회관계와 어떻게 충돌하거나 조화를 이루었는지를 살펴보고자 한다. 제5장은 당의 문화관리 정책의 한 중요한 요소로서 문화유적의 공인과정을 통해 민간의 성소와 의례 조직에 대한 국가 권위의 직접적인 침투와 지방의 집합적인 정체성의 상호작용을 살펴본다. 의례 수행조직과 성소의 관리를 위한 조직의 형성과 활동에서 마을 토착민과 이주민, 그리고 일부 성과 연령에 따른 분화와 경합의 성격을 고찰하고자 한다. 제6장은 민간의례 활성화의 다양한 측면을 제시하고자 한다. 이 장에서는 마을에서 특히 1990년대 이후 뚜렷하게 재생되거나 활성화되고 있는 민간의례의 여러 가지 양상들에 관하여 기술하고자 한다. 마을 의례의 재활성화 현상을, 원래 내재된 독자적인 문화적 현상으로서가 아니라, 지난 40여 년 동안 마을 주민들이 당-국가의 정치, 경제, 그리고 문화적 정책들에 대한 하나의 집합적인 대응을 형성하는 다른 많은 방식들 중의 하나라는 측면에서 살펴보고자 한다. 이러한 민간의례의 재활성화 과정에서 정부와 당이 혁명 이후 추진하였던 의례개혁의 어떤 요소가 성공적으로 지속되고 있는지와 또 어떤 점들이 거부되거나 저항받아 왔는지를 해석하고, 전통과 혁명의 연속과 단절의 성격을 해석하고자 한다.

제 2 장

# '원주민' 공동체와 마을의
# 국가‒사회관계

# 1. 하노이, 프엉 응옥 하, 랑 다이 옌

## 1) 하노이와 '프엉'(Phuong)

하노이는 홍하(紅河)델타(*Dong bang bac bo*)의 북부에 위치하며, 남동쪽의 저지대와, 북서쪽의 중국 및 라오스 국경까지 이어지는 산악지대의 경계에 있는 교통 요충지의 입지를 갖추고 있다.[19] 홍하델타 지역에는 강의 수위보다 낮은 지대가 많으며, 잦은 홍수는 오랜 역사동안 이곳 사람들의 생계의 가장 큰 위협으로 자리잡아 왔다.

---

19) 베트남의 행정단위는 1999년 현재 수도 하노이와, 호찌밍(*Ho Chi Minh*), 하이퐁(*Hai Phong*), 다낭(*Da Nang*) 등 3개 직할시(*thanh pho*) 및 57개 성(*tinh*, 省)으로 구성되어 있다. 일반적으로 베트남을 크게 북부(*bac bo*), 중부(*trung bo*), 남부(*nam bo*) 등 세 지역으로 구분하는데, 각각은 식민시대의 퉁킹(Tongkin), 안남(Annam), 코친차이나(Cochinchina)에 해당된다. 북부에는 중국 윈난(雲南)성에서 발원한 홍하(*Hong Ha* 또는 *Song Hong*)가 관통하고 있다. 홍하 유역에는 수도 하노이와 최대 항구도시 하이퐁(150만 명) 및 8개 성을 포함하는 16,000km²에 달하는 광활한 홍하델타가 형성되어 있다. 하노이는 북쪽에서부터 시계방향으로 타이 응우엔(*Thai Nguyen*), 박 쟝(*Bac Giang*), 박 닌(*Bac Ninh*), 하이 즈엉(*Hai Duong*), 흥 옌(*Hung Yen*), 하 떠이(*Ha Tay*), 빈 푸(*Vinh Phu*) 등 성 지역으로 둘러싸여 있다. 북부는 북서부 고원지대 15개 성을 포함하여 모두 23개 성으로 구분된다. 중부는 북중부(*bac trung bo*)와 남중부(*nam trung bo*)로 구분되는데, 북중부에는 타인 호아(*Thanh Hoa*), 트어 티엔-후에(*Thua Thien-Hue*) 등 6개 성이, 남중부에는 다 낭시, 해안 7개 성 및 고원 4개 성 등 11개 성을 포함한다. 그리고 남부는 베트남 최대 도시인 호찌밍(393만 명, 1996년)과 17개 성으로 구분되어 있다.

베트남에서 특히 홍하델타 지역의 인구밀도가 가장 높다. 베트남 역사상 이른바 '남진'(*nam tien*, 南進)은 인구 과밀과 만성적인 빈곤을 해소하기 위한 방편이었다는 설명이 일반적이다(유인선 2002: 16).

하노이는 베트남의 역사상 똥 빙(*Tong Binh*), 다이 라(*Dai La*), 동 도(*Dong Do*, 東都), 탕 롱(*Thang Long*, 昇龍) 등의 이름으로 이어지는 여러 왕조의 수도에 속하였던 지역을 포함하고 있다(Nha Xuat Ban Su That 1984; Luu Minh Tri & Hoang Tung 1999). 프엉 응옥 하 는 이렇게 여러 이름으로 불리었던 도읍 또는 그 인근의 여러 마을을 포함하는 지역이었다.[20] 인민위원회의 간부들이나 마을의 주요 지도 자들은 프엉 응옥 하는 하노이의 역사와 함께 "천년문명"(*ngan nam*

<지도 1> 베트남 북부 홍하델타 지역과 하노이

20) 프엉 응옥 하는 옛 탕 롱성 서쪽에 바로 인접한 지역으로 베트남 토착 왕조의 기원인 훙 왕(*vua Hung*)시대부터 사람이 살았다는 기록이 있다. 성 인근의 꾸언 응어(*Quan Ngua*)에서 석기 유물이, 꽁 비(*Cong Vi*)에서 청동기 유물이, 그리고 응옥 하 인근에서 철기 유물이 발굴되는 등 선사 및 고대에도 이 지역에 거주민이 있었음을 보여주는 증거들이 발견되었다(Luu Minh Tri & Hoang Tung 1999: 32-48).

*van hien*)의 전통 속에서 육성되어 왔다고 설명한다.[21]

행정구역의 변천과정을 통해 하노이와 프엉 응옥 하의 역사적 배경을 살펴보면 다음과 같다. '프엉'(坊)은 리(*Ly*, 李, 1009-1225)조의 태조(*Ly Thai To*, 李公蘊)가 1010년 탕 롱에 61개 프엉을 설치한 것에서 기원한 행정단위의 이름이다(Hoang Huu Phe & Hans Orn 1995: 3).[22] 쩐(*Tran*, 陳, 1225-1400)조의 탕 롱은 64개 프엉으로 구성되어 있었다(Giang Quan 1999). 레(*Le*: 黎 또는 後黎, 1428-1788년)조에서는 탕 롱이 '푸 풍 티엔'(*Phu Phung Thien*, 奉天府)이라고 불렸으며, 2개 후엔(*huyen*, 縣)과 36개 프엉이 소속되어 있었다. 『北城地余志』에 따르면, 응우웬(*Nguyen*, 阮, 1802-1945년)조 초기의 푸 풍 티엔은 빙 스엉(*Vinh Xuong*)과 꽝 득(*Quang Duc*) 등 2개의 후엔으로 구성되어 있었다(Ban chap hanh dang bo Phuong Ngoc Ha 1996: 8). 이후 푸 풍 티엔은 1831년 민 망(*Minh Mang*)기에 설치된 하노이성(河內省)에 편입되었다(Giang Quan 1999; Luu Minh Tri & Hoang Tung 1999).[23] 따라서 현재의 하노이는 1831년 비로소 처음으로 공식 지명으로 등장하였다. 하노이성 설립 당시 2개 현과 250개 프엉, 톤(*phuong thon*, 坊村)을 포함하였으나, 얼마 후 각 지역을 통폐합하여 143개 프엉으로 구별하였다(Koh 2000: 38).

---

21) 마을의 유구한 기원에 관한 담론은 최근 강화되고 있는 공동의례에 참여한 마을 지도자와 상급 행정간부들의 축하발언과 격려사 등에서 하나의 공식적 담론으로 표현되고 있었다. 그러나 이러한 인식이 곧 현재 거주하고 있는 주민들의 기원과 반드시 일치한다는 것을 입증할 수 있는 사실(史實)인지의 여부와는 별개의 문제였다. 관련된 내용은 본문 제6장에서 다룰 것이다.

22) '프엉'이 13-4세기 쩐(陳), 또는 15세기 허우 레(*Hau Le*, 後黎)조에 처음 설치되었다는 설도 있다(Koh 2000: 38 참조). 현재의 도시지역의 '프엉'은 1975년 이후 새롭게 구성된 것이지만, 명칭상의 기원은 그만큼 오래되었음을 알 수 있다.

23) 쟝 꾸엔(Giang Quan 1999)의 책은 응우엔 빙 푹(Nguyen Vinh Phuc)과 쩐 후이 바(Tran Huy Ba)가 1979년 편집 출판한 『Duong Pho Ha Noi』[하노이의 도로와 지역]을 수정하고 새로운 지명과 도로명, 각 지역의 경계 등을 추가하여 새로 출판한 것이다. 두 책의 비교를 통하여 하노이 주요 도로 및 마을의 지명과 경계의 변화를 어느 정도 재구성해 볼 수 있다.

1889년 프랑스 식민정부는 하노이성에 속했던 두 현의 일부를 분할하여 '하노이시'(*thanh pho Ha Noi*)를 구성하였다. 그러나 그 이후 1980년까지 프엉은 행정단위의 용어로 사용되지 않았다.[24] 1899년에는 두 현의 나머지 지역과 인근 뜨 리엠(*Tu Liem*)현을 합쳐서 '하노이외성'(外城)을 만들었다. 1915년에 하노이외성은 호안 롱(*Hoan Long*)현으로 이름을 바꾸어 하 동(*Ha Dong*)성에 편입되었다가, 1942년에 다시 하 동성에서 분리되어 '하노이특별대리'(*Dai ly dac biet Ha Noi*, 大里特別河內)라는 새 이름으로 하노이시에 재편입되었다.

1945년부터 80년까지 하노이의 지방행정은 시와 '쿠 포'(*khu pho*, 또는 *khu*) 단위의 인민회의(*Hoi dong nhan dan*)와 인민위원회를 통해서 이루어졌다.[25] 1954년 이후 쿠 포 이하의 단위를 185개의 소구(*tieu khu*, 小區)로 구분하였고, 1975년 '소구행정대표위원회'(*Uy ban dai dien hanh chinh tieu khu*)를 설치하여 정부의 정책과 인민의 의견 사이의 피드백 역할을 하도록 하였다. 1978년 하노이시는 이것의 지위를 '소구인민위원회'로 격상시켰고, 1980년에 다시 '프엉인민위원회'로 바꾸었다. 소구인민위원회는 행정대표위원회보다 무거운 책무와 큰 권한을 가지고 있었고, 소구는 "인민에 대한 집합적인 지배권"을 부여받은 것으로 표현되기도 하였다(Koh 2000: 63). 1980년 헌법으로 세 수준의 단위로 구성된 "지방정권"(*chinh quyen dia phuong*, 政權地方)이 확정되었고, 프엉이 세 번째 수준의 '정권' 단위로 부상하였다.[26] 하노이는 소구 소속의 간부들을 프엉에 재배

---

24) 남베트남에서는 1975년 이전에 '프엉'이 도시의 소규모 이웃지역을 가리키는 단위로 사용되기도 하였다(Koh 2000: 38).

25) 1975년 이전에 하노이에서 통칭되는 행정단위에 대한 용어는 "행정급"(*cap hanh chinh*)과 "정권급"(*cap chinh quyen*)이 구분되어 사용되어 왔다. 전자는 인민위원회만을 가리키는 것임에 반하여, 후자는 인민회의와 위원회 모두를 가리키는 말이었다(Koh 2000: 63). '쿠' 또는 '꾸언' 이하의 작은 규모의 지역은 오직 '행정급', 즉 인민위원회만 구성되어 있었다.

치하고, 프엉에 보다 많은 권한과 과업을 부과하였다. 1981년 9월 26일 발표된 '장관위원회 제94호 결정'(*Quyet dinh 94*)에 따라 프엉의 '8대 책임영역'이 제시되었다.[27]

하노이는 크게 상대적 도시지역인 내성(*noi thanh*, 內城)과, 내성을 둘러싸고 있는 농촌지역인 외성(*ngoai thanh*, 外城)으로 구분된다. 1999년 현재 하노이의 인구는 내외성을 합하여 약 267만 명이다. '8월혁명'(*Cach mang thang 8*)[28] 이전부터 자연적인 인구증가와 함께 주변 성 지역으로부터 이주노동인구를 비롯한 사회적 이동의 지속으로 하노이에는 주거지역의 확대 및 도시기반시설 확충에 대한 인구압력이 증가하여 왔다. 전쟁과 사회주의 혁명의 시기 동안 국가가 계획적으로 수도의 인구압력을 조절하는 정책을 시도하였으나, 인구유입의 증가를 막을 수 없었다. 특히 1990년대 이후에는 자유시장제도가 부여하는 새로운 경제적 기회를 찾아 비등록 이주민이 밀려

---

26) SRV 1995. 『Hien Phap Viet Nam, nam 1946, 1959, 1980 va 1992』[각 연도별 베트남 헌법]. 제113조 참조. 베트남에는 중앙정부 아래 성/시-후엔/꾸언- "기초단위"(*don vi co so*) 등 세 수준의 지방행정단위가 있다. 농촌의 '싸'(*xa*, commune), 소규모 도시지역의 '티 쩐'(*thi tran*, townlets), 그리고 도시의 프엉(ward)이 곧 '기초단위' 또는 '기초 수준'에 해당한다. 1997년 10월 현재 베트남에는 모두 8,823개의 싸, 520개의 티 쩐, 그리고 949개의 프엉이 있다. 프엉 지역의 면적은 전국의 1-2%에 불과하지만 전체인구의 약 15%가 거주하고 있다(Koh 2000: 1-5). 프엉을 지칭하는 행정용어로 시의 "기초정권"(*chinh quyen co so*), "기초행정단위"(*don vi hanh chinh co so*) 등도 통용되고 있다.

27) 프엉의 '8대 책임영역'은 정치, 치안과 안보, 주거와 사회, 노동, 상업과 공업, 교육과 보건, 주택과 토지, 계획과 예산 등이다(Koh 2000: 103-109 참조). 그러나 이러한 책임영역과 관련된 실제 주요 결정은 중앙정부와 하노이시에서 만들어진다. 상급 국가기관 혹은 상급 '정권'의 입장에서 보기에는 프엉은 말단에서 하노이시의 정책을 수용해야하고 단지 순전히 지방적인 문제에 국한하여 부분적으로만 정책을 변경할 수 있는 것으로 권한이 국한되어 있었다. 1981년 '94호 결정'에 따르면, "프엉은 도시 내성지역과 지방 성의 티 쩐 지역의 기본행정단위이다. 프엉은 주거지역과 도로를 따라 조직되며, 각 프엉은 7,000-12,000명의 인구를 포함한다. 프엉의 주요 역할은 국가의 행정임무를 수행하고, 사회를 관리하고, 인민의 일상적인 욕구를 조절하고 책임지는 것이다."(Koh 2000: 66-67 재인용).

28) 1945년 2차세계대전 종전 후 8월 19일 비엣 밍(*Viet Minh*, 越盟)이 하노이를 장악하고, 8월 25일에는 남부의 사이공까지 영향을 미치게 된다. 이를 베트남공산당은 "8월혁명"이라고 한다. 8월 30일 바오 다이 황제가 권력의 상징인 황금 보도(寶刀)를 비엣 밍 대표에게 넘겨주어 마지막 왕조인 응우웬(阮)조의 역사는 막을 내렸다. 이로부터 사흘 뒤인 9월 2일 호 찌 민은 하노이에서 베트남민주공화국의 독립을 선언했다(유인선 2002: 362).

들고 있다. 하노이천도 1,000주년을 맞는 2010년에 맞추어져 있는 도시개발계획에 따른 도시 확장 및 구획사업으로 수도는 인근 성 지역과의 격차를 넓히고 있다.

<지도 2> 하노이의 행정구역 (1999년 현재)

<표 2-1> 하노이 면적, 인구, 행정단위(매년 말 기준)

| 구분 \ 년도 | | 1955 | 1961 | 1979 | 1991 | 1998 | 증감 (1955-98) |
|---|---|---|---|---|---|---|---|
| 면적 (㎢) | 전체 | 152.2 | 586.2 | 2,130. | 922.8 | 918.5 | 6.0배 |
| | -내성 | 12.2 | 37.4 | 40.0 | 40.0 | 84.1 | |
| | -외성 | 140.0 | 548.8 | 2,090.5 | 882.8 | 834.4 | |
| 인구 (천명) | 전체 | 530.0 | 913.4 | 2,450.6 | 2,127.8 | 2,566.5 | 5.0배 |
| | -내성 | 370.0 | 463.8 | 742.9 | 982.3 | 1,359.7 | |
| | -외성 | 160.0 | 449.6 | 1,707.7 | 1,145.5 | 1,206.8 | |
| 인구밀도 (천/㎢) | 전체 | 3.5 | 1.5 | 1.2 | 2.3 | 2.8 | |
| | -내성 | 30.3 | 12.4 | 18.6 | 24.5 | 16.2 | |
| | -외성 | 1.1 | 0.8 | 0.8 | 1.3 | 1.4 | |
| 행정단위 (개) | 꾸언/후엔 | 8 | 8 | 16 | 9 | 12 | |
| | 프엉/소구 | 36 | 363 | 82 | 84 | 102 | |
| | 싸 | 46 | 101 | 278 | 128 | 118 | |
| | 티 쩐 | - | 3 | 6 | 10 | 8 | |

<자료: Luu Minh Tri & Hoang Tung 1999: 509-10 등 참조 재구성>

내성의 최대 행정단위인 꾸언(*quan*, 郡)은 1995년까지 호안 끼엠(*Hoan Kiem*), 바 딘(*Ba Dinh*), 하이 바 쯩(*Hai Ba Trung*), 동 다(*Dong Da*) 뿐이었으나, 이후 타인 쑤언(*Thanh Xuan*), 떠이 호(*Tay Ho*), 꺼우 져이(*Cau Giay*)가 추가되어 모두 7개로 늘어났다. 외성은 시 중심의 북쪽에서부터 시계방향으로 속 선(*Soc Son*), 동 아인(*Dong Anh*), 쟈 럼(*Gia Lam*), 타인 찌(*Thanh Tri*), 뜨 리엠(*Tu Liem*) 등 5개 후엔(縣)으로 구성되어 있다. 1995년 이후 내성에 편입된 일부 꾸언에는 이전의 '소구' 단위가 유지되기도 하지만, 대부분의 꾸언은 프엉으로 나뉘어 있다. 외성의 후엔은 '싸'(社) 또는 '티 쩐'(市鎭)으로 구분되어 있고, 그 각각은 '톤'(*thon*, 村)으로 구분되기도 한다. 최근에는 거의 매년 각급의 행정단위 어디에서나 새로운 구역과 도로의 이름을 짓고 도로와 골목을 정비하는 사업이 도시계획사업의 주요 과제가 되었다.

<표 2-2> 하노이 내성의 꾸언별 프엉 및 인구(천명), 인구밀도(천명/km²)[29]

| 꾸언(quan) | 프엉 (개) | 면적 (km²) | 1995년 | | 1999년 | | 구성비 (%) |
|---|---|---|---|---|---|---|---|
| | | | 인구 | 인구밀도 | 인구 | 인구밀도 | |
| Ba Dinh | 12 | 8.4 | 168.0 | 20.0 | 199.9 | 23.8 | 14.1 |
| Dong Da | 21 | 12.3 | 252.0 | 20.5 | 299.1 | 24.3 | 21.1 |
| Hai Ba Trung | 25 | 12.8 | 306.0 | 23.9 | 362.9 | 28.4 | 25.6 |
| Hoan Kiem | 18 | 4.2 | 172.5 | 41.1 | 205.6 | 49.0 | 14.5 |
| Cau Giay | 7 | 12.1 | 83.0 | 6.9 | 98.9 | 8.2 | 7.0 |
| Tay Ho | 8 | 23.1 | 82.0 | 3.5 | 97.8 | 4.2 | 6.9 |
| Thanh Xuan | 11 | 9.5 | 130.0 | 13.7 | 154.5 | 16.3 | 10.9 |
| 합계(평균) | 92 | 82.4 | 1,193.5 | (14.5) | 1,417.7 | (17.2) | 100.0 |

<자료: Giang Quan 1999: 7-10; Luu Minh Tri & Hoang Tung 1999 참조 정리>

---

29) 꺼우 져이, 떠이 호, 타인 쑤언 등 1996년 이후 새로이 구획된 꾸언의 1995년 인구는 이후 내성에 편입된 지역의 당시 인구를 추정한 수치이다.

<표 2-2>에서 볼 수 있는 바와 같이 내성 중 꾸언 호안 끼엠의 인구밀도가 가장 높다. 시내 중심가인 호안 끼엠은 호안 끼엠호수(*Ho Hoan Kiem*, 還劍湖))를 포함하고 있으나, 36개 수공업 전문거리를[30] 중심으로 하는 옛 시가 지역으로 상가와 주택이 좁은 골목을 따라 밀집하고 있는 난개발 지역이다. 1995년 이후 신설된 3개 꾸언의 경우 내성지역 평균보다 인구밀도가 낮다. 특히 꾸언 떠이 호는 하노이시 최대 호수인 호 떠이(*Ho Tay*, 西湖)가 포함되어 있어 최소 인구밀도를 나타내지만, 최근 인근지역을 주거단지로 개발함에 따라 인구가 급증하고 있는 추세이다. 프엉 응옥 하가 포함된 꾸언 바 딘(*Ba Dinh*)의 경우 최근 20여 년 동안 농지가 주택용지로 지속적으로 개발됨에 따라 시내 중심가에 비하여 인구의 증가 속도는 빠른 편이다.

## 2) 프엉 응옥 하

1945년 이후 지방 행정제도의 변화와 함께, 하노이의 '전통촌락'의 이름은 각 '쿠' 또는 '꾸언'에 소속된 기초 지방 행정단위의 고유한 지명으로 자리잡게 된다.[31] 1954년까지는 이 지역의 각 마을에는 랑(*lang*), 짜이(*trai*), 싸(*xa*), 톤(*thon*), 쏨(*xom*) 등이 앞에 붙은 이

---

30) 36개 수공업 및 상업 전문거리를 '36 포 프엉'(*pho phuong*)이라고 부른다. 이 곳은 하노이성 동쪽에 위치하며, 흔히 '원래의 하노이'로 알려져 있다(Nguyen Khac Dam 1999; Giang Quan 1999). 왕조기에 이 곳의 주요 수요자는 왕족과 귀족층이었으나, 기층의 사회를 구성하는 '시장'이기도 하였다. "교역은 친구를 만들고, 장사는 프엉을 만든다"(*buon co ban, ban co phuong*)는 속담처럼, 프엉은 행정용어 외에 사회경제적 의미를 지니고 있다. 아마 중국어의 "팡"(坊)이 도시의 상인길드의 의미를 가지고 있는 것에 기원하여, 베트남에서도 같은 생산품의 교역, 수공업제조, 또는 서비스제공 등 유사한 직업을 가진 사람들이 모여 사는 지역을 지칭하는 의미를 지니고 있었다(Koh 2000: 38-39).

31) 현재의 프엉 응옥 하가 속하는 일대는 1945년 말에는 '쿠 다이라'(*khu Dai La*)로 불리었으나, 1948년에 '쩐 떠이'(*Tran Tay*)현으로 바뀌었고, 1954년 11월에는 '꾸언 6'에 속한 지역으로, 1961년에는 '쿠 포 바 딘'(*khu pho Ba Dinh*)으로, 1979년에는 다시 '꾸언 바 딘'으로 바뀌어 오늘에 이른다(Bui Thiet 1993; Nguyen Khac Dam 1999; Bang Son 1997; 1998).

전의 고유한 이름으로 불렸다. 1955년 토지개혁이 시작되면서 '꽃마을'(*trai Hang Hoa*)이라는 이름에 포함되어 있던 마을이 응옥 하, 흐우 띠엡 등 두 개의 싸로 바뀌었고, 과거 싸 쑤언 비에우(*xa Xuan Bieu*)에 속했던 쏨 호이 동(*xom Hoi Dong*)은 싸 응옥 하(*xa Ngoc Ha*)에 병합되었다. 그리고 다이 옌, 빙 푹 등은 이전의 이름 그대로 고유한 '싸'의 명칭이 계속 불렸다. 1961년 싸행정위원회를 해체하고, 톤 또는 반(半)톤 등의 규모로 여러 가지 '코이 전 포'(*khoi dan pho*)를 만들었다.[32] 각 '코이'는 꾸언 인민위원회의 행정 관할에 소속되었다. 당시 꾸언 바 딘은 3개의 소구로 구분되었는데, 응옥 하의 각 코이는 '제3소구'에 포함되었다.

1975년 이후의 하노이시 도시행정 개혁과정에서 응옥 하 소구와 다이 옌 소구가 정해졌고, 이후 이 지역에서 '싸'라는 단위는 공식적으로 사라지게 되었다. 1979년에 두 소구를 합쳐 '응옥 하 소구'로 통합하였고, 1981년 도시행정 재정비사업 과정에서 응옥 하 소구는 인근의 빙 푹 소구에 속하였던 톤 빙 푹3(*thon Vinh Phuc 3*)을 편입시켜 현재의 '프엉 응옥 하'를 형성하게 된다(Ban Chap Hanh Dang Bo Phuong Ngoc Ha 1996: 11). 따라서 현재의 프엉 응옥 하는 1981년 초 정비된 도시계획에 따라 확정된 꾸언 바 딘에 소속된 12개 프엉 중의 하나이다. 1981년 이후 프엉은 여러 개의 '꿈'(*cum*)과 '또'(*to*)로 구분되어 과거 자연촌락 또는 '전통촌락'의 경계를 대신하게 된다.

프엉 응옥 하는 동서로 약 2㎞, 남북으로 약 500m에 이르는 직사각형 모양으로 전체면적 1,017,000㎡에 달한다. 프엉 응옥 하의 동서남북의 경계는 각각 '포 응옥 하'(*pho Ngoc Ha*), '드엉 독 응

---

32) '코이 전 포'를 줄여서 '코이'(*khoi*)라고 부르기도 하였는데, 이를 직역하면 '도시인구집단'이라는 의미로 당시의 말단 행정단위로서 지금의 '꿈'(*cum*) 또는 '또'(*to*)에 해당한다고 볼 수 있다.

으'(duong Doc Ngu), '포 도이 껀'(pho Doi Can) 그리고 '포 호앙 호
아 탐'(pho Hoang Hoa Tham) 등의 도로(pho, duong)로 이루어져 있
다.33) 이 도로들은 모두 1980년대 이후 도시구획에 따라 2차선 도
로로 변모하였다. 프엉 응옥 하는 2000년 현재 행정적으로 10개의
'꿈'과 65개의 '또'로 구분되어 있다. 10개의 꿈에는 다섯 개의 '전

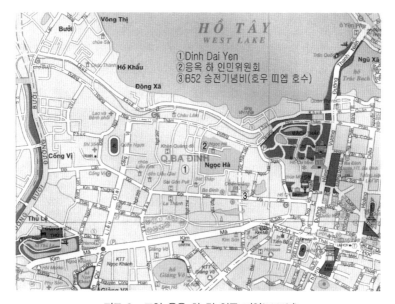

<지도 3> 프엉 응옥 하 및 인근 지역(1999년)

33) 베트남 주요 도시의 지명은 마치 역사서의 인명 또는 사건의 색인과 같다. 프엉 응옥 하를 둘러싸
고 있는 도로의 이름도 모두 유명한 역사적 인물의 이름을 딴 것들이다. '독 응으' 길은 응우웬조
의 군 통솔자 '독'(doc, 督)이었던 응우웬 득 응으(Nguyen Duc Ngu)의 이름을 딴 것이다. 그는 하
떠이성 푹 토(Phuc Tho)현 출신으로, 프랑스 식민지 침략에 저항하다가 1892년 희생되었다고 전해
진다. 도이 껀로는 빙 푸성, 빙 락(Vinh Lac)현 출신의 찡 반 껀(Trinh Van Can)의 이름을 딴 것이
다. 그는 원래 타이 응우웬의 지방경비부대의 장교였는데, 르엉 응옥 꾸엔(Luong Ngoc Quyen) 장
군을 도와 프랑스군을 물리치기 위하여 병을 일으켰으나 실패한 후 1918년 자살한 것으로 알려져
있다. 프엉의 북쪽 도로는 옌 테(Yen The) 의용군의 유명한 지도자 호앙 호아 탐의 이름을 딴 것이
다. 그의 본명은 쯔엉 응이어(Truong Nghia)로 하이 흥(Hai Hung)성 태생이지만, 어릴 때부터 박
장의 옌 테에서 자랐다고 전해지고 있다. 그는 1887년에서 1913년까지 의군을 일으켜 프랑스군에
대항한 역사적인 영웅으로 알려져 있다(Ban Chap Hanh Dang Bo Phuong Ngoc Ha 1996: 5-7;
Giang Quan 1999).

통마을'이 포함되어 있고, 합작사(*hop tac xa*, 合作社) 및 배급경제 시기의 국가기관 또는 국영기업 종사자들의 집단 거주지였던 일부 '집체구'(*khu tap the*, 區集體) 지역이 편성되어 있다.

<표 2-3> 프엉 응옥 하(玉河坊)의 토지 용도별 면적(2000년 현재)[34]

| 구분 | 면적(ha = 10,000㎡) | 구성비(%) |
|---|---|---|
| (자연토지) 총면적 | 101.7742 | 100.0 |
| 전용(專用) 토지 | 51.5744 | 50.7 |
| 주거용 토지 | 41.4885 | 40.8 |
| 농업용 토지 | 7.5916 | 7.4 |
| 임업용 토지 | 0.0 | 0.0 |
| 미사용 토지 | 1.1197 | 1.1 |

<자료: 프엉 응옥 하 인민위원회 소장 지도 자료에서 재정리>

꿈별 마을 및 집체구의 분포를 살펴보면, 우선 1꿈은 공업부 소속의 집체구 지역이다. 랑 응옥 하(*lang Ngoc Ha*)는 현재의 2꿈과 4꿈에 편재되어 있고, 랑 흐우 띠엡(*Huu Tiep*)은 3꿈에 해당한다. 5꿈의 대부분은 톤 동 느억(*Dong Nuoc*)에 해당하는 지역이다. 6꿈과 8꿈은 호앙 호아 탐로의 동북쪽 도로변에 접해 있는데, 문화정보부 산하의 영화제작 및 보급에 종사하는 공무원 가족의 집단거주지인 '영화집체구'가 위치하고 있다. 9꿈 및 10꿈은 톤 빙 푹 트엉(*Vinh Phuc Thuong*)에 해당하는데, '빙 푹3'이라고도 한다. 필자의 집중적인 현지연구지역인 랑 다이 옌(*Dai Yen*)은 '7꿈'(*cum 7*)으로 편성되어 있고, 5꿈과 6꿈의 일부에도 다이 옌 주민들이 소수 포함되어 있다. 프엉 내의 지역은 매우 꼬불꼬불한 골목을 경계로 배치되어 있

---

34) '전용(專用) 토지'(*tho chuyen dung*)는 프엉 구역 내에 편재된 도로(*pho, duong*)와 골목(*ngo*), 개천과 일부의 작은 호수 및 늪지, 그리고 인민위원회 부지 등 행정조직이 직접 관리하는 공용토지를 의미한다.

다. 프엉을 둘러싸고 있는 동서남북의 도로와 연결된 몇 곳의 주요 골목을 제외하고 자동차가 출입할만한 도로는 없다. 프엉 내에서는 자전거와 오토바이가 주요 교통수단이 되며, 꿈의 경계가 되는 골목이나 냇가, 공터 주변에 해마다 새로이 주택이 들어서면서 행정적으로 각 꿈의 경계가 조금씩 바뀌고 있는 상황이다.

1999년 4월 1일 현재 프엉 응옥 하의 인구는 18,819명으로 조사되었다. 1945년 무렵에는 지금과 거의 같은 면적의 응옥 하 일대의 인구는 1,600명에 불과하였으나, 50년이 지난 1993년에는 14,000여 명이 거주하는 지역으로 성장하였다. 이후에도 매년 평균 약 5%의 인구 증가율을 보인 것으로 추정된다. 이는 지난 10년 간 하노이시 전체의 연 평균 인구증가율의 약 2배에 해당한다.[35] 1954년 이후 하노이가 베트남사회주의공화국의 수도로서 정부의 계획적 개발이 집중되자 전국 각지로부터 여러 분야의 사람들의 이주가 더욱 활발해지기 시작하였다. 그 중에서 많은 사람들이 응옥 하에도 정주하였고, 응옥 하 주민들은 점차 직업과 출신지역 면에서 다양해지게 되었다. 과거의 경작지를 점차 택지로 바꾸어 집을 짓게 되어 벼 경작지뿐만 아니라 꽃, 채소 및 약재를 심었던 토지도 점차 줄어들었다.

## 3) 랑 다이 옌(Lang Dai Yen)

### (1) '도시화된 농촌'

다이 옌은 프엉 응옥 하의 중앙에 위치한다. 마을의 북쪽은 호앙

---

35) 1930년대에는 응옥 하, 흐우 띠엡, 다이 옌과 빙 푹3을 합하여 약 500명이 '쑤엇 딩'(xuat dinh, 出丁)하였다. 즉 16세가 넘어 군역을 할 수 있는 사람으로서, '딩'(dinh)의 마을회의와 정치적 의사결정에 간여할 수 있었던 성인 남자의 수치를 뜻한다. 그 수를 참고하여 당시의 전체 주민은 약 1,600명 정도로 추정되었고, 1945년까지 큰 변동이 없었다(프엉 인민위원회의 자료).

호아 탑로에 인접하며, 남쪽의 일부는 도이 껜에 접해있다. 동쪽으로 응옥 하, 서쪽으로 흐우 띠엡 및 동 느억과 접하고 있다.[36] 도이 껜로 중앙에 위치하고 있는 팔탑사(*Chua Bat Thap*, 八塔寺) 좌우의 골목이 마을 진입로인데, 절 우측의 진입로에는 철제로 개조한 '대나무 차단기'가 남아 있다.[37] 자전거 두 대가 드나들 수 있는 정도의 진입로를 따라 꼬불꼬불 들어서면 마을의 입구인 대안문(大安門, *Cong Dai Yen*)이 나타나고 대안문 주변의 골목을 따라 시장과 재래식 단층 상가가 형성되어 있다. 골목을 따라 1-3층의 가옥들이 연이어져 있고, 골목들 어귀에는 30평에서 150평 정도에 이르는 채소나 약초를 키우거나 잡초들이 엉켜있는 텃밭들과 주택건설을 위해 터를 닦을 준비를 하는 공터들이 놓여 있다. 1945년 이전 마을의 주택들은 지금처럼 서로 이웃하여 연이어져 있는 모습이 아니고 두서너 채의 집이 한 구역을 이루어 각 구역이 농토와 늪지를 사이에 두고 각각 떨어져 있는 모양이었다. 현재 마을 곳곳에 소재하고 있는 황무지들은 대부분 1970년대 말 합작사의 공동경작 활동이 후퇴하기 시작하면서 발생하였지만, 현재까지 남아 있는 땅들 대부분은 곧 집을 지을 터이거나, 건축을 위해 용도 변경 또는 허가를 기다리는 토지이다. 마을 내의 좁은 골목들은 대개 구획된 경작지를 구분하는 경계에 해당되는 땅들이었다. 과거 논, 약초나 채소밭 사이의 통로

---

36) 프엉인민위원회가 소장하고 있는 하노이시 행정지도(1994년 7월)의 설명 자료에 따르면 다이 옌에 해당하는 7꿈의 면적은 59,459.28㎡로 파악되었다. 랑 다이 옌은 5꿈과 6꿈에도 일부 편재해 있으므로, 마을 전체의 면적은 최소 6만㎡ 이상이라고 추측할 수 있다. 프엉에서 각 '전통마을'별 면적 자료를 가지고 있지 않으며, 조사 당시 지리적인 경계로서의 '랑'의 의미는 사라진 상황이어서 면적이 마을의 규모를 설명해 줄 수 있는 바는 없다고 판단되었다. 참고로 7꿈의 감사(*thanh tra*, 淸 査)의 자료에 따르면 1980년대 초, 다이 옌은 약 200머우(72,000㎡)의 면적이었고, 이 중에 절반이 경작지로 분류된 토지였다(Chu Xuan Giao 1996: 33).

37) 대나무로 만든 입구는 베트남 전통촌락의 경계를 구획하는 상징물이었다(Nguyen Tu Chi 1993; Hickey 1964).

가 이제 주택부지를 구분하는 길로 변모하였다.

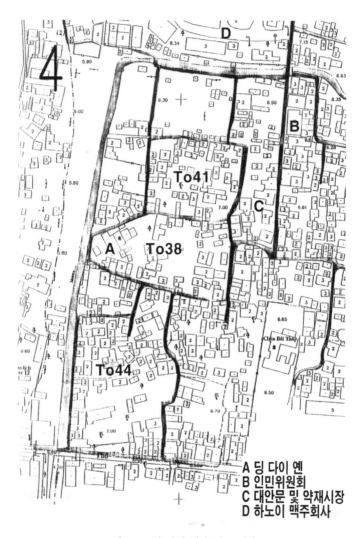

<지도 4> 랑 다이 옌과 인근 지역

A 딩 다이 옌
B 인민위원회
C 대안문 및 약재시장
D 하노이 맥주회사

인민위원회 부주석과 도시구획 및 재건축 인허가를 담당하는 간부의 설명에 따르면, 프엉의 10개 꿈에 편재된 마을 중에서 다이 옌은 인근의 리에우 쟈이(*Lieu Giai*)와 함께 비교적 최근까지 많은 주민들이 농업에 종사하였고, 지금도 많은 주민들이 베트남의 전통약재인 '투옥 남'(*thuoc nam*, 藥南) 재배를 하는 등 '도시화'의 진행이 가장 느린 편이라고 한다.[38] 프엉 응옥 하 지역이 행정적으로 하노이 도시 지역에 들게 된 것은 1975년 이전이었지만, 합작사가 해체되고 가구별로 토지사용권이 부과되었던 1989년 이후에야 비로소 주거지로의 집중적인 변동이 시작되었다. 특히 1993년 정부가 새로이 '토지법'(*Luat dat dai*)을 발효시켜, 장기토지사용권 전매를 허용함에 따라 응옥 하 일대에도 '토지과열 현상'(*con sot dat*)과 함께 부동산 시장이 형성되었다. 따라서 주택 재건축과 신축이 급증하고 남아있던 경작지 대부분도 주거지로 변용되어 이러한 변화는 더욱 가시화되었다.

10년 전만 하여도 마을의 많은 집들이 나무울타리와 텃밭을 경계로 불규칙하게 나열되어 있었는데, 조사 당시에는 대부분 벽돌담과 철제대문을 갖추고 있었고, 골목도 콘크리트나 시멘트로 포장이 되어 있었다. 이제 마을에서는 흙먼지를 쉽게 찾을 수 없게 되었고, 농촌마을처럼 소들이 한가히 대나무 잎을 씹고 누워있는 모습을 찾을 수 없다. 마을 주변의 크고 작은 길을 따라 식품점, 잡화상, 비디오 대여점, 이발소, 간이음식점, 카페, 가라오케 등이 들어섰다. 이렇게 마을이 도시의 한 지역으로서의 면모를 매우 빠르게 받아들이고 있음에도 불구하고, 많은 주민들은 랑 다이 옌이 "농촌이면서 도

---

38) 하노이에는 투옥 남이나 꽃을 재배하는 전통 원예업 마을에는 다이 옌을 비롯한 프엉 응옥 하의 마을과 호 떠이(西湖) 인근의 마을들이 있다.

시"(*vua lang vua pho*)라고 설명하였다. 외관상의 분명한 변화에도 불구하고 주민들은 여전히 '전통촌락'(*lang truyen thong*)의 성격과 전통적인 사회관계가 유지되고 있음을 강조하였다. 특히 대를 이어 마을에 계속 거주하고 있는 사람들과 이주한 지 수십 년이 지난 장노년들은 '촌락공동체'(*cong dong lang*)의 '띵 깜'(tinh cam, 情感)을 여전히 유지하고 있다는 표현을 거듭하였다. 이러한 설명방식들과 관련된 담론들은 일면 '소전통'개념을 위시한 낭만적인 관점을 떠올리게 한다.

　필자는 조사 초기에는 도시화된 외관과 주민들의 다양한 직업과 이질적인 구성의 상황에 근거하여 최근의 '전통의례'의 활성화 현상과 함께 자주 표현되고 있는 주민들의 이러한 설명방식들은 사라져 가는 농촌 고향의 풍경과 이웃의 다정다감한 호혜성에 대한 단순한 향수의 표현일 것이라고 단정하였다. 즉 주민들이 '꽁 동'(*cong dong*, 共同)을 중요시하는 관습적인 언명을 통하여 도시의 개인주의적이고 '띵 깜'이 점차 소멸되어 가는 현실에 대한 정서적인 반감을 표현하는 것이라고 생각하였다. 그러나 장기간 현지연구를 진행하면서 이러한 언명은 단순한 향수의 표현이 아니라 많은 부분 사실을 반영하고 있었으며, 그 이면에서는 국가의 '공동체'와 '전통문화'에 관한 공식담론이 한 요인으로 작용하고 있음을 알 수 있었다. 한편으로 일부의 주민들은 도시화로 인하여 엄청나게 바빠지고, '야박해진' 일상에 비해서 여전히 힘겨운 생계를 고민하는 과정에서 '시장경제'가 파급시킨 변화의 긍정적인 면보다 부정적인 면을 부각하며 과거를 동경하는 표현으로 사용되기도 하였다. 그러나 다른 한편에서는 마을의 공동체적인 성격에 관한 인식과 언명들은 이질적인 마을 구성원들이 수호신 공동의례를 비롯한 '마을 공동의 사업'(*viec lang*)을 통하여 서로의 위치를 확인하거나, 사람들 또는 집단들 사이에 '진짜 마을사람'임을 입증하는 문제를 둘러싼 경합의 자원으로 동원되고 있었다. '전통', '띵 깜', '꽁 동' 등 이러한 설명에 동원되는 핵심어들의 실제적인 용도는 매우 다양하며, 그러한 다면적인 의미와 중요성에 관하여 해석하는 것이 이 연구의 주요 과제이기도 하다.

## (2) 인구 변화와 인구구성의 특성

행정단위로서 '다이 옌'의 위치와 경계는 20세기를 통해 하노이와 프엉의 변화와 더불어 매우 복잡한 변화를 겪어왔다. 따라서 인구의 변화를 하나의 추세로 파악하는 일은 불가능하였다.[39] 마을의 행정 지도자와 일부 원로들의 설명에 따르면, 1954년에는 랑 다이 옌에는 200여 호가 거주하였고 이후 완만한 증가세를 이루어 1975년에는 약 300호 수준이었다. 이후 약 20년만에 두 배 이상으로 증가하여 현재 약 700가구에 달하고 있다. 특히 1993-96년 시기 하노이의 다른 지역과 마찬가지로 토지매매와 주택신축이 활성화되었는데, 이것은 이주인구의 급증을 반영하는 현상이었다.

다이 옌 사람이 대부분 거주하고 있는 7꿈의 1992-1998년 기간의 또별 인구변화는 <표 2-4>와 같다. 1998년 말에는 약 640가구에 약 2,700명이 거주하고 있다. 1999년 말 현재 7꿈은 38A, 38B, 39, 40, 41, 42, 43, 44A, 44B 등 모두 9개의 '또'로 구성되어 있다. '또44'

---

39) 가령 1928년 다이 옌의 인구가 1,339명이었다는 기록이 있다(Chu Xuan Giao 1996: 39). 그러나 이것은 인구증감추세를 추정하기 위한 자료로서는 부적합하다. 당시의 마을이 지금과 같은 경계를 가지고 있지 않았으며 행정단위에도 많은 차이가 있기 때문이다. 참고로 같은 해에 흐우 띠엡은 739명, 리에우 자이는 334명, 그리고 응옥하는 739명이었다는 기록도 있었다(Nguyen Van Van 1986: 186). 이러한 수치로 보아 1920-30년대 다이 옌이 인구의 면에서 다른 마을에 비하여 상당히 큰 규모를 갖추고 있었음을 추측하게 해준다.

과 '또38'은 7꿈에서 가장 인구가 많은 또로서 1997년과 1999년에 각각 A, B의 두 개 또로 분할되었다. 1992-98년 기간 중 가구는 200호, 인구는 969명 증가하여, 각각 45.8%와 56.1%의 증가율을 나타내고 있다. 필자의 연구기간에도 인구는 계속 증가하여 7꿈의 경우 2001년 7월까지 약 700가구, 2,800명에 달하였다. 또장이 관리하고 있는 가구별 주민명부에 따르면 1954년 이전에 거주등록이 된 가구에 속한 주민은 30%에도 미치지 못하였다. 인구 증가의 대부분이 이주에 의한 것임을 알 수 있다.

<표 2-4> 프엉 응옥 하 7꿈의 또별 인구 및 가구수의 변화[40]

| To | 1992년 말 | | | | 1998년 말 | | | |
|---|---|---|---|---|---|---|---|---|
| | 가구 | 인구(계) | 남 | 녀 | 가구(주택) | 인구(계) | 남 | 녀 |
| 38 | 78 | 296 | 141 | 155 | 120(126) | 539 | 259 | 280 |
| 39 | 58 | 223 | 108 | 115 | 82(77) | 320 | 149 | 171 |
| 40 | 53 | 216 | 100 | 116 | 78(75) | 288 | 131 | 157 |
| 41 | 57 | 246 | 129 | 117 | 87(80) | 383 | 199 | 184 |
| 42 | 58 | 226 | 107 | 119 | 66(75) | 291 | 168 | 123 |
| 43 | 52 | 184 | 94 | 90 | 64(75) | 286 | 143 | 143 |
| 44A | 81 | 337 | 163 | 174 | 71(83) | 301 | 150 | 151 |
| 44B | | | | | 69(79) | 289 | 126 | 163 |
| 합계 | 437 | 1,728 | 842 | 886 | 637(670) | 2,697 | 1,325 | 1,372 |

<자료: 인민위원회의 "가구별거주인구조사표"와 각 또장(to truong)이 관리하는 인구자료를 대조하며 각 또장의 설명에 기초하여 실제 거주자를 중심으로 재구성.>

---

40) 프엉 지역에서는 인구이동이 많고 빈번하여 매년의 정확한 인구통계를 파악하는 데에 어려움이 많다. 인민위원회에 인구의 구체적인 변화추이를 한눈에 볼 수 있는 자료가 부족한데다가, 1990년까지의 인구 및 가구 상황을 정확하게 파악하기는 어려웠다. 조사 당시에도 실제의 상주여부가 확인되지 않는 가구가 적지 않았다. 또38의 경우 1999년 두 개 또로 나뉘지기 이전의 수치이다. 2000년 현재 또38A는 87개 가구 345명, 또38B는 50개 가구에 약 230명 거주하고 있다.

<표 2-4>는 1998년의 경우 가구(*ho*, 戶)의 수가 주택(*nha*)의 수와 일치하지 않음을 보여준다. 그 이유는 한편으로는 1993년부터 주택 신축 및 개량사업이 활성화되었기 때문이며, 다른 한편으로는 실제의 거주지와 다르게 '거주등록'(*dang ky cu tru*)을 한 가구가 늘어났기 때문이다. 1992년의 자료에는 주택의 수와 가구의 수가 구분되어 있지 않으나, 프엉인민위원회 종합실에 따르면 당시에도 마을 전체에서 52개 호 198명의 경우 정확한 호구(*ho khau*) 자료를 가지고 있지 않은 상황이었다. 가구의 수와 주택의 수의 불일치는 '도이 머이' 이후의 시장경제 도입에 따라 도시지역의 경제적 기회가 상대적으로 많아진 것에 기인하는 최근의 현상이 아니라, 그 기원이 훨씬 오래 되었다. 이미 20세기 초반부터 주변 홍하델타 농촌지역에서 계절적 이주농업과 상업, 수공업 및 임노동에 종사하기 위해 하노이로 이주한 많은 사람들이 거주등록을 하지 않은 채, 고향마을에서 성원권을 유지하고 있는 경우가 많이 있었다. 응옥 하 일대에도 미등록 이주가구의 구성이 마을의 사회경제적 분화, 마을 성원의 이질성의 역사적인 맥락과 관련된 중요한 자료를 제공하고 있다.

7꿈의 9개 또 중 필자가 집중적인 참여관찰과 면접을 실시하였던 또 44A을 중심으로 성별·연령별 인구 구성의 특징을 살펴보면 <표 2-5>와 같다. 2000년 3월 현재 또 44A에는 총 76개 가구, 327명이 거주하고 있다. 성별 인구는 남녀 각각 158명과 169명으로, 100:107의 여초 구조의 성비를 나타내고 있다.

<표 2-5> 또 44A의 연령별 인구구성 (2000년 현재, 만 나이 기준)

| 연령구분 | 남자 | 여자 | 소계(%) | 구간누계(%) |
|---|---|---|---|---|
| 9세 이하 | 24 | 24 | 48(14.7) | 96(29.4) |
| 10-19 | 20 | 28 | 48(14.7) | |
| 20-29 | 21 | 32 | 53(16.2) | 190(58.1) |
| 30-39 | 35 | 30 | 65(19.9) | |
| 40-49 | 25 | 23 | 48(14.7) | |
| 50-59 | 15 | 9 | 24(7.3) | |
| 60-69 | 8 | 16 | 24(7.3) | 41(12.5%) |
| 70-79 | 8 | 6 | 14(4.3) | |
| 80세 이상 | 2 | 1 | 3(0.9) | |
| 합계 | 158(48.3%) | 169(51.7%) | 327(100.0) | 327(100.0) |

연령별 인구분포는 30대를 정점으로, 그 이상의 인구는 피라미드 형을 나타내고 20대 이하에서 인구가 약간씩 감소하는 형태를 보인 다. 만 18세 이상 60세 미만의 생산연령층의 인구는 모두 203명으 로 전체의 62.1%를 차지하고 있다. 그러나 이러한 수치로 경제활동 인구에 대한 통계적인 특성을 분석하는 것은 타당하지 않다고 판단 되었다. 왜냐하면 한 가구가 여러 가지 생계 활동에 종사하거나 심 지어 한 사람이 여러 직업을 갖는 경우도 많아서 가구 구성원의 직 업과 실제 소득을 만드는 생계수단이 단일하지 않으며, 한 가족에서 도 부양 인구와 피부양 인구의 구분이 명확하지 않은 경우가 많기 때문이다. 특히 마을의 전통산업으로 표현되는 '투옥 남'(*thuoc nam*) 에 종사하는 가구의 경우 노년층의 대부분과 미성년 인구의 상당수 가 참여하고 있었다. 연령별 인구구성에서 주목할 필요가 있는 범주 는 50세 이상의 연령층이다. 이 연령층의 인구는 20%에 불과하지 만, 마을의례를 비롯한 공동사업은 모두 이 연령층의 성원들이 주도 하고 있었다. 2000년 당시 꿈, 또의 행정간부와 대중조직 지도자들 은 거의 대부분이 50세 이상의 연령층에 속해 있었다.

## (3) 가구 구성의 특징

2000년 3월 현재 또44A의 거주등록 가구의 가구당 인구는 4.3명으로, 1998년 말 7꿈의 평균인 4.23명과 큰 차이를 나타내지 않는다. 또44A의 구성원수별 가구 분포를 살펴보면, 4인 이하의 구성원을 가진 가구수가 50개로 전체의 65.8%를 차지한다. 세대구성별 가구수를 살펴보면, 2세대 가구가 53개로 전체의 70%를 차지하고, 3세대 가구 17개(22%), 부부 또는 1인 미망인으로 구성된 1세대 가구 5개, 그리고 4세대 가구도 1개 있었다.

<표 2-6> 또44A의 가구 구성원수별 가구 수(2000년 3월 4-6일 조사)

| 구분 | 가구수 | 구성비(%) | 구분 | 가구수 | 구성비(%) |
|------|--------|-----------|------|--------|-----------|
| 1인 가구 | 2 | 7.9 | 6인 가구 | 6 | 18.4 |
| 2인 가구 | 4 | | 7인 가구 | 4 | |
| 3인 가구 | 18 | 73.7 | 8인 가구 | 3 | |
| 4인 가구 | 26 | | 11인 가구 | 1 | |
| 5인 가구 | 12 | | 계 | 76 | 100.0 |

<표 2-7> 또44A의 가족 형태별 가구 수

| 가족 형태 | | 구분 | 가구수 | 소계 | |
|-----------|-----------|------|--------|------|------|
| 핵가족 | 1세대 핵가족 | 1인 미망인 | 2 | 5 | 51 (67.1%) |
| | | 부부가족 | 3 | | |
| | 2세대 핵가족 | 부부+미혼자녀 | 41 | 46 | |
| | | 편모+미혼자녀 | 3 | | |
| | | 편부+미혼자녀 | 2 | | |
| 확대가족 | 직계가족 | 부계직계가족 | 8 | 14 | 25 (32.9%) |
| | | 모계직계가족 | 6 | | |
| | 기타 확대가족(결합가족 형태의 거주) | | 11 | | |

다이 옌 마을의 가족구조와 가구구성의 양상은 경제적 변동과 도시화와 함께 변화해 왔다. 다른 시역과 유사하게 핵가족이 증가해 왔고, 특히 최근에는 결혼 후 분가하여 핵가족을 꾸리는 추세가 뚜렷하였다. <표 2-7>에서와 같이 조사 당시 핵가족의 비율이 약 67%에 달하였다.[41] 확대가족을 구성하고 있는 가구의 경우도 실제 분가를 준비하거나, 일시적인 이주 또는 이혼 후 복귀 등에 의해 가구 구성의 형태의 면에서만 확대가족을 구성하고 있는 경우가 상당하였다. 특히 1990년대 이후 경작지가 주거지로 급전하면서 사용권을 가진 토지에 새로 주택을 지어 혼인한 자녀를 분가시키는 경우가 많았다.

편모 또는 편부가 있는 가구가 핵가족뿐만 아니라, 확대가족에도 분포하였는데 이 중에 7개 가구의 경우 이혼 또는 사별한 경우가 아니라 거주 등록을 따로 하고 있는 경우였다. 이러한 가구를 "이주한 부모가 있는 가구"(household with a migrant parent)라고 표현할 수 있다(Pham Van Bich 1999; Truong 2001).[42] 가령, 편모와 미혼자녀로 구성된 핵가족 가구 중 한 가구는 남편이 사망한 경우였고, 두 가구는 남편의 거주가 인근 고향마을에 등록되어 있는 이주민이었다.

---

41) 일부 학자들은 북부베트남에서 핵가족화 경향과 함께 일부 확대가족으로의 복귀도 나타나고 있으며, 등록된 거주의 형식적인 구조와 상관없이 가구간 상호의존도가 강화되고 있다고 지적하였다 (Pham Van Bich 1999). 북부 농촌의 확대가족의 비율이 평균적으로 9-10% 정도라고 제시한 연구(Houtart and Lemecier 1984; Hirschman and Vu Manh Loi 1996)도 있으나, 르엉은, 가령 하 박(*Ha Bac*)성은 25%, 빈 푸(*Vinh Phu*)성은 40%에 이르는 등 많은 지역에서 형식적인 거주등록 상황보다 훨씬 많은 확대가족이 분포한다고 지적하였다(Luong 1989: 750-51). 다이 옌의 핵가족 비율은 유사한 시기의 인근 농촌지역의 비율(60% 내외)과 그다지 큰 차이를 보여주고 있지 않다 (Truong 2001: 47).

42) 하노이로 계절적인 노동인구 또는 상업을 목적으로 이주한 인구가 집중 분포하고 있는 하노이 남서쪽의 하 동성의 경우 핵가족과 미혼인 한 명 또는 그 이상의 친척이 포함된 가구는 2%에 불과하고, 부모 중 한 명만 있거나 1인 가구는 13.7%에 달했다(Truong 2001: 47; Barfield 1997: 448). 합작사 시기의 거주등록 제도(*ho khau*, 戶口)로 인하여 편부 또는 편모로 등록된 가구의 대부분은 사실상 한 명은 고향에 거주등록이 되어 있고, 한 명은 국영기관 또는 기업에 취업하여 하노이에 거주 등록한 경우였다. 이러한 가구에 대해서 "이주한 부모가 있는 가구"라고 표현하는 것이 가장 적절할 것이다(Pham Van Bich 1999).

자매가 결합가족을 구성하고 있는 2개 가구도 그 중 한 자매의 남편이 고향에 성원권을 유지하고 있는 경우였다. 혼인한 딸과 사위 및 외손자들과 함께 사는 경우 동거형태의 면에서 모계 직계가족이지만, 면면의 가족구성원리는 별개의 것이었다. 즉 이 중 두 가구는 처남가족이 타지로 분가함에 따라 처부모를 모시고 있는 경우였고, 다른 두 가구는 딸이 이혼 후 자녀를 데리고 친정으로 돌아와 사는 경우였다. 그리고 나머지 두 가구 중 한 가구는 사위가 고향에 성원권을 가지고 있으나 자식의 교육을 위해 하노이로 이주한 경우이고, 다른 한 가구는 외손자만을 데리고 사는 경우였다. 즉 두 가구 모두 '이주한 부모가 있는 가구'의 경우이다.

<표 2-7>에서 기타 확대가족으로 분류된 가구에는 형제결합가족의 거주형태를 구성하고 있는 가구가 8개, 자매가 혼인후 자녀와 함께 동거하는 경우가 1개, 그리고 남매가 결합가족을 구성한 경우가 2개 가구 포함되어 있었다. 이중 기혼 남자형제들 부부와 그 자녀로 구성된 가구 중 5개 가구를 제외하고 모두 분가를 준비하는 과정에 있었다. 기혼 남매가 같이 사는 가구 중 한 가구는 이혼한 여동생이 자녀를 데리고 온 경우였고, 한 가구는 재건축을 위해 이주하였다가 거주등록을 옮기지 않은 경우였다. 기혼자매와 그들의 자녀로 구성된 한 가구에도 '이주한 부모'가 포함되어 있었다.

이와 같이 통계적인 수치만으로 설명할 수 있는 가구구성과 가족형태의 성격은 지극히 제한적이다. 카비어가 주장하였듯이, 구조화되고 표준화된 사회학적 통계조사방식으로는 지속적으로 변화하는 실체의 미묘하고 세밀하고 복잡한 성격을 정확하게 파악해 내기 어려운 한계가 있다(Kabeer 1994: 134). 대신에 참여관찰과 심층면접을 통한 재확인 및 민족지적 통찰을 통하여, 마을의 가구들이 매몰

되어 있는 보다 확대된 제도적인 틀의 한 통합된 부분으로서 가구들의 실제 구소와 생활상을 연구할 필요가 있나(Pham Van Bich 1999: 215). 즉, 가구의 형태적인 구분보다는 일상생활에서 이질성을 구성하고 있는 가구의 역동적인 측면을 고찰하는 것이 더욱 의미있는 작업이 될 것이다.

호구등록 상의 특징 중 주목할 만한 점은 여자 이름으로 호주가 등록되어 있는 가구가 비교적 많다는 것이다. 전체 76가구 중 여성 호주등록 가구가 37개로 약 절반을 차지하고 있다.[43] 프엉 전체에서도 약 45%의 가구가 여성 호주로 등록되어 있어 비슷한 분포였다. 그러나 가족의 생계나, 마을 공동의 사회활동을 위한 의사결정과정에 관한 조사를 통해 여성 호주의 등록이 곧 여성의 권한의 상승이나 남녀평등의 실현을 직접 의미하는 것으로 간주하기는 어렵다는 것을 알 수 있었다. 외형상으로 여성 호주 등록이 많은 것에는 여러 가지 배경이 있었다. 우선 오랜 전쟁의 영향으로 전쟁에 나가 심지어 생사도 불명확한 남편의 이름으로 가구를 등록하기보다는 안정적으로 거주하는 처 또는 어머니의 이름으로 가구등록을 한 경우가 많기 때문이며, 또 다른 이유로는 사회주의 국가로서 법률상의 남녀평등이 보장되어 있어서 여성의 호주 등록에 아무런 장애가 없기 때문이다. 다이 옌의 경우에도 전쟁기에 남편의 거주지가 유동적이어서 여자가 호주로 올라 있고, 자녀들도 어머니 밑으로 거주 등록한 경우가 많았다. 이후 남자 가장이 복귀했어도 여전히 고치지 않고 그대로 여자가 올라가 있는 경우가 많다. 연령별로는 약 40대 이상의 세대, 즉 전쟁기에 혼인한 경우 여성 호주가 많고, 30대 이후, 즉

---

43) 미망인 호주 가구의 경우, 남성미망인 호주 가구가 4개, 그리고 여성미망인 호주가구가 9개 등 모두 13개 가구가 있었다.

전쟁시기 이후 혼인한 가정은 거의 대부분 남자가 호주로 등재되어 있다.

<표 2-8>은 또44A의 만 18세 이상의 주민들의 성별 학력분포를 보여주고 있다. 학력이 높을수록 남자의 분포가 많아지는 경향을 보이지만 그 차이는 그다지 크지 않다. 학력은 성별 차이보다 연령별 차이가 보다 뚜렷하여, 젊은 층일수록 학력이 높았다. 공식적으로 학교를 다닌 적이 없는 17명 중 남자 2명과 여자 12명 등 14명은 60세 이상의 노년층이었다. 그리고 소학교 졸업 이하의 경우도 90% 이상이 노년층이었다. 고등학교 이상의 상급학교를 다닌 경우도 여자보다 남자가 그리고 젊은 층일수록 많은 분포를 보이고 있었다. 그러나 1-2년제 초급대학이나 기술전문대학을 포함하여 대학 이상의 학력을 가진 주민 52명 중 조사 당시 재학생인 17명을 제외한 35명의 경우 연령별로 고른 분포를 보여주고 있다.

<표 2-8> 성별 학력 분포표(2001년 3월 현재)[44]

| 구분 | 남자 | | 여자 | | 합계 | |
|---|---|---|---|---|---|---|
| | 수(명) | 비율 | 수(명) | 비율 | 수(명) | 비율 |
| 무학 | 3 | 2.5% | 14 | 10.9% | 17 | 6.8% |
| 소학교 졸업이하 | 11 | 9.2% | 12 | 9.3% | 23 | 9.3% |
| 중학교 졸업이하 | 38 | 31.7% | 40 | 31.0% | 78 | 31.3% |
| 고등학교 졸업이하 | 34 | 28.3% | 45 | 34.8% | 79 | 31.7% |
| 대학재학 이상 | 34 | 28.3% | 18 | 14.0% | 52 | 20.9% |
| 자료미상 | (4) | - | (7) | - | (11) | - |
| 합계 | 120 | 100% | 129 | 100% | 249 | 100% |

---

44) 1985년까지 소학교(*truong tieu hoc*), 기초중학교(*chung hoc co so*), 보통중학교(*pho thong chung hoc*) 순으로 '4-3-3년', 총 10년의 학제로 이루어져 있었으나, 이후 5-4-3의 12년제로 개편되었다. 따라서 1968-69년 생은 과도기를 거쳤다.

마을의 행정간부들과 공동의례의 지도자, 그리고 대중조직에서 공식적인 학력과 사회적 지위와의 관계는 애매모호한 성격을 가지고 있었다. 마을 지도자의 조건 중에서는 '학식을 갖추기'(co hoc van) 또는 '높은 문화의 소유'(co van hoa cao) 등이 포함되어 있었지만, '학식'과 '문화'가 곧 학력을 의미하는 것은 아니었다. 마을 지도자들의 학력분포를 살펴보면 공식적인 학교를 오래 다녔음이 지도력의 기준이 되고 있지는 않았다. 꿈장과 또장의 학력은 다양하였다. 꿈장은 중학교를 마쳤다. 또44A의 또장은 임업대학을 졸업하였으나, 또38B 또장은 4년제 소학교를 가진 것이 공식학력의 전부였다. 2001년까지 8년째 연임하고 있는 유적관리위원장도 학교는 7년을 다녔으나, 마을에서 누구못지 않은 '높은 문화를 갖춘' 사람이라고 인정받고 있었다. 2001년 말부터 새 임기를 시작한 유적관리위원장은 사범대학을 졸업하고 교수직에 있다가 정년 퇴임한 당원이었으나, 마을의 유적과 공동의례와 관련한 '높은 학식을 갖춘' 인물인지에 대해서는 사람들에 따라서 의견이 달랐다.

그러나 20-30대 청년층에 대해서는 대학진학 이상의 공식적인 학력이 마을에서 통용되는 '문화'나 '학식'과는 차별성이 있는 자원으로 평가되고 있었다. 10대의 자녀를 둔 주민 대부분에게 자녀들의 대학진학은 안정된 수입원을 갖춘 직업을 획득하기 위한 가장 중요한 수단으로 인식되고 있었다. 마을에서 국영기업, 외국인 투자기업 등 안정된 수입을 얻는 직장을 가진 사람은 토착민과 이주민의 구분과 상관없이 부러움의 대상이 된다. 장노년층의 경우 자신의 학력보다 자녀가 대학을 다녔거나 다니고 있거나, 진학을 준비하고 있다는 점은 자랑거리이다. 부부가 모두 대학이상의 학력을 가진 경우는 대부분의 자식들도 대학 재학 이상의 학력을 갖추고 있거나, 진학할 것으로 기대하고 있었다. 학력에 대하여 주민들이 부여하는 가치와 의미의 기준은 이와 같이 상황에 따라 다양하고 상이하다.


## 2. '원주민' 정체성과 사회적 분화

### 1) '원주민' 정체성

마을 주민들은 토착민과 이주민을 구분하여, 토착민을 '원주민'(*nguoi goc*)이나 '본처(本處) 사람'(*nguoi ban xu*)이라고 하고 이주민을 '이거민'(*nguoi di cu*, 移居民)이라고 부른다. 마을에서 원주민으로 인정되는 사람들도 1954년 이전에 다른 지역으로부터 이주하여 정착한 사람들의 후손들이다. 반면에 '이거민'은 1954년 이후에 이주한 사람들을 가리키고 있었다. 일부의 주민들이 1975년 혹은 '전쟁이 끝난 후', 또는 더욱 모호하게 '도시화가 된 이후' 등으로 다른 변이의 이거민의 기준을 제시하기도 하였으나, 나이가 많을수록 1954년 기준에 대한 이견이 드물었다. 왜 하필 1954년이 그러한 구분의 기준에 되고 있는지에 관해서는 "최소 한 세대 이상을 마을에서 거주하였으므로", 또는 "부모 세대 이전부터 마을에서 태어나 계속 살고 있기 때문에", "조상에 대한 제사를 마을에서 계속 해온 사람들", "마을의 일을 제대로 아는 사람들" 등의 설명이 있었으나 "왜 1954년?"에 대한 적절한 대답은 아니었다. 행정지도자들이 관리하고 있는 가구별 주민명부에는 거주등록 년도가 기록되어 있는데, 1954년 이전에 마을에서 출생하였거나, 이주한 경우는 모두 1954년으로 기록되어 있었고, 그들이 곧 '원주민'에 해당한다는 한결같은 설명을 들을 수 있었다.

마을에서 이주민과 원주민의 구분에는 마을 인구에 대한 사회주의 국가의 공식적인 행정관리의 시기가 중요한 기준으로 작용하고 있었다. 1954년 공산정부 수립이후 토지조사사업을 실시하면서 처음으로 거주등록과 호구제도가 정착하였다. 이후 1961년, 1975년, 1982년, 1989년 등 몇 차례에 걸쳐 거주등록 정리 작업을 하면서 1954년 이전부터 거주해온 가구의 경우 모두 1954년에 등록한 것으로 기록되었다. 마을의 행정지도자의 설명에도 1954년 이후 마을에 전입한 사람은 이거민이라는 데에는 이견이 없었다. '마을의 공동사업'에 대한 참여정도나 방식에는 개인 또는 가구별로 많은 차이가 있음에도 불구하고, 1954년 이후 전입한 사람들 스스로도 '이거민'으로 규정되는 것을 받아들이고 있었고, 그 대부분이 '다이 옌 주민'이라는 정체성과 함께 고향마을 사람이라는 정체성을 동시에 표현하고 있었다. 가령 자신이나 부모의 출신지에 따라 '남 하(Nam Ha) 사람', '하 박(Ha Bac) 사람', '응예 안(Nghe An) 사람'이라고 표현하였다. 같은 프엉이나 인접 지역에서 이주한 사람들, 혹은 마을에 가까운 친척이 거주하고 있는 경우에는 비교적 최근에 이주하였더라도 스스로를 '원주민이나 다름없는 사람'이라고 표현하기도 하였지만, 이주민이었다.

흥미로운 점은 '원주민'으로 분류되는 사람들 사이에도, 상황에 따라 '진짜' 원주민의 '정통성'을 둘러싼 일종의 개념적인 경합이 벌어진다는 것이다. 마을의 '토착 종 호'(dong ho)로 분류되는 '4대 종호' 성원의 경우 내부적으로, 그리고 외부 사람에 의해서도 '진짜 원주민'이라는 것에 이견을 붙이는 경우가 없었지만, 그들도 대부분 18세기 이후에 마을에 정착한 사람들이다.[45] 이런 점에서 마을의 기원과 같은 역사를 가진 '본처(本處) 사람들'이라는 기준에 맞는 '원주민'은 실제 없다고 보아야 타당할 것이다. '4대 종 호'보다 비교적 최근에 정착한 여타 종 호의 성원들과 1954년 이전 이주노동, 상업, 수공업 등 생계를 위해 이주한 가구들의 경우는 자신들의 원주민으로서의 '정통성'에 관하여 다중적인 인식을 가지고 있었다. 이들은 '이거민'과 대비하여서는 원주민으로 간주하였지만, '다이 옌 사람이면서 동시에 고향마을의 사람', 즉 'ㅇㅇ 출신의 원주민'으로 소개되었다. 때에 따라서 '진짜 원주민'들로부터 '사실은 원주민이 아니지만 마을 사람'으로 불리는 경우도 있었다. 가령 1999년 유적관리위원회 부위원장(1935년생)은 1950년대 초 남 하에서 이주하였는데, 상황이나 상대에 따라서 '원주민', '남 하 출신의 원주민', '남 하 사람', '원주민과 다름없는 사람' 등으로 인식되었다. 그러나 그는 '진짜 원주민'은 아니었다.

필자가 마을의 공동의례가 활성화되는 과정에 많은 관심을 나타내 보이자 의례에 참여한 주민들 대부분은 '원주민'들과 이주민들이 서로 단결하고 상조하며 살아왔으며, 어떠한 차별 없이 하나의 땅위에서 공동체를 이루며 살아왔음을 강조하였다. 7꿈의 행정지도자인 꿈장은 "공동의례를 비롯하여 마을일에 주민들은 출신지역의 구분 없이 열성적으로 참여하고 있는데, 이것은 호찌밍 주석의 요구처럼 '단결, 단결, 대단결'(Doan ket, doan ket, dai doan ket)의 구호를 실현하고 있는 것"이라고 설명하기도 하였다. 그러나 이러한 설명은 오

---

45) '종 호'는 베트남의 부계친족집단을 일컫는 말로, "호"(ho)라고 불리기도 하며, 일가(一家), 일족(一族), 또는 종족(宗族, lineage)으로 번역될 수 있다(Luong 1988; 1992; Nguyen Van Huyen 2000; Nguyen Tu Chi 1993). 르엉은 베트남 친족호칭 및 친척관계에 대한 분석에서 주로 "호"라는 용어를 사용하였다(Luong 1988; 1992). 필자는 가구(household)를 나타내기도 하는 "호"와 구별하기 위해서 본문에서는 "종 호"라는 용어를 계속 사용하였다.

히려 마을에서 원주민과 이주민의 구분이 하나의 중요한 사회적 분화를 설명해 주는 요소가 되고 있음을 암시하는 것이라고 판단되었다.

필자는 마을사람들이 원주민과 이주민으로 구분되고 있다는 사실이나 그러한 구분의 기준이 무엇이냐는 문제도 중요하지만, 왜 이러한 구분이 마을 주민들의 사회적 구성의 변화와 의례활성화를 설명하는 데 중요한 것이 되고 있으며, 어떠한 상황과 맥락에서 이러한 구분이 등장하게 되고, 어떠한 설명방식과 담론을 통해 경합되는지에 더욱 관심을 가지게 되었다. 제3장에서 살펴볼 이주의 과정과 영향이 마을의 사회경제적 구성의 복잡화의 중요한 배경이 된다. 그리고 의례의 활성화 과정에서 주민들에게 부여되는 역할, 의례 조직과 물질적인 기여 등을 통해서 볼 수 있는 '마을의 사업'에 대한 참여의 정도에서 원주민과 이주민은 중요한 사회적 구분을 제공하고 있었다. 이러한 문제와 관련된 구체적인 발견들에 대한 기술과 해석은 이후의 본문에서 계속될 것이다.

## (1) '토착 종 호'(dong ho)와 '원주민' 정체성의 모호한 기준

다이 옌의 '원주민' 중 비교적 여러 세대에 걸쳐 오랜 기간 마을에 정착한 사람들은 소위 '토착 종 호' 출신의 사람들이다. "쟈파"(*gia pha*, 家譜, 족보)를 비롯한 관련 증거들이 보여주는 바는, '토착 종 호'로 분류되는 사람들의 조상들은 대개 18-19세기 쟈 럼(*Gia Lam*)현, 중부지방의 타인 호아(*Thanh Hoa*), 응예 안 등에서 이주한 세력들이었다. 다이 옌은 여러 종 호의 집단이 정착하여 이룬 마을로서 폐쇄적인 동족마을이었다고 볼 수 없다. 8월혁명 이전부터 많

은 이주민이 정착하였고 현재에는 개방적이고 복합적인 성격의 도
시 마을로 변모한 상황이어서 몇 개의 종 호를 중심으로 기본적인
사회조직이 형성되어 있다고 보기는 어렵다. 그럼에도 '토착 종 호'
로 분류되는 주민들은 마을의 원주민으로서의 정체성을 강하게 표
현하고 있었다.

　마을에는 '레 멑(Le Mat) 출신의 호앙', '타인 호아 출신의 호앙',
'레 멑 출신의 쯔엉', 그리고 '하이 흥(Hai Hung) 출신의 응우옌' 등
4개의 '토착 종 호'가 거주하고 있다. 이들은 모두 '쟈 파'를 지니
고 있다. 이 네 종 호 외에도 많은 종 호가 이주하여 섞여 살고 있
다.[46] 레 멑 출신의 호앙씨를 "호앙 흐우"(Hoang Huu, 黃右)씨라고
부른다. 종 호 사당의 '주사'가[47] 보관하고 있는 쟈 파에 올려져 있
는 이름에 "흐우"라는 글자는 초기의 조상 몇 명의 이름 외에는 없
었고, 조사 당시 거주하고 있는 같은 종 호 성원들도 이름에 이 글자
를 사용하지는 않았다. 단지 성씨를 구체적으로 물을 경우에 이 글
자를 강조하였다. 그것으로써 '호앙 반'씨 또는 다른 지역 출신의 호
앙씨와 구별을 표현하기도 하였지만, 주사는 '흐우'에 관하여 "오른
쪽(右)이란 의미로서, 홍 강 동쪽의 마을에서 강을 건너와 정착한 종
호임을 표현한다"고 설명하기도 하였다.[48]

---

46) 프엉 응옥 하의 다른 마을에도 '쟈 파'를 보존하고 있는 토착 종 호가 분포되어 있다. 가령 흐우
티엡(Huu Tiep)의 찐(Trinh, 鄭)씨, 응옥 하에는 쩐(Tran, 陳)씨 등이 대표적인 예가 된다. 그러나
다이 옌과 마찬가지로 어느 마을도 단일한 종 호가 동족촌을 구성하지는 않았으며 대개 약 200년
전부터 여러 지역 출신의 종 호들이 함께 마을을 이루고 살았음을 알 수 있었다(Chu Xuan Giao
1996).

47) 종 호의 '주사'(chu su, 主事)는 족보상 종 호의 한 지파 또는 보다 확대된 여러 지파의 관리자로서,
대개 지파의 장손인 "호장"(truong ho)이 담당한다. 주사는 공동조상의 신위를 모시고 있는 종 호
사당(nha tho ho)의 관리자이기도 하다.

48) 하노이 외성 쟈 럼현의 레 멑은 다이 옌을 비롯한 하노이성 서부 '13개 근원 마을'(13 trai) 개척자
의 '고향'으로 알려져 있다. 레 멑이 소재하는 홍하 동쪽에서 건너온 종 호라는 설명에는 그 만큼
종 호의 기원이 오래되었음을 주장하고자 하는 의도가 담겨 있으며, 종 호 구성원들이 자신의 '토착

주사(1932년생)가 보여준 14쪽으로 된 족보 복사본에 따르면 카이 닝(Khai Dinh) 갑사(1924)년에 사당이 시어졌다. 족보의 주석에 따르면 원본은 민 망(Minh Mang, 1820-40)기에 처음 편찬되었으며, 이후 바오 다이(Bao Dai) 11년(1936)에 내용을 증보하여 주요 조상의 성명, 사망장소 및 기일을 정리하였다. 1994년 당시 꿈7의 꿈장(1927년생)이 별도의 족보를 보관하고 있는데, 이것은 경인년(1950)에 원본을 옮겨 적은 것이었고, 주사의 당숙(堂叔) 항렬(hang chu)의 지파 성원들의 명단이 첨가되어 있었다. 족보에 따르면 주사의 자식 세대까지 13대에 이름을 알 수 있었다. 다이 옌에 정착한 호앙 흐우의 시조인 호앙 푹 쭝(Hoang Phuc Trung, 1609-1686)의 기일(음력 2월 14일)에는 매년 공동의 제사를 올린다. 지금까지 호앙 흐우 종호는 주사의 조부 세대에 갈라진 5개의 지파가 내려오고 있다. 일부의 성원들이 족보의 기록과 상관없이, 호앙 흐우의 기원이 리조에 나라에 공을 세운 '호앙 레 멑'이며, 그가 곧 다이 옌을 비롯한 '13짜이'(13 trai)를 만든 시조라고 믿고 있지만, 족보상의 기록으로는 같은 인물 또는 같은 세대의 인물이 17세기 초반에 그의 부계 친척을 정착시켰다고 설명하고 있는 셈이다.

레 멑 출신의 호앙씨는 현재 약 50가구가 다이 옌에 살고 있는데, 이 중에 절반은 여전히 사당 인근에 거주하고 있다. 주사의 설명에 따르면 과거에는 호앙 흐우는 19세기 하노이성 서부지역의 호안 롱(Hoan Long)현에서 매우 부유한 종 호 중 하나였고 많은 토지를 소유하고 있었다. 그러나 다이 옌에 정착한 지파의 성원들 중에는 중앙관직에 오른 인물은 없었고, 일부가 향시합격자로서 지방관직에

___

성'을 표현하는 중요한 수단이 된다. '13짜이'에 관한 전설과 관련 의례는 제6장에서 다루겠다.

있었거나 식민시대 중등학교의 학력을 갖춘 사람들이었다.

타인 호아 출신의 호앙씨를 '호앙 반'(*Hoang Van*, 黃文)씨라고 부른다. 족보에 등재된 각 대의 인물들 대부분이 *Van Thao, Van Muon* 등 가운데 이름(*ten lot*)으로 '반'자를 사용한다는 점에서 호앙 흐우와 구별된다. 종 호의 사당은 현재 또40의 찡(*Van Chinh*, 1945년생)의 소유지에 위치한다. 그의 부모가 사당의 주사였지만 연로하여 아들이 그 역할을 대신하고 있었다. 종 호의 약사가 기록되어 있는 "黃族碑記"라는 비석에는 사당이 타인 타이(*Thanh Thai*) 14년(1902년) 10월 15일 세워졌다고 적고 있다. 호앙 반 종 호는 쟈 롱(*Gia Long*, 1802-1819)기에 타인 호아에서 탕 롱으로 이주하였다. 특이한 점은 '마이 호아(*Mai Hoa*) 공주'를 탕 롱으로 종 호를 이끌고 이주한 시조보다 높은 조상으로 간주하고 있다는 점이다. 마이 호아 공주도 원래 타인 호아의 호앙씨의 딸로 기록되어 있다.[49] 호앙 반씨는 조사 당시 7대째 마을에 살고 있으며 세 지파로 나뉘어 있었다. 2000년 현재 다이 옌에 30여 호가 거주하고 있다. 호앙 반씨 성원들은 1945년 이전에도 나무재배나 건설 인부를 하는 등 비교적 가난한 종 호로 알려져 있었으며, 벼슬에 오른 사람은 없었다. 찡의 할아버지 세대의 호앙 녓 히(Nhat Hy)는 응옥 하 일대에서 1950년대까지 가장 유명한 전통 약재상 중의 한 사람이었다.

마을에서 '쯔엉 주이'(*Truong Duy*, 張惟) 또는 '쯔엉 반'(*Truong Van*, 張文)이라는 이름을 사용하는 사람들은 대부분 레 멀 출신의 쯔엉씨 종 호 사람이다. 유적관리위원장이자 쯔엉씨 '막내 지파'(*nganh*

---

49) 일부 호앙씨 주민들은 마이 호아 공주도 다이 옌의 시조신인 응옥 호아 공주와 동일한 공적을 세웠다거나 심지어 두 공주가 동일 인물이라고 주장하기도 하였으나, 어느 것도 분명히 입증할 자료는 없다. 특히 마이 호아 공주의 제사일에 대해서는 아무런 기록이 남아 있지 않았으며, 분명히 알고 있는 사람도 없었다.

*ut*)의 주사(1942년생)와 그의 질녀(1961년생)가 처가살이하는 남편과 함께 사당을 관리하고 있다. 사당은 바오 다이(*Bao Dai*) 10년(1935)에 건립되었는데, "張族諱忌碑"라고 적힌 비석에 각 조상의 이름과 기일을 새겨두었다. 주사의 가족들은 전쟁 당시 돌비석의 전면이 파손되었으나, 다섯 개의 "구대"(*cau doi*, 句對)가 남아 있어 매우 가치 있는 것이라고 자랑하였다.[50]

여전히 레 멑에 거주하고 있는 성원들을 포함하면 무수히 많은 지파가 있어 정확한 수를 알 수는 없었지만, 다이 옌에 거주하는 쯔엉씨 종 호는 주사의 자식 세대까지 10대째이며, 현재 약 40가구가 거주하고 있다. 주민들의 설명으로는 쯔엉씨 종 호가 '호앙 레 멑'의 모변의 후손들이라고 믿는 사람이 다수 있었지만 분명한 증거는 없었고, 단지 레 멑에서 비롯된 '13짜이'와의 관련성을 강조함으로써 다이 옌의 기원과 함께 쯔엉씨 집안의 '유구한 역사'를 설명하려는 표현의 하나라고 해석될 수 있다.

하이 흥 출신의 응우옌(*Nguyen*, 阮)씨 종 호의 사당은 응우엔 쩐 꾸엔(Tran Quyen)부부 소유지에 위치한다. 꾸엔 부부는 주사였던 부친이 1994년 사망한 이후, 물려받은 토지에 위치한 사당을 계속 관리하고 있었다. 사당에는 각각 바오 다이 5년(1930)과 18년(1943)에 세워진 두 개의 비석이 있는데, 많은 "구대"가 새겨져 있다. 첫째

---

50) "구대"(*cau doi*, 句對)는 사당이나 유적에 남아 있는 대구의 문구를 말한다. 쯔엉씨 사당에 남아있는 여러 구대 중에 특히 눈에 띄는 것은 "椒蘭蕃衍南花寨, 源派從來北麗江"이라는 글귀인데, '남 호아 마을에 후손들이 번성하였고, 원래 박 레 강에서 이곳으로 왔다'는 의미이다. 남 호아(*Nam Hoa*)는 지금의 다이 옌을 지칭하는 옛 이름이고, 박 레(*Bac Le*)강은 홍하의 지류로서 레 멑 지역을 지칭한다고 설명되었다. 한편 사당의 양쪽 기둥에는 "一脉儒医蒙舊德, 千秋狙豆樹家祠"라는 구대가 있다. 즉, 쯔엉 종 호가 유교의 이념을 기반으로 투옥 남 재배와 전통 민간의술을 세대 전승해왔고, 사당을 지어 '천년'의 조상의 얼을 이어 왔다는 내용이다. 그러나 실제 족보의 내용으로 보아 다이 옌에 거주한 쯔엉씨 종 호의 역사는 200년이 채 되지 않았다. 그리고 유학을 쌓아 높은 벼슬에 오른 조상은 없었고, 현재 살아있는 사람이 기억하는 조상 중에도 학식이 뛰어난 사람은 드물었다.

비석에는 "阮氏碑記"라는 이름으로 종 호의 역사를 기록하고 있다.[51] 그 내용에 근거해 볼 때, 꾸엔의 자식 세대에 이르기까지 모두 8대가 거주하고 있었다. 이 종 호도 다른 '토착 종 호'와 마찬가지로 마을의 기원으로 주장되는 리조부터 정착하였다는 믿음을 증명할 근거가 부족함을 여실히 보여주고 있다.[52] 오늘날에도 응우엔 종 호는 약 30가구가 다이 옌에 거주하고 있다. 이러한 4대 토착 종 호는 공통적으로 왕조기에 중앙관직에 오르거나 많은 학식을 갖춘 유명한 인물은 없었다. 그리고 지금도 많은 사람들이 투옥 남 일에 종사하고 있지만, 젊은 층일수록 매우 다양한 직업을 가지고 있어서 20세기에 지속된 사회경제적 분화의 영향을 받은 것으로 나타나고 있다.

1945년 이전 랑 다이엔은 두 개의 '쏨'(*xom*)으로 구분하여 인식되었다(Chu Xuan Giao 1996:39).[53] 즉 현재의 '딩 다이 옌'(*Dinh Dai Yen*, 大安亭) 동쪽 경계의 골목을 중심으로 남북으로 나뉘어 각각을 '윗마을'(*xom tren*)과 '아랫마을'(*xom duoi*)로 구분하였다. 토착 종 호들 중에 '응우웬'과 '호앙 흐우'의 일가들은 '윗마을'에 거주하였고, '쯔엉'과 '호앙 반'은 대부분 '아랫마을'에 거주하였다. 혁명 이

---

51) 비석의 내용은 다음과 같다. "떠이 선(*Tay Son*, 西山)운동[1788-1802년] 당시 응우엔 성을 가진 두 형제가 레 쭝(*Le Trung*) 수하의 장군으로 조정의 지시에 따라 반란에 맞서 13꺼이 지역의 수호에 나섰다. 두 조상은 흥 옌(*Hung Yen*)성의 싸 마이 비엔(*xa Mai Vien*) 출신으로 나라에 공을 세우고 상으로 이 지역의 토지를 하사 받았다...(중략)... 떠이 선 반란에 동요되지 않고 레(*Le*)조에 충성하여 마을을 지키고, 대대로 융성한 후손을 낳아 길렀다. 그 중 한 사람이 빙 토(*Vinh Tho*)현, 동 노이(*tong Noi*)의 짜이 다이 옌으로, 또 다른 한 사람은 짜이 응옥 하의 톤 동 느어으로 들어가 정착하였다." [ ]안의 연도는 필자가 첨가함.

52) 응우엔 사당의 한 '꺼우 도이'에는 "楓園發迹初德植滋愈留遠蔭, 李城遷居後仁基積累篤餘慶"라고 적혀 있다. 즉, 마이 비엔(*Mai Vien*, 楓園)에서 발원한 응우엔 씨가 리조가 천도하여 수도를 이룬 마을에서 살았음을 설명하는 내용이다. 그러나 이것은 리조가 정한 수도에서 종 호 집단의 마을을 이루고 살았다는 의미일 뿐, 그 때부터 이곳에 거주하였다는 것을 증명하는 것은 아니라고 해석될 수 있다.

53) '쏨'(*xom*)은 북부베트남의 최소단위의 자연촌락을 의미하는 것으로, '마을' 또는 '이웃'으로 번역될 수 있다. 일반적으로 '톤'(*thon*) 또는 '랑'(*lang*)을 더 세분하는 이웃하여 있는 작은 마을로서, 보통 2-4개의 쏨이 하나의 랑을 구성하였다.

전 시기의 토착 종 호의 성인 남자들은, 때로는 종 호나 '쏨'을 단위
로 '딩'에서의 공동의례에 대한 음식공여나 마을의 공동 사업에 대
한 기여를 통하여 위세경쟁을 벌이기도 하였다. 그러나 1990년대 활
성화되고 있는 마을의 공동의례에서는 종 호와 쏨 간의 경쟁을 찾을
수는 없었다.[54] 종 호의 성원들이 공동의 조상의례를 수행하는 사당
의 위치가 당시의 종 호의 분포를 설명해주고 있었다. 주요 종 호의
일가 중 많은 가구들이 여전히 해당 사당 주변에 거주하고 있었으
나, 또 그만큼 주요 종 호에 속하는 많은 가구들이 세대를 거치면서
분가하여 과거의 '쏨'의 구분에 상관없이 각각의 또에 흩어져 있는
양상이었다. 그리고 조사 당시 '윗마을'과 '아랫마을'의 구분이 공동
의례나 마을의 사업에서 위세경쟁을 비롯한 마을의 사회정치적 성
격을 표현하는 단위로 존속되고 있지는 않았고, 마을의 중요한 사회
적 경계를 구성하고 있다고 볼 만한 주민들의 설명이나 주장을 접할
수는 없다. 오히려 종 호보다 '원주민'이라는 요소가 집합적으로
보다 분명한 경계를 구성하고 있다고 보여진다.

<표 2-9>에서와 같이 '토착 종 호' 외에도 마을의 '원주민'을 구성
하는 사람들에는 여러 지역 출신의 많은 종 호들이 포함되어 있다.
이 중에는 4대 '토착 종 호'보다 실제 이주시기가 앞섬에도 불구하
고 '토착 종 호'로 분류되지 않는 경우도 있었다. '토착 종 호'의 구
분에는 공동 사당이 마을에 소재하느냐, 따라서 공동조상에 대한 제
사를 마을에서 조직하느냐는 기준이 중요하게 작용하였다. 다이 옌

---

54) 1945년 이전 홍하델타 촌락의 '쏨' 및 종 호간의 위세경쟁과 공동의례를 둘러싼 경합의 사례는 일
부 연구들에서 언급되고 있다(Nguyen Van Huyen 2000; Truong 2001). 쯔엉은 하 떠이(Ha Tay)
성의 사례를 통하여, 홍하델타 농촌에서 '쏨'이 곧 주요 종 호의 위세경쟁을 위한 정치적 무대가
되고 있음을 보여주고 있다(Truong 2001: 3-4). 하노이의 마을의 경우 토착민보다 이주민의 거주
가 많아지면서, 토착 종 호의 사회적 경계가 비교적 약화되었다고 해석할 수 있다.

에서 공동조상의 시제를 지내는 것은 4대 종 호에 국한된다. 이주시기가 오래되었음에도 공동조상의 사당이 다른 마을에 소재할 경우 그 마을의 '토착 종 호'의 성원권을 유지하고 있었고, 다이 옌에서는 '원주민'이지만 토착 종 호는 아닌 것으로 인식되었다. 1740년대에 응옥 하로 이주하였다고 기록된 족보를 지니고 있는 '응예 안 출신의 응우웬'씨가 그 경우였다.[55]

<표 2-9> 다이 옌의 '원주민' 성씨별 가구 분포 및 최초이주 시기[56]

| 종 호 | 가구수 | 최초 이주시기 | 종 호 | 가구수 | 최초 이주시기 |
|---|---|---|---|---|---|
| *Hoang Huu | 47 | 17C | 도오(Do, 杜) | 13 | 19C |
| *Hoang Van | 31 | 19C초 | 쭈(Chu, 周) | 11 | 1954년 이전 |
| *Truong | 42 | 17-18C | 찡(Trinh, 鄭) | 10 | 1954년 이전 |
| *Nguyen | 30 | 18C | 부우(Vu, 武) | 8 | 1954년 이전 |
| Nguyen(Nghe An) | 27 | 18C | 다오(Dao, 桃) | 6 | 1954년 이전 |
| 레(Le, 黎) | 16 | 18-19C | 합계 | 241 | |

<*표시는 4대 '토착 종호'의 가구>

최근 활성화되고 있는 마을 공동의례에서도 종 호의 등장은 애매모호한 성격을 지니고 있다. 전통의례의 부활이 곧 '원주민'에 해당하는 마을 토착세력의 영향력이 증가하는 면을 포함하고는 있지만,

---

55) 또44A의 또장(Nguyen Van Hoat, 1937년생)은 다이 옌의 '토착 종 호'가 아닌 응우웬씨 종 호에 속하는 지파의 족보를 보관하고 있었다. 그가 보관 중인 족보의 표제 "孟祖阮將軍"은 '강력한 조상, 응우웬 장군'이라고 직역된다.

56) 종 호별 최초 이주시기는 해당 종 호의 조상이 다이 옌에 최초로 이주하여 정착한 시기를 의미한다. 따라서 <표 2-9>에 포함된 모든 숫자의 가구들에게 적용되지 않는다. 원주민 종 호에 포함되는 가구 중에 많은 부분이 1954년 이후 새로 구성된 가구들이다. 특히 1989년 이후 토지제도의 변화에 따라 결혼 후 토지 또는 주택 분할을 통한 핵가족 구성이 보편화되는 추세이며, 그 때 이후 새로 구성된 가구의 경우 대부분이 1954년 이후 출생자들이다. 예를 들면 또44A에 거주하고 있는 6개의 응예 안 출신의 응우웬씨 가구 중 3가구는 각각 1982년, 1994년, 그리고 1996년에 혼인과 함께 새로 구성된 가구이지만, 원주민 가구에 포함되었다.

마을의 공동의례는 공식조직을 통해 행사되는 것이지, 종 호를 단위로 구성되는 것은 아니었다. 종 호 자체의 이름으로 공동 의례에서 배타적으로 일정한 기능을 담당하는 현상은 발견되지 않았다. 이 점은 제6장에서 살펴볼 것이다.[57)]

<사진 1> '원주민 종 호'의 족보(家譜)를 설명하는 호장(truong ho)

---

57) 인민위원회 부주석은 종 호에 관하여 다음과 같이 설명하였다. "다이 옌에는 각 종 호의 성원들이 매우 밀접한 유착관계를 유지하고 있으며, 결혼, 장례식 등 친척의 대소사에 있어서 종 호의 역할이 점차 강해지고 있다. 이주민과 토착민이 서로 어우러져 살고 있지만, 토착 종 호의 결속은 여전히 강하다. 프엉 내의 다섯 개 '옛 마을'(*lang co*)의 주요 종 호는 크게 다르지 않다. 인민위원회와 같은 '프엉의 정권'이 주민에게 널리 알려야 하는 사업이 있거나, 마을 내부에서 자치적으로 행정 관리가 필요할 경우 이들 주요 종 호 집단의 지도자들을 찾아가서 협의하게 된다. 마을의 주요 종 호 집단의 원로들은 마을 내에서 성세(聲勢)를 갖추고 있기 때문에, 이들을 통한 마을 내부의 관리 방식은 매우 효과적이다. 그러나 다른 농촌 지역과는 차이가 분명히 있다." 그러나 실제 주민간의 사회정치적 분화의 양상을 살펴보는 과정에서, 현재 마을에서는 특정한 종 호가 뚜렷한 사회적 위세를 형성하고 있는 것은 아니고, 다만 토착 종 호에 속하는 원로들이 마을의 원주민으로서 마을의 공식적, 비공식적인 활동에 중요한 역할을 하고 있었다.

## (2) 이주민

1999년 현재 다이 옌(7꿈)의 700가구 중의 65%인 약 440가구가 1954년 이후 거주 등록한 '이거민' 가구이다. 1992-1999년 기간 중 토착 종 호를 비롯한 원주민의 경우 자녀의 분가 및 추가적인 주택 건설로 가구수는 조금 늘어났지만 인구는 큰 변화가 없었다. 반면에, 이주민은 이 기간 중 약 950명이 증가하여, 1999년 현재 7꿈의 등록 인구 2,700여명 중 '이거민'은 약 2천명으로 추정된다. 또44A의 가구들 중에 다이 옌 마을 출신 토착 주민의 가구로 인식되는 것은 27개 가구인데, 이들 중에는 주요 종 호 집단과 1954년 이전에 이주하여 3대 이상 거주한 가구가 포함된다.

<표 2-10> 또44A의 거주 등록 시기별 가구수

| 시기 | ~1954 | ~1965 | ~1975 | ~1985 | ~1990 | ~1995 | 1996~ | 계 |
|------|-------|-------|-------|-------|-------|-------|-------|-----|
| 가구수 | 27 | 4 | 5 | 7 | 10 | 14 | 10 | 77 |

<표 2-11> 또44A 가구주의 출신 지역별 가구분포

| 출신 지역 | 가구수 | 출신지역 | 가구수 |
|-----------|--------|----------|--------|
| 다이 옌(응옥하) | 27 | 중부 베트남 | 10 |
| 하노이 기타지역 | 21 | 남부 베트남 | 0 |
| 하노이외 북부지역 | 19 | 합계 | 77 |

또장(*to truong*)이 행정관리를 위하여 직접 조사한 자료에 따르면, '도이 머이' 실시 이후 또44A로 전입한 34가구 중에 1990년 이후에만 24가구가 전입하였다. 호주의 출신지역별 가구분포를 살펴보면, 하노이지역 출신 가구가 21개, 하노이를 제외한 북부베트남 지역 출

신 가구가 19개로 마을의 80% 이상의 가구가 북부베트남, 특히 홍하 넬타 지역 출신임을 알 수 있다. 중부 출신은 10개 가구가 파악되었고, 남부 출신은 한 가구도 없었다. 특이한 점은 '원주민' 가구 27개 중 5개 가구가 남자가 결혼 후 부인의 고향인 다이 옌에 거주등록을 하였고, 이후에도 다이 옌 출신이라고 인식하고 있는 경우였다. 이것은 양변 가족제도 전통의 잔재라고 볼 수 있다(유인선 1996 참조).

<표 2-12> 또 44A 거주 부부의 출신 지역별 분포

| 남편 \ 부인 | 다이 옌 | 하노이 | 기타북부지역 | 중부지역 |
|---|---|---|---|---|
| 다이 옌 | 7(6)* | 10(1)* | 14(3)* | - |
| 하노이 | 1(0)* | 10(5) | 17(10) | 1(0) |
| 기타북부 | 6(5)* | 6(3) | 17(9) | - |
| 중부 | 7(4)* | 5(3) | 2(0) | - |

<표 2-12>는 문화적으로는 '하노이 내혼', 즉 '하노이 중심주의'와 결부된 혼인규정이 있음을 보여준다.[58] 가령 부모가 '하노이 원주민'(*nguoi goc Hanoi*)일 경우 자녀가 타지방 출신사람과 혼인하고자 할 경우 대부분이 반대한다. 특히 하노이 출신의 딸이 지방 출신의 남자를 사귀면 부모의 반대에 부딪히게 된다. 하노이 사람들은 지방 출신 사람을 '촌놈' 또는 '촌뜨기'라는 의미인 "냐 꾸에"(*nha que*)라고 부르며 경시하는 경향이 있다.[59] 하노이는 이런 의미에서 지역내

---

58) <표 2-12>에서 *표시는 부부 중에 최소 1인이 '원주민'인 경우이다. ()안의 수치는 원주민 부부의 경우에 1975년 이전에, 나머지는 1985년 이전에 혼인한 경우를 나타낸다. 가령, 부부 모두 원주민인 경우 7쌍 중 6쌍이, 남편만 원주민일 경우 24쌍 중 4쌍이, 그리고 부인만 원주민인 경우 즉, 다른 지역출신 남편이 부인의 출신지역에 거주를 확정한 경우 14쌍 중 9쌍이 1975년 이전에 혼인하였다.

59) 하노이에 이주한 인근 성 출신의 주민들이 역사적인 시기에 따라 집중적인 귀향을 한 경우도 있었다. 가령, 디엔 비엔 푸(*Dien Bien Phu*)에서 1954년 5월 프랑스가 패배하자 하노이와 홍하델타 이

혼의 규범적인 단위로 작용하고 있다. 하노이와 지방 출신의 혼인의 경우를 보면 지방출신 여성이 하노이 집안에 혼입하는 경우가 반대의 경우보다 많은 편이었다. '촌뜨기' 여자가 하노이 출신 남자와 결혼하는 것은 일종의 앙혼(仰婚)으로 간주된다. 반면에, 하노이 여자들이 '촌뜨기' 남자와 혼인하는 경우는 가족의 심한 반대에 부딪히게 된다. 하노이 여자와 결혼하는 '촌남자' 대부분은 하노이에서 상당히 오랜 기간 거주한 집안 사람이거나, 하노이에서 교육받거나 일하고 있는 사람들이다.

## 2) 전통 산업 '투옥 남'(*Thuoc nam*)과 '원주민'

다이 옌은 하노이에서 베트남 전통 약재인 '투옥 남'(南藥)의 가장 유명한 재배지로 알려져 있다. '투옥 남' 산업은 마을의 '전통산업'(*nghe chuyen thong*, 傳統藝)으로 인식되고, 약재재배와 판매에 관련된 경험과 지식은 '원주민' 정체성의 중요한 요소로 작용하고 있었다. 일반적으로 베트남 각 마을의 '전통산업'은 그 마을 시조에 관한 전설 또는 수호신 신화와 관련되어 있다(Duong Ba Phuong 2001; Tran Quoc Vuong and Do Thi Hao 1996). 다이 옌의 경우 시조신화에 근거하여 '옥화공주'(*Cong chua Ngoc Hoa*, 玉花公主)가 성황(*thanh hoang*, 城隍)으로 숭배되고 있다.[60]

---

남 지역으로 피난하였던 인근 촌락의 많은 주민들은 고향으로 서둘러 되돌아갔다. 그들 중 많은 사람들이 하노이에서 형성한 자산을 팔거나 자기 사업을 포기하고 "촌사람"(*nha que*)이라는 범주로 다시 편입되었다(Truong 2001: 56-58). 하노이의 도시화과정에서 인근 농촌 출신의 사람들을 비하하는 표현으로 "냐 꾸에"는 일상적인 용어 중의 하나가 되고 있었다.

60) 공주에 관한 전설의 중심 내용은 공주가 침략군을 물리치는 데 필요한 결정적인 정보를 얻어내어 나라를 위기에서 구하는 데에 큰 공을 세웠다는 것이며, 공주자신과 투옥 남 산업이 직접 관련되어 있음이 언급되지는 않는다. 공주의 전설은 최근의 마을 수호신 공동의례의 활성화에서 주민들의 역사인식을 구성하고 있는 중요한 요소로 등장하고 있었다.

대다수의 주민들은 다이 옌에서 투옥 남 재배가 시작된 시기가 공수의 전설에서 전하고 있는 마을의 형성기인 리(Ly)조 때라고 믿고 있다.[61] 주민들의 주장과 믿음이 사실이라고 하더라도, 전설의 공주가 당시 9세에 불과하였던 점에 비추어 볼 때 마을 주민들에게 약재 재배를 소개하고 전파하였다고 보기는 어렵다. 그럼에도 마을 주민들, 특히 '원주민'들은 공주의 공이 중앙의 조정에 대해서뿐만 아니라, 마을의 형성과 전통산업의 시작과 관련되어 있었다는 믿음을 가지고 있었다. 주민들은 마을의 투옥 남 산업은 "성황신이 시작한 것"이라고 하였다. 일부 '원주민' 원로들은 당시의 투옥 남 재배의 확산에는 공주의 부모의 역할이 컸다는 점을 제시하기도 하였다. 공주의 부친(Tran Huan)은 혼인한 후 부인의 고향인 다이 옌에 정착하여 공주가 탄생하였는데, 전설에 덧붙여 주민들은 공주의 생모가 당시 투옥 남을 재배하였다고 믿는 경우가 많이 있었다.

주민들은 약재 판매 또한 성황의 전설에 반영되어 있는 마을 고유의 산업임을 강조한다. 전설에 따르면 옥화공주와 그녀의 모친이 이미 리조부터 상업에 종사하였다.[62] 이러한 전설은 사실(史實) 여부에 관한 검증과 상관없이, 투옥 남 장사에 종사하는 '원주민'들에게

---

61) 그러나 다이 옌에서 전설상의 마을의 기원과 전통산업의 기원을 같은 것으로 입증하는 자료는 불충분하다. 일부 관련된 연구에 따르면, 다이 옌에서 투옥 남 재배와 장사가 시작한 것은 마을의 토착 종 호가 정착한 시기인 18세기의 응우옌조 또는 프랑스 식민시기라는 것이 타당하다고 보았다 (Nguyen Van Chinh 1985; Nguyen Quang Ngoc 1986; Chu Xuan Giao 1996).

62) 약재상업과 관련된 전설의 내용은 다음과 같다. "공주의 생모는 안 반(An Ban, 현재 다이 옌) 시장에서 장사를 하였다. 하루는 우연히 명주 보자기를 주웠는데 그 안에 보배가 들어 있었다. 그녀는 다른 사람의 물건을 탐하지 않는 성품이어서 잃어버린 사람을 찾아 돌려주고자 하였다. 그날 밤 꿈에 한 노인이 나타나 옥구슬 한 개를 주며 '당신의 덕이 높아 모왕(vuong Mau, 母王)이 감동하여 순수한 옥같은 딸을 내리노라'고 하였다. 꿈에서 깨어난 후, 몸 속에 변화를 느꼈고 임신을 하였다..<중략>...공주는 구장잎과 빈랑열매(trau cao)와 라오 담배(thuoc lao)를 판매하는 아이처럼 변장하여 적의 진영으로 들어가..."(Chu Xuan Giao 1996). 참고로 구장잎, 빈랑열매, 라오 담배 등은 베트남에서 가정의 일상생활과 손님접대의 필수품이자, 물자 교역에서 기초적인 상품으로 간주되는 것들이다. 하노이의 주택이 어디에서나 상점이나 가판에는 이것들이 판매되고 있으며, 길거리에서 라오 담배를 물고 있거나 담뱃잎을 재워 주는 사람을 쉽게 만날 수 있다.

는 전통산업의 유구성을 설명하는 후광으로 작용하고 있었다. 그들은 수호신 공주 모녀 신령의 보호와 지원으로 상업을 통하여 생계를 영위할 수 있었던 것이라고 설명한다. 전설에 대한 주민들의 지속적인 믿음은 또한 다이 옌에서 오랜 기간 농업뿐 아니라 상업도 마을의 주요 산업으로 자리잡아 왔음을 상징적으로 보여 준다.[63]

그러나 다이 옌의 '토착 종 호'의 정착 시기가 17-18세기인 점에 미루어볼 때, 전설이 말해주는 전통산업의 기원을 역사적 사실로 인정하기는 어렵다. 7꿈장의 장모(1905년생)를 비롯하여 평생을 투옥남에 종사해온 세 원로의 설명에 따르면, 1930-40년대에 와서야 비로소 다이 옌 주민의 절반 이상이 전업 또는 부업으로 약재재배와 판매에 종사할 정도로 투옥 남 산업이 정점을 이루었다. 현재 투옥남 재배가 이루어지고 있는 토지에는 당시에도 일부 약재와 함께 라이온, 작약, 팡, 파랭이, 강아지입, 마직 등의 꽃과 순무, 수수나물, 시금치 등의 채소를 주로 가꾸었다. 이러한 점에서 마을에서 투옥남이 전통산업으로 정착하게 된 실제의 기원이 그다지 오래되지 않았음을 추측할 수 있게 해준다.

이와 같이 마을의 기원과 함께 '전통산업'의 기원의 유구함에 관한 공동의 믿음을 통하여 주민들은 마을의 공동체성을 강조하고자 한다. 최근에 활성화되고 있는 마을수호신 공동의례의 현장에서는 이러한 전설이 반복적으로 구술되고 의례를 통해 표현됨으로써 주

---

63) 성황신이 마을의 전통산업의 기원과 관련되어 있다는 공동의 믿음은 후대 사람들이 구술로 전하는 민요나 시에도 담겨있다. 하이 흥 출신의 응우엔씨 종 호의 일원인 응우웬 반 하이(Van Hai)가 지어서 전한 다음의 시가 그 한 예가 된다. 시의 작가와 같은 종 호의 후손인 또44의 부또장이 시의 내용을 설명해 주었다.
"옛날 리 왕조에 전해지는 관습에, 다이 비(Dai Bi, 다이 옌의 옛 이름) 사람 뇨(Nho)라는 의사가 있어서 의술을 가르쳤네. 더위와 햇볕으로 힘든 계절마다, 사람들이 병으로 어려움을 겪을 때, 투옥 남이라는 약물을 마셔 쉽게 치료하였네. <중략>. 이렇게 저렇게 병을 고친 사람들로 여러 다른 지역으로도 그 효험과 약재가 알려져 투옥 남은 널리 퍼져나갔네."

민들의 집합적인 공동체 이념이 재생산되고 있었다. 그러나 다른 한편으로는 마을 공동의 산업은 '원주민'의 정체성을 강화하고, 이주민과의 사회적 분화를 설명하는 중요한 기제로 작용하고 있었다.

## (1) 경험으로 구성된 '투옥 남' 지식

다이 옌 주민들은 남녀노소를 불문하고 투옥 남 재배법과 약초의 용도에 관하여 어느 정도의 지식을 갖추고 있었다.[64] 주민들은 마을에 붙여진 '투옥 남 마을'(*lang thuoc nam*)이라는 별명을 당연하게 간주하였고 '약 마을'(*lang duoc*)이라고 부르기도 하였다. 일반적으로 원주민이 이주민에 비하여 투옥 남에 관한 많은 지식을 가지고 있었고, 나이가 많을수록 보다 풍부하고 상세한 지식을 갖추고 있었다. 60대 이상의 노년층은 남녀 구분 없이 투옥 남의 종류와 재배지, 약재의 처방과 복용방법 등에 관하여 해박한 지식을 가지고 있었다. 노년층을 제외하고 일반적으로 남자에 비하여 여자들이 세밀하게 알고 있는 편이었는데, 특히 40대 이하의 경우 비교적 두드러지게 여자들이 투옥 남에 더욱 해박한 것으로 나타났다. 이 점은 마을 생계의 중요한 원천이 되어 온 약재 산업이 많은 부분 여성노동력에 의존하여 왔음을 보여주고, 근래에 이 점이 더욱 강화되고 있음을 설명해준다.

주민들이 구성하고 있는 민간의료 지식의 요소에는 크게 약재 및 의학에 관한 것과, 흔히 '양생'(*duong sinh*, 養生)이라고 표현하는 전

---

[64] 필자가 하노이 체류 기간 만난 성인들 대부분은 출신 지역을 초월하여 투옥 남에 관해서 알고 있었다. 투옥 남이 다이 옌 마을에만 독점적인 산업이 아니었을 뿐 아니라, 베트남에서는 중국산 한약재의 사용을 비롯하여 다양한 형태의 민간 의료가 일상화되어 있으며, 시내의 대부분 시장에서 투옥 남을 비롯한 소위 '東醫'(*dong y*)의 약재상을 쉽게 만날 수 있다.

통 무술체조에 관한 것이 있다.[65] 마을의 지방민간의학에 관한 지식체계의 형성에는 경험이 핵심요소가 되었다. '지방 토착의 의학'(*y hoc ban dia*, 本地醫學)의 내용을 이루고 있는 전승되고 공유된 경험은 크게 약재나무, 진찰, 그리고 치료 및 처방에 관한 것으로 분류할 수 있다.

약재나무에 관한 지식은 약재별 특성과 효용뿐만 아니라 심기, 수확, 잎 따기, 분류, 건조 등의 가공 절차에 관한 것으로 구성된다. 주민들은 대부분 약재나무의 이름을 잘 알고 있었고, 각 약재의 한두 가지 특성에 대해서는 설명할 수 있었다. 그럼에도 각 약재의 화학 성분에 대한 지식이 있는 사람은 거의 없다. 유명한 노년층 약재상들은 실제 처방을 위해 각 약재에 관하여 독성의 유무에 대해서는 판별할 뿐 '서양의학'(西醫)에 따른 화학 성분에 대한 지식은 그다지 중요하지 않다고 인식하였다. 약재를 구입하는 사람들도 화학성분과 관련된 의문을 가지는 경우는 없다고 하였다.[66] 약재상들이 '진찰'이라고 규정하는 것은 곧 증상에 대한 판단과 병의 진단을 의미한다. 마을의 약재상들이 행하는 진찰은 대부분이 감기, 발열, 천식 등 계절과 기후에 따른 질병과, 복통, 설사, 변비, 두통, 멀미, 어지럼증 등 어린아이와 부녀자들의 비교적 가벼운 질병에 대한 것들이다. 구체적인 진찰을 위하여 특별한 의료도구나 전문적인 기구가 따로 사

---

65) 약재 및 의학에 관한 민간의 지식은 지방 토착의 민간의학인 "투옥 남"외에도, 흔히 "좁은 의미의 東醫"라고 표현되는 "투옥 박"(*thuoc bac*, 北藥), "소수민족의학"(*y hoc dan toc thieu so*), 그리고 동의와 대조되어 "西醫"(*tay y*)라고 불리는 서양의학 또는 현대의학과 관련된 일부의 지식이 포함되어 있다. 베트남 민간의약지식의 구성과 변화에 관해서는 Craig(1996), Chu Xuan Giao(1996) 등을 참조.

66) 독성 유무에 따른 가공 및 복용법과 함께 각 질병에 대한 약재나무별 효용에 관한 지식도 전문적인 학습을 통해 얻어진 것이 아니라 축적된 경험에 의한 것이었다. 약재나무는 수확시기와 횟수에 따라 분류되기도 하는데, 대개는 1년에 한번 심고 한 번 잎을 따는 종류와 일년에 여러 번 수확하는 종류로 구분된다. 주민들 대부분은 수확한 약재 잎을 바싹 말리거나, 얇게 썰어 저미는 등 단순한 일차적인 가공을 할 뿐 복잡한 제조공정에 대하여 설명하는 주민은 없었다.

용되지 않으며, 증상에 대한 판단은 진맥, 환자의 상태에 대한 설명과 겉모습에 대한 평가 등 경험에 의존하여 이루어진다.

치료 및 처방에 관한 지식에는 조제법, 투약 횟수 및 양, 안전복용을 위한 주의점 등이 포함된다. 경험에 의존한 조제법은 약재를 적당한 양으로 분류하여 깨끗하게 하거나, 찧어서 물에 섞거나, 물로 걸러 침전된 찌꺼기를 싸거나 섞는 방식 등이다. 대부분의 약재가 물을 섞어 끓여 마시는 종류인데, 대개 약재와 물의 혼합비율이 정해져 있었다.[67] 투약 횟수 및 양에 따라 판매되는 각 약재의 양을 저울로 정확하게 재거나 비율을 계산하는 경우는 드물었고, 대부분 "경험에 따라" 대강의 비율로 섞는다고 하였다. 간혹 구매자가 약재의 종류와 양을 결정하여 주문할 경우, 저울을 사용하기도 한다. 약재 판매 가구마다 추가 달린 접시저울이나 양팔저울이 비치되어 있다. 일반적으로 약재의 양을 표시하는 단위로 킬로그램(kg)에 해당하는 '껀'(*can*)이 사용된다. 처방에 따라 추가되는 많은 종류의 보조약재는 한 번의 판매량이 정확한 질량의 단위보다는 한 손으로 집는 정도의 양에 해당하는 '한 웅큼'(*voc tay*) 또는 한 손아귀에 싸이는 양인 '한 줌'(*nam*) 등 부피로 따져진다. 줄기에 붙은 채로 판매할 경우 한 묶음의 단위인 '라'(*la*)를 붙여서 "7라", "9라" 등으로 계산한다. 약재 잎을 판매할 때에는 복용시 주의 사항을 알려주기도 하지만, 구매자 대부분이 단골관계를 형성하고 있으며 복용방법에 대해 잘 알고 있다.

약재와 관련된 의약 지식 외에 신체적 운동을 통한 치료 및 건강

---

67) 가령, 여름철 더위를 이기기 위한 보약재의 일종인 "년 짠"(*nhan tran*)의 경우 찧거나 침전시킨 약재 한 그릇과 물 세 그릇 정도의 비율로 섞어야 약효가 가장 좋다고 하는데, 구입하는 사람 대부분이 그 비율을 잘 알고 있었다.

관리에 관한 의학체계를 '양생' 또는 '양생학'(*hoc duong sinh*)이라고
부른다. 마을에는 '양생학'에 따라 건강을 유지하고 질병을 치료하
는 일부의 사람들이 있다.[68] 이것을 따르는 주민들은 전통무술과 체
조에 근거한 치료로 많은 질병을 이길 수 있으며, 약재가 따로 필요
없다고 하였다. '양생학'이라고 불리는 민간요법 또한 사람들 사이
에 경험적으로 전수되고 보존되어 온 것이다. 합작사 시절에는 공동
작업이 시작되는 새벽에 사원들을 공터에 모아놓고 단체로 '양생체
조'를 실시하기도 하였다. 최근 건강에 대한 관심이 높아짐에 따라,
양생학 또는 그와 유사한 체력 단련법을 익혀 새벽이나 저녁에 시내
곳곳의 공원, 공터에서 그것을 행하는 사람들을 쉽게 볼 수 있게 되
었다.

약재산업에 종사하는 가구마다 적게는 십여 종에서 많게는 백여
종에 이르는 약재를 취급하고 있었는데, 다이 옌에서 판매되는 약재
는 모두 220여 종에 이른다.[69] 마을에서 직접 재배하거나 채취한 약
재 외에, 하이 훙(*Hai Hung*), 땀 다오(*Tam Dao*), 까오 방(*Cao Bang*),
랑 썬(*Lang Son*) 등 북부베트남의 주요 약재 재배지와 하노이 내외

---

68) 최근 마을에서 매년 치러지고 있는 마을의 성황의 생일의례에서 축제(*Hoi*, 會)의 한 프로그램으로
양생술 시범 및 경연대회가 개최되기도 한다. 조사 당시 마을에는 하노이의 전통무예가로 유명한
부이 롱 타인(*Vui Long Thanh*)으로부터 비법을 전해 받아 자신의 질병을 스스로 치료한 적이 있는
한 '원주민'과 남 하(*Nam Ha*) 출신의 '이주민'인 유적관리위원회 부위원장 등, 두 사람이 마을의
노년들에게 양생술을 가르치는 교사 역할을 하고 있었다.

69) 조사 당시 일부 유명 약재상은 마을에서 취급되는 투옥 남의 모든 종류를 파악하여 총 222종의
약재를 분류, 정리한 "약전"(*duoc dien*, 藥典)을 보유하고 있었다. 그 중에 가장 많은 경작지를 가
진 트엉(Nguyen Van Thuoc, 1928년 생)의 약전에 따르면, 마을에서 취급되는 약재들은 밭에서
재배되는 종류뿐만 아니라 늪지, 울타리, 두렁 주변에서 채취한 자연산과 다른 지방에서 구입한 종
류 등이 분류되어 있고, 용도에 따라 약품뿐만 아니라 식품이나 다른 용도로도 사용되는 종류가 표
시되어 있었다. 트엉의 약전과 일부 유명 약재상의 분류를 종합하면, 222종 중에 다이 옌에서 직접
재배되는 것은 모두 79종(35.6%)에 달하고, 이 중에는 외지에서는 구하지 않고 다이 옌에서 재배
되는 것만을 판매하는 종류는 30종이다. 그리고 황무지, 늪, 울타리 등에서 채취하는 자연산은 모
두 22종(약 10%)이었다. 그밖에 베트남의 다른 지역에서 구입하는 종류는 모두 40여종(약 20%)
이고, 나머지는 대부분 "투옥 박"으로 분류되고 일부 "소수민족약재"가 포함되어 있었다.

성의 여러 마을에서 들여온 약재와 중국산 약재도 판매하고 있다. 외지에서 들어오는 종류의 경우도 건조시긴 종류와 긴조가공을 하지 않은 '싱싱한' 종류가 있다. 약재상 가구마다 약재 잎을 말려 저장하는 창고가 있으며, 햇볕이 드는 날이면 마당에 약재를 펼쳐 건조하고 있는 모습을 쉽게 볼 수 있다. 약재 판매 가구 대부분이 취급하는 약재의 종류로는 박하, 나룩풀나무, 년 쩐, 감초 등이 있었으며, 옥수수, 감자, 마늘, 고추 등 식단에서 흔히 볼 수 있는 식물의 잎과 열매 또는 뿌리가 약재로도 사용된다. 그리고 귤, 구아바, 바나나 등 과일의 잎이나 열매를 건조한 종류도 약품 첨가제 또는 복용을 용이하게 하는 용도로 일부 가구에서 판매하고 있었다.

이와 같이 경험에 의해 구성되는 투옥 남 약재 및 관련된 민간의학의 지식은 '다이 옌 마을 사람다운 것'을 형성하는 중요한 요소가 되고 있었다. 특히 원주민들은 투옥 남에 실재 종사하는지 여부와는 별개로 이러한 지식을 갖고 있는 것으로 간주되었다. '원주민'들은 "다이 옌 사람이라면 누구나 할 것 없이 투옥 남을 알고 있고 다룰 수 있다"는 말을 반복하였다. 이것은 마을의 전통산업을 마치 이주민을 포함한 마을 전체 구성원의 집합적인 산업인 것처럼 표현하는 것이지만, 그 이면에는 "다이 옌 사람이란 '투옥 남을 다룰 수 있는 원주민'을 말한다"는 의미가 내포되어 있다고 해석할 수도 있다.

<사진 2> 투옥 남 건조하기

<사진 3> 투옥 남 밭에 물주기

<사진 4> 마을 입구 골목시장의 투옥 남 거래

## (2) 토지 사용권과 '원주민'의 자원

토지는 투옥 남 재배에 가장 중요한 생산수단이다. 프엉 인민위원
회가 보관 중인 '응옥 하 농업합작사'(*HTX nong nghiep Ngoc Ha*)의
자료에 따르면, 1994년 당시 세금을 걷는 경작 면적은 총 9,934㎡이
었다.[70] 다이 옌에는 모두 31명이 최소 100㎡에서 최대 1,000㎡의
경작지 소유자로 등록되어 있고, 등록 가구당 평균면적은 319㎡이
다. 경작 면적 당 세금은 쌀을 기준으로 1㎡당 55g의 쌀을 납부하여

---

[70] 이것은 7꿈 행정구역의 약 17%에 해당한다. 그러나 경작토지 중 상당수가 7꿈 외부에 위치하고
있었으므로, 실제의 면적비율은 정확하게 파악되지 않았다.

야 한다. 이와 같이 쌀 또는 쌀에 상응하는 현물로 지불하는 토지 사용권에 내한 세금을 '꾸이 톡'(*qui thoc*)이라고 한다.

<표 2-13> 경작면적 별 가구수(1994년 등록 기준)

| 경작면적(㎡) | 가구수 | 점유율(%) | 경작면적(㎡) | 가구수 | 점유율(%) |
|---|---|---|---|---|---|
| 200㎡ 이하 | 11 | 35.5 | 500㎡ 이하 | 2 | 6.5 |
| 300㎡ 이하 | 6 | 19.4 | 500㎡ 초과 | 4 | 12.9 |
| 400㎡ 이하 | 8 | 25.8 | 합계 | 31 | 100.0 |

우선 1994년 등록 가구를 기준으로 한 면적별 가구수는 <표 2-13>과 같다. 당시 31개의 등록가구 중에 200㎡ 이하의 경작자는 11 가구로 전체의 약 35.5%이고, 300㎡ 이하의 경작 가구는 모두 17개로 55%를 점한다. 평균을 초과하는 경작규모를 갖춘 가구는 모두 14개인데, 그 중 4가구는 500㎡를 초과하는 가구이며, 그 중 한 가구가 1,000㎡의 토지를 등록하고 있었다. 그러나 가구별 방문조사를 통해 1994년의 등록토지 면적과 실제의 경작 면적 사이에는 상당한 차이가 있음을 알 수 있었다.

<표 2-14> 가구별 등록 면적과 실제 경작면적 및 '꾸이 톡'(*qui thoc*)[71]

| 경작가구(가구주) | 1994년 등록면적(㎡) | | 꾸이 톡(kg) | 2000년 경작면적 |
|---|---|---|---|---|
| 1. Nguyen Thi Y. | 210 | | 12 | 210 |
| 2. Nguyen Van C. | 227 | | 13 | 650 |
| 3. Hoang Thi K. | 672 | | 37 | 200 |
| 4. Nguyen Quang V. | 330 | | 18 | 0 |
| 5. Nguyen Duy C. | 210 | | 12 | 0 |
| 6. Vu Thi H. | 190 | | 11 | 0 |

| | | | |
|---|---|---|---|
| 7. Le Xuan D. | 108 | 6 | 0 |
| 8. Nguyen Thi Q. | 360 | 20 | 190 |
| 9. Hoang Thi T. | 277 | 15 | 미상 |
| 10. Do Van T. | 108 | 6 | 0 |
| 11. Hoang Huu B. | 125 | 7 | 125 |
| 12. Nguyen Van B. | 100 | 5.5 | 100 |
| 13. Nguyen Van D. | 375 | 21 | 150 |
| 14. Hoang Thi C. | 385 | 22 | 180 |
| 15. Nguyen Thi H. | 100 | 5.5 | 0 |
| 16. Truong Trong T. | 200 | 11 | 0 |
| 17. Nguyen D. | 175 | 10 | 175 |
| 18. Hoang Huu N. | 187 | 10 | 187 |
| 19. Hoang Kim S. | 600 | 33 | 250 |
| 20. Nguyen Van N. | 400 | 22 | 200 |
| 21. Duong Thi T. | 1,000 | 55 | 미상 |
| 22. Hoang Gia B. | 400 | 22 | 400 |
| 23. Hoang Thi T. | 560 | 31 | 220 |
| 24. Hoang Thi L. | 500 | 27.5 | 미상 |
| 25. Le Van T. | 200 | 11 | 200 |
| 26. Hoang Minh K. | 200 | 11 | 200 |
| 27. Le Thi H. | 300 | 17 | 0 |
| 28. Hoang Minh K. | 335 | 19 | 미상 |
| 29. Truong Van B. | 460 | 26 | 220 |
| 30. Hoang Thi L. | 240 | 13 | 0 |
| 31. Nguyen Van A. | 400 | 22 | 180 |
| 합계 | 9,934(㎡) | 551.5(kg) | 4,037(㎡) |

---

71) 1990년대 말 시장에서 팔리고 있는 쌀 종류 중 중품의 경우 1kg당 약 6천 동(550원) 정도였다. 가령, 100㎡의 재배토지를 가진 가구의 경우 년간 5.5kg의 쌀을 "구이 톡"으로 납부하여야 하므로, 이를 현금으로 환산하면 33,000동(약 3천 원)에 해당한다. 평균경작 면적을 가진 가구의 경우 약 10만 동을 납세하는 셈이었다.

1980년대 들어 합작사의 집단생산이 후퇴하고, 이주민이 급증함에 따라 토지의 불법적인 용도변경이 활성화되었다. 특히 1993년 '신토지법'(*Luat dat dai*) 발표 이후 토지전용이 가속화되었다. 그리고 등록된 토지가 모두 약재재배에만 사용된 것이 아니고, 구획된 밭이 아니더라도 약재를 재배할 수 있는 곳이 있었으므로, 실제의 투옥 남의 경작면적을 일정하게 계산하는 것이 불가능하다.

1994년 당시 토지사용권의 소유자로 등록된 사람 31명 중 여자는 12명이었고, 4대 토착 종 호의 일원의 토지로 등록된 경우가 모두 22가구로 약 70%에 해당하였다. 나머지 가구 대부분도 이주한 지 40년 이상 경과하여 '원주민'으로 인식될 수 있는 경우였다. 1999-2000년 당시 1994년의 등록면적을 그대로 유지하고 있는 가구는 모두 8개로 파악되었는데, 그 중 6개 가구가 토착 종 호에 속하였다. 그 중한 가구는 재배면적이 늘어난 것으로 파악되었는데, 1995년 이후 인근의 토지사용권을 매입하여 투옥 남 재배를 계속하고 있는 경우였다. <표 2-14>에서도 알 수 있듯이 실제 많은 토지가 투옥 남 경작을 그만두었다. 실제 경작지로 분류된 토지의 등록 면적만큼 투옥 남 재배를 하는 가구는 거의 없다. 전체 경작지를 모두 실제 경작에 투여하더라도, 대개의 경우 채소를 심거나 화초를 가꾸는데 활용하였다.

1994년 당시에도 등록된 수치와 달리 수년 전부터 집을 지었거나, 짓기 위하여 경작을 그만두고 땅을 놀려두는 상태에 있는 토지가 늘어나고 있는 상황이었다. 주민들은 이것을 토지가 "마모되어 닳아 없어지고 있다"고 표현하기도 한다. 마을 주민들 중 아직도 투옥 남 재배에 종사하고 있는 사람들은 점점 축소되어 가는 재배 면적에 대하여 행정기관의 적극적인 대응이 없다면, 점차 이 마을이 투옥 남 재배지로서의 명색을 유지하기 힘들어질 것이라는 우려를 표현하기도 하였다. 토지가 없어지니 어디서 심고 재배할 수 있느냐는 문제이다. 경작을 계속하고 있는 원주민은 투옥 남 재배가 소멸하는 것은 곧 '마을 고유 산업'의 소멸을 의미하는 것이라고 표현하기도 하였다.

투옥 남 경작이 원주민 산업으로서의 강한 정체성을 유지하고 있지만, 그러한 정체성이 실제 경제적 선택에 미치는 영향은 일정한 방향은 아니라고 판단되었다. 우선 경작지가 줄어드는 대부분의 이유는 '원주민' 가구 스스로 경작지를 주거지로 전용하였기 때문이었다. 그리고 그러한 불법적인 전용의 과정에도 '원주민'으로서의 지위가 활용되고 있었다. 베트남에서 토지의 용도변경은 '신토지법'의 규정에 따라 해당 지역의 도시계획에 맞추어야 하고 반드시 사전 허가를 얻어야 하는 사안이다. 그럼에도 불구하고 많은 가구가 허가를 얻기 전에 용도변경을 추진하여 왔다. 그 과정에는 지방수준에서 원주민들을 중심으로 형성되어 있는 비공식적인 사회관계가 중요한 자원으로 작용하고 있다. 즉 프엉의 관련 부서에 서류를 올리는 과정을 추진하기보다는 꿈이나 또 수준에서 '원주민' 정체성을 공유하고 있는 행정지도자에게 사회적 관계를 활용하여 편의를 구하는 것이다. 주민들은 합작사 시절에도 원주민 출신의 합작사 간부들에게 얼마의 돈을 주고 비공식적인 토지사용에 대하여 문제삼지 않을 것을 부탁하는 일이 허다하였다고 하였다. 꿈이나 또 수준에서 일어나는 공식적인 행정처리의 많은 부분이 비공식적으로 진행되었고, 그것에는 원주민 사이의 관습적인 관계가 활용되고 있었다. 등록된 경작지를 모두 주거지로 전용한 이후에도 일부 경작지 주변의 자투리 땅이나, 사용권이 분배되지 않은 전용(專用)토지에 해당하는 늪 주변과 개울가의 땅들을 활용한 투옥 남 경작을 계속하였다. 이 경우는 '꾸이 톡'을 납부하지 않는 불법적인 경작에 해당한다. 이러한 일들이 일상적으로 이루어지고 있음에도 불구하고, 프엉 수준에서 공식적인 제재의 대상이 되지는 않았다. 이런 점에서 원주민들과 긴밀한 관계를 유지하고 있는 지방의 간부들과의 공생관계를 보여준다.

이상의 기술을 통해, 조사 마을이 주민들에 의해 '농촌공동체'의 성격을 지니고 있음이 부각되고 있는 현상의 배경을 해석하였다. 이와 함께 '공동체'에 실재하는 사회분화의 특징적인 요소로서 '원주민'-이주민 구분의 성격과 그 배경을 이해할 수 있었다. 마을에 붙여지고 있는 "도시 속의 농촌공동체"라는 표현에는 '투옥 남'이라는 전통산업이 핵심적인 요소로 등장하고 있다. 투옥 남은 '원주민' 정체성의 경제적, 물적 경계를 제공하고 있다. 나아가 '원주민' 정체성은 단순히 마을 주민들을 구분하는 사회적 경계를 제공할 뿐만 아니라, 지방의 '당-국가'와의 조정과 타협을 위한 강력한 자원으로도 작용하고 있다.

## 3. 마을의 당-국가기구와 대중조직

### 1) 프엉의 당-국가기구

베트남공산당은 중앙에서 지방의 하급 행정단위에 이르기까지 각급 단위별로 행정기구와 평행구조를 이루고 각급의 행정단위를 감독한다. 형식적으로는 당과 행정기구는 중앙뿐만 아니라 지방에서도 이원적인 정치구조를 구성하고 있다. 이러한 이원적 정치구조에 의해 중앙 당기구 산하에는 농촌의 성(*tinh*)-후엔(*huyen*)-싸(*xa*), 도시의 시(*thanh pho*)-꾸언(*quan*)-프엉(*phuong*)의 3단계에 걸쳐 지방 당조직이 구성되어 있다. 프엉은 도시지역에서 정부와 행정의 기초 수준이며, 곧 국가와 지방사회 인민들 사이의 접촉점이다. 프엉의 간부들은 일상적인 토대에서 국가 정책을 수행하고 법을 집행하도록 되어 있다. 하노이의 모든 프엉에는 당지부, 인민회의(*Hoi dong nhan dan*, 會同人民), 인민위원회 등 세 가지 주요 통치 기구가 설치되어 있다. 인민회의와 인민위원회는 헌법에 규정된 국가기구에 속한다. 공산당이 프엉 수준에 이르기까지 모든 기구와 병행하여 설치되어 국가기구에 지시를 내리므로, 당을 국가와 구분하는 것은 어렵다(Koh 2000: 39-40). 이런 점에서 '당-국가'(party-state)라는 용어를 사용하고자 한다.

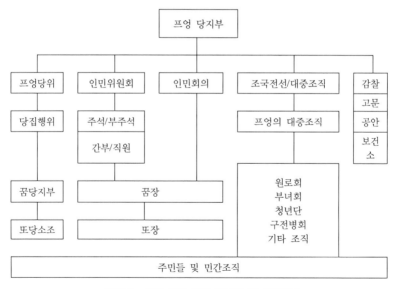

<그림 1> 프엉 응옥 하의 당조직 및 행정구조

프엉의 공산당 조직인 프엉 당지부는 농촌지역의 싸 지부와 마찬가지로 당기구와 지방의 인민들이 실질적으로 접촉하는 지점에 위치한다.[72] 프엉의 공산당 조직은 크게 당지부와 '프엉당위원회'(이하 프엉당위)로 구성된다. 프엉당위는 2년마다 총회를 개최하고, 15명 내외의 집행위원회를 선출한다. 당집행위는 대표위원회와 감사를 선출한다. 대표위원회는 당서기(프엉인민회의 의장 겸임), 부서기(프엉인민위원회 주석 겸임), 당고문(또는 당감찰), 프엉당위 상임위원 중 1인, 프엉 경찰서장, 그리고 당 대중조직의 대표 등 보통 6명으로 구성된다.[73] 대중조직 대표로는 보통 조국전선(*Mat tran to quoc*)의 주석이 참여하며, 확대된 대중조직의 참여가 필요한 회의의 경우에는 부녀회, 청년단, 원로회 등의 지도자들도 참여한다.

프엉 인민회의는 전체 주민을 대표하는 의결기구이다. 그러나 당지부의 서기가 의장을 겸하며, 집행위원회의 간부가 부의장에 있는 등 주요 직책을 당지부의 핵심 간부가 장악하고 있다. 따라서 인민대표기구의 성격과 당-국가 정책 집행기관의 성격을 동시에 지니고 있다. 행정기능과 관련하여, 인민회의는 국가정책을 승인하는 '도장찍기'를 한다는 점에서 실제 집행하는 인민위원회의 역할과 구분된다(Koh 2000: 46). 임기는 5년이고 구성원 수는 선거법상의 인구규모에 따른다. 1994년 관련 법규의 개정에 따라 일년에 두 차례 총회가 열리고, 그밖에 인민위원회의 요구 또는 인민회의 대표위원 3분

---

72) 베트남에서는 공산당지부의 간부들이 실제적으로 지방의 모든 생산조직 및 행정단위의 주요 직책을 점유하고 있다. 베트남공산당은 약 1만4천 개의 당지부 조직을 통해 사회의 모든 부문에 침투하고 있다. 그러나 당원의 수를 엄격 통제하여 공산당원의 자질을 유지하고자 한다. 대불항쟁기간인 1950년대에 공산당원의 비율은 전체 인구의 5%이었는데 이것이 가장 높은 비율이었으며, 이후에는 3%를 약간 상회하는 수준에 머무르고 있다. 이는 소련의 9%, 중국의 약 4%비율보다 낮은 것이다(Porter 1993: 68-70).

73) 프엉 단위의 당 조직의 일반적 구성에 관해서는 Koh(2000)를 참조할 수 있다.

의 1의 요청에 따라 총회가 개최된다. 1994년 이후 조국전선이 인민회의의 활동에 참여하는 경우가 많아졌으며, 해당 지역에 거주하는 25명의 위원이 지역대표로 참여하게 되었다(Koh 2000: 47-48). 즉, 지역주민들의 직접 참여를 강제하는 규정이 강화된 것이다. 따라서 조사당시 프엉인민회의는 당지부, 프엉인민위원회, 꿈과 또의 행정지도자와 대중조직 지도자들의 협의기구였고, 실제의 일상적인 활동은 각각의 조직에서 이루어지고 있었다.

프엉인민위원회는 프엉을 행정관리하는 도시지역 국가기구의 말단 통로이다. 인민위원회는 프엉인민회의의 집행조직으로서 인민회의에서 선출되며, 중앙정부의 지도를 받는 국가행정의 지방 대리자이다. 인민위원회는 "해당 지역 단위 인민들의 문제해결뿐만 아니라, 헌법과 법률, 그리고 상급 국가기구의 지시의 집행을 조직하고 지시하는" 기관이다.[74] 프엉인민위원회는 상급 행정단위인 꾸언의 각종 행정업무가 프엉에서 실현되게 하는 곳이기 때문에, 각 직무에 따른 부서가 꾸언 인민위원회에서 세분화된 것과 거의 동일하게 구성되어 있다. 그리고 꾸언의 업무는 하노이시 인민위원회의 부서와 수직적으로 연계된다.

인민위원회에는 상급 당조직과 정부 부서에서 배치된 공무원들과 프엉의 행정기관에 고용된 간부들 등 두 종류의 '간부'(can bo, 幹部)들이 있다. 중앙 정부에서 고용하여 전문 업무를 위해 프엉에 배치된 공무원들 중에는 경찰(cong an, 公安)이 대표적인 예가 되고, 세무, 아동복지, 토지, 주택, 시장 감찰 등에도 전문 공무원들이 배치된다. 이들은 프엉인민위원회에 소속되어 프엉의 지시에 따르지만, 중앙정부나 부서에 의존하기도 한다.[75] 프엉 자체에서 고용한 사람들로는 회

---

74) SRV 1994. 『Luat To chuc Hoi dong nhan dan va Uy ban nhan dan』, 제41조.

75) 상급 당-국가기구에서 파견되는 간부의 수는 프엉의 규모에 따라 다르다. 7천명 이상의 인구에는

계, 경리, 경비원, 안내 및 차 접대부나 청소원 등이 있다. 조사 당시 인민위원회에는 모두 24명이 일을 하고 있다. 이중에 응옥 하 지역 거주자는 '원주민' 4명과 비교적 최근에 이주한 3명 등 모두 7명이었다. 인민위원회의 간부 중 여자는 주석을 포함하여 11명에 이른다. 주민들은 이들 중 안내원과 청소원 등 일부 고용직원을 제외하고 모두 '간부'라고 불렀다. 간부들은 대부분 지방 행정기관에서 당·국가의 요구를 실현하는 대리인으로서의 인식을 강하게 지니고 있었다. 그러나 그와 동시에 단순히 국영기관에 종사하는 직업인으로서 민간인이라는 인식도 발견할 수 있었다. 이러한 이중적인 자기 정체성은 특히 젊은 간부일수록 많았고, 마을에 오래 거주한 사람에게도 일부 발견되었다.

<표 2-15> 프엉 응옥 하 인민위원회 각 행정실-부의 조직(1999년 현재)[76]

| 부서 및 직위 | 인원 |
| --- | --- |
| 주석(*Chu tich*) 및 부주석(*Pho chu tich*) | 3명 |
| 종합실(*Phong tong hop*) | 3명 |
| 지정부(*Phong dia chinh*, 地政) | 2명 |
| 건설부(*Phong xay dung*) | 1명 |
| 군사부(*Phong quan su*, 軍事) | 1명 |
| 재무부(*Phong tai vu*, 財務) | 2명 |
| 회계부(*Phong ke toan*, 計算) | 1명 |
| 사회-부상병부(*Phong thuong binh xa hoi*, 社會傷兵) | 1명 |
| 도시공정부(*Phong cong trinh do thi*, 都市工程) | 2명 |
| 세무부(*Phong thue*) | 2명 |
| 문화통신부(*Phong van hoa thong tin*) | 1명 |
| 도시계획-질서관리부(*Phong quan ly trat tu xay dung do thi*) | 1명 |
| 종합민원실(*Van phong UBND*) | 2명 |

7명, 그 이하 인구에는 5명으로 구성된다(SRV 1994, 제47조).

76) 규정에 따르면, 프엉과 싸의 인민위원회에는 감사, 노동, 생활, 시장, 문화정보 및 상병/사회, 보육

1997년에 부임한 프엉 인민위원회의 주석은 40대 후반의 여성으로 하노이건축대학을 졸업하고 행정대학원을 수료하였다. 두 명의 부주석은 모두 40대 중반의 남자이다. 부주석 중 한 사람은 사회문화 관련 업무를 총괄하고, 다른 한 사람은 토지, 거주등록 등 일반행정업무를 총괄하고 있다. 프엉 지역의 각종 유적 관리와 민간의례의 허가 및 관리 역할은 사회문화 분야의 부주석이 담당하고 있다. 일반행정업무 담당 부주석은 백과대학을 졸업한 후 주석과 마찬가지로 행정대학원에서 소기의 과정을 마쳤다. 정부에서는 행정간부의 전문성을 위하여 1980년대 말부터 행정대학원 과정을 마칠 것을 권하고 있다.

　인민위원회의 행정업무와 별도로 배치된 인원이지만, 인민위원회의 업무와 연계된 기능을 수행하는 부서로는 경찰과 보건소가 있다. 공안은 지역의 질서유지 및 범죄예방과 처리에 관계된 업무를 담당하는데, 인민위원회에 별도의 사무실이 있고 현재 2명의 남자 경찰이 근무하고 있다. 프엉의 공안 대표는 40대 중반으로 응옥 하 출신이 배치된 경우였다. 보건소 관리자는 인민위원회 소속 공무원이 아닌 의료계나 약사 출신 마을 주민 중에 경험이 많고 덕망이 많은 사람이 맡아서 하는데, 조사 당시 또43B의 또장이 겸임하고 있었다. 보건소의 업무는 중앙 정부를 대신하는 공식적인 보건위생 홍보 및 정책 시행 관련 업무가 포함되어 있어서 인민위원회에서 총괄하고 있다.

　상부에서 하달된 정부 시책의 선전과 집행, 그리고 관련된 주민설

---

과 청소년교육, 위로, 안전치안, 주거 등 모두 9개의 하위 위원회(하위 부서)가 필수적으로 구성되어야 한다(SRV 1994). 그러나 각 부서의 명칭은 지역에 따라 다르고, 지역에 따라 부서가 세분되기도 하고 추가되기도 한다. 가령 프엉 응옥 하의 경우 도시공정 및 건설 관리 관련 부서가 추가되어 있다.

116 전환기 베트남의 전통과 공동체, 그리고 국가

득 및 동원 업무 외에, 주민의 일상생활과 관련된 인민위원회의 주요 업무는 대체로 세 부분으로 나뉠 수 있다. 첫째는 출생, 사망, 혼인, 이주 등 주민등록에 관한 업무이다. 둘째는 주택의 건설과 재건축, 토지매매와 사용권 등록 등 토지 및 주택에 관한 업무이다. 이 두 업무는 대민 행정업무를 위주로 구성되어 있는 반면에 셋째의 업무는 사회의 정서 및 의무와 관련된 것들이다. 가령 전쟁 부상병이나 열사들에 대하여 선물을 하고 그들의 사회보장을 위한 활동, 불우 아동들을 위한 자선 활동, 의료 보건활동, 치안 및 안전 유지를 위한 활동과 마을 공동의례를 비롯한 민간행사의 관리와 지원이 이것에 포함된다.

주민들이 일상적으로 인민위원회를 찾는 가장 많은 이유는 주로 호구(*ho khau*)와 거주등록 관련 서류를 정리하고 필요한 증명서를 발급받기 위해서이다. 가구마다 하나씩의 호구가 작성되고, 만 16세 이상의 모든 개인에게 각각의 주민증(*Chung minh thu*, 證明書)이 발급된다. 개인은 모든 사회활동에서 본인임을 증명하기 위하여 이 증명서를 지참하여야 한다. 1990년대 중반 이후에는 출생, 사망, 혼인, 이주 등 인구 및 거주 관련 등록뿐만 아니라 토지매매와 건축 관련 등록 업무가 증가하였다. 가령 주택을 매매할 경우 원칙적으로는 반드시 인민위원회에 신고해야 한다. 주택 소유자 변경 신고를 통하여 인구이동과 관련된 사항도 함께 등록되어야 한다. 새로 이주한 주민은 상주인구로서 새로운 '호구 작성'을 해야 한다. 담당 간부의 설명에 따르면, '거주권'은 모든 인민의 합법적인 권리이므로 정식 신고를 하지 않더라도 주민의 거주 자체는 막을 수 없지만, 해당 지역에 사는 동안 각종 행정 수속의무를 다 해야 한다. 현재의 규정상 어느 지역에 일시 거주할 경우에는 '일시 거주' 신고를, 일시 이주할 경우에는 '일시 비거주' 신고를 해야 한다.

주택을 새로 건축할 경우에는 반드시 사전에 허가신청서를 작성하여 신고해야 한다. 그리고 건축허가 수속을 위해 해당 토지의 사용권 증명서를 비롯한 각종 기록서류를 제출해야 한다. 서류가 구비되었어도 건축을 희망하는 해당 부지가 경작지, 공공용지 등의 용도로 지정되어 있으면 허가를 받을 수 없다. 인민위원회는 도시계획상 토지용도를 실사하여 주거용지임을 확인하고 서류를 통과시키고, 해당 서류를 꾸언 인민위원회에 올린다. 꾸언에서 최종 심사후 건축허가서를 발부해 준다. 꾸언의 건축허가를 받은 건에 대하여 프엉은 허가대로 건축이 진행되도록 관리하는 임무를 갖는다.

민간의 의례와 신앙에 대한 관리도 프엉 인민위원회가 담당하고 있다. 인민위원회는 법률이 정한 범위 내에서 주민들이 신앙의 자유를 피력할 수 있도록 관리하는 역할을 한다.[77] 프엉 내 '전통마을' 단위로 구성되어 있는 유적관리위원회의 활동이 활성화됨에 따라 인민위원회의 부주석은 유적관리위원회의 명예위원으로 활동하고 있다. 인민위원회의 문화통신부는 부주석과 함께 마을 공동의례에 대한 지원과 관리를 전담하고 있다. 주민들의 일상적인 의례에 관해서는 인민위원회가 지니는 공식적인 의무는 없다. 그러나 행정관리의 내용이 '인계제도'를 통해 꿈, 또 단위로 전달되는 체계를 유지하고 있어서, 그 과정에 인민위원회의 간부들은 마을 주민들, 특히 '원주민' 지도자들과 친밀한 관계를 형성하고 있다. 주민들의 개별적인 통과의례의 호혜성에 인민위원회의 간부들이 참여하게 되는데, 이것 또한 이러한 관계가 배경이 되고 있다. 최근 마을의 공동의례가 활성화되고, 종교적인 성소들이 국가의 유적으로서의 공인됨에 따라

---

77) 관련 법규는 V, VI장에서 다루겠다.

주민들의 일상적인 의례생활에 대한 관리 업무가 증가하는 추세이다. 특히 수호신 생일의례를 비롯한 마을의 공동의례나 마을간의 연대의례가 구성되는 '전통의 창조' 과정에 인민위원회는 항상 초대되어 각 행사를 관리하는 입장에 서게 된다. 또한 인민위원회는 국가가 정한 의식일의 각종의 공식행사를 주관하고 주민들의 참여를 유발하는 업무를 하고 있다.

<사진 5> 프엉 응옥 하 인민위원회 전경

## 2) 꿈과 또, '원주민' 지도자

### (1) 당소조와 '정권'

앞의 <그림 1>과 같이 프엉 당지부 아래에 당소조가 있고, 인민위원회와 인민회의 아래에 보다 비공식적인 행정단위인 꿈과 또가 조직되어 있다. 당소조와 꿈의 관계는 당위원회와 인민위원회의 관계와 같다. 당소조는 최소 3명에서 최대 35명의 당원으로 구성된다. 당원의 숫자에 따라 보통 꿈 하나에 1개 혹은 그 이상의 소조가 존재한다.[78] 꿈과 또로 세분된 당소조의 활동과 행정관리는 프엉당지부 및 인민위원회에서 통합된다. 이런 점에서 꿈과 또는 이중적인 성격을 지니고 있다. 즉 중앙이나 상급에서 임명된 행정관료가 배치되지 않는다는 점에서 '정권'(chinh quyen, 政權)이 아니지만, 실제의 마을 수준의 일상적인 행정관리가 이루어지는 세분화된 기초단위라는 점에서 꿈과 또의 대표도 '정권'으로 인식되기도 한다.[79] 인민위원회 간부의 설명에 따르면, 인민위원회의 간부가 수적으로 부족한 반면에 마을 주민들과 관련된 행정업무는 점점 늘어나기 때문에 꿈과 또가 손과 발이 되어 도와주긴 하지만 그 자체가 '찡 꾸엔'은 아

---

[78] 베트남공산당은 현재 두 종류의 당지부 또는 당세포를 가지고 있다. '기초지부'(chi bo co so) 또는 '거리지부'(chi bo duong pho)는 대부분 은퇴한 당원으로 구성되기 때문에 '휴지지부'(chi bo huu tri, 休至支部)라는 별명으로 부르기도 한다. 다른 종류는 '당직지부'(chi bo duong chuc, 當職支部)인데, 해당 지방의 정부기관이나 국영기업에 재직중인 당원으로 구성된다. 현직 당원들은 둘 중 하나 또는 모두에 선택적으로 참가할 수 있지만, 대부분 당직지부에만 참가하여 '휴지지부성원의 평균연령이 높다. 참고로 공산당원의 평균연령 또한 높은 편으로서, 1999년 현재 64세이다(Koh 2000: 51-52).

[79] 주민들이 사용하는 "찡 꾸엔"은 '정권'(政權)의 베트남어 발음으로, 권력 또는 권력기관에 관한 지방의 개념이다. 일반적으로 "찡 꾸엔"은 국가기관을 지칭하는 용어이다. 주민들은 시, 꾸언, 프엉 등 각급의 행정위원회와 공안, 당지부 등을 추상적으로 '찡 꾸엔'이라고 지칭하기도 하고, 그러한 기관에서 근무하는 간부들을 같은 말로 지칭하기도 한다. 그러나 꿈과 또 단위의 행정조직과 간부에 대해서는 상황에 따라 이 용어를 사용하기도 하고, 사용하지 않기도 하여 말단행정조직과 지도자에 대한 인식에는 이중성이 있음을 알 수 있었다.

니라고 한다. 그러나 마을 주민들 대부분은 일상적인 행정관련 민원의 내용을 소속 꿈장(cum truong) 또는 또장(to truong)과 항상 먼저 의논하며, 이들이 프엉의 업무와 연계된 실제의 행정처리를 지원하고 있다는 점에서 "마을의 정권"이라고 인식하고 있었다.

우선 당소조의 역할은 다음과 같이 규정되어 있다. "당소조는 보통 문명화된 생활방식, 문화가족의 건설과 이웃의 안정 등에 관한 규정을 결정하며, 해당 지역에서 새생활 건설을 도모한다. 당소조는 지역 인민들 간의 갈등을 해결하고 자선사업, 노년과 청소년 돕기 등 조국전선과 기타 대중조직의 활동을 지원한다. 그리고 시, 꾸언, 프엉의 기관의 주요 결정들과 정책을 실현한다."(Van Chieu 1997, Koh 2000: 52 재인용)

2000년 당시 7꿈 당소조 비서는 비서직 재임 기간에 구전병회와 원로회의 대표를 역임한 바 있었고, 최근까지 조국전선의 총비서를 담당하기도 하였다. 당소조 비서의 주요 임무는 당지부와 함께 당의 영도를 실현하는 것이다. 즉 프엉과 꿈 수준에서 중앙당의 정책 명령과 지시를 관철하기 위한 사업을 벌이며, 조직관리와 선전 및 집행의 임무를 띈다. 지방수준에서 당의 명령을 추진하는 과정에서 발생되는 문제를 해결하고 당의 목표와 취지대로 사업을 수행하기 위해 공동으로 역할을 수행한다. 이런 의미에서 당지부 및 소조 비서의 가장 중요한 두 가지 임무가 '사상'과 '정치'라고 하였다. '조직영도'란 이러한 사상과 정치를 실현하는 실제의 주요활동을 의미한다. 해당 꿈 소속 주민의 모든 사회활동과 정치 및 선전에 관계된 일을 총체적으로 책임지는 위치라고 할 수 있다. 그리고 지방행정단위의 말단에서 행정조직의 역할을 실현하는 모든 하위조직을 총괄하는 역할이다. 따라서 구전병회, 청년회, 부녀회 등 전국적으로 조직되어 있는 당의 대중조직을 총괄하는 역할을 한다.

인민위원회의 주석, 부주석과 각 부서는 담당 업무를 각 꿈, 또와 연결하기 위한 모임을 갖고 있다. 이것을 '인계제도'(*che do giao ban*)라고 한다. 인민위원회가 중앙정부 또는 상급 기관의 새로운 정책이나 지시를 전개할 때는 반드시 꿈장과 또장을 통하여 주민들에게 하달한다. 프엉 소속의 꿈장과 또장 전체가 참석하는 '인계제도'는 상반기와 하반기 각각 한번씩 일년에 두 번 열린다. 꿈장은 주민들의 주요한 민원에 관하여 인민위원회에 보고하고 의견을 첨부하는 기능도 가진다. 이러한 과정은 대부분 월례 인계제도에서 이루어지지만, 각 꿈장이 별도로 인민위원회를 찾아 와 해당 부서와 협의하기도 한다. 꿈장은 실제 매주 평균 두세 차례 인민위원회를 방문하고 있었고, 마을에 공동의례와 같은 공식행사가 준비되거나 시행되는 시기에는 거의 매일 인민위원회를 찾았다.

마을의 행정지도자들은 상급기관을 "상급"(*cap tren*)이라고 표현하였다. 일반 주민들뿐만 아니라 꿈장과 또장도 인민위원회에 갈 때에 "프엉에 올라간다"(*len phuong*)고 하였다. 주민들이 인민위원회를 방문할 때에 "정권에 올라간다"(*len chinh quyen*)라고도 한다. 즉 인민위원회는 곧 '정권'이고 '올라가야' 하는 곳이다. 반면에 인민위원회의 주석, 부주석 또는 간부들이 마을의 주민을 방문할 경우에는 "마을(꿈)에 내려간다"(*xuong lang* 혹은 *xuong cum*)고 하여 마을이 프엉 인민위원회의 아래에 있음을 표현한다. 마을 공동의례 공간인 딩에 행정간부들이 방문할 때에도 "딩에 내려간다"(*xuong dinh*)고 하여, 인민위원회는 높은 곳에 있는 공식적인 '정권'의 공간이고, 딩은 '마을'과 마찬가지로 낮은 위치에 존재하는 비공식적인 공간으로 인식되고 있음을 알 수 있다. 이에 반하여 일반 주민들이 딩을 방문할 때

<사진 6> 당지부 비서, 공안, 꿈장과 필자(1999-2000년 除夜)

에는 "딩에 나간다"(*ra dinh*)고 한다. 즉 딩은 자신이 거주하는 집밖의 일종의 광장으로서 평등한 주민들이 나가서 만남을 가지는 공간인 셈이다. 주민들이 꿈장 또는 또장을 만날 경우에는 경우에 따라서 '올라간다'와 '만난다'가 교대로 사용되고 있음을 알 수 있었다.

### (2) 꿈(*Cum dan cu*)과 또(*To dan pho*)

하노이에서 '꿈'(또는 '꿈 전 꿈')은 1984년에 처음 조직되었고, 프엉 응옥 하에는 1989년에 구성되었다. 각 꿈의 행정을 총괄하는 책임은 인민회의의 부의장에게 있지만, 실제로는 인민위원회의 영향을 가장 많이 받고 있었다. 꿈은 '정치적 사회적 대중조직'이라고 부르는 부녀회, 원로회, 재향군인회 등의 하위지부를 가지고 있다. 1989년 인민회의에서 처음 임명된 7명의 꿈장은 모두가 과거 각 마을의 공산당 단위 세포 또는 당지부의 비서였던 당원이었다. 꿈장은 농촌의 촌장과 같이 도시 말단의 행정지도자로서 시, 꾸언을 거쳐 내려오는 국가의 정책에 따라 마을을 관리하고 통제하는 역할을 하고 있다. 마을의 안전과 복지를 책임질 뿐만 아니라 새로운 계약대상 토지를 경매에 부치는 일을 관리하는 등 지방 주민의 경제적 이권과 관련된 역할도 부여받고 있다. 말단 행정간부의 임무를 수행하기 위해 꿈장은 빈번한 공식회의에 참여해야 하고, 주민들의 의사를 결집하고 상부 지시에 대한 동의를 유발하기 위한 각종 모임과 회의를 주도해야 한다. 조사 기간 중 매월 2-3차례의 공식적인 꿈장회의와 또장회의가 있었고, 대부분이 2시간에서 4시간에 걸쳐 진행되었다. 마을의 일상사는 또장과 꿈장을 통하여 2주에 한 번 또는 매월 한 번 씩 인민위원회에 공식 보고되었다. 촌락의 주민대표가 프엉의 행정기관에 의해 임명된다는 것은 곧 촌락의 제도화의 길을 정당화하는 한 단계가 되었다.

1998년에는 꿈장이 선출직으로 바뀌어, 처음으로 주민투표로 마을의 대표를 선출하였다. 당시 임기를 시작하여 2001년까지 계속하고 있는 꿈장은 '타인 호아 출신의 호앙'씨 종 호의 성원이었다. 꿈장은 전업 공무원이 아니라, 다른 생계활동에 종사하면서 꿈 단위의 행정업무를 총괄하는 주민의 대표로서의 지위를 가진다. 그러나 인민위원회 고용 간부의 3분의 1 밖에 되지 않는 공식 급여에 비하여 업무는 과중하여 꿈장은 보수보다 봉사와 명예의 측면이 중요시되는 지위로 간주되고 있다. 공식적인 행정관리뿐만 아니라, 프엉과의 연계를 요구하는 주민들의 일상적인 기대와 관련된 업무를 포함하여 꿈장의 일은 실제 거의 전업에 해당하는 것이었다. 꿈장은 스스로를 자원봉사자 또는 자선적인 지위라고 규정하면서, "집의 밥을

먹고, 현감의 나팔을 분다"(*an com nha, vac tu va hang tong*)는 말로
비유하기도 하였다.

'또'('또 전 포')는 프엉 내의 좁은 골목을 경계로 연속된 가구 집
단을 구분하는 최소의 단위가 된다. 프엉 응옥 하는 인구밀집 지역
이어서 50-80개 가구가 한 또를 구성하고 있다.[80] '또'는 지역공동
체의 자치와 공공보건위생, 질서유지 등의 과업과, "문명화된 생활
양식과 새로운 문화가족 건설"을 실현하기 위한 주민동원에도 핵심
적인 역할을 한다(Koh 2000: 55). 공식적인 업무수행에서 또장은
당지부나 당소조의 간부보다는 인민위원회 주석과 간부를 직접 만
나 일을 처리하는 경향이 있었다. 규정상으로는 두세 달에 한번씩
인민위원회와 공식적인 회의가 있지만, 업무가 많아 매주 한 차례
이상 만나고 있었다. 이러한 점은 프엉이 꿈보다는 또에 더 많이 의
존하고 있음을 보여준다. 꿈장을 통해 전달된 상급의 지시도 실제
또장에 의해 대부분 집행된다. 가령, 또장들은 프엉의 국가기구를
대신하여 공과금을 걷고, 출생, 혼인, 이주 등록 등 일상적인 대민
업무를 직접 해결한다. 또장과 부또장은 마을에서 자체적으로 선출
되며, 일상적으로는 또 소속 주민들의 생활상의 문제해결을 지원하
는 역할을 하고 있다. 이 과정에는 이웃주민과의 일상적인 관계의
영향을 받게 되며, 따라서 또의 실제 행정업무는 비공식성이 강조
되고 있었다.

---

80) 베트남 헌법이 꿈과 또의 설치를 위임하지는 않았지만, 정부는 행정 임무의 수행뿐만 아니라 공동
체의 정신과 이데올로기를 증진시키기 위하여 이러한 조직을 활용해 왔다. 프엉은 자체적으로 또의
숫자를 결정할 수 있는데, 최근에 도시지역에 편입된 신규 프엉의 경우 50개 또 정도이지만, 시내
지역에 편입된 지 오래된 프엉의 경우 70-100개의 또로 구성되어 있다(Koh 2000: 53-54).

<표 2-16> 제 7꿈의 또장 및 부또장(2000년 1월 현재)[81]

| 구분 | 또장(성별, 나이) | 원주민/임기 | | 부또장(성별, 나이) | 원주민/임기 | |
|------|----------------|:-----:|:-:|------------------|:-----:|:-:|
| 38A | Ha Ngoc B.(남, 61) | X | 1 | Bui Van. L.(남, 61) | X | 1 |
| 38B | Le Thi Minh T.(녀, 54) | O | 7 | Le Thi Thuy T.(녀, 51) | O | 3 |
| 39 | Hoang Dan V.(남, 64) | O | 7 | Tran Thi Th.(녀, 55) | O | 7 |
| 40 | Luu Minh H.(남, 52) | O | 3 | Hoang Thi Ng.(녀, 56) | O | 3 |
| 41 | Do Van Kh.(남, 58) | O | 7 | Tran Dang S.(남, 48) | X | 3 |
| 42 | Hoang Huu G.(남, 66) | O | 5 | Phan Thi L.(녀, 49) | O | 5 |
| 43 | Dang Ngoc T.(남, 54) | X | 1 | Pham Dinh H.(남, 50) | X | 1 |
| 44A | Nguyen Van H.(남, 64) | O | 7 | Bui Thi D.(녀, 52) | X | 7 |
| 44B | Truong Thi H.(녀, 51) | O | 3 | Pham Thi M. Ph.(녀, 53) | O | 3 |

2000년 현재 7꿈에서 주민들의 추천에 따라 선출된 또장과 지원 조직의 장인 부또장은 <표 2-16>과 같다. 여성 또장은 2명이고, 여성 부또장은 모두 6명이다. 여성이 또장인 2개 또의 부또장은 모두 여성이었고, 여성 또장에 남성 부또장이 선출된 경우는 없었다. 또장과 부또장 18명 중 1954년 이전에 거주 등록한 '원주민'에 해당하는 사람은 모두 12명으로 3분의 2에 해당하였다. 또장 중에 원주민이 아닌 사람이 두 명 있었으나, 두 사람 모두 1975년 이전에 다이옌에 이주한 사람이었다. 꿈과 또의 행정지도자들은 대부분 장노년층이고, 해당 지역에서 오래 거주하고 다른 주민들과 별 문제없이 좋은 관계를 유지하고 있는 사람들로 평가되고 있었다. 그들은 당원일 필요도 없으며, 높은 사회경제적 지위를 가질 필요도 없다. 대부분 좋은 집안의 후손으로 도덕적으로 인정받고, 범죄를 저지르지 않았다는 평가를 받으며 비공식적 지도자 자리에 오른 사람들이다. 즉 다른 주민들에게 생활상의 모범이 되는 인물들이라고 평가받는다.

그러나 주민들 대부분은 또장 역할을 맡기를 꺼려하였다. "볏짚

---

81) <표>에서 O, X는 1954년 이전 거주등록 여부를, 수치는 재임 연수를 의미한다.

같은 권한과 바위 같은 책임"(*quyen rom va da*)이라는 말을 흔히 하는데, 그것은 또장이 많은 직무를 수행함에 있어서 권력을 갖지 않으나, 부정적인 결과에 대해서 종종 비난받는 일이 많기 때문이었다. 또장을 물려받기를 꺼려하여, 한 또장이 수년 동안 계속 맡는 경우가 허다하였다. 이러한 행정지도자는 번잡하고 번거로운 일거리에 비하여 보수는 형편없다고 평가되며, 특히 50세 미만의 주민들은 이러한 직책을 싫어했다. 더구나 또장은 종종 프엉이 요구할 때에 이웃사람들에 관하여 보고해야하는 불편한 상황에 놓이게 된다. 따라서 또장과 그 조원들은 법규나 정책의 사소한 위반으로 처벌을 받은 이웃들로부터 비난을 받을 경우도 있다.

또장을 맡고 있는 사람들은 설사 행정지도자의 위치에 있지 않더라도 이미 지방에서 이웃들에게 친근함과 권위를 가지고 있는 사람들이었다. 또장은 국가의 권위를 대신할 뿐만 아니라, 위엄있는 이웃사람으로서 주민들과의 일상관계를 유지하고 있다. 이러한 친근한 이웃관계를 통해 또장은 프엉의 상급간부들을 통해 하달되는 국가의 의도와 관련된 정보를 주민들에게 전달해주는 중요한 정보원 역할을 해준다. 가령 주민들이 인민위원회에 혼인 후 새로운 거주 등록을 하고자 하면, 프엉의 간부들은 우선 또장에게 사실관계를 확인하는 임무를 부여하는데, 이 과정에서 주민들의 행정처리를 위하여 또장의 정보를 활용하게 된다. 또장의 정보에는 주민의 의도와 일치하지 않는 국가의 요구에 대해 적절히 대응하는 방법도 포함되어 있어서, 해당 주민들이 자신에게 유리한 경로를 선택할 수 있게 도와준다. 또장은 상급 간부들에게 이웃주민들에 관한 정보제공자 역할도 한다. 프엉의 간부들에게 전달되는 주민에 대한 정보는 또장에 의해 여과되거나 각색될 수 있다. 이런 점에서 또장은 때로는 꼬치 꼬치 캐묻는 간부에 대해 이웃을 보호하는 역할도 한다. 결국 또장은 지방에서 국가와 인민의 대립의 가능성을 최소화하는 도덕적 권위의 상징이라고 할 수 있다. 이런 점에서 또장은 국가의 의도를 가장 효과적으로 가정에까지 침투시키는 국가 대리인이다. 그들을 통해 국가는 얼굴이 없는 비인격적 존재가 아니라, 온정적인 이웃 노인의 모습으로 인민에게 다가선다.

### 3) 마을의 대중조직

"당은 지도하고, 인민들은 통제하며, 국가는 관리한다"라는 슬로건은 베트남 정치체제의 운영방식을 상징적으로 나타낸다(박종철 2001: 291). 이러한 구도에 의하면 당, 국가기구, 대중조직은 정치체제에서 각각의 역할을 부여받고 있는 것처럼 보인다. 그러나 당이 정책 형성과 결정뿐만 아니라 정책집행의 기구이고, 중앙에서 하급단위에 이르기까지 모든 수준의 국가기구에 당원을 임명함으로써 실질적으로 국가를 운영하고 있다. 베트남공산당은 정치, 군사, 경제, 사회, 문화와 물질적 정신적 생활에 이르기까지 모든 부분을 관장한다. 이렇게 볼 때, "국가기구와 대중조직은 당의 노선과 정책을 집행하는 부수적 조직에 지나지 않는다"(Nguyen Van Canh 1990: 23)는 입장이 설득력을 가질 수 있지만, 마을 수준에서는 이러한 입장이 반드시 타당한 것이 아님을 알 수 있었다. 프엉에서는 "당지부가 지도하고, 인민들의 대중조직이 통제하고, 인민위원회가 관리한다"고 표현될 수도 있다. 그러나 마을 수준에서는 중앙과 달리 당지부의 역할은 제한적이며, 인민위원회와 대중조직의 역할이 크다. 물론 당원이 배치되어 있으나 지방의 관리와 통제에는 상대적으로 토착지도자들의 역할이 크다.

당은 대중들의 정치적 동원을 위해 지역별로 다양한 대중조직을 결성하고 있다. 국가는 이들 대중조직을 통해 대중들의 이념교육을 실시하고, 정치적 참여를 촉구하는 동시에 간접적인 통제장치를 마련한다. 베트남에서는 '베트남여성동맹', '호치민공산청년동맹', '전국농민동맹', '베트남노동자동맹', '베트남조국전선' 등이 주요한 대중조직들이다. 특히 '베트남조국전선'은 각종 대중조직들을 포괄하는 광범위한 조직으로서 여러 대중단체 간의 이견을 통합, 조정하는 역할을 하고 있다(Joiner 1990: 1061).

과거 이러한 대중조직들은 당의 지침을 일방적으로 하달하는 하향식 명령전달과 대중동원기구의 역할을 하는 데 그쳤다. 그 결과 대중조직의 활동이 관료화되고 대중들의 반응은 매우 소극적이었다. 따라서 1980년대 중반 이후 제한적 범위 내에서 대중조직들의 자율성을 허용함으로써 이들의 활동을 활성화시키는 방안이 논의되었다. 1986년 6차 당대회에서는 대중조직의 관료주의와 비민주성이 지적되었다. 특히 베트남조국전선의 비민주성이 지적되었으며, 공산청년동맹이 청소년들에게 대학진학과 외국유학의 특권을 누리기 위한 도구로 전락되고 있는 등 당 간부의 사적인 목적에 이용되고 있다고 비판되었다(Porter 1993: 90-91). 마을에서 비당원이 마을의 주요 대중조직 또는 민간조직의 지도자로 부상한 시기도 거의 일치한다. 조사 당시 원로회를 비롯한 대중조직의 지도자들 대부분은 비당원이었다. 선출직의 경우에도 후보자가 마을의 요구를 상세히 이해하고 있는지, 이웃과 원활한 사회관계를 유지하는지 등의 지방의 문화적인 가치기준에 의해 추천되는 경우가 많았다.

프엉 응옥하의 각 꿈과 전통마을에도 당조직 외에 다양한 대중조직과 민간조직이 구성되어 있다. 당조직에는 프엉과 꿈별 당소조와 당-조국전선 대표자회의가 있다. 대중조직으로는 조국전선, 부녀회(*Hoi phu nu*), 청년회(*Hoi thanh nien*), 구전병회(*Hoi cuu chien binh*, 舊戰兵會)가 있다. 이 밖의 공식적인 민간조직으로는 원로회(*Hoi nguoi cao tuoi*), 불교여신도회(*Hoi quy*), 유적관리위원회(*Ban Quan ly di tich*) 등이 있다.

조국전선은 부녀회, 청년회, 원로회, 구전병회 등 마을 내 여타 대중조직의 대표들이 참여하는 단체로서, 프엉 조국전선의 대표는 당지부의 비서가 맡는다. 조국전선은 당의 '영도'를 받는 전국적 조직으로서, 중앙당에서 최말단 지방행정단위까지 조직되어 있어서 중앙의 결정이 지방에 전달되고 집행되는 데에 중요한 역할을 하고 있다. 중앙당의 최고 조직이 곧 '베트남 조국전선'이다. 중앙에서 요구하는 조국전선의 기본 임무는 중앙 정부의 새로운 정책의 선전과 교육이며, 유사시에 인민을 동원하거나 단결을 호소하는 대중운동을 벌이는 역할을 한다(Ngo Van Thau 1999 참조). 프엉의 조국전선은 중앙당에서 조직된 조국전선의 최하부 조직으로서 뿐만 아니라, 주로 토착 지도자들로 구성되어 있는 마을의 공식 조직들의 협의체로서의 성격을 동시에 지니고 있었다. 즉, 부녀회, 청년회, 구전병회 등 마을의 여러 공식적인 대중조직 및 단체의 '공동의 소리'(*tieng noi chung*)로서의 역할을 한다.

규정에 따르면 조국전선은 모든 인민들이 참가하는 것으로 되어 있지만 실제의 활동은 '조국전선대표부'(*Ban Mat tran to quoc*)에 의해 이루어진다. 대표부는 조국전선의 비서들, 꿈장과 일부의 또장, 부녀회, 원로회, 구전병회 등 대중조직의 지도자들로 구성된다. 대표부의 위원장인 총비서는 선거로 선출되며, 명목상 주민 전체의 활동을 포괄하는 지위이다. 프엉의 조국전선은 '아래로부터의 요구'를 수렴하고, 마을의 각 대중조직에서 계획한 행사를 공동으로 추진하는 역할을 한다. 조국전선은 주민들 자치적인 결정으로 추진되는 대부분의 행사의 선전과 인원 및 물자의 동원에서도 중요한 역할을 한다. 생활개선과 관련된 캠페인 추진을 위한 의사결정과정 및 여론형성을 주도하거나 행정조직의 여러 전달사항을 마을 사람들에게 전달하는 기능도 한다.

프엉의 조국전선은 그 자체가 정책 결정권이 없고, 예산을 집행할 행정기관과 같은 권한은 없지만, 인민의 영역에 깊이 침투해 있는 광범위한 대중조직으로서 지방의 요구에 따른 토착의 기능을 수행하고 있었다. 다이 옌의 경우 마을의례의 부활과 준비 및 집행 과정에 조국전선의 성원들이 중요한 역할을 하고 있다. 최근 활성화되고 있는 마을의 공동의례는 꿈장을 비롯한 행정지도자들과 '유적관리위원회'의[82] 주도하에 원로회, 부녀회 등 대중조직의 주요 성원들을 동원하여 집행된다. 조국전선대표부의 성원들이 그러한 조직들의 주요 지도자들이기 때문에 행사의 준비는 자연스럽게 조국전선의 활동의 영향을 받게 된다. 이러한 지도자 대부분이 '원주민' 출신으로 채워져 있어서, 마을 수준의 조국전선은 국가와 사회, 중앙과 지방을 연결하는 가교의 역할을 한다.

당의 대중조직으로서 조국전선의 활동에 통합되어 있는 것 중에 지방의 의사결정에 가장 큰 영향력을 발휘하는 조직은 '원로회'이다.[83] 원로회는 조국전선이 통합하고 있는 당의 대중조직이지만, 민

---

82) 다이 옌의 유적관리위원회는 1990년 '딩 다이 옌'이 국가의 유적으로 공인되면서, 마을 공동의례를 관리하기 위해 구성된 조직이다. 관련하여 제5장을 참조할 것.

83) 원로회는 50세 이상의 성원들이 자동으로 귀속되는 연령집단(age group)의 성격을 지니므로 '노인회'가 올바른 번역이 되겠지만, 실제의 활동이 '원주민 원로'들을 중심으로 이루어지고 있으므로

간조직으로서의 성격이 강하다. 원로회는 마을의 노년층 모두에게 성원권이 개방되어 있으나, 실제의 활동은 남성 '원주민' 원로들을 중심으로 이루어진다. 여성 노년들은 주로 부녀회의 활동에 참여하고 있었다. 원로회가 규정상으로 마을의 지도자들로 구성되는 것은 아니지만, 지방에서는 대부분의 선출직 행정지도자들, 조국전선 간부들이 곧 원로회의 연령층이며, 실제 원로회의 중심적인 활동가들이다.

원로회의 활동에 필요한 경비는 회원들이 1년에 한번씩 내는 회비로 충당된다. 원로회비는 2000년의 경우 6천 동이었다. 새로 50세가 되어 회원으로 입회하는 사람은 가입비 5만 동을 내지만, 회원이 사망하면 유가족에게 가입비를 되돌려 준다. 원로회비는 회원 가족의 경조사에 부조금으로 지출되고, 마을의 여러 공식행사를 위한 찬조금과 불우이웃 지원금으로 사용된다. 원로회는 주민들의 경조사를 지원하고 직접 조직하기도 한다. 결혼식과 장례식의 경우 행사에 필요한 물자와 인력의 동원, 안내와 집행에 이르기까지 중요한 역할을 하고 있어서, 마치 원로회가 의식의 전담조직이라고 느껴질 정도였다. 특히 '원주민'이 사망하면, 원로회장이 곧 장례위원장이 되고 원로회가 장례식을 집행한다. 원로회장은 조문을 통해 망자의 일생과 업적을 알리고 유가족에 대한 위로의 말을 낭독한다. 장례 절차에 따른 제사 또는 제물의식도 원로회에서 주관하며, 부의금을 걷는 일도 원로회원들이 지원한다. 그리고 경조사에서 이웃과 '기쁨과 슬픔을 나누는 일'(*chia vui, chia buon*) 대부분이 원로회원들의 몫이었다.

원로회는 수호신 공동의례를 비롯하여 '마을공동체'의 집합적인

_____

필자는 '원로회'라는 이름을 사용하고자 한다.

활동에서 중심적인 활동을 하는 조직이다. 원로회는 마을의 공식행사에 주민들의 적극적인 참여를 독려하고 선전하는 역할을 하고 있다. 원로회의 성원들은 원로회 활동의 기본적인 취지가 마을의 후손들, 즉 청소년들이 '부모와 윗사람을 공경하고 잘 따르도록' 노인들이 '거울과 본보기'가 되는 것이라고 강조한다. 이런 맥락에서 마을의 질서 유지와 사람들 관계의 여러 측면에서 모범이 되는 활동을 해야 한다는 것이다. 또한 원로회는 부녀회나 청년회와 마찬가지로 '조국전선'의 중요 일원으로서 국가의 공식 활동에 동원된다. 원로회 성원들은 혁명과 전쟁에 참여한 세대로서 당의 정책을 선전하고 효과적인 집행을 위한 운동을 벌이는 일에도 참여한다. 이런 점에서 원로회도 국가와 사회의 차원을 넘나드는 조직으로, 프엉의 국가-사회관계 조정지대에서 핵심적인 역할을 한다.

프엉에는 꿈별로 부녀회가 조직되어 있다. 부녀회는 마을의 성인 여성 전체가 참여 대상이지만, 실제의 활동은 회장, 부회장 및 꿈별 대표들을 중심으로 이루어진다. 그 대부분이 중노년층의 '원주민' 부녀자들이었다. 부녀회는 당의 대중조직으로서 조국전선을 중심으로 하는 당의 정책을 실현하는 역할을 부여받고 있지만, 꿈 수준에서는 민간조직으로서의 성격을 많이 지니고 있었다. 7꿈의 부녀회장은 부녀회의 가장 중요한 임무가 가난한 가정에게 경제적인 부조활동을 하는 일이라고 하였고, 일상적으로 주민들의 상부상조와 관련된 일을 기획하고 선전하는 역할을 주로 맡아서 한다고 하였다. 마을의 빈곤한 가정에 대해서 마을의 여러 조직이 나서 '배고픔을 없애고 가난을 줄이기'(*xoa doi giam ngheo*) 위한 상조활동을 벌인다. 과거에는 투옥 남을 하는 가정 중에 궁핍한 가정을 골라서 재배에 필요한 자금을 지원해 주기도 하였다.

당의 공식적인 대중조직은 아니지만, 민간의례의 활성화와 관련하여 주목할 수 있는 여성의 조직으로 "노년여성불자회"(*Hoi phat giao* 또는 *Hoi quy*)와 "헌향대"(*Hoi dang huong*, 獻香隊)가 있다.[84] "불자회"는 노인 여성 불교신도들의 모임인데, 열성적인 성원 대부분이 부녀회와 원로회의 성원이기도 하다. "헌향대"는 수호신 공주 의례가 재생되면서, 전문적인 의례절차의 수행을 위해 조직된 것이다. 헌향대의 성원은 연령층과 출신 지역의 면에서 다양하다. 의례 수행의 육체적인 어려움으로 인하여 불자회에 비하여 젊은 층의 여성들로 구성되어 있다. 마을의 노년 여성들은 특히 불자회를 통한 유대를 강조한다. 이들 중 일부는 "헌향대"의 일원으로도 참가하고 있었다.

구전병회(*Hoi cuu chien binh*, 舊戰兵會)는 전쟁에 참여하였던 퇴역 군인들의 조직이다.[85] 마을의 여러 행정조직의 지도자들 중에는 이 조직의 성원으로 활동하는 사람이 일부 있었다. 응옥 하의 구전병회는 1990년에 조직되었고, 다이 옌에는 약 20명의 회원이 있다. 이들은 남부와 중부의 전선에서 미군과의 전쟁에 직접 참가한 사람들이었다. 2000년 현재 최연소자가 57세여서, 구전병회의 모든 성원들이 원로회에 참가하고 있다. 조사 당시 7꿈의 당지부 비서가 곧

---

84) "헌향대" 등 마을의 의례조직에 관해서는 제5장을 참조할 것.

85) "구전병회"는 '위로부터의 대중동원 방식'의 변화 및 아래로부터 조직된 새로운 사회단체와 관련된 사례가 된다. 남부지역의 혁명운동에 참가했던 퇴역군인들을 중심으로 1986년 5월 조직된 '레지스탕스전사클럽'(Club of Former Resistance Fighters)은, 1988년에 들어 친목단체의 성격을 벗어나 점차 정치적 성격을 띠게 되었다. 이들은 성급한 정치적 통합으로 인한 통일후유증과 부패, 당의 무능력 등을 비판하고 정책결정과정의 공개, 당내 민주주의, 인사교체, 도이 머이의 구체화 등을 요구하였다. 1988년 4월 도 므어이(Do Muoi) 수상의 사임을 요구하는 탄원서를 정치국에 제출하였고, 6월에는 당중앙위와 국회에 자유, 공정선거를 요구하는 탄원서를 제출했다(박종철 2001: 296). 공산당은 이 단체의 영향력이 확대되자 활동을 제약하기 위해서 회보발간을 중단시키고 당의 공식적인 대중조직으로 '구전병회'를 결성하여 간부들을 흡수하였다. 1990년 말 '구전병회'는 44개의 지부를 설치하고 90만 명의 회원을 확보하였다(Thayer 1992: 123-25).

구전병회 프엉지부 회장을 맡고 있었다. 회원들은 마을 원로의 자격으로 마을의 치안과 안녕에 대한 인민위원회의 협의에 참가하여 조언을 하거나 마을 차원의 캠페인에 참가하여 주민들을 설득하는 일을 한다. 실제 마을의 안녕과 질서를 유지하는 실무의 일들은 프엉 인민위원회의 공안(公安)과 각 꿈과 또에 배치된 담당 공안이 집행한다.[86]

## 4) 프엉에서의 국가–사회관계

도이 머이 이후의 마을 조직의 경향은 한마디로 당 대중조직의 민간조직화 또는 조직의 이중성 및 애매모호성 등으로 설명할 수 있다. 대중조직 대부분은 지금과 유사한 이름으로 혁명과 전쟁기(1945-1975년)에 당차원에서 마을 하부까지 만든 것으로 당의 정책을 집행하는 하부조직이었다. 현재와 같이 당의 정책 수행과 자발적 주민조직으로서의 이중적인 기능을 갖게 된 것은 비교적 최근의 일로서 특히 도이 머이 정책 이후라고 할 수 있다. 프엉과 꿈의 조국전선을 비롯한 대중조직들은 프엉 당지부의 지도 아래에 있으면서, 토착 주민들로 구성되어 있고 민간의 일상적인 요구를 수렴하는 기능을 수행하고 있다. 결국 마을 수준의 여러 조직들의 지도자들은 국가와 사회의 경계를 넘나드는 주변적인 위치에 있으면서 양자의 관계를 매개하는 존재이다.

가령 조국전선의 경우 과거 '남부해방'(*giai phong mien Nam*)과

---

86) 이밖에 "프엉응옥하청년회"가 결성되어 있지만, 각 꿈별로는 대표자들만 있다. 청년회는 과거 "청년단"이라고 불리기도 하였는데, 20대에서 일부 50대에 이르는 청장년이 참여하는 공식조직이다. 그러나 대부분의 활동이 프엉 조국전선에 통합되어 있고, 마을에서의 활동은 미미하여 본문에서는 생략하였다.

통일에 중요한 역할을 하였고, 사회주의 건설과정에서 중앙당의 정책을 실현하는 기초 조직으로서의 역할을 하였지만, 지방수준에서 공식적인 위상은 그 조직의 단위에 따라 상이하다고 할 수 있다. 프엉 이하의 조국전선 지도자들은 마을 토착주민 출신이며, 중앙에서 임명되어 내려온 당지부 및 인민위원회의 간부들보다 공식적인 지위에서는 낮은 것으로 인식되고 있다. 이것은 또한 마을 수준의 조국전선이 공식적인 행정기구의 아래에 있는 국가영역의 조직으로 위치함을 공식적으로 표현하는 것이기도 하다. 그러나 '마을 공동의 일'(viec lang)에서는 '원주민' 출신 지도자가 장악하고 있는 조국전선과 대중조직의 위상이 결코 당-국가기구 아래에 위치한다고 일괄할 수 없다고 판단된다.

최근에 활성화되고 있는 민간의례의 조직과정에서 프엉의 국가기구 및 대중조직의 위상과 상호관계의 성격이 드러난다. 마을에 다양한 행사와 의례가 부활됨에 따라 공식 행정조직과 함께 대중조직이 이러한 행사를 주도하고 있었다. 마을 행정조직의 간부들, 조국전선과 대중조직의 지도자들이 마을의 공식의례에서 중요한 역할을 수행한다. 마을의 공동의례와 축제에서 당-국가 조직과 대중조직의 역할을 살펴보면, 마을 수준에서의 의사결정과정은 집단지도체제의 형식을 지니고 있으며, 이와 함께 지방수준에서 권력의 분권화가 더욱 활성화되고 있음을 보여준다. 마을의 지도자들은 이러한 변화가 마을의 공동행사와 공동의 목적을 위해 주민과 지도자들간의 견해차를 해소하는 방안이 되고 있음을 강조한다. 그리고 의사결정에 관련된 권력의 분권화와 함께, 당지부나 인민위원회 간부 외의 토착 지도자의 역할이 존중됨으로써, 마을의 자치성과 공동체성이 더욱 부각되고 있다.

여기에서 주목할 점은 원로회의 역할과 위상이다. 원로회의 주요 활동가들이 곧 꿈, 또의 행정지도자와 당소조의 간부이며, 유적관리 위원회를 비롯한 민간조직의 활동가들이다. 원로회의 일상적인 모임이 마을 수준에서 필요한 의사결정을 이루어 내는 가장 중요한 사회적 관계의 망을 형성해준다. 원로회라는 이름의 모임에서는 당성, 국가의 영역, 민간의 영역이 따로 구분될 필요가 없다. 다만 연배와 마을공동체에 대한 개인적인 기여, 그리고 다양한 형태의 사회관계 망의 정도에 따라 각자의 역할과 영향력의 범위가 정해진다. 이런 점에서 마을에서의 당의 조직과 민간조직은 상호교차적인 성격을 지니고 있고, 각 조직의 활동은 국가의 요구와 민간의 요구가 상호 중첩되어 협상될 수 있는 분위기를 형성해 준다.

프엉과 마을에서의 국가의 관리는 공식적인 제도의 틀대로 진행되기보다는 꿈, 또라는 토착주민 출신의 행정지도력이 지니고 있는 문화적, 도덕적 설득력을 매개로 집행된다는 점에 주목할 수 있다. 당지부와 인민위원회의 간부들은 꿈, 또의 행정지도자들과 유사하게 이웃관계에서 좋은 감정을 유지하기 위해 완전한 맹종보다는 주민들과 적절한 타협이 필요하다고 생각하고 있었다. 이러한 문화적 특질은 "9는 10으로 간주한다(*chin bo lam muoi*)"는 속담으로 표현될 수 있다(Koh 2000: 28).[87] 가령, 최근 빈번해진 주택 재건축 과정에서 규정된 행정서류를 완비하기보다는 당사자들이 사적으로 작성한 계약서로서 실제의 과정을 추진하고, 안면관계로 해당 간부로부터 승인을 받는 관행이 일반화되어 있었다. 꾸언의 건축허가를 받고 나

---

87) 당지부와 인민위원회는 프엉 내의 정책 집행 상의 난점을 극복하기 위해 꿈을 지도하고, 프엉이 결정한 정책을 꿈에서 수행하는 것을 지켜보는 위치에 있다. 그러나 당지부 비서는 "명령하거나 지시하지는 않는다"고 하였다. 가령 꿈과 당지부가 주민에 대한 처벌을 스스로 결정한 권한이 없기 때문이다. 단지 불법, 탈법에 대하여 프엉에 보고하고 제안하여, 프엉이 행동을 취하게 한 뿐이다.

서야 비로소 건축을 시작할 수 있다는 규정에도 불구하고 실제로는
수민들 스스로의 의사결정에 따라 집을 짓거나 보수하는 탈법이 일
상적으로 벌어지고 있다. 사람들은 이것을 가리켜 "알아서 하
기"(*xoay xo* 또는 *xoay xoa*) 혹은 "대충대충 하기"(*lung tung*)라고 하
였는데, 프엉의 간부들도 일상적으로 사용하는 용어가 되고 있었다.
'대충대충 하기'는 토지나 주택의 매매, 이주 및 거주 신고의 의무에
도 적용되고 있었다. 정식 행정처리하지 않고 매매 당사자끼리 알아
서 서로 손으로 쓴 계약서를 주고받는 것으로 거래를 끝낸다. 이러
한 불법행위에 대하여 인민위원회나 관련 기관이 상세히 조사 보고
하여 법적으로 처리하게 되어있지만, 그 과정에 꿈, 또에 내재된 마
을 토착의 자원이 개입함으로써 '대충대충 하기'가 적용되게 된다.
간혹 기관이 처벌을 결정하여 벌금을 부과하기도 하지만, 현행법상
겨우 20만 동 내외에 그치므로 실제 불법적인 주택건축을 막는 데
에는 크게 효과가 없는 셈이다. 무엇보다도 이런 불법에 대해 규정
에 근거하여 징계하기보다는 토착 지도자를 통한 설득이 우선되고,
국가의 간부는 소극적인 태도를 보인다.[88]

　프엉의 간부들은 꿈, 또를 거치면서 선택적으로 법규를 적용하고
정책을 강제하게 된다. 간부들은 이주 후 거주등록을 옮기지 않거나,
과세를 피하기 위해 임대계약을 숨기는 관행과 길거리 상행위 등 제
도적으로 금지된 일을 방관하거나 규정된 행정절차대로 처리할 수
만 없는 이유에 대하여, "마을에 살다보면 주민들의 어려운 환경에

---

88) 이러한 현상과 관련하여 행정간부는 강압적으로 지시하는 것보다 말로 설득하는 것이 낫기 때문이
라고 하였는데, 일상적인 관계에서 서로가 지고 있는 도덕적인 빚 때문이었다. 이러한 점은 통치를
위해서 법보다는 "도"(*dao*, 道)를 더욱 강조한다는 지적과 상통한다(Duiker 1983: 71). 그리고 이
러한 가치들 중 한 가지는 지방지도자들이 마을 동료들의 사소한 실책을 용서하는 것이다
(Malarney 1997).

동정적인 감정을 갖게 되기 때문"이라고 설명한다. 이것을 한마디로 "통 깜"(*thong cam*, 通感)이라고 표현하는데, 이것은 '동정심을 갖는다'는 의미이지만, '누군가에게 미안한 일이지만 어쩔 수 없이 선택할 수밖에 없다'는 뜻이 강하게 내재되어 있다. 여기에서 그 '누군가'는 사안에 따라 다르지만, 대개 국가 또는 국가의 제도일 경우가 많다.

하노이의 프엉은 중앙의 지시를 받고 집행하는 조직과 물리적인 업무공간을 갖추고 있고, 하나의 공동의 실체로서 주민들과 관계하는 간부도 가지고 있는 지방의 당-국가이다. 뿐만 아니라, 프엉 지역에서 주민들과 국가 간부사이에 벌어지는 행위의 차원에서 갈등과 타협의 과정을 살펴보면 프엉은 국가-사회관계의 중재 및 매개의 공간이 되고 있다. 주민과 프엉 간부 사이에 이루어진 비공식적 해결방법들은 '불법적인 것'이지만, 위험의 대가로 받는 이익이 있다. 이것은 지배적인 당-국가의 통제를 피해 가는 방식을 보여준다(Migdal 1988: xiv). 하노이에서 매일 수천 명의 사람들이 그들과 당-국가 사이의 "제3의 존재"로서 "국가의 경계를 재조정하는" 지방 간부들의 협력을 통해 이러한 비공식적인 방법을 활용하며 살고 있다(Malarney 1997: 899). 결과적으로 주민들과 프엉의 간부들은 당-국가 지배의 모호한 그늘에 존재하는 "중간 조정지대"(mediation space)를 만들어낸다(Koh 2000: 5).

주민들은 일상적인 관계를 통하여 프엉 간부들의 비공식적 행위뿐만 아니라 공식적인 활동에도 상당한 영향을 미치고 있다. 간부들은 마을 주민들과 같은 구성원으로서 지방의 정체성을 공유하고 있고, 어려움에 처하면 이웃주민들을 도울 것이 기대된다. 지방의 간부들이 처한 이러한 문화적인 역동성이 바로 갈등적인 역할을 가진

"모호한 정치적인 적소(適所, niche)"이다(Kelliher 1992). 무엇보다 노 그늘은 가족과 친족의 구성원처럼 일상의 일에 참여할 것이 기대된다. 베트남의 오랜 속담에 "한 사람의 관료가 나면, 그 집안 전체가 혜택을 본다"라는 것이 있다(Koh 2000: 27). 주민의 입장에서 보면 이러한 현상은 당-국가와의 근접성이 마을주민들의 지위를 구분하는 중요한 기준으로 존재하고 있음을 보여준다. 결국 국가 조직과의 친밀성과 지방의 당·국가 간부와의 연줄은 사회분화와 관련된 자원의 성격도 지니게 된다. 그런데 '원주민'이 당-국가 조직과 근접한 마을 대중조직의 지도자 위치에 있다는 것은, 원주민이 곧 그러한 자원으로 작용하고 있다는 것을 의미한다.

<사진 7> 장수축하연(Hoi mung tho)에서 최고령 원주민 확대가족

결론적으로 프엉은 지방에서의 국가-사회관계의 조정공간이자, 국가-사회의 연속성을 일상적으로 관찰할 수 있는 공간이 된다. 이와 관련된 지방의 문화적, 도덕적 역동성의 내용은 다음 제3장에서 기술된 사회경제적 변동의 과정에서도 등장하고 있으며, 4, 5, 6장에서 다루게 될 국가의 의례개혁을 비롯한 "문화관리"의 현장에서도 발견된다. 필자는 특히 '원주민'이라는 정체성과, 당-국가에의 근접성이 지방 주민들의 일상적인 이해를 실현하는 데에 중요한 자원으로서 경합되고 동원될 뿐만 아니라, 지방에서 국가-사회의 연속성을 발견하는 중요한 소재가 되었음을 밝히고자 한다.

제 3 장

# 사회경제적 분화와
# 이질적인 공동체

# 1. 혁명 이전 시기의 경제적 다변화와 '공동체' 내부의 분화

## 1) 생계수단의 다변화와 이주

20세기 초반까지 하노이의 대부분 농지는 여느 홍하델타의 농촌과 마찬가지로 우기에 침수되는 지대에 있었다. 사람들은 이러한 저지대 농토를 "범람하는 봄벼 경작지"라고 불렀다(Gourou 1936: 27).[89] 3-4개월 이상 침수되어 있는 논에 충분한 비료를 공급하기가 어려웠고, 벼농사가 생계를 보장하기에 어려움이 많았다. 마을 노인들은 당시 응옥 하 일대의 여름 풍경에 대하여 "마치 넓은 바다 가운데 대나무 숲이 만든 초록색 마을들이 섬처럼 드문드문 놓여있는 모습"으로 묘사하기도 하였다. 작은 배나 대나무를 엮어 만든 둥근 바구

---

89) 이모작 중에 음력 5월에 파종하여 10월에 수확하는 경작기를 '무어'기(*vu mua*)라고 한다. 무어를 '가을 벼' 혹은 '10월 벼'라고도 한다. 반면에 11월경에 심어 5월에 수확하는 것을 '찌엠'기(*vu chiem*)라고 하며, 찌엠을 '5월 벼', '봄 벼', 또는 '늦벼'라고 부르기도 한다. 20세기초에도 홍하델타의 전체 경작면적의 약 23%만이 봄 벼 경작이 가능하였다(Gourou 1936: 426-30). 1930년대 식민정부가 홍하델타 일원에 관개사업을 완성함에 따라 이모작 재배가 확대되었지만, 여름의 더위, 가을까지 이어지는 태풍과 폭우 등의 기후 조건으로 봄 벼 경작은 매우 불안정하였다. 이러한 문제는 일부 농촌에서 오늘날까지도 지속되고 있다(Truong 2001).

니배가 주요한 교통수단이 될 정도였다. 노인들은 1940년대에도 매년 물과 싸워야 했음을 상기하면서 "살아서는 살을 물에 담고, 죽어서는 뼈를 물에 묻는다"고 표현하기도 하였다. '원주민'들을 통해 1940-50년대 마을의 약 절반의 가구가 일년 중 1-3개월은 곡식 부족을 경험하였고, 약 3분의 1 정도는 거의 반년동안 배고픔을 이겨야 했다는 설명을 들을 수 있었다. 빈농은 일년 내내 죽을 먹고 지내야 했고, 상대적으로 많은 토지를 소유한 가구에서도 농업만으로 생활의 모든 수요를 모두 충족할 수 없었다.[90] 마을마다 공전이 있어서 가난한 사람을 구제하는 데 사용되었다는 설명도 있었으나, 마을마다 보유정도에 차이가 있어서 공전이 부족한 마을의 경우에는 가난한 가구를 구휼하기에는 한계가 뚜렷하였다(Wiegersma 1988: 46-50).[91]

벼농사만으로 생계를 보장받지 못한 농민들은 다른 수입원을 찾아야 했다. 여름의 식량 부족기에는 자급자족을 위한 일부 채소류 재배 외에는 안정적인 곡물 재배가 불가능하였다. 따라서 홍하델타의 다른 많은 마을과 마찬가지로 다양한 종류의 수공업생산과 특화된 상업작물 재배 및 소상업을 통해 생계를 보충하여야 했다(Nguyen Van Huyen 2000). 응옥 하의 각 마을은 수도 성 외곽에서

---

90) 홍하델타의 농촌에 대한 일부 연구에서, 1954년 이전 가구 당 평균 1머우(3,600㎡)의 경작지를 소유하고 있는 마을의 경우에도 벼농사만으로 생계를 보장받기 어려움을 설명하였다(Gourou 1936; Truong 2001). 가령 3명의 성년 노동인구와 2명의 피부양 자녀를 둔 가족을 예로 들어보자. 만일 구로의 설명처럼 성인 1인당 하루 0.7kg의 벼를 소비하고(Gourou 1936: 433), 아이들은 어른의 반 정도를 소비한다고 가정하면, 이 가족의 1년의 벼 소비량을 약 1톤이 된다. 이러한 가정에 비추어 보면, 1머우의 토지를 가진 가구의 경우 연간 약 1.2톤의 벼를 생산할 수 있었으므로, 자급자족에는 충분해 보인다. 그러나 주식을 제외하고도 세금, 의류 및 기타 생필품과 부조금과 의례를 비롯한 다른 사회적 비용들이 벼 판매로 얻은 현금의 많은 부분을 지불하여야 했다(Nguyen Van Huyen 2000: 600-03).

91) 홍하델타의 전체 농지 중 공전의 평균적인 비율은 약 14%였다(Nguyen Van Huyen 2000[1939]: 610). 그러나 상대적으로 인구가 밀집하고 농지가 부족한 하노이에서는 공전의 규모가 평균에 훨씬 못 미쳤을 것으로 추측된다. 그리고 마을의 입지와 지형, 혹은 늪지의 분포에 따라 공전의 실제 경작 정도와 주민들의 구휼에 사용되는 수확량의 정도는 많은 차이가 있었다. 왕조기의 응옥 하에 약 2%의 공전이 있었다는 기록이 있었다(Ban Chap Hanh Dang Bo Ngoc Ha 1996: 25-26).

벼농사뿐만 아니라 다양한 작물재배를 주요한 생계수단으로 하였다. 일대의 마을 중 빙 푹(*Vinh Phuc*)은 벼농사와 함께 찹쌀, '어린 푸른 쌀'(*vong*), 완두콩 등 잡곡재배를 주로 하였다. 다이 옌은 벼농사와 함께 베트남 전통 약재인 '투옥 남' 재배와 약재 잎 판매에 종사하였다. 20세기 초반에 이르자 마을의 약 80%의 가구에서 전업 혹은 부업으로 투옥 남 재배 및 판매에 종사하게 되었다(Chu Xuan Giao 1996: 42). 응옥 하와 흐우 띠엡(*Huu Tiep*)은 각종의 꽃과 채소를 심고 팔았다. 채소, 꽃, 약재 등의 상업작물 외에 복숭아꽃 나무, 귤 나무 등 관상수 재배와 판매 또한 생계를 보충하는 중요한 수단이 되었다.

홍하델타는 또한 수공업의 중심지였다. 마을에 따라 직물, 비단, 종이, 유리, 도자기, 목공예, 칠기, 동제품, 은제품, 모자 등의 수공업이 특화되어 있었다.[92] 수공업 중에는 특히 볏짚을 가공하여 방석, 멍석, 차양 등 다양한 수공품을 제작하는 '항 싸오'(*hang sao*)와 양잠업이 가장 보편적인 생계원이 되었다. 응옥 하 일대에서는 이외에도 벼농사와 나무재배의 부산물이나 폐지를 원료로 모자, 광주리 제조 등의 가내수공업을 하였다. 모자 제조의 경우 현지조사 당시에도 가족 및 친척, 지인의 노동력을 활용한 가내 기업으로 정착된 경우가 있었다. 수공업뿐만 아니라 상업과 계절적인 이주노동 및 서비스업 또한 주요한 생계원이 되었다.[93] 응옥 하 북쪽의 '코끼리산'(*nui Voi*)일대에서 코끼리와 말을 사육하는 부대에게 사료용 풀과 나무를

---

92) 베트남의 많은 민속학자들과 사학자들은 특화된 수공업이 홍하델타 농촌의 경제적 특징이자 '전통' 임을 강조하고 있다(Tran Quoc Vuong and Do Thi Hao 1996).

93) '8월혁명' 직전 시기의 홍하델타의 약 3분의 2의 농가에서 최소 1인이 계절적인 이동을 통한 직업에 종사하였는데, 그것에는 수공업, 상업, 그리고 임노동이 주를 이루었다(Thompson 1947: 171; Dang Nguyen Anh 1997: 51).

공급하는 주민도 있었고, 도시 건축 수요의 확장에 따라 벽돌공도 늘어났다. 돼지고기, 계란, 거위알, 그리고 쌀과 꽃, 채소, 약재와 관상수 등은 지역 주민들이 상업을 위한 주요 품목들이었다. 그리고 우마차를 끄는 운수업이나 어깨에 매거나 들고 운반하는 짐꾼 등 여러 가지의 형태의 자유업에도 종사하였다.

20세기 역사에서 다양한 종류의 농업과 비농업의 조합이 이 지역의 가장 중요한 사회경제적 생활의 특성을 형성해왔다. '8월혁명' 이전 비농업 경제활동은 단순히 농업을 보충하는 수준에 그치는 것이 아니라, 그 자체가 주민들의 중요한 생계기반이었다. 프랑스 보호령(1945년 이전)과 대프랑스 항쟁기간(1945-54년) 동안 생계의 다변화가 사회경제적 분화의 배경을 이룬다.[94] 1930년대에 가구의 약 3분의 1 정도가 수공업과 상업작물재배에 종사하였다고 기술하고 있다(Ban Chap Hanh Dang Bo 1996: 27). 그러나 상업작물 재배와 수공업 종사 대부분이 벼농사와 독립된 별개의 직업은 아니었으며, 부업의 경우를 포함하면 그 수는 훨씬 많을 것으로 추측된다. 주민들의 복잡하고 다양한 직업구조가 곧 마을 생활양식의 한 특징이 되며, 직업의 분화와 변화과정은 곧 마을의 사회적 구성의 복잡성과 역동성을 보여주는 가장 중요한 요소가 된다.

그리고 마을마다 다양한 '전통' 수공업의 연속과 단절이 사회주의 혁명 이후의 집단화 과정에서도 생산의 안정성 여부를 결정하는 중

---

94) 농업과 수공업, 상업과 임노동 등 복합적인 직업활동을 배경으로 하는 당시의 경제생활을 자본제와 비자본제의 결합 또는 가구경제 및 소상품생산양식 등의 개념으로 설명하고자 하는 연구가 제시되었다. 대표적으로 쯔엉은 하 떠이성에서의 현지조사와 홍하델타 농촌지역에 관한 역사적 연구를 통하여, '생산양식론' 또는 '생산양식접합론'의 적용가능성에 관하여 분석하였다. 그녀는 1954년 이전까지 기간의 단순상품생산과 자본주의의 접합, 그리고 1954년 이후의 사회주의 경제로의 전환과정이 주민들이 정치적 및 경제적 구조의 변화에 적응하거나 저항하는 과정이기도 하였다고 분석하고 있다(Truong 2001: 73).

요한 요인으로 작용하게 된다(Dang Nguyen Anh 1997: 51). 특정 종류의 수공업과 상업은 많은 가구들에게 번영과 명성을 가져다주었고, 비농업 분야의 성패에 따라 소득의 격차가 발생했다. 이주노동과 상업에 활발히 종사함으로써 마을 주민들의 이동성과 적응력이 높아졌고, 이것이 20세기의 정치적, 사회경제적 격동에 대응하기 위한 중요한 자산으로 작용하였다. 주민들이 점차 복합적인 직업에 종사하는 경우가 증가하면서 경제 전략도 변화하였고, 가구단위의 경제활동을 포함하고 있는 사회적 관계들도 변화하게 된다. 복합적인 직업 활동의 참여는 가족내 성별 분업을 비롯하여 가족노동력의 재분화를 초래하였다.

1940-50년대 인근 성 지역에서 하노이로 이주민이 증가하면서 응옥 하 일대의 주민들이 종사하는 수공업의 종류도 많아지고 종사자 수도 더욱 늘어났다. 1954년 전쟁이 끝날 때까지 인근 농촌의 경우 심지어 3분의 2 이상의 인구가 하노이로 이주하였거나 상업과 계절적 이주노동에 종사하기 위해 하노이에 일시 이주하는 경우도 있었다(Truong 2001: 80-96). 응옥 하 지역에 정착한 이주민들 중 일부는 토지를 구입하거나 소작을 통해 농업에 종사하는 경우도 있었지만, 대부분은 수공업, 일고용직 또는 잡역직에 종사하였다. 마을에는 점차 토착민보다 이주민의 비율이 늘어났다.

벼가공과 '항 싸오'는 가장 보편적인 수공업이었지만, 그것들의 경제적인 효과는 지역과 가구에 따라 상이하였다. 특화된 수공업이 곧 저지대 벼농사의 한계를 극복하고 경제적 번영을 보장하는 획기적인 대체 수단은 아니었다. 다변화된 생계수단이 가구 구성원들에게 부여하는 경제적 혜택 또한 일정하지 않았다. 우선 볏짚가공(*hang sao*)에 종사하였던 주민들은 그것을 주업으로 간주하지는 않았다고 하였다. 이것은 가공생산에 필요한 기술이 상대적으로 단순하며, 벼 농사의 부산물을 수원료로 활용하여 그다지 많은 자본이 필요치 않아 접근이 용이하지만, 양잠업이나 상업과 비교하면 수입이 낮은 편이었다. 노동력도 전적으로 가족노동력에 의존하였다. 무거운 볏단을 운반하고, 가공 과정에 먼지를 둘러써야 하고, 손으로 묶거나 자르는 작업 등 대부분 육체노동에 의존하여 일은 매우 힘들었으나 수입은 생계에 큰 영향을 줄 정도가 못되었다. 노년 여성들은 볏짚가공이 실제 아무런 이익이 되지 않을 때가 많았다고 설명하면서, 얻는 소득마저도 오로지 힘든 수공비를 대는 정도여서 "노동을 팔아 이익과 바꾸는 것"이었다고 표현하였다. 수확 후 탈곡 부산물은 판매를 위한 수공업 원료로 사용될 뿐만 아니라, 자급자족에도 활용되었다. 왕겨는 연료로 사용되었고, 부서진 벼는 국수나 쌈재료 등의 식용으로 보충되었고, 벼를 잘게 부순 가루는 돼지 사료로 쓰였다.

남자도 일부의 공정에 참여하였지만, 벼 가공의 대부분 공정은 여성의 몫이었다. 한 노년 여성은 남편이 가공에 열심히 참여하지도 않으면서, 돈도 되지 않는 일에 열성을 낸다고 오히려 핀잔을 주곤 하였다고 불평하였다. 당시 가구경제의 많은 부업거리는 여성의 노동력에 의존하고 있었다. 현지조사 당시에도 비공식적 소상업이나 부업거리로 부녀자들이 매우 바쁜 일과를 보내고 있었다. 여성의 노동력이 가계의 수입에 기여하는 바가 막대하였는데, 이것은 최근 시장경제의 영향만이 아니었다. 특히 쌀 소매장사, 거위알 장사, 채소 및 화초 장사 등은 대부분 여자들이 수행하였다. 여자들이 일반적으로 장사에 뛰어나고 총명하다고 진술하는 이야기를 흔히 들을 수 있었다. 무게를 조금씩 속이면서 이익을 높이는 기술은 여자들의 몫이라고 간주되었다. 사소하지만 현실적인 이익이 되는 일을 여성이 한다고 생각하면서, 실제로는 힘들고 평가가 좋지 않은 일을 여성에게 맡기는 셈이었다. 실제 마을 시장과 인근 시장, 심지어 하노이 시내까지 진출해야 하는 쌀장사는 벼 가공처리 못지 않게 매우 힘든 일이었다. 힘들지만, 근면하고 검소하여야 하며, 또 "속이는 잔재주"를 포함하는 판매 기술은 세대에서 세대로 전수되었다. 13-14세 가량의 소녀들은 어머니를 따라 장사에 나서 시장의 위치와 장사의 구체적인 방법을 곁에서 보고 체험으로 배워 나갔다.

시 변두리 시장의 소매장사는 시내의 대규모 도매상인들의 판매활동과는 상당한 차이가 있었다. 하노이의 도매상인들은 가족 내에서뿐만 아니라 가족 외부에서도 노동력을 동원하는 등 소매상과 다른 노동력 동원방식을 가지고 있었다. 남자들의 경우 대개 며칠씩 걸리는 원거리 시장까지 원정 판매를 하는 반면, 시내의 판매는 주로 여성들의 몫이었다. 따라서 남자들은 자신의 사업을 보호하거나 확대하기 위해 가까운 친족원이나 이웃 주민들 집단의 관계를 활용하고 형성하고 있고, 여자들은 주로 도시 내에서 다른 여자 친척들의 도움에 의존하는 경우가 많았다. 1940년대까지 하노이에 이주한 상인들은 큰돈을 벌면 고향마을에 대규모 교통시설 개선을 위해 투자하는 등 자신의 사회적 지위를 확대하기 위해 노력하였다(Murray 1980).

응옥 하의 마을들에서 꽃, 채소, 약재, 관상수 등 특화된 상업작물에 종사하였던 가구는 벼가공 수공업과 쌀 소매장사에만 의존하는 가구보다 훨씬 유리한 경제적 조건을 얻을 수 있었다. 다이 옌 주민들은 투옥 남 재배 외에 여러 지역을 돌아다니며 약재를 캐어 판매하였고, 일부 주민은 경제적으로도 성공하고 전국적인 명성을 얻은 투옥 남 의사가 되었다. 응옥 하와 흐우 띠엡의 경우 꽃 재배가 벼농사보다 수입이 높아 생활형편도 다른 마을보다 좋은 편이었다.

20세기에 들어 응옥 하는 경제와 사회면에서도 많은 변동을 겪었다. 응옥 하와 흐우 띠엡의 꽃 재배와 판매 산업이 상당히 발전하였다. 꽃의 종류 면에서 풍부해졌고 재배면적도 늘어났다. 응옥 하는 "꽃마을"(*trai Hang Hoa*)이라는 이름으로 불릴 정도로 꽃 재배지로 유명해졌고, 당시부터 이미 꽃 재배 전업 가구도 나타났다. 꽃 재배는 노동력이 집중되어야 하는 계절에 따라 임노동을 고용하여야 했고, 토지가 많은 가구의 경우에는 일년 내내 노동자를 고용하기도 하였다. 농업 임노동자의 경우 대부분이 다른 지역에서 일하러 온 사람들이었다. '투옥 남'과 꽃 재배 전업가구는 20세기에 들어 점차 증가하였다. 응옥 하의 꽃은 점차 종류도 다양해지고 재배량도 증가하여 꽃을 즐기는 하노이 사람들에게 싱싱한 꽃을 충분히 공급할 수 있었다. 1945년 무렵에는 이미 응옥 하에는 꽃 재배 토지가 부족할 정도가 되어, 많은 주민들이 호 떠이 주변의 응이아 도(*Nghia Do*), 안 푸(*An Phu*), 뜨 리엠 현의 마이 직(*Mai Dich*) 등에 토지를 사거나 세를 얻었다. 장미, 국화, 옥란, 황란, 이화, 클로렐라 등 베트남의 토착 꽃 종류뿐만 아니라, 프랑스에서 수입된 종류와 남부 고원지대의 달 랏(*Da Lat*)에서 여러 종류의 꽃씨를 들여와 심고 가꾸어 판매하였다.

주민들은 분재용 관상수(*cay canh*)를 여러 종류 심었는데, 일부 가정에서는 수백 개의 차꽃 나무와 지란(芝蘭) 분재를 만들어 팔았다. 당시 관상수는 도시 중상층 가구의 고급스러운 취미로 간주되기도 하였으며, 일부 특수한 종류의 경우 가격도 꽤 높은 편이어서 관상용 분재 전문 판매가구는 단골을 정해 주문 제작하는 방법으로 수입을 늘리기도 하였다. 관상용 물고기를 키우고 수족관을 판매하는 가구도 생겼다. 1945년 이전에는 응옥 하의 여러 마을에서 꽃과 관상수 전시회와 경연대회를 열기도 하였다. 응옥 하의 꽃은 장식과 선물용뿐만 아니라, 결혼, 장례, 제사 등에서 의례용으로 팔리는 등 하노이 사람의 일상생활에서 주요한 소재로 등장하였다. 하노이의 많은 사람들은 신년 설(*tet*)과 같은 명절이면 응옥 하를 찾아와 재물과 화복을 부르는 관상수와 꽃들을 사간다. 일부 상인들은 마을에서 꽃을 도매로 사서 시내 시장에 소매로 내다 판다. 당시 하노이 사람들은 "보름이면 시장에 나가 꽃을 사네, 응옥 하 사람들이 짊어진 꽃을 볼 때를 기다렸다가 사야 하네"라는 민요를 부르기도 하였다.

꽃, 약초, 관상수의 재배에는 남녀 모두가 참여하였지만, 장사의 경우 종류에 따라 성별 분업이 뚜렷하였다. 꽃과 약초의 판매는 주로 여성의 몫이었다. 시내를 돌아다니는 행상은 거의 전적으로 부녀자들이 담당하였다. 관상수의 경우 주문에 의해 마을로 직접 와서 사가는 경우가 많았지만, 주요한 절기에는 시내의 시장에 나가 판매를 하여야 했고 이 때에는 남성들이 나섰다.

다이 옌의 '투옥 남' 산업도 발전하였다. 규모가 제법 큰 가구의 경우 재배면적이 2-3머우(*mau*, 畝)에 달하기도 하였다.[95] 당시의 주민들은 주로 밭이나 정원 둘레의 울타리를 따라 여분의 땅에 약재를 곁들여 심었으며, 일부는 저지대 논에서도 재배하였다. 점차 많은 주민들이 논두렁이나 늪지 주변의 버려진 땅을 활용하여 약재나무와 풀을 심었다. 주민들은 꽁 비(*Cong Vi*), 리에우 쟈이 등 인근마을과 호 떠이(西湖) 주변 지역에서 키우지 않는 약재의 종류를 파악하여 그 종자나 어린 나무를 구해 추가적으로 재배함에 따라 종류가

---

95) 1머우(*mau*)는 3,600㎡로, 10 '사오'(*sao*, 360㎡)에 해당한다.

점차 다양해지고 재배면적도 늘어났다. 일부 가구는 약재판매에만 종사하기도 하였는데, 주로 부녀자들의 부업거리였다. 판매상들은 시내 각처의 시장에 나가 직접 판매를 하거나, 중국 약재나 꿀, 뱀술 등 '동의' 및 민간요법과 관련된 전문 상점이나 한의원에 공급하였다. 마을 안의 약재 거래는 대안문(大安門) 주변에서 매일 오후에 열리는 약재시장에서 이루어졌다. 이곳에서는 예나 지금이나 부녀자들이 모여 구매자들과 흥정을 하는 모습을 쉽게 볼 수 있다.

이렇게 상업작물의 경작과 비농업 분야의 경제적 활동은 이미 1945년 이전부터 다양한 모습으로 정착하여 있었고, 많은 변화도 겪었다. 비농업 경제활동이 가구별 생계에 미친 영향은 동일하지 않다. 가구 구성원들이 생계를 보충하거나 경제적 번영을 위한 노력에서 기여하는 바 또한 동일하지 않다.

인근 농촌 주민들은 하노이로 계절적인 이주를 통한 수공업 생산이나 고용노동에 종사함으로써 가족 노동력의 분화를 초래하였고, 이러한 가구들은 가구 규모의 확대를 필요로 하였다. 고향에서의 농사와 이주 수공업을 모두 수행할 수 있도록 가구의 노동력의 원천을 늘리는 보편적인 방법 중 하나는 일부다처제와 자녀입양이었다 (Luong 1992: 61, 74; Truong 2001: 84-85). 일부 성공한 이주 수공업자들은 도시 지역에서 둘째, 셋째 심지어 넷째 부인을 구하기도 하였다. 그 여인들이 직접 추가적인 노동력이 되어 주거나, 자식을 낳아 앞으로의 노동력 수요에 대처할 수 있도록 해 주었다. 대개의 경우 본처는 고향에서 토지를 관리하며 벼농사나 볏짚가공업 등에 지속적으로 종사하였다. 때로는 가난한 친척의 자녀들을 입양하였다. 입양된 자녀들은 의식주를 제공받는 대신에 자식으로서의 권한보다는 새로운 노동력으로서 역할을 더 하였다.

노동력 부족을 보충하는 다른 방법은 친족원들끼리 상호 호혜적인 일손 돕기 방식이 있었다. 종족-이웃집단(lineage-neighborhood group)인 '잡'(giap, 甲)이 그것을 가능하게 하는 가장 중요한 조직으로 구성되어 있었다.[96] 당시 응옥 하의 마을마다 정확하게 몇 개의 잡이 구성되었는지에 관한 자료를 구할 수는 없었다. 다만 다이 옌의 경우 1945년 이전 시기에 소위 '4대 토착 종 호' 집단을 기반으로 하는 최소 4개의 '잡'이 구성되어 있었다고 추측할 수 있다.[97] 잡은 주로 같은 종 호의 남자 구성원들로 이루어진 조직이었으나, 호혜적인 일손 돕기에는 부녀자들, 노년 및 자녀들도 동원되었다. 특히 부인의 참여가 핵심적이었는데, 의사결정은 남자들이 하고 실제 일은 여자들이 하는 격이었다.

하노이로 이주하여 경제적인 성공을 이룬 수공업자들과 상인들은 법적인 거주권을 유지하기 위해서뿐만 아니라 고향마을 내의 사회경제적인 지위를 재확인하고 강화하기 위하여 고향으로 돌아갔다. 이 점은 하노이의 마을에서 확고한 새로운 사회경제적 지위를 확보하기에 어려움이 많았음을 반증하는 것이다. 이주민들 중 특히 중년 이상의 남자들은 하노이에서 거주등록을 하지 않고 고향 마을의 거주등록을 유지하고 세금을 납부함으로써 성원권을 지속하고자 하였다. 심지어 하노이에서 복혼을 통해 낳은 아들도 고향마을에 거주등록을 하여 가족의 입지를 강화하고자 하였다(Nguyen Van Huyen

---

96) 전혁명기의 하노이와 인근 농촌지역의 '잡'은 '종 호'와 함께 혈연 및 이웃이 구성하는 기본적인 사회조직의 하나였다(Nguyen Van Huyen 2000: 621; Nguyen Tu Chi 1993[1984]: 46; Luong 1992). 전혁명기 응옥 하에서 '잡'의 구성과 경쟁에 관한 사례는 다음 소절을 참조할 것.

97) 일부 원로들은 1945년 이전에는 다이 옌이 5개 '쏨'(xom)으로 구성되어 있었는데, 토착 종 호 넷을 포함한 모두 여섯 개의 종 호 출신의 다양한 연령층의 남자들이 여섯 개의 '잡'을 조직하고 있었다고 설명하기도 하였다. 그러나 4개 토착 종 호외에 어느 종 호 집단이 잡을 구성하였는지는 분명하지 않았다.

2000; Hardy 1998). 이러한 점을 통해 마을에서 '원주민'과 이주민의 구분이 아직도 사람들을 분류하는 중요한 기준으로 작용하고 있는 역사적인 배경을 이해할 수 있다.

1930년대에 들어서자 응옥 하에도 임노동자들이 출현하였다. 당시 프랑스 보호령 하에 하노이에는 제지회사, 기차공장, 자동차정비공장 등 대규모 근대식 조립공정을 갖춘 기업들이 운영되었으며, 응옥 하에는 맥주회사가 들어섰다. 응옥 하의 일부 청장년들은 이러한 공장의 노동자로 일하거나, 벽돌공, 미장이, 목수 등의 건설인부가 되었다. 맥주회사는 설립 당시 35명의 노동자가 고용되었으나, 1940년에는 600명의 노동력이 하루 5만 리터의 맥주를 생산하는 대규모 공장으로 성장하였다. 맥주회사에 고용된 임노동자들 중에 상당수가 응옥 하에 거주자들이었지만, 대부분 이주민이었다. 하 동, 하 박 등 인근 성의 촌락에서 일시 이주한 남자들이 고향에 성원권을 유지한 채 임노동을 하여 받은 급여로 이주마을에서 생계를 유지하고, 또 고향의 가족을 지원하였다.

1945년 이후 하노이 사람들의 사회경제적 구성은 더욱 복잡해지기 시작하였다. 건설인부, 대장간, 제조업 등 육체노동직과 '시크로' (xich lo, 인력거) 운전, 철도나 수로 운송 서비스, 길거리 이발, 청소 및 잡역직 등 하노이의 풍부하고 다양한 일거리는 주변의 많은 농촌 인구를 유입시켰다. 하노이로의 이주와 계절적인 직업은 급속히 다변화되었다.[98] 도시로 처음 이주한 사람들은 대개 같은 고향 출신의 친척, 친구들과 이웃들의 기존의 연망에 의존하여 생계를 마련하였

---

98) 1945년 무렵에도 일부 가구에서 10마리 내외의 소규모로 젖소를 키우기도 하였으나, 1960년대부터 축산 가구는 마을에서 사라졌다. 돼지, 닭, 거위 등의 가축사육은 1975년 이후에도 일부 지속되었으나 경작지 감소추세와 함께 격감하였다.

다. 하노이에서의 직업의 다양화는 곧 각 이주민들의 출신 지역 인구와 사회구성의 이질화와 복잡화를 의미하는 것이기도 하였다. 그리고 이주 및 정착과정은 점차 제도화되어 이주의 매 과정이 기존의 네트워크에 토대를 둔 계획된 행동의 과정을 통해 수행되었다(Smith 1989: 97). 농민과 수공업자의 "생계지향"(subsistence orientation)이라는 가설과는 반대로 촌락의 단순상품생산자들은 생계에 충분한 수입이 있다고 해서 생산과 상업을 그만두지는 않았다(Scott 1976: 27). 대신에 그들은 가구 중심의 생계기반을 확대하기 위해 투자를 하였다. 그렇다고 자본주의 생산양식으로까지 확대된 것은 아니었다 (Truong 2001: 92-93). 한편으로 가족 및 친족 노동력을 농업과 수공업 부문에 동원하는 것을 강화함으로써 경제적 생산단위로서의 가내집단을 전체적으로 재생산하게 되었고, 다른 한편으로는 이러한 복합적인 직업을 가진 가구 성원을 통해 가족을 넘어서는 범위의 사회관계를 강화하게 된다.

## 2) 사회·정치구조와 이질적인 '공동체'

### (1) 마을 행정조직과 지방의 정치구조

사회주의 혁명 이전의 북부 베트남 촌락의 사회정치적 구조는, 마을에 내재하고 있던 '봉건적인'(phong kien) 신분구조와 프랑스 식민 정부의 지방 통치체제 조정의 영향이 혼합되어 있는 양상을 보여주고 있다. 중앙 정부의 법률 이외에 각 마을마다 향약(huong uoc, 鄕約)이 있어서 이를 통해 마을의 공동체 생활의 규칙을 규정하였고,[99] 마을의 풍속이 유사함을 알 수 있는 상등한 제도들을 갖추고 있었다. 프랑스 식민지배를 받았던 응우웬(阮) 조 말기에는 '짜인 뽕'(*chanh tong*, 正總)과[100] '리상'(*ly truong*, 里長) 등의 관직과 행정 제도가 있어서 각 마을을 통치하였다. 1945년까지 조정과 지방의 공식 행정관료와는 별도로, 촌락마다 유교유력자 모임인 '기목회'(*Hoi ky muc* 또는 *Hoi dong ky muc*, 耆目會)가 통치하였다.[101] 기목회는 원칙적으로 유교식 학위나 공식 과거에 합격한 사람인 '사문'(*tu van*, 斯文), 상급 행정단위나 타지의 전직 또는 현직 '관원'(*quan vien*, 官員), 그리고 마을의 행정관으로 구성되었다. 1945년 이전에는 소학 이상을 공부한 유생들이 정부의 관직과 상관없이 기목회의 일원으로 마을의 자치에 간여하기도 하였다. 기목회의 성원은 중앙 관리의 요구에 부차적인 지위도 아니었고, 관리의 명령에 따라 움직이는 사람도 아니었다. 지방 촌락의 남성 원로정치 및 수호신의례의 중심지인 '딩'(*dinh*, 亭)에서는 서열에 따라 좌석을 배치하는 등 학식과 연령이 위계화의 중요 기준이 되었다.

20세기가 되면서 프랑스는 인도차이나의 식민지배체제의 완성을 위하여 지방 통치체제를 조정하였지만, 응우웬 왕조의 지방 행정조직의 많은 요소들을 크게 바꾸지 않고 활용하였다(Le Mau Han et al. 1998; Woodside 1976). 식민정부는 '톤', '랑', '싸' 등의 마을마다 '리장'(里長)을 두어 지방 행정조직의 수장으로 삼았고, '쯔엉 바'(*chuong ba*, 掌簿 혹은 丈地官)를 두어 주택과 토지를 관리하게 하였다. 그리

---

99) 전통 촌락의 향약에 대해서는 Nguyen The Long(2000)을 참조할 수 있다.

100) 옛 지방관직인 구장(區長)의 의미로 군수나 주지사에 해당한다.

101) '기목회'는 마을에 따라서 '기호회' 또는 '기호회동'(*Hoi dong ky hao*, 會同耆豪)으로 불리기도 하였다. 혁명 이전 시기의 마을의 유력자위원회와 촌락의 사회정치적 구조에 관해서는 Toan Anh(1991[1968, 1930]: 111-114), Nguyen Van Huyen(2000: 617-622), Truong(2001: 44-50), Luong(1992, 1993) 등 참조.

고 '호 라이'(*ho lai*, 戶吏)를 임명하여 출생과 사망신고, 그리고 혼인 관련 업무 등 가구 및 호적을 관장하게 하였고, '장순'(*truong tuan*: 掌巡)은 주민에 대한 감시와 경비를 담당하도록 하였다. 그리고 비밀형사(*mat tham*, 密探)를 두어 주민들의 저항을 감시하고, 무장한 식민경찰 조직인 '도이 셉'(*doi xep*)을 통하여 직접적인 탄압을 하기도 하였다(Ban chap hanh Dang bo Phuong Ngoc Ha 1996). 그 외에 수호신 숭배의례를 담당하는 관리인 '까이 담'(*cai dam*)도 지방관료에 포함되었다.

'리장'은 세금징수, 부역동원 등 중앙으로부터 위임된 임무 외에 마을의 자치적인 활동을 관리하는 책임을 가지고 있었다. 당시 마을의 공전이 많지 않은 상황이어서 경작을 원하는 주민들에게 경매를 부쳤는데, 리장과 그 조원들이 매년 경매를 조직하는 일을 담당하였다. '까이 담'은 낙찰자들이 계약된 양의 벼를 성실히 납부하도록 감독하였다. 공전에서의 수입과 딩에서의 위계서열에 참가할 수 있는 권리를 뜻하는 '자리' 판매금은 마을 공동의례, 축제 등의 행사와 공공사업을 위한 비용으로 충당되었다. 기목회의 성원들은 빈번하게 마을의 공식 행사와 사업에 관한 회의를 개최하였고, 이 중에서 가장 강력한 목소리를 내는 사람은 최고 유력자인 '띠엔 찌'(*tien chi*, 先指)였다. 띠엔 찌는 마을에서 가장 위신이 높고 존경받는 남자였는데, 보통 높은 학위를 가졌거나 고위 관료였다. 다이 옌의 경우 토착 종 호 중 고위 관직에 오른 사람이 없었지만, 일부 지방관직에 오른 유학자 중 나이가 가장 많은 세 사람이 띠엔 찌가 되었다. 그들은 수호신 숭배의례에서 가장 중요한 역할을 수행하였고, 딩에서 가장 위엄 있는 상석을 차지하였다. 직함이 있는 사람들만이 딩에서의 의례와 연회에 참석할 수 있었다. 여자들과 일반인들은 의례와 축제

준비에 많은 기여를 하였음에도 불구하고 딩 내부에 들어가는 것은 허락되지 않았다.

이주와 생계활동의 다변화 등 경제적 조건의 복잡한 분화뿐만 아니라, 식민정부가 시도하였던 지방 행정개혁이 촌락 수준의 사회정치적 지위의 변화에도 영향을 미쳤다. 프랑스는 1904년 남부 코친차이나에서 촌락 수준의 행정개혁을 실험한 후, 1921년 북부 통킹에서 싸 수준의 행정개혁을 처음 시도하였다(Toan Anh 1991: 112). 개혁의 주요 내용 중의 하나는 촌락의 기존 사회구조에 내재된 정치적 자원에 따라 결정되어 왔던 당연직 행정지도자를 선출직으로 바꾸고자 한 것이었다. 즉 지방에서의 엘리트세력의 교체를 시도하고자 하였다. 하노이의 많은 촌락에서는 이 행정개혁 과정에서 마을의 유력자위원회는 '종족대표자회동'(*Hoi dong toc bieu*, 會同族表)으로 대체되기도 하였다.[102] 종족대표자위원회는 3년 임기로 최대 20명의 성원을 둘 수 있었는데, 마을에 거주하는 25세 이상의 남자 중 재산이 많고 글을 알면 입후보할 수 있었고, 18세 이상의 남자들이 투표권을 가졌다. 촌락단위의 행정관리의 임기는 제한하면서 입후보권과 투표권을 확대하고자 하였던 이 행정개혁의 목적은 소수의 원로와 보수적인 유력자의 손에 주어져 있던 기존의 권력체계의 개혁에 있었다. 한편으로는 이러한 개혁을 통해 상대적으로 개방적이며 친프랑스적 성향을 지닌 청년층의 입지를 강화하고자 하였다. 20세기 들어 프랑스식 신교육과 도시 생활의 영향을 받은 관리들을 늘리는 등 새로운 엘리트층을 만들려고 시도하였다. 이러한 시도는 기묵회의 원로들을 중심으로 하는 기존의 지방권력구조 자체를 온전히 변혁

---

102) 홍하델타의 촌락들에서 '종족대표자회동'의 구성이 어느 정도 보편적이었지를 실증하는 자료는 많지 않지만, 일부 사례를 참조할 수 있다(Toan Anh 1991: 11; 김종욱 2003: 213).

하는 성과를 거두지는 못하였으나, 일부이지만 새로운 엘리트층이 등장하거나 지도자의 구성이 복잡해시는 결과를 만들었다(Truong 2001). 하노이시 중심가에 인접한 응옥 하의 마을들에서도 엘리트층의 구성에 변화가 있었을 것이라고 추측할 수 있다. 지방 엘리트층의 다변화의 다른 한편으로는 마을의 주요 종 호 집단들간의 기존의 대립과 갈등을 첨예화하는 결과를 빚기도 하였다.[103] 개혁은 홍하델타 대부분 지역에서 유력한 원로들의 불만에 직면하게 되었고, 심지어 마을 관료체제의 위계서열과 관련된 갈등으로 법정에까지 가는 긴장이 발생하기도 하였다(Nguyen Van Huyen 2000[1938]: 611).

1921년의 개혁이 많은 부분 실효를 거두지 못하자, 식민정부는 1927년과 1941년 두 차례에 걸쳐 행정개혁을 재차 시도하였다(김종욱 2003). 이것들은 이전보다 훨씬 덜 급진적이고 기존의 촌락 사회구조를 많이 인정하고 적용하는 방향의 개혁이었지만, 여전히 젊고 프랑스의 영향을 많이 받은 엘리트층의 등장의 확대를 목표로 한 것이었다(Nguyen Van Huyen 2000[1938]: 612-13). 응옥 하의 경우 1927년 이후 마을 행정위원회 구성원 수의 제한도 완화되고 임기도 증가하였다. 1930년에는 중앙정부나 상급기관에서 지방행정관을 임명하고 촌락의 위원회가 승인하는 방식이 채택되었는데, 그것은 촌락의 기존 위계서열에 바탕을 둔 지도자 선출방식을 대체하여 새롭고 젊은 엘리트들을 권력과 권위체계의 전면에 내세우고자 하는 목적이 있었다(Truong 2001: 47). 1941년부터 응우웬조의 법전을 대신하여 프랑스 관료제도에 따른 직위의 서열인 '펌 함'(*pham ham*,

---

103) 이 기간 중 마을의 가장 큰 종족집단 중 호앙 흐우와 쯔엉, 호앙 반씨 집단간의 경쟁도 심해졌다는 설명이 있었으나, 그 구체적인 양상에 대해서는 자세한 이야기를 듣지 못하였다. 하노이 인근 마을에서 지위 구입과 관련한 종 호 집단의 갈등에 관한 사례는 쯔엉의 연구를 참조할 수 있다(Truong 2001: 48-49).

品銜)을 분명히 지킬 것을 강조하기 시작하였다. 이러한 과정을 통해 식민정부의 존락 단위의 지방의 정치에 있어서 새로운 엘리트와 신흥 부유층의 참가를 강력하게 장려하게 되었다.

응옥 하의 마을에서 식민정부의 행정개혁 시도가 매 시기마다 구체적으로 어떻게 적용되었는지를 확인할 수는 없었지만, 마을 내부 정치의 변화에 중요한 영향을 미쳤음을 추측할 수 있었다. 그러한 추측을 지지할 수 있는 주민들의 설명 중 중요한 한 가지는 1930년대 상업과 수공업에서 성공한 마을 주민들이 마을위원회의 자리를 사들이는 경우가 증가하였다는 것이다. 프엉의 사료편찬에 참여하였던 빅 노인(Bich, 1922년생)은 마을 '리 하오'(ly hao, 里豪) 즉, 직위를 사들인 사람들의 3분의 2가 이 시기에 기회를 잡았다고 설명하였다. 직위를 사들인 사람들이 반드시 행정적인 임무를 가지지는 않았다. 다이 옌의 경우 학문적으로 성공한 사람은 거의 없었기 때문에 마을의 관리들은 공식적인 학위는 없지만 일정 기간 '쯔 놈'(chu Nom)을 공부한 사람들까지 포함되었다.[104] 결과적으로 마을의 관원에는 실제 관료들보다 '자리'를 사들인 사람들인 '리 하오'가 더 많이 포함되어 있었다. 당시 마을의 가장 부유한 상인 중 두 사람이 '쭘'(trum)이라는 현의 영광스러운 서열의 대기명단에 이름을 올리기 위해 많은 재산을 투자하였다. 많은 중간층 상인들이 '니에우'(nhieu), '싸아'(xa) 등의 지방 하급직을 구입하거나, 구체적인 임무는 없지만 단순히 공직에 있음을 의미하는 '쯕'(chuc, 職)이라는 지위를 부여받기도 하였다.

인근 성의 농촌에서 하노이로 이주한 사람들의 경우 고향마을의

---

104) '쯔놈'(chu nom, 字喃)은 '이두'와 유사한 것으로서, 한자어로 표기되지 않는 순수 베트남어를 조합된 한자어로 표기한 문자이다. 쯔놈이 언제부터 쓰였는지는 확실치 않으나 당(唐)의 지배기인 7-8세기부터라고 추정되고 있다(유인선 2002: 83-84).

사회적 지위에 집착하였다. 대부분의 이주 수공업자와 상인들도 고향 마을에 지속적으로 납세함으로써 '마을에 적을 둔 사람'(*noi tich*, 內籍)으로서의 지위를 유지하였다(Gourou 1936: 6). 이들 중 부자가 되어 농경지 또는 택지를 구입한 사람들은 기목회의 '리 하오' 자리를 보장받았다(Phan Dai Doan 1982). 가령, 또41 부또장의 부친은 1940년대 하노이로 이주하여 두 개의 로를 둔 작은 벽돌공장을 운영하며 하노이시의 건축자재상들에게 공급하는 사업을 하였다. 1945년 이후 시내에 주택 건설 수요가 많아짐에 따라 많은 돈을 벌었다. 그는 응옥 하에 토지를 구입하였다가, 1953년 다시 팔아 얻은 돈으로 하 떠이의 고향마을에서 '자리'를 구입하였다. 이렇게 고향마을에서 '자리'를 차지하게 된 이주민들이 실제 행정 업무를 수행하는 경우는 거의 없었지만, 마을에서 높은 위신을 누렸고 마을 내부의 사안에 대한 의사결정권과, 딩에서 열리는 수호신 의례를 수행하고 축제에 참가할 특권을 가졌다. '원주민'으로서의 성원권을 유지하고 있는 고향마을에서 유력자회의 자리를 구입할 수 있었던 것은 경제적 부가 사회적으로 정당화된 지위와 권력으로 전환될 수 있었음을 보여준다. 그리고 '안면'과 '명성'을 중요시하는 지방의 사회정치적 개념을 설명해준다. 나아가서, 정치적 권력이나 사회적인 명성 또는 지위 없이 경제적 부만으로는 촌락의 사회적 공간에서 유력자로 인정받을 수 없었음을 입증하기도 한다(Nguyen Quang Ngoc 1993: 193; Luong 1998: 304; Malarney 1998: 276).

이러한 경쟁에는 확대된 친족집단의 역할이 중요한 요소로 작용하였다. 같은 종 호의 남성들로 구성되는 '잡'의 성원들은 장수축하연(*mung tho*, "뭉 토"), 혼인, 장례식 등 가족의례의 경우 호혜성의 기초 위에서 선물과 노동력을 교환하며 상부상조하였다. 그리고 규

모가 큰 잡들은 서로간에 마을의 의례나 유력자 집안의 통과의례에
서 음식공여를 둘러싼 위세경쟁을 하기도 하였다. 홍하델타의 촌락
에서 보편적으로 구성되어 있는 잡 성원의 가장 중요한 임무 중의
하나는 일년에 한 번 마을의 수호신 의례와 축제에 음식 공여나 기
부를 위한 준비를 공동으로 하는 것이었다. 그리고 한 잡의 성원들
은 순서대로 전체 성원들을 초대하는 연회를 열어야 했는데, 대개
비용이 너무 많이 들어 시기를 늦추거나 연회를 열고 파산하는 경우
도 종종 있었다. 종족(*dong ho*)과 이웃(*xom*)이 겹치는 경우가 많았기
때문에 잡의 정치는 종족집단의 정치와 동일시되거나 그것의 근간
이 되는 양상이었다(Truong 2001: 46).

## (2) 호혜적인 '공동체'와 사회적 분화

1945년 이전 하노이와 홍하델타의 농촌 마을의 주민들의 공식적
인 행정구조, 종족, 이웃관계뿐만 아니라, 마을의 생활은 다양한 면
모를 보여주었다. 신앙, 의례, 마을축제에 국한되지 않고, 흉년기의
식량부조를 비롯한 다양한 형태의 상호부조 및 상호구휼 제도를 포
함하여 경제적인 기금마련 및 상호신용 활동도 포함되어 있었다
(Nguyen Quang Ngoc 1996). 마을과 이웃마다 기쁨과 슬픔을 나누
는 호혜성의 풍습이 있다. 이러한 호혜성은 주민들의 경제적 분화와
사회적 지위의 차이를 개인적 또는 집단적으로 드러내주는 무대이
기도 하였다. 일반적으로 선물로 주고받는 것은 음식을 비롯한 생활
물자, "구대"(*cau doi*, 句對) 현판, 예물을 만들기 위하여 그림과 글
씨를 새기거나 뜨개질한 비단 또는 천막(*truong*, '쯔엉')이었고, 종종
현금도 사용되었다. 마을의 공동 의례와 축제를 위한 기부에 참여하

는 정도는 주민들의 경제적 부와 지위의 차이를 반영하는 것이었다. 다이 옌에는 '호 가오, 호 보'(*ho gao, ho bo*)라는 일종의 계조직이 만들어져 자기 가족과 이웃의 경조사에 대비하였다. '호'는 회원들이 공동으로 곡식을 모아 기금을 마련하고 재정난에 처한 가정을 돕고 이 가정에 이후에 소나 닭을 키워 주요 명절에 고기를 베풀 수 있도록 상부하는 제도였다.[105]

주민들이 현금이나 금을 모아 딩, 사당(*den*), 사찰(*chua*) 등 마을의 주요 성소에 기부하는 관습이 있었는데, 이것을 "꽁 득"(*cong duc*, 功德)이라고 불렀다. 꽁 득을 통해 모인 돈으로 성소의 건물을 보수하였고, 종(鐘)을 주조하거나, 제례용품을 구입하고, 신상과 제단을 장식하는 데에 사용하였다. 성소를 꾸미고 그 역사적 의미를 부여하기 위하여 구입하는 주요한 장식물 중에는 목판에 새긴 한자의 간판(*hoanh phi*, 橫扉)이나 대구의 현판(*cau doi*)이 있었다. '원주민'들은 마을의 공공사업에 필요한 자재도 주민들이 자체적으로 공급하였다고 전한다. 특히 마을 여자가 다른 마을의 총각과 결혼한 경우 '쩨오'(*cheo*)라는 기부금을 내는 풍습이 있었다. 신부의 가족에 따라서는 현금뿐만 아니라, 마을의 길을 닦는데 필요한 벽돌과 자재를 '쩨오'로 기부하기도 하였다. '쩨오'는 마을에 따라서는 신부측에서 신랑의 마을에 정혼의 징표로 내는 기부금을 의미하기도 하는데, 응옥 하의 여러 마을의 경우 마을의 여자가 다른 마을의 신랑과 결혼할 때 마을에 내는 기부금의 풍습을 일컫는 것으로 전해지고 있었다. 북부베트남 촌락의 지역내혼 관습에 따라 노동력 손실을 보상하는, 일종의 신

---

105) '호'(*ho*)는 일종의 상호부조를 위한 호혜적인 물자교역 조직으로, 우리의 계에 해당한다. 지방에 따라서는 호에 가입한 이웃이나 종 호의 일원은 각자의 혼인이나 장례식에 사용되는 쌀, 돼지고기, 소, 염소 등을 돌아가며 모아주는 방식으로 상호신용제도로 발달되었다(Luong 1992; 1993 참조).

부대를 통한 지역간의 혼인교환이었다고 해석할 수 있다. 중앙이나 지방의 관직에 오르거나 승진을 한 이웃을 서로 축히히는 관습도 있었는데, 그것을 '카오 봉'(*khao vong*, 犒望)이라고 하였다. 축하를 받는 사람의 가족과 이웃이 행사를 하면서 돈과 금을 모아 그 일부를 도로나 공동시설의 건축에 사용하였다. 주민들은 예나 지금이나 마을 내의 크고 작은 길은 이웃간의 정을 나누고 '띵 깜'(*tinh cam*, 情感)을 전하는 공동의 공간으로 간주되어 왔다고 생각하며, '카오 봉'은 '쩨오'와 마찬가지로 그것을 청결하게 유지하고 가꾸기 위해 공동의 기금이 사용되었음을 알 수 있는 관습이라고 설명하였다.

그러나 이러한 공동체이념의 표현 이면에는 마을 주민들의 지위의 분화가 내재되어 있었다. 전혁명기의 호혜적인 관습의 대부분은 부유한 엘리트층이 차별적으로 참여할 수 있는 요소들로서 주민들의 사회경제적 분화와 신분의 차이를 드러내는 무대가 되었다. 마을 '전통의 공동체적인 관습'은 유력자들을 중심으로 구성되었고, 마을에 같이 살고 있는 하층의 주민들은 참여하기 어려웠다. 주민들의 사회적 분화는 공동체의 구성적인 자원에 모든 사람들이 접근할 수 있었던 것은 아니었음을 보여준다. 가령, 거주 등록을 하지 않고 살거나 '더부살이를 하는 가구'(*ngu cu*)의 경우 마을 입구 시장의 경계 지역에 주로 거주하면서 청소나 머슴일(*thang mo*) 등 잡역에 종사하였다(Gourou 1936: 154). 이들은 고용된 하인들과 함께 마을의 가장 하급의 사회적 위계를 구성하였는데, 이러한 부류의 사람들은 "딩 아래의 사람들"(*nguoi duoi dinh*)이라고 불리기도 하였다. 즉, 마을의 16세 이상의 남성 대다수가 포함된 '딩' 아래의 계층에 속한다는 의미였다. 마을의 신분구조는 중앙에서 파견된 관료나 지방출신의 '관원'이 최고층을 차지하고, 다음으로 마을의 유력자 계층인 유학자 또는 '사문'이 위치한다. 그리고 신분구조의 하층에는 '딩'에 속하는 일반 남성들이 배치되어 있었다(Nguyen Van Huyen 2000[1938]: 617). 그러므로 '딩 아래의 사람들'은 곧 '신분 이하의 신분'에 해당된다고 볼 수 있다.

1945년 3월 베트남에서 일본이 프랑스를 항복시킨 이후 8월혁명에 이르는 시기에 이미 하노이의 많은 마을에서는 기존의 신분구조에 변화가 발생하기 시작하였다. 공식 행정관료로서의 리장과 '장순'(truong tuan)뿐만 아니라, 기목회의 공식적인 활동이 마비되기 시작하였다. 공산당의 조직이 지방의 행정기구를 장악하기 시작하면서, 민간의 사회정치적 위계도 도전받게 된다. 8월혁명 이후 곧 대프랑스 전쟁이 시작되어, 북부베트남에는 많은 변동을 초래하였다. 이 기간에 많은 집약농업 지역에 생산이 마비되기 시작하였다. 하노이 인근 촌락 주민들은 전쟁을 피하여 프랑스가 점령하고 있는 하노이로 피난처를 찾아 밀려왔다. 일부는 비엣 밍(Viet Minh, 越盟) 군대가 장악하고 있는 타인 호아(Thanh Hoa) 성을 비롯하여 남쪽으로 이주하였다. 8월혁명 이후 전쟁 초기의 짧은 기간 동안에는 하노이에서는 일부 농업을 비롯하여 수공업 생산과 상업을 평소대로 계속할 수 있었다. 이주민들은 같은 지역출신 주민들과의 연망을 활용하여 고향에서 하던 수공업과 상업을 계속하기도 하였으나, 많은 사람들이 도시 지역의 상대적으로 복잡한 직업구조에 편입되기 시작하였다. 이러한 과정은 하노이에서는 각 지역에 이주민의 급격한 증가와 함께 도시 인구의 급증과 사회경제적인 구성의 복잡화를 초래하였다.

1954년 5월 디엔 비엔 푸(Dien Bien Phu)에서 프랑스가 패배하고 10월 10일 수도가 해방되었다. 응옥 하에도 식민정부가 물러나고, 전쟁과 혁명과정에 약 8년간 흩어졌던 많은 주민들이 고향과 가족으로 다시 찾아왔다. 하노이와 홍하델타 이남 지역으로 피난하였던 사람들은 고향으로 서둘러 되돌아갔다. 7꿈의 전입 당지부 비서의 기억에 따르면, 1954년 해방이 되자 다이 옌의 절반 이상의 가구에 흩어져 살던 가족들이 다시 돌아오기 시작하였다. 당시 대부분의 가구에서 한 명에서 서너 명의 이산가족이 있었다. 토지개혁(1955-56년) 기간에 인근 성에서 이주하였던 주민들 중 일부는 땅을 분배받기 위해 고향마을로 돌아가기 시작하였다. 그들 중 많은 사람들이 하노이에서 형성한 자산을 팔거나 자기 사업을 포기하고 "촌사람"(*nha que*)의 범주로 다시 편입되었다. 토지개혁 이후에는 모든 가구가 경작지를 가지게 되었다. 개혁기간의 '계급투쟁'은 마을의 '전통적인' 사회관계와 도덕적인 생활에 큰 영향을 미치게 된다.

## 2. 집단화 및 탈집단화 과정의 국가─사회관계

### 1) 토지개혁과 '사회 성분'

1954년 식민지에서 완전 해방된 후 비로소 당-국가는 사회주의 혁명과 개혁을 시작하였다. 응옥 하에는 싸행정위원회가 창립되고 초대 주석이 부임하였다. 당지부가 결성되었고 초대 비서를 포함 모두 3명의 위원이 임명되었다. 응옥 하에 소속된 각 톤마다 톤위원회와 경찰 조직이 설치되었다.[106] 농회(農會), 청년회, 부녀회, 청소년책임위원회 등 각종의 당 대중조직이 결성되고, 민병대, 민방위대, 통신선전대

---

[106] 당시 싸 응옥 하는 행정적으로 응옥 하 1톤, 응옥 하 2톤, 톤 흐우 띠엡, 톤 리에우 쟈이, 그리고 톤 쑤언 비에우로 구분되었다. 다이 옌은 응옥하 2톤에 해당하였다(Ban Chap hanh dang bo Phuong Ngoc Ha 1996).

등의 정치 및 군사조직의 임무가 강화되었다. 공산당 중심의 교육제도 개편과 함께, 행정간부와 당원에 대한 재교육을 강화하였다.

1954년 정부는 '새생활'(*cuoc song moi*) 운동을 시작하였다. 인민위원회에서 정의한 응옥 하의 새생활운동은 "불굴의 투쟁과 단결의 전통으로 응옥하의 주민들은 서로 손을 맞잡고 생산의 회복, 마을의 재건설, 정치와 치안의 안정, 그리고 주민의 생활안정 등의 현안을 위하여 노력하고, 북부(*mien Bac*)를 보위하고 남부(*mien Nam*)를 해방하기 위한 당의 전략적인 임무를 실현하는데 기여하는 것"이었다 (Ban Chap Hanh Dang Bo Phuong Ngoc Ha 1996: 65-66). 꿈장의 설명으로는 당시 당지부에서 활동한 간부들은 인민위원회와 함께 "각 계층, 각 성분의 주민들이 단결하여 고향을 재건설하고 새생활운동을 전개하도록 지도하였다"고 한다. 정부에서는 사회주의 이념의 실현을 위하여 "단결을 통한 조국 및 고향 재건설"과 함께, '새생활운동'의 일환으로 미신과 사회악의 철폐, 문맹 극복을 위한 노력을 시작하였다. 새생활운동에는 '새로운 사회의 정치, 경제적 평등을 실현하기 위하여' 혁명 이전의 주민들의 '사회성분'(*thanh phan xa hoi*, 成分社會)을 구분하는 임무도 포함되어 있었다. 당지부가 구분한 '사회성분'은 단지 경제적인 생산수단의 유무뿐만 아니라, 지역에 따른 특수한 상황이 고려되었다. 당지부는 소속 가구들을 토지 소유 현황에 따라 지주, 부농, 중농, 소농, 기층농민 등으로 분류하는 한편, 피난 갔다가 돌아온 가구, 당 간부와 '혁명전사'가 포함된 가구, 그리고 식민지 괴뢰군과 괴뢰정부에 참가하였던 가구 등으로 분류하였다.

20세기 전반까지 마을의 토지 소유형태는 정치적 요인과 함께, 이주의 증가, 직업구조의 다양화 등 복합적인 사회경제적 요인에 의해 많은 변화를 겪어 왔다. 당시 마을의 토지 소유 현황을 시기별로 파악할 수 있는 신뢰성이 높은 기록 자료는 찾을 수가 없었다. 다만 2년에 걸쳐 실시된 토지개혁 과정에 관한 당지부와 합작사의 자료와 주민들의 진술을 통해 당시의 상황을 재구성할 수 있었다. 그러나 토지개혁 과정에서 조사된 토지 소유 현황이 언제부터의 상황을 그대로 반영하고 있는지를 분명히 확인할 수 없었다. 인구의 지속적인 이동, 고향과 이주마을에서의 이중적인 직업생활을 지속하고 있는 가구경제의 성격, 비농업활동의 영향 등은 당시의 토지 소유 현황이 곧 계급 분화를 그대로 표현하는 것이 아님을 짐작하게 해준다. 토지개혁 과정에서 당-국가가 토지 소유 현황을 근거로 '성분'을 분류하고자 하였던 시도에 대한 주민들의 반응이 곧 이러한 복합적인 사회적 분화의 성격을 드러내주는 중요한 자료가 되었다. 우선 1955-56년 토지개혁 당시의 토지소유 현황은 <표 3-1>과 같다. 당시의 당 간부들의 조사결과를 그대로 받아들인다면, 토지개혁까지 이 지역의 약 55%의 가구가 1머우(3,600㎡) 이하의 토지를 소유하고 있었고, 34%는 토지가 없었다.

전쟁 후 마을로 되돌아온 사람들이 많아짐에 따라 상대적으로 인구는 많아지고 토지는 부족하였다. 당시 많은 주민들이 마을 내의 농지뿐만 아니라, 서호(*Ho Tay*) 서남쪽 일대의 넓은 벼농사 지역인 '쿠 꾸언 응으어'(*khu Quan Ngua*)에까지 나가 경작을 하였었다. 일부 주민들은 그 곳의 토지를 매입하거나 임차하였고, 소작농이나 계절적 임노동에 종사하였다. <표 3-1>에서 나타나듯이 조사 당시 전체의 약 11%를 차지하고 있는 1머우 이상의 토지를 소유한 가구 중에, 응옥 하 지역 내에 0.5머우(1,800㎡) 이상의 토지를 소유하고 있는 가구는 드물었다. 이주민들의 경우 고향의 다른 가족에게 경작을 맡긴 토지를 소유하고 있는 경우가 많이 있었다. 따라서 마을 외부

지역에 농토를 가지고 있는 가구의 경우가 정확하게 고려되지 않았기 때문에, '토지개혁'을 위한 조사결과가 주민들의 실제 경작면적을 반영하는 것은 아니었다. 이주민 가구의 경우, 고향마을에 친척의 이름으로 실제 토지를 소유하고 있지만, 토지가 없는 것으로 파악된 경우가 상당수 있음을 알 수 있었다. 이러한 조사결과가 당시 실제의 토지 소유 현황과 일치하지 않음에도 불구하고, 당이 주도한 토지재분배 과정의 중요한 근거로 활용되었다. 당시를 기억하고 있는 많은 주민들의 설명을 통해, 응옥 하 일대에서 당의 시도에 대한 주민의 반응 또한 다양하였으며, 토지 소유 상황이 사회계급을 그대로 표현할 수는 없었음을 알 수 있었다. 더구나 가구 단위의 경제가 농업에 절대적으로 의존하지 않는 상황에서, 수공업과 상업의 규모는 고려하지 않고 토지소유 상황을 토대로 한 분류가 곧 '성분'을 분류하는 충분한 기준이 되지 못하였음이 자명하다.

<표 3-1> 토지개혁 당시의 응옥 하의 토지소유 현황

| 토지 규모 | 가구수 | 백분율 |
| --- | --- | --- |
| 무토지 소유 | 132 | 33.6% |
| 0.5머우(1,800㎡) 미만 | 101 | 25.7% |
| 0.5~1머우(3,600㎡) 미만 | 117 | 29.8% |
| 1~2머우(7,200㎡) 미만 | 22 | 5.6% |
| 2~5머우(18,000㎡) 미만 | 14 | 3.6% |
| 5~10머우(36,000㎡) 미만 | 5 | 1.3% |
| 10머우(36,000㎡) 이상 | 2 | 0.5% |
| (자료 미상) | (72) | (0.0%) |
| 합계 | 393(465) | 100.0% |

<자료: '응옥하화초합작사'의 인민위원회 보고자료 및 Ban Chap Hanh Dang Bo Ngoc Phuong Ha(1996) 참조 재구성.>

1955년 토지개혁을 위한 1차 조사를 통하여 응옥 하에는 모두 7개의 지주 가구가 있는 것으로 분류되었다.[107] '경작자 토지소유'(*nguoi cay co ruong*) 원칙을 실현하기 위하여 지주로 분류된 가구의 토지와 주택을 몰수하고 사찰과 사당 주변의 일부의 공전을 빈농 또는 무소유자에게 나누어주었다. 1956년에는 이전에 실시된 토지개혁의 내용을 일부 수정하는 사업을 전개하였다. 토지개혁의 수정을 위해 토지 조사를 강화하여 이전의 성분 분류를 더욱 세분화하였다. 결과적으로 1차 조사 당시 지주로 분류된 7명 중 5명의 성분을 부농과 중농으로 구분하였다. 일부의 토지와 주택을 성분이 재분류된 5명의 가구에게 되돌려 주는 등 개혁을 현실에 부합하도록 신중하게 집행하고자 하였다. 응옥 하와 흐우 띠엡은 실제 경작자 1인당 145㎡(약 45평), 그리고 상대적으로 토지가 많았던 다이 옌과 리에우 쟈이는 220㎡(약 70평)의 토지를 분배하였다.

개혁을 위해 중앙에서 파견된 간부들은 지방의 "기층성분"(*thanh phan cot can*), 즉 토지가 없는 사람들과 소작농들과 결합하여 '혁명'을 추진하게 되었다. 그러나 '기층성분'의 실제의 경제적 조건은 균일하지 않았다. 가령 소작농의 수는 정확하게 알 수 없으나, 조사과정에서 대개 1머우 이하의 농지를 가진 소농들 중 토지를 빌려 농사를 하였다는 진술이 많았던 것으로 보아 토지가 없는 가구보다 훨씬 많은 수의 가구가 소작에 종사하였음을 추측할 수 있다. 당시 소작을 주었던 사람들은 이러한 상황을 토지개혁을 추진하던 당간부들이 사용하는 용어와는 구별되게, "토지를 나눠주고 임대료를 받는 것"(*phat canh thu to*, 發耕受租)이라고 설명하였고, 소작을 준 지주

---

107) 토지 개혁 기간에 계급 또는 '성분'을 분류하는 방식은 실제 지역에 따라 많은 차이가 있었다 (Moise 1976; Truong 2001: 173-75).

들을 "비옥한 토지를 파는(*ban mau*) 사람"이라고 설명하기도 하였다. 그리고 '비옥함의 비용'인 소작료는 수확량의 4분의 1에서 3분의 1 가량이었지만, 소작토지의 위치나 조건에 따라 차이가 났다.[108] 토지가 없는 가구의 자녀들 중에 마을의 부유한 지주의 자녀로 입양된 경우가 있었는데, 그들은 그들의 부모가 공개적으로 "착취계급"으로 분류되는 것에 충격을 받기도 하였다. 그리고 다른 지역에서 행상과 이발사를 하다가 마을로 돌아온 '무산계급' 출신이 마을의 한 유력자 노인에게 "이 놈"(*thang*, '탕')이라고 욕을 하며 비난하는 사건도 있었다. "지주"로 분류된 사람은 공개적인 비판을 받고 치욕스러운 욕을 들어야 했다.

토지개혁 기간의 성분분류는 경제적인 면 외에 정치적인 의미를 많이 지니고 있었다. 특히 착취관계를 구성하는 요소는 타도해야 할 최우선의 대상이 되는 범주였다. 그 대상을 중심으로 누구의 토지가 얼마만큼 재분배되어야 하는 지가 결정되었다. 이러한 과정이 공식적으로 주민들에게 계급의 분류를 만들어주게 되었다. 한 이주민은 홍 옌(*Hung Yen*)의 고향마을에서 있었던 '지주' 가족에 대한 공개적인 규탄과 비난의 사례를 회상하면서, "사실 그는 마을에서 그 누구를 착취한 적이 없다. 모든 사람이 다 안다. 그러나 그들은 그를 '지주'로 만들었고, 결국 그의 토지는 토지가 없는 사람들의 손으로 넘어갔다." 이러한 이유로 마을 주민들은 당시의 성분분류를 객관적인 계급분석에 근거한 것이 아니라 단순히 '딱지 붙이기'로 간주하는 경우가 많았다.

---

108) 1954년 이전에 수확한 곡물의 양을 재는 단위는 '바구니'(*thung*, '퉁')가 보편적으로 사용되었는데, 한 바구니는 약 40kg 정도였다. 노인들은 가장 수확이 좋은 경우 한 사오(*sao*, 0.1머우)당 약 3퉁(120kg) 정도의 벼를 생산하여 한 퉁 정도를 소작료로 냈다고 하였다. 가장 수확이 적은 토지의 경우 수확량은 두 퉁, 소작료는 반 퉁 정도였다. 홍하델타 농촌지역의 유사한 사례에 관해서는 Nguyen Van Huyen(2000)을 참조할 수 있다.

## 2) 합작사의 구성과 변화

공산당은 토지개혁에 이어 농업집체화, 즉 "합작화"(hop tac hoa, 合作化)를 추진하였다.[109] 1958년부터 응옥 하에서도 '농업합작사'가 조직되었다. 주민들은 각각의 '생산대'(doi san xuat)에 편입되었고, 생산대별로 대장(doi truong)을 선출하여 공동생산을 관리하기 시작하였다. 당시에는 하나의 톤으로 한 합작사를 구성하거나, 몇 개의 작은 톤을 연합한 규모의 합작사가 조직되었다. 이를 흔히 "소(小)합작사"라고 불렀다.[110] 합작사 초기의 주요 활동은 기존에 가구별로 수행되었던 생산 및 판매활동을 집단화하도록 작업조를 구성하는 것이었다. 주민들의 복합적인 직업분포로 인하여, 처음부터 몇 개의 작물을 중심으로 작업조를 구성하기에 어려움이 많았다. 다이 엔에는 모두 400여 명의 사원으로 약재 재배조와 꽃 재배조, 그리고 꽃-약재 재배조 등 7개의 작업조가 구성되었다. 합작사는 사원들의 생산활동으로 얻은 채소, 물고기, 돼지고기를 국가에 납부하고, 이의 대가로 국가는 식량과 생활물자를 합작사에 분배해 주었다.

---

109) 1956년 3월 공산당은 "노동교환조"(to doi cong)를 농업생산 증대를 위한 주요 동력으로 공식화하고, 이의 결성을 장려하였다. 1958년 말까지 65.7%의 농가가 노동교환조에 가입하여 집체화의 예비단계가 마무리되었다(Vo Nhan Tri 1990: 11). 합작사로의 전환은 1958년 11월과 1959년 4월에 각각 개최된 노동당 제2기 중앙위 14차 및 16차 회의의 결정에 의해 개시되었다. 당은 1961년 제3기 중앙위 5차 회의에서 일차적으로 톤 규모인 '촌합작사'(Hop tac xa thon)의 구성에 이어서 싸 규모의 '전사합작사'(Hop tac xa toan xa)로 확대할 것을 결의하였다. 이로써 합작사당 평균 농가수는 1960년 60호에서 1968년 136호로 증가하였다(Vo Nhan Tri 1990: 14-15). 1974년에는 당 비서국이 상위의 행정조직인 현(縣)을 경제적 단위로 더욱 중시한다는 방침을 공표하고, 합작사 규모를 현급으로 확장할 것을 강조하였다(이한우 1999: 28-29). 그러나 농민들의 회피로 합작사의 대규모화는 전반적으로 실현되지 않았고, 일부 지역에서만 몇 개의 싸를 포괄하는 '연사합작사'(Hop tac xa lien xa)가 결성되었다(Chu Van Lam 1992: 39). 북부 농촌의 집체화는 대체로 유사한 과정을 거쳐 수행되었으며, 1960년 촌 규모 합작사의 설립이 완료된 후 1965년 전후를 기점으로 촌의 경계에서 벗어나 대규모화하였고, 1980년대 초에 다시 촌 규모의 합작사로 환원되는 과정을 거쳤다(이한우 1999: 29).

110) 마을 단위의 합작사, 즉 '1톤 1합작사'를 '마을내 합작사'라고 하고, 둘 이상의 톤을 연합하여 구성한 합작사를 '마을간 합작사'라고 한다. 합작사 조직의 단위 및 규모 변화에 대해서는 Fford(1989), Beresford(1989; 1993), 이한우(1999; 2001) 등 참조.

합작사는 1970년부터 시내의 교통이 편리한 곳에 상점을 열어 생산물을 판매하도록 하였다. 레 홍 퐁(*Le Hong Phong*)가, 동 쑤언(*Dong Xuan*)시장, 끄어 남(*Cua Nam*)시장 등 국영기관 간부들의 집단거주 주민과 일반 시민을 구매자로 끌어들여 사원들의 수입을 보장하고자 하였다. 그러나 이미 많은 부녀자들이 상업에 종사하고 있었으므로 합작사의 시도가 주민들의 상업활동을 활성화시켰다고 볼 수는 없다. 당시 합작사 소속으로 꽃, 채소, 관상수 및 약재 판매에 나섰던 주민들은 합작사의 판매활동 지원 이후에도 사원들의 수입은 크게 늘어나지 않았다고 설명하였다. 합작사 초기부터 많은 가구의 경우 합작사의 공동생산만으로 충분한 양식을 확보하기가 어려웠다. 합작사는 사원들의 수입을 보충하기 위하여 옥수수와 바나나 열매나 잎줄기를 팔고, 토끼를 키워 수출용 털을 공급하는 등의 부업도 실시하였으나 그 수입 또한 미미하였다. 합작사는 사원들의 생활개선을 위한 용역사업을 실시하여, 사원들로부터 반강제적으로 기금을 모아 일용품 제조 또는 매매조직을 만들기도 하였다. 쌀국수와 빵을 제조 판매하거나 생활필수품을 판매하는 매점을 열거나, 식당을 만들어 사원들이 관리하도록 하는 등의 사업을 벌였다.

마을내 합작사가 구성되면서 합작사의 조직과 관리는 '관리반'(*Ban quan tri*) 또는 '감독반'(*Ban kiem sat*)을 통하여 이루어졌다. '관리반'의 임무에는 자원 및 도구의 할당, 노동조직의 편성, 생산물 분배 등 모든 생산 과정이 총괄적으로 포함되어 있었다. 따라서 사원들의 생계는 거의 전적으로 작업대장과 관리위원들이 자원과 노동을 어떻게 조직하느냐에 달려 있었다. 초기의 관리반과 감독반의 위원들은 모두 상급 당 조직의 지시를 받는 당원으로 구성되어 있었다.[111] 매년 가을 벼 경작기(*vu chiem*)가 시작되는 4-5월경에는 소구(*tieu khu*)의 농업위원회로부터 작업 목표와 조직에 관한 지시가 떨어졌다. 관리반과 감독반의 위원들은 사원들에게 수확물을 충분히 분배하는 것보다 위에서 내려온 정치적, 경제적 요구에 부합하는 것이 우선적인 과제가 되었다. 합작사간에는 하달된 목표의 달성을 둘러싸고 끊임없는 경쟁이 요구되었다. 당시 싸(xa)에서 가장 생산성이 낮은 합작사의 노동력 1인당 할당량이 가장 생산성이 좋은 합작사의 절반 정도에도 못 미치는 경우가 많았다.

한편, 초기 합작사가 구성되어 활동하던 시기는 북부베트남에서도 미국과의 전쟁이 진행되던 시기였다. 미국은 남북이 갈라진 후 '남베트남민족해방전선'(*Mat tran giai phong dan toc mien nam*)을 중심으로 진행된 남부에 대한 북부의 지원을 차단하고 북부에서 사회주의공화국의 온전한 건설을 저지하고자 하였다. 이러한 과정에서 1965년 2월 미국은 북베트남에 대한 전면적인 폭격을 개시하였고, 응옥 하의 주민들도 새로운 시련에 부딪히게 되었다. 당지부와 행정위는 전시체제에도 불구하고 중앙당의 지침에 따라 주민들이 생산활동을 지속하면서 남부의 '해방운동'을 지원하도록 동원하여야 했다.

당시 인민위원회와 당지부가 합작사 사원과 주민들에게 부여하였던 구체적인 임무는 첫째, "생산과 투쟁을 함께 하자"는 구호 아래 꽃, 채소, 약재 등 농업생산력을 견지하는 것이었다. 전시 상황에도 불구하고 국가에 대한 공출의무에 충실하도록 주민들을 독려하였다. 사원들은 폭격이 진행되고 있음에도 생산과 판매 활동을 계속하였다. 경작지 주변 곳곳에 대피호를 만들어 폭격에 대비하였다. 둘째의 임무는 전선에 나갈 군 병력을 동원하는 것이었다. 각 마을의 청

---

111) 하노이 외성을 비롯한 북부 농촌 지역의 합작사 관리조직의 구성과 변화에 관해서는 전경수·한도현(1996), 이한우(2001)를 참조할 수 있다.

년 및 부녀회 조직을 통하여 병력동원을 격려하는 선전활동이 강화되었다. 당은 대중조직들이 병력 농원과 지원물자 수집에 일정 성과를 거두면 포상을 하는 등 조직간의 경쟁을 유도하기도 하였다. 가령, 부녀회를 통하여 남편과 자식이 자원 입대하도록 설득하거나, 부녀자들이 남부를 지원하는 활동에 직접 참가하도록 유도하였다. 입대한 자녀가 없는 가구의 경우 국경과 섬 또는 오지의 전사들에게 지원금과 선물을 보내고, 자원입대한 사람들을 대신하여 생산을 담당할 수 있도록 독려하였다. 합작사는 소속 청년들을 입대시키거나, 사원들을 선전 및 지원활동에 동원하고 "남부 동포들"에게 편지를 보내는 등의 활동을 하였다. 셋째의 임무는 마을마다 자위전투대와 민방위대를 조직하여 안전과 질서를 유지하는 것이었다. 마을의 주요 길모퉁이나 교차로마다 대피호와 '작전공사'를 설치하였다. 많은 주민들이 자위대에 참가하여 부상병을 돕거나, 인근 지역의 전투에 나서기도 하였다. 이중에는 어린 자녀를 둔 부녀자들도 포함되어 있었다. 민방위대는 직접 전쟁에 나가지 않은 주민들을 모아 당지부와 공안(*cong an*) 조직과 연계하여 치안활동을 지원하였다. 이들은 어린이와 청소년들을 모아 비상이동운동을 실시하고 가정마다 대피호를 만들도록 하였다.

대미전쟁 기간에 합작사는 군인가족을 돌보는 역할도 하였다. 전쟁이 한창 진행되던 시기(1965-1973년)의 합작사의 가장 중요한 슬로건 중의 하나는 "단 1kg의 벼도 놓치지 말고, 한 명의 병사도 빠지지 말자"였다. 전선에 간 군인이 포함된 가구에게 생계를 지원하고 생필품을 제공하기 위해 '조화제도'(*che do dieu hoa*)를 시행하였다. 전쟁이 계속되자 많은 주민들의 희생이 따르게 되었다. 남부의 전선에 참가하였다가 돌아오지 못한 남편과 아들을 둔 가족들이 생겨났다. 당지부와 합작사는 이들에게 "열사"(*liet si*, 烈士)의 호칭을 부여하여, 공식적인 장례식을 조직하였다. 장례식은 국가를 위해 희생한 모범을 추념하는 교육의 장이 되었다. 가령, 9꿈(빙 푹3)에는 다섯 명의 자녀들을 모두 '대불항전'과 '대미항전'에 보내어 그 중한 명은 전사하고 두 명은 부상병이 된 가족이 있었는데, 이들에게는 "열사가족"의 칭호가 부여되었다.

전쟁 기간동안 국가가 정의한 새로운 시민의 규범은 점차 주민들의 일상생활의 중요한 요소가 되기 시작하였다. 국가는 남자들을 군에 동원하고 합작사로부터 물자를 끌어가는 과정에서 민족주의와 사회주의적 요소에 호소하기 시작하였다. 국가가 유포하는 새로운 애국주의는 남자들의 명예 또는 여자들의 희생이라는 지방의 도덕적 틀 안에서 재해석되었다. 남자들이 군에 나가는 것이 여자들의 입장에서는 곧 이별 또는 죽음을 의미하는 엄청난 사건이었다. 많은 부인들이 남편과 자식을 전쟁터에 동원하는 차량 앞에서 눈물을 흘리며 작별을 슬퍼하였다. 당간부와 장교들은 눈물을 흘리는 부녀자들에게 "왜 우느냐? 당신 남편은 죽으려고 떠나는 것이 아니라, '민족을 위해 희생하기'(*hy sinh cho to quoc*) 위해 간다"면서 자신을 부끄럽게 여기라고 강요하였다. 전쟁기간 합작사 관리반은 전사자가 발생하면, 할당된 목표량을 채울 때까지 그 사실을 알리는 것을 연기하기도 하였다. 한 합작사 간부출신의 주민은 "병사들이 떠나는 앞에서 여자들의 울음을 보이지 않게 하기 위해서"라고 설명하였다. 사회주의 국가는 전쟁기간에 여자들의 비통함을 금지하였을 뿐만 아니라 여성노동력 동원을 강화하였다. 전쟁터에 나간 남자들을 대신하여 그들의 몫까지 노동으로 채워야 했다. 성의 평등을 주장하는 마르크스주의는 결과적으로 마을의 공적인 생활에 대한 여자들의 참여를 증대시켰다(White 1982).

1970년대 중반까지 '소합작사'들은 실세 운영이 점차 분리되어 독립되기 시작하였다. 각 합작사의 의사결정과정이 해당 마을의 즉각적인 요구와 관심의 영향을 많이 받게 되었다. 작업대는 단순히 경제적인 역할을 넘어서는 광범위한 사회적 기능을 수행해야 했다. 싼 규모의 통합합작사가 조직되기 이전에 작업대장을 맡았던 주민들은 작업대 소속 사원들의 가계를 돌보는 것이 어떤 의미이며, 어떻게 수행해야 하는지를 잘 알고 있어야 했다. 작업대장은 이웃사람들로부터 신뢰받고 자신의 지도방식이 존중되기 위해서는 이웃의 사회적 관계에서 비롯된 요구를 수행하여야 했다. 당시의 '제7작업대장'이었던 주민은 추가적인 곡식이 필요한 가구들을 위하여 일부의 수확물에 관하여 보고하지 않고 숨겨두어야 했던 경험을 이야기 해주었다. 작업대장은 누군가 사망하면 장례식을 조직해야 했고, 어려운 가정을 위해 상급행정기관에 추가적인 지원을 요청하기도 하였다. '마을내 합작사'의 작업 조직들은 대개 이웃관계에 기초하고 있어서 상대적으로 자율적인 성격을 여전히 가지고 있었다. 작업의 수행과정 대부분이 해당 마을과 이웃의 공동체적 맥락에서 고려되고 의사결정이 이루어질 수 있는 한, 사원 가족들의 일상적인 문제들은 관리가 용이하였고 별 문제없이 서로 도움을 주고받을 수 있었다.

국가는 소합작사의 사원들이 혁명 이전의 사회적 관계에 매여 있는 한 국가가 집단화를 통해 얻고자 하는 목표를 충분히 달성하기 어렵다는 판단을 하게 되었다. 합작사 단위들 내의 구성원간의 관계가 '안면'에 근거한 일상적인 사회관계와 차별성을 보이지 않는 상황에서, 인민들을 포괄적인 국가 단위의 목표에 복속하도록 동원하고 관리하기가 용이하지 않았기 때문이다. 실제 각 단위의 '전통적인 공동체'들 간의 갈등이 곧 소합작사의 갈등으로 표출되기도 하였다. 응옥 하의 경우 관개시설과 농업용수 문제로 합작사간에 갈등이 발생하였다. 1970년대 초 마을 '앞내'의 물을 효율적으로 끌어쓰도록 관개시설 개선사업을 시행하였고, 몇 곳에 새로이 공동 우물을 만들어 관리하는 문제가 제기되었다. 당시 관개 문제는 대부분 이웃 마을의 고려 없이 소합작사 관리위원회가 자체적으로 결정하고 있었다. 관개시설에 접근이 용이한 합작사일수록 유리한 조건에서 경작을 할 수 있는 이점이 있는 반면에, 그렇지 않은 경우에는 불편을 겪었고 결국 생산성과 분배의 면에서도 부정적인 영향을 미칠 수밖에 없었다. 각 마을 합작사의 지도자들 간에 처음 불거진 갈등은 점차 마을간의 반목으로 발전하기도 하였다.

이러한 문제를 해결하기 위해 당지부는 합작사의 규모를 확대하여 마을간 합작사를 구성하였다. 이전에 생산성이 낮은 마을은 이것에 찬성하였지만, 생산성이 상대적으로 양호하였던 합작사에서는 자연히 불만이 생기게 되었다. 생산성이 낮은 합작사의 책임과 채무를 나누어 맡아야 했고, 상대적으로 여유가 있는 가구들을 평균적으로 같이 어렵게 하는 결과를 빚었기 때문이다. 일부 사원들은 합작사 통합과 대규모화에 저항하였다. 가장 효과적이면서 쉽게 시작할 수 있었던 저항방식은 합작사의 자산을 해체하여 나눠 가지거나 어딘가에 숨겨 놓는 것이었다. 합작사가 사용하는 시설물이 해체되기도 하고, 합작사 창고에 보관 중인 벼를 몰래 가져가거나 숨겨 놓는 일이 빈번하게 벌어졌다. 그러나 이러한 저항으로 국가적으로 추진된 합작사의 대규모화 사업을 막을 수는 없었다. 필자는 한 마을 단위로 구성된 소합작사를 끝까지 고수하기 위해 주민들이 집단적인 저항을 펼치지 못하고 결국 싸 단위의 대규모 합작사로의 합병에 동의

하게 된 상황을 후회하는 당시의 작업대장을 만날 수 있었다.

기존의 소합작사 사원들과 일부 간부들의 반대에도 불구하고, 1975년 결국 대규모 합작사인 "응옥 하 화초합작사"(Hop tac xa hoa-rau Ngoc Ha)가 설치되었다. 대규모 합작사는 관리를 중앙집중화하고 일체의 권한을 싸 단위의 관리반의 손에 넘겨주고자 하는 목적이 있었다. 이전에 부분적이나마 자율성을 가졌던 작업대대는 이제 엄격한 위계구조에 복속되었다. 이전에는 주로 친족이나 이웃간의 유대에 근거하고 있었던 작업대의 지도력도 위에서 내려오는 계획에 직접 복종해야 하는 체제로 바뀌었다. 합작사의 관리 능력을 강화하기 위하여 감독반이 확대되었다. 응옥 하에 거주하는 모든 농가가 가입하는 것이 원칙이었으므로, 채소, 꽃, 투옥 남 재배 가구뿐만 아니라 일부 벼농사 가구, 양돈 및 양계가구와 전업 수공업 가구도 포함되었다. 인민위원회 및 각급 행정조직의 간부와 당원은 관리반과 감독반 등 통제기구에 편성되었다.

대규모 합작사 운영 초기의 첫 2년간(1975-76년) 하노이의 많은 합작사의 생산량이 증가한 것으로 보고되었다. 현재의 꾸언 바 딘의 대규모 합작사의 평균적인 생산량은 벼를 기준으로 1헥타당 3.4톤에서 4.2톤으로 증가한 것으로 나타났다. 그리고 합작사에 귀속된 두 집단사육장에서 2-300마리의 돼지도 키울 수 있었다.[112] 그러나 중앙집중화가 모든 생산 분야에 반드시 적용될 필요는 없었다. 마을에 따라서는 가축과 닭, 거위 등의 가금류 사육은 별도의 계약제를 통하여 자율적으로 이루어지기도 하였는데, 대개가 1979년부터 시

---

112) 당시의 합작사 제도의 변화, 그리고 대합작사 이후의 북부베트남 대부분 농촌에서 실시되었던 "the three-point contract system" 등의 새로운 관리제도에 관한 분석적인 연구는 베트남연구 중 가장 활발하게 진행된 분야이다. 대규모 합작사 운영 당시의 가축사육의 증가 및 문제점에 관한 연구도 있다(Fforde 1989; 이한우 1999).

작되었다. 예를 들면, 25-30kg 크기의 돼지 한 마리가 1인 벼 경작단위와 같은 가격으로 계산되어 국가가 수급하는 공식 채널로 팔고, 나머지 돼지는 자유시장에 내다 팔거나 가족 소비용으로 사용될 수 있었다(Fforde 1989: 141; Luong 1989: 202). 일정 수의 거위 알과 계란도 유사한 별도 계약을 통해 팔리거나 소비되었다. 건축용 벽돌도 사적으로 계약되어 생산되거나, "집단적으로 통제하고 사적으로 관리하는"(*cong quan tu doanh*) 가마에서 구워 만들어 국가가 보조하는 석탄이나 다른 형태의 연료와 교환되었다. 전쟁 이후 건설자재의 수요가 가장 높을 당시에는 싸 일대에 모두 9개의 벽돌 공장이 있었다.

그러나 대규모 합작사는 3-4년이 지나면서 심각한 결점을 드러내기 시작하였다. 사원들의 대응과 저항이 증가하면서 1일 노동력 단위당 생산량이 급격히 감소하기 시작하였다. 꾸언 바 딘의 자료에 따르면, 당시 합작사에 따라서는 심지어 초기 2.2kg까지 되던 것이 1980년에는 0.3kg까지 격감하기도 하였다. 가축과 가금류 사육도 집단사육장의 출하가 가구계약제에 참여하는 사영농가와 경쟁이 되지 않았다. 이 시기의 주민들은 오랜 전쟁의 영향에서 벗어나는 어려움과 함께, 대규모 합작사의 집단생산체계의 비효율성으로 생산성이 낙후되면서 경제적으로 더욱 큰 곤란을 겪어야 했다. 사원들의 수입은 매우 저조하였고, 생필품 부족과 가격상승에 시달렸다. 정부기관의 간부나 공장노동자 및 수공업합작사와 판매상합작사의 사원들의 생계도 그다지 좋은 편이 아니었다. 결과적으로 합작사의 규모가 확대될수록 주민들은 집단화체제 외부에서 생계를 위한 자구책을 마련하여야 하는 필요 또한 증대하였다.

## 3) 합작사 체제하의 사영 경제

대규모 합작사의 새로운 사회주의적 관리제도의 주요 목표는 잉여노동을 활용하기 위하여 노동에 대한 통제를 강화하는 것이었다(Fford 1989: 118). 결과적으로 합작사의 중앙관리위원회와 생산대대 간의 갈등이 돌출하였다. 약 6년간의(1975-81년) 대규모 합작사 운영기간은 개인과 집단간의 구조적인 긴장이 가장 분명하게 터져 나온 기간이었다. 특히 대부분이 여성인 소상인들과 합작사 관리기관과의 갈등과 긴장은 이 기간 내내 지속되었다고 볼 수 있다.

합작사 기간에도 계속된 사적인 곡물가공과 소상업 활동은 여러 가지 측면에서 사회주의 생산체계를 위협하는 것이었다. 첫째는 장사 일정에 따라 마을을 떠나 다른 지역의 시장으로 다니기 때문에 소상인 여성들은 합작사의 노동할당과 노동조직에서 분배된 임무에 천착하지 않았다. 둘째, 많은 사람들이 곡물, 채소, 거위알 등의 생산물과 심지어 배급받은 소금과 설탕, 고기 등을 하노이의 빈민가나 불법 이주민 거주지에 내다 팔았다. 이들은 판매대금으로 역시 음성적으로 팔리는 생필품을 구입하는 등, 국가가 중앙 집중적으로 통제하고자 하는 소비시장을 어지럽히게 되었다. 따라서 이러한 여성 소상인들이 노동통제반과 상업세 징수 당국의 규제대상으로 떠올랐다. 조사 당시 면접한 45세 이상의 부녀자들 대부분은 당시 음성거래의 경험이 있었고, 많은 사람이 전업으로 그것을 하였다고 진술하였다. 발각이 되면 체포되거나 물품을 압수 당하거나 기관에 끌려가 취조를 당해야 했다. 대부분의 경우 벌금형을 부과 받거나 과중한 세금을 내야 했고, 다시는 장사를 하지 않겠다는 맹세를 하여야 했다. 그럼에도 많은 사람들이 단기간에 현금수입을 지속적으로 확보할 수 있는 음성적인 소상업활동을 그만둘 수가 없었다.

주민들의 불법 상업을 규제하고 일부의 상업활동을 제도화하기 위해 합작사가 나서서 마을의 시장을 다시 설치하고 소매상업을 양성화하는 조치를 취하기도 하였다. 이런 점에서 합작사는 지방의 핵심 권력을 쥐고 있는 실체였지만, 지리적인 위치에 국한하여 그 권력을 행사할 수 있었다고 해석된다. 실제 주민들은 합작사의 소상업 활동의 규제, 시장의 재설치 등 일련의 대응적인 조치에 상관없이, 1982년 경작지로부터 점차 주거용지까지 확대하여 토지를 가구별로 분배하는 새로운 제도가 시행되기까지 사적인 상업활동을 계속하였다.

합작사 지도력에 대한 저항은 음성적인 상업활동에 국한되지 않는다. 1970년대 말에는 봄벼 수확이 끝나자 합작사 사원 배급용 곡물과 채소를 집단적으로 훔치는 사건이 발생하였다. 싸 규모의 합작사로 병합되기 전 마을내 합작사의 각 작업대대에서는 사원들이 탈곡을 끝내고도 일부의 벼를 의도적으로 남겨두는 것을 눈감아 주는 관례가 빈번하였다. 일부 작업대대는 소속 가구들이 남은 벼로 생계를 유지하는 경우도 있었다. 당시 작업대장 중 한 사람은 합작사의 통제가 강화되어 모든 벼를 남김없이 탈곡하고 수급함으로써, 사원들이 불행해졌다고 회고하였다. 중앙 집중화된 관리방식에 따라 합작사의 회계담당은 감독반의 직접적인 감시 하에 매일의 수확량과 곡물처리량을 기록하여 보고하여야 했다. 당시 한 마을에서 약 10톤의 곡물을 집단적으로 훔쳤으나, 감독위원들이 장부상의 수급량과 차이를 조사하여 발각되는 사건이 있었다. 이 사건으로 두 작업대대의 회계담당과 작업대장이 해고되었고 싸 전체에서 마을의 불명예가 덧붙여지게 되었다. 그러나 도둑질 사건은 마을 사람들이 진정으로 대규모 합작사에 대해 집단적인 저항을 하였음을 보여준다.

마을내 규모의 소합작사 시절(1965-75)에는 생산활동이 주로 지방의 필요에 따라 이루어졌다. 합작사의 의사결정도 이웃관계의 수준에서 행해지고, 지도자 대부분이 지역출신의 간부들로 구성되어 있었다. 따라서 남녀를 불문하고 가구단위에 기반한 경제활동의 여지가 많이 있었다. 그러나 시장판매 활동은 점차 국가의 시장통제체제의 벽에 부딪히게 되었다. 싸 단위의 대규모 합작사가 조직되기 전에는 여자들의 소상업 활동이 합작사의 중앙 집중화된 원리와 통제에 직접 위반되는 정도는 아니었다. 이전에는 합작사의 계약에 따른 생필품 조달 외의 잉여생산물을 '자유시장'(cho den)에 내다 팔 수 있었지만, 이제 그것을 공식적이고 합법적으로 행할 수는 없게 되었다. 실제로 '자유시장'과 사적 경제에 대한 반감은 사회주의 국가 건설 초기단계부터 국가의 공식정책의 주요 내용을 이루고 있었다(Abrami 2001).

합작사의 규모가 확대됨에 따라 사적인 수공업 및 상업을 비롯한 복합적인 가계경제 활동의 정도가 현격하게 감소하였다. 더구나 비농업부문의 합작사도 규모가 확대되고 중앙집중화가 강화됨에 따라 합작사를 활용한 부가적인 수입을 위한 사적인 노력의 가능성이 제한되었다. 남자들이 가계를 지원하기 위한 부가적인 소득을 얻는 활동이 점차 불가능해짐에 따라, 부녀자들의 음성적인 생계활동의 필요성이 더욱 증가하였다. 특히 '위험한 불법적인 상업활동'에 종사해야 할 필요가 증가하였다. 당시 합작사 작업대장을 하였던 남자들은 여자들이 몰래 시장에서 상업활동을 계속하는 것이 생산력의 손실을 초래하였다고 주장하였다. 특히 감자 등 '제3의 작물'을 재배함으로써 토지생산성을 극대화하려는 겨울철의 경우 많은 부녀자들이 장사

에 신경 쓰느라고 겨울 내내 토지를 비워두는 경우도 있었다.[113)]

사적인 생계활동이 지속되면서 노동을 둘러싼 주민들간의 이데올로기적인 대립과 모순도 드러나게 되었다. 갈등의 당사자 집단은 입장에 따라 서로 다른 도덕적인 규범과 가치를 동원하였다. 남성 간부들의 경우 대규모합작사의 경쟁적인 체제에서 사적 경제활동 종사에 대한 반감이 많았다. 음성적인 상업을 계속하는 여성들은 '정과 감정'(*tinh nguoi*), '미안함과 동감'(*thong cam*), 그리고 '인과응보'(*nhan qua*) 등 지방의 도덕성과 가치를 전면에 내세웠다. 간부들이 음성적인 거래 상품들을 압수하거나 체포하는 것을 직접 비판하는 대신에 그들의 도덕성이 추락하였다고 비판하였고, 항상 촌락의 생활을 지탱해주던 근본적인 가치를 침해하는 것이라고 대응하였다. 상품을 압수하거나 체포를 하려는 이웃 남성들에 대해, 여자들은 정감도 없는 부도덕한 인간이라고 저주하였다.

간부들은 불법적인 상업에 종사하는 여자들이 사회주의에 대한 충성심이 결여되어 있고, 마을 전체의 공식적인 "명성과 얼굴"에 해를 끼친 책임을 물어야 한다며 비난하였다. 간부들은 공동의 정치적인 목표의 달성, 즉 작업대대 공동의 "성적"(*thanh tich*)이 최우선의 가치이며, 음성적 상업은 "개인주의적인 망동"이라고 비판하였다. 당시 싸 합작사 감독반의 간부였던 한 노인은 여자들의 불법 장사를

---

113) 대규모 합작사의 운영활동에서 가장 주목할 만한 것 중 하나가 '제3의 작물' 경작운동이었다 (Truong 2001: 133). 1975년 이전에도 일부 합작사에서 습지 주변에 성공적으로 감자를 심어 소득을 증대한 사례가 있었다. 합작사 지도부에서는 집단농업의 성공을 위한 한 방법이 경작면적을 확대하는 것이라고 판단하였고, 제3작물 경작이 꾸언 내의 농업지역 전체에서 합작사의 정치적인 성공을 위한 중요한 수단이자 목표가 되었다. 많은 주민들이 습지나 불모지에 감자를 심어 가꾸는 방법을 교육받게 되었다. 그러나 이러한 부가적인 경작을 통해 얻는 이익은 별로 많지 않았고, 마을이나 시기에 따라 손해를 보는 등 부정적인 결과를 빚기도 하였다. 주민들은 잡초처럼 자라는 약재나 사료용 잡풀재배 또는 늪지의 소라, 새우를 채취하거나 낚시를 하는 것이 더 이익이 된다고 판단하는 경우가 많았고, 실제로 그러한 저항이 보편화되었다.

막을 수가 없었다고 하면서, 감독반이 "자기비판"(*kiem diem*, 點檢)을 반복하였다고 회고하였다. 작업대대의 보임에서 "집체의 주인이 된다는 것"은 모든 사람이 공동의 집단생산에 참여해야 한다는 것을 의미한다는 점을 강조하였고, 부녀회와 청년단에게 집단주의의 이점에 관하여 반복하여 교육하였다. '불법상업'은 '집단의 성과'를 놓치게 할뿐만 아니라, 다른 작업대대로부터 무시당하는 불명예의 빌미를 제공한다는 공론이 제시되었다. 작업대장은 체포되고 압수된 여자들에게 "만약 장사를 계속하면, 너는 너의 쌀독만 걱정하는 개인주의자이다. 전체 작업대대의 위신을 생각해라"는 경고와 함께 자기비판을 하도록 강요하였다. 그러나 대규모 합작사가 부정적인 면을 더 많이 나타내게 되면서, 음성적 상업은 암암리에 더욱 활성화되었다.

## 4) 탈집단화와 '조정공간'으로서의 프엉

베트남의 농업개혁과정은 탈집단화(de-collectivization) 즉, 합작사의 해체과정이다. 탈집단화 정책은 1979년 9월 제4기 당 중앙위 6차 회의에서 제기되었고, 1980-81년간 정부수매정책의 변화를 거쳐, 1981년 1월 당 비서국이 "100호 지시"(*Khoan 100*)를 통하여 "생산물계약제"를 채택함으로써 본격적으로 도입되었다. 이후 당은 1986년 6차 당대회에서 '도이머이'(*doi moi*)라는 국가 전반의 개혁을 선언하였고,[114] 1988년 4월 당 정치국 "10호 결의"(*Khoan 10*)로 농가

---

114) 1970년대 말 경제위기를 극복하기 위하여 당 지도부는 1979년 제4기 공산당 중앙집행위 6차 회의에서 사회주의체제의 개혁을 부분적으로 제기한 이후 점진적으로 개혁에 착수하였다. 당은 1982-84년간 사회주의 건설을 강조하면서 일시적으로 개혁정책의 추진을 유보하기도 하였으나, 1985년 9월에 다시 가격, 임금, 화폐개혁을 추진하였고, 이 개혁이 실패하여 혼란한 상황이 되자 1986년 12월 제6차 공산당 전국대표대회에서 "도이머이" 정책을 채택하고 전면적 개혁을 선언하였다.

가 전적으로 생산 및 분배를 담당하도록 허용하는 "농가계약제"를 채택하여 선면적 탈집단화 정책을 추진하였다(Ngo Vinh Long 1993; Vo Tong Xuan 1995).[115] 이로써 개별 농가가 독립적인 생산 및 회계단위로서 실질적 사영농업을 보장받게 되었다. 농가계약제 집행과정에서 안정적 토지 보유에 대한 농민들의 요구가 분출하였고, 이를 반영하여 1993년 새로운 '토지법'(*Luat dat dai*)이 공포되어 토지의 '실질적 사유'를 인정하게 되었다(SRV 1993).

가구를 기초적인 경제 단위로 인정함으로써 경작 품목의 선정, 투입 자원과 비용의 적용 및 일체의 생산과정을 개별 가구의 자율적인 결정에 따라 수행하게 되었고, 분배된 토지와 생산결과에 따라 정해진 비율의 세금을 국가에 납부하는 체제로 바뀌었다. 합작사의 이름과 사무실은 유지되었으나, 합작사의 주임무가 세금 관리를 중심으로 개편되면서 규모가 축소되었고, 관리와 감독을 담당하는 간부의 수도 급격히 줄었다.[116] 프엉 수준에서 보면, 당지부의 비서가 담당하였던 합작사 총감독의 자리도 선출직으로 바뀌어, 실제 사원들의 조합의 성격으로 탈바꿈하기 시작하였다.[117] 응옥 하에서도 합작사

---

115) 1981년 발표된 당 비서국 100호 지시(*Khoan 100*)는 "Chi thi Cai tien Cong tac Khoan, Mo rong 'Khoan san pham den Nhom lao dong va Nguoi lao dong' trong Hop tac xa Nong nghiep"[농업합작사 내 노동조직과 노동자에 대한 생산물계약제의 확대와 계약업무 개선에 관한 지시]이고, 1988년 발표된 당 정치국 10호 결의(*Khoan 10*)는 "Nghi quyet Bo chinh tri ve Doi moi Quan ly Kinh te Nong nghiep"[농업경제관리 쇄신에 관한 정치국 결의]이다(이한우 1999: 23-24). "생산물계약제"는 농민들에게 단기간 토지를 배분하고 의무 수매량에 대한 계약을 체결하여 합작사 관리하에서 농가가 일부분의 농경작업을 수행하는 부분적 농가계약형태이고, "농가계약제"는 농가가 장기간 토지를 배분 받아 전체 농경작업을 수행하는 전면적 계약형태이다(Dao The Tuan 1997).

116) 현지연구 당시 실제의 생산과정이 개별 가구에 일임되었음에도 불구하고 합작사 자체는 여전히 상급 행정기관과 당지부에 복속되어 있어 일부의 정치적인 기능은 남아 있었다. 계획경제하에 일상적인 구호와 슬로건에 포함되어 있었던, "할당된 과업수행" 또는 "초과달성", "캠페인을 활성화하자" 등은 여전히 남아 있었다.

117) 1997년 새로운 합작사법이 제정되면서 농촌지역의 합작사는 소속 사원들에게 서비스를 제공하는 기능을 가진 경제단체로 질적으로 변모하였다. 오늘날 합작사가 있는 마을도 생산(통제)조직으로서의 성격은 사라졌고, 농업부문의 지속과 소득확대를 위한 봉사기관이면서, 동시에 새로이 생겨

의 지도부가 개편되었다. 합작사의 총감독으로 토착 종 호 출신의 50대가 새로 선출되었다. 그는 마을의 상황과 주민들의 요구를 익히 이해하고 있다고 평가되어 주민들로부터 두터운 신망과 기대를 받았다. 이전에 작업대장이나 합작사 관리반에 참여하였던 일부 간부들이 세금을 걷는 임무를 수행하게 되었다. 소합작사 시절 작업대장을 담당하였던 사람들은 대개 '원주민' 출신으로 이웃과 유대가 좋은 편이어서, 이후 선출직 지위로 새로 등장한 또장을 맡기도 하였다.

시장경제의 도입에 따라 하노이로 이주가 더욱 급증하기 시작하였다. 이와 함께 1988년 "농가계약제"에 따라 반영구적인 토지사용이 허용되면서 경작지 용도로 장기사용권이 부과된 토지를 주거지로 불법 전용하는 사례도 급증하였다. 다이 옌에도 인구증가에 따라 주거지 수요의 압박이 늘어나게 되었다. 주민들의 직업구성과 소득원이 다양해지면서 약재와 화초재배지는 점차 축소되기 시작하였다. 주민들은 주거가 필요한 사람에게 토지를 떼어 팔거나, 꽃을 심던 땅에 새로 집을 지어 팔거나 자식들에게 집을 나누어주어야 했다.

1970년대 말 이미 공동경작 활동이 일부 후퇴하기 시작하면서 일정 기간 경작하지 않고 내버려두어 잡초가 무성해진 땅이 이곳저곳에 생기기 시작하였다. 당시에도 이러한 황무지 대부분이 합작사의 공동경작지에 포함되어 있었고, '생산물계약제' 실시 이후에도 토지구획상의 용도로는 개별 농가에 배분된 '경작용지'(*tho canh tac*, 土耕作)였다. 전입인구가 급증하면서 경작용지는 '주거용지'(*tho cu*, 土居)로 전용되기 시작하였다. 1980년대 후반에 이르러 이미 불법 전용된 '경작용지'가 주거지로 합법화되었고, 그 이후에 분배받은

___

나는 가구별 사영업체를 지방수준에서 자체 지원하는 기관으로 바뀌었다(SRV 1997. 『Luat Hop tac xa』 참조).

집 근처의 텃밭들에도 새로운 주택이 지어지기 시작하였다. 현지연구 당시 마을의 골목 여러 곳에 버려진 듯이 남아 있는 땅들 대부분도 곧 집을 지을 땅이거나, 건축을 위해 용도 변경 또는 허가를 기다리는 토지였다. 마을 내의 좁은 골목들은 대개 구획된 경작지를 구분하는 경계에 해당되는 땅들이었다. 과거의 논, 약초나 채소밭 사이에 경작을 위한 이동 통로로 사용되었던 공간이 이제 주택부지를 구분하는 길로 변모하였다. 주민들은 마을의 변모에 대하여 일괄하여 "약재와 꽃마을"(*lang thuoc, lang hoa*)이 "주거마을"(*lang nha*)로 바뀌었다고 표현하였다. 마을 부녀자들은 경작지가 주거지로 바뀌어 가는 과정을 "과거에는 꽃과 나무를 심었으나 이제는 집을 심고 (*trong nha*) 있다"고 표현하곤 하였다.

이러한 표현은 사라져가는 농촌 풍경에 대한 향수를 뜻할 뿐만 아니라, 꽃이나 약재를 심는 것보다 "집을 심어" 파는 것이 훨씬 수지 맞는 일이 되었다는 경제적 현실을 드러내는 것이었다. 1988년 이후 토지 장기사용권 계약에 따라 사전 허가취득 후 사용권 이전의 권리도 부여되었지만, 토지(사용권) 가격이 저렴하여 매매를 통해 많은 수익을 올리는 경우는 거의 없었다. 1993년 토지법 제정에 따라 도시지역에도 토지의 장기 사용권 계약 및 사용권 전매가 허용되면서 "부동산 과열"(*Con sot nha dat*) 현상이 시작되었고, 부동산 가격이 급등하였다. 2000년 현재 다이 옌 마을의 토지가는 도로에 접해있는 지역은 1㎡ 당 금 1꺼이(*cay*) 내외로 약 5백만 동(약 43만원) 정도이며, 도로변에서 상대적으로 먼 골목길 안쪽의 주택가의 경우 6-7찌이(*chi*) 정도였다.[118]

---

118) '꺼이'(*cay*)와 '찌'(*chi*)는 보석의 측량단위로 보통 금의 무게를 잴 때 사용된다. 1꺼이는 약 38g 또는 1.333온스(ounce)이고, 1꺼이는 10찌이다. 2000년 당시 베트남에서 금 1찌는 약 50만 동

토지매매를 통한 소득은 도시 지역의 주민들에게 새로운 경제적 기회를 제공하였다. 응옥 하의 경우 '원주민'이 이주민에 비하여, 그리고 이주한지 오래된 가구가 최근에 이주한 가구보다 이러한 새로운 기회에 훨씬 쉽게 접근할 수 있었다. 1980년대 순차적으로 진행된 토지사용권 분배는 가구별 경작자 수에 비례하여 집행되었으므로 제도 상으로는 '원주민'에게 특별한 혜택을 부여한 것은 아니었다. 그러나 당시 이 지역에서 거주등록을 유지하고 있으며 상대적으로 많은 경작 인구를 보유한 가구의 상당 부분이 원주민과 이주한지 오래된 가구들이어서, 토지매매 차익의 기회는 우선적으로 이들의 몫이 되었다. 혼인 후에도 확대가족을 구성하고 있거나 부모의 이웃에 거처를 정한 '토착 종 호'의 일원은 상대적으로 많은 토지를 확보할 수 있어서, 이후의 토지가격 인상 시기에 훨씬 다양한 경제적 선택을 할 수 있었다. 이들은 토지를 나누어 팔아 차익을 얻는 방법뿐만 아니라, 재건축을 통하여 새로운 이주민에게 세를 주어 임대수입을 확보할 수도 있었고, 그 수입으로 새로 집을 지어 혼인한 자녀에게 분배해 주기도 하였다.

토지매매와 임대의 법적 절차와 관련하여서도 '원주민'은 유리한 위치에 있었다. 법적으로는 토지매매, 주거임대와 상속은 모두 사전 허가 사안이며, 행정절차에 따른 등록과 함께 관련된 세금을 납부해야 한다. 그러나 실제의 관행은 당사자들의 사적인 거래를 통해 이루어지고 있었다. 필자가 목격한 한 토지매매의 경우 거래 당사자가 각각 임의의 계약서인 "사용권이전증명서"(*giay chuyen nhuong*, 轉讓書)를 작성하여 주고받는 것으로 거래를 끝내었다. 7꿈의 또44 주민

---

(U\$ 36달러) 정도였다. 응옥 하 일대의 토지가격은 하노이시내 주택가로서는 저렴한 편이었다. 1993-2000년 기간 중 시내 주요 도로변과 구 시가의 지가는 평균 열 배 이상 인상되었다. 2000년 현재 시중심의 주택가의 경우 1㎡ 당 금 5꺼이(2,500만 동, 약 220만원) 정도인 토지를 쉽게 볼 수 있으며, 호안 끼엠 호수 주변 상업용지는 그것의 4-5배에 달하는 경우도 있었다.

들이 설명한 1998-99년 기간의 6건의 건물매매 또는 임대계약 건 중 5선의 경우가 각자 날인한 비공식 서류로 체결되었다. 이렇게 불법적인 형태로 민간이 자율적으로 거래를 성사시키는 경우를 가리켜 흔히 "적당히 알아서 처리한다"(*xoay xo* 또는 *xoay xoa*)고 한다. 이것은 민간의 활동이 국가의 제도와 상관없이 이루어지는 일체의 관행을 가리키는 것으로 널리 사용되고 있었다.

이러한 "임의의 처리"과정에도 지방 토착의 사회적 관계가 하나의 자원으로 작용하고 있음을 알 수 있다. 프엉의 행정절차는 꿈과 또라는 이웃과 전통촌락의 영역이 사회주의 국가의 틀 내로 제도화된 단위를 거쳐 실행되는데, 이 과정에서 안면관계가 강하게 작용하게 된다. 일반적인 상거래 외에도, 토지매매 계약, 집 호수번지 붙이기, 주택 신축 또는 재건축, 혼인 및 이주와 관련한 거주등록에 이르기까지 정해진 법률 절차의 집행은 모두 마을 '원주민' 출신의 지도자의 손을 거치게 된다. 이 과정에서 당사자는 주민들은 친분관계를 활용하여, "적당히 알아서" 혹은 "되는대로 대충"(*lung tung*) 해결하고자 한다.[119] 이러한 불법적인 행정처리 관행은 지방의 당-국가 및 행정의 단위가 "조정공간"(mediation space)으로서의 역할을 하고 있음을 보여주는 사례가 되고 있다(Koh 2000: 22). 특히 탈집단화 이후 프엉 하위의 수준에서는 간부들과 주민들이 타협을 통하여 국가의 공식적인 요구를 선택적으로 수용하는 현상이 증가하게 되었다. 이러한 현상의 이면에는 전혁명기의 사회관계의 구성을 표현하는 핵심어였던 '이웃', '안면관계', 또는 '공동체' 등이 재등장하고 있음

---

119) 탈집단화 이후 토지의 판매, 임대, 또는 여러 가지 형태의 불법적인 사용권 전매 사례들이 지방행정 당국에 보고되어 왔다. 특히 1993년 신토지법이 공포된 이후 홍하델타 지역에는 굉장히 많은 형태의 불법적인 매매 및 전용의 사례가 보고되었고, 일부 외국 학자들은 그 정치경제적 배경과 사회적 영향에 관한 연구를 수행하였다(Kerkvliet 1995a: 173; Watts 1999: 174; Koh 2000).

을 보여준다. 이러한 관계들이 곧 '조정공간'에서 타협의 중요한 사
회적 자원으로 작용함으로써, '원주민'에게 보다 넓은 선택권을 부
여해 준다. 1990년대 들어 주민의 소득이 증가할수록 더욱 많은 사
람들이 보다 나은 생활수준을 희망하게 되었고, 당-국가가 여전히
사적인 해결방식을 금지하고 있음에도, 프엉 내부의 여러 토착 간부
들의 도움과 함께 대안적인 해결책을 찾을 수 있게 되었다.

## 3. '도이 머이' 이후의 경제적 분화와 가구 경제의 재생산

### 1) 경제적 분화와 원주민의 자원

#### (1) 직업구조의 다변화

탈집단화와 이후 주민들의 경제활동은 이주 인구의 확대와 함께
더욱 다변화되었다. 1990-99년 기간 중 하노이와 접해 있는 하 떠이
(*Ha Tay*), 흥 옌(*Hung Yen*) 등의 일부 마을에서는 심지어 전체 가구
의 3분의 2 이상이 하노이로 완전 이주하였거나, 계절적 이주 노동
에 종사하게 되었다(Truong 2001). 새로운 직업을 찾아 온 이들은
여성의 경우 가판을 열거나 자전거로 이동하면서 쌀, 계란, 국수, 채
소, 과일을 파는 소매장사에 종사하였고, 남자들은 주로 건설 인부,
오토바이택시(*xe om*, '쎄 옴')나 자전거인력거(*xich lo*, '씨클로') 운
송, 또는 일고용의 잡역직에 종사하게 된다. 이들의 수입은 고향에
남아있는 가족과 친척들의 생계를 보충하거나 부를 축적하는 데 기
여하였다. 이들은 하노이에서 대부분 가난한 기층을 형성하였으나,

고향의 가족과, 나아가 고향 마을을 부유하게 하는 훌륭한 자원이 되어 주었다. 이러한 과정은 하노이의 각 마을의 인구와 사회성제적 구성이 복잡화되는 동시에, 이주민의 출신 마을의 사회경제적 분화와 구성을 다변화하는 원인이 되었다.

탈집단화 이후 다이 옌에서 벼농사 가구는 완전히 사라졌다. 1981년부터 '생산물계약제'에 따라 토지사용권의 대가로 쌀을 세금으로 걷는 정책을 실시하면서 일부 가구가 벼 경작지를 유지하기도 하였으나, 얼마 후부터 토지 사용권 세금을 현금으로 걷기 시작하면서 벼경작지는 급속히 소멸되었다. 1981-92년 기간에 꺼우 져이(Cau Giay), 호 떠이(西湖) 등 다른 지역에 농토를 지속적으로 보유하며 원거리 벼농사를 하거나, 고향 마을에서 토지소유권을 유지하여 계절적인 귀농을 하는 경우도 있었지만, 점차 줄어들었다. 1980년대 후반에는 벼농사와 상업작물 재배를 병행하던 가구들 중 농업을 포기하지 않은 가구들도 대부분이 투옥 남, 채소, 관상수 등 환금작물 재배 전업가구로 변모하였다. 투옥 남 산업의 경우 시장경제의 도입에 따라 수요공급원리의 작용을 받게 되었다. 자본과 구매수요의 측면에서 더욱 많은 사업확장 가능성을 가지게 되었지만, 많은 주민들이 투옥 남 재배를 포기하고 판매에만 종사하거나 여타의 다양한 직업으로 전업하였다. 1999년에도 25% 정도의 가구에서 최소 1인 이상이 투옥 남 재배 및 판매업을 하고 있으나 계속 감소하는 추세이다. 꽃 재배의 경우 호 떠이와 하노이 인근 농촌에 대규모 재배 농장이 생겨남에 따라, 구식의 생산방법을 유지하고 있는 응옥 하의 꽃재배는 경쟁력을 점차 소실하기 시작하였고 재배면적도 급격히 줄어들었다.

합작사가 해체되기 시작하면서 '원주민'과 정착한 이주민 중에 다양한 규모의 중소상업 등 자영업 종사자가 늘어났다. 점차 많은 가구가 상점을 열어 장사를 하거나, 미용실, 주점 또는 카페를 열고 영업을 하고 있는 추세이다. 현금 사용이 늘어나고 물가가 인상되는 등 시장경제원리의 적용이 확대됨에 따라 상업에 종사하는 가구는 더욱 늘어나고 있다. 오늘날 다이 옌 주민 중에 공장노동자나 국가기관의 공무원과 교원, 법률사 등의 전문직종 종사자는 그다지 많지 않은 편이지만, 점차 '공식부문' 취업자가 늘어나는 추세이다.

시장경제의 도입으로 돈을 많이 버는 사람도 늘어났지만, 빈부의 격차도 더욱 커지고 있다. 1960-70년대 한국의 '무작정 상경'식으로 하노이에 들어온 미등록 이주민이 증가함에 따라 계절에 따라 적절한 일거리를 찾아야 하는 사람들이 늘어나고, 생계가 불안정한 사람들도 증가하였다. 응옥 하의 많은 청장년 이주민들은 시내 쟝 보(*Giang Vo*) 거리, 동 쑤언 시장 주변 등 몇 곳의 "인간시장"(*cho nguoi*)에 나가 일용직 일거리를 찾곤 한다. 마을에 정착한 일부의 이주민들도 여전히 짐꾼이나 잡역에 종사하고 있고 오토바이가 널리 보급되기 시작하면서 '쎄 옴'도 늘어났다. 인민위원회의 설명에 따르면, 프엉 응옥 하는 하노이의 다른 지역과 유사하게 경제활동인구의 절반이 불완전 취업상태에 있거나 비공식부문의 소위 '자유직업' 종사자이며, 그 대부분이 이주민들이었다. 이 중에는 일고용 건설노동자, 행상, 혹은 임대한 주택의 1층이나 집 앞의 공간에 가판대를 설치한 소상인도 있고, 새로운 이주민에게 적절한 일자리를 연결해주고 수수료를 받는 거간도 있었다. 이들은 시기에 따라 다양한 '자유직업'에 옮겨다니거나 동시에 여러 가지 자유직업에 종사하기도 하였다. 이들은 소득이 불확실하거나 '하루살이' 정도의 소득을 올리는 편이어서 생계가 불안하였지만, 대부분이 거주 등록을 하지 않아서 세금을 내지도 않았다.

<표 3-2>는 2000년 현재 또44A에서 주업이 구분되는 주민들의 연령별, 성별 직업분포를 보여주고 있나.[120] 여전히 투옥 님 재배 및 판매가 가장 많은 분포를 차지하고 있음을 알 수 있다. 또44A의 1954년 이전 거주 등록 가구 27개 중 13 가구가 여전히 투옥 남 재배 및 장사를 하고 있었다. 부부가 국영기업 및 민영기업 종업원, 국가기관의 간부, 전문직 종사자 등 정규직 봉급생활자인 가구가 27개였다. 이 중 3가구는 부부 모두가 의사, 약사, 간호사, 연구원, 강사 등의 전문직 종사자들이었다.

<표 3-2> 직업별, 연령별, 성별 인구분포(2000년 6월 현재)

| 연령구분 | 19-30이하 | | 40이하 | | 50이하 | | 60이하 | | 61이상 | | 계 | |
|---|---|---|---|---|---|---|---|---|---|---|---|---|
| 직업군\성구분 | 남 | 여 | 남 | 여 | 남 | 여 | 남 | 여 | 남 | 여 | 남 | 여 |
| 노동자 | 8 | 4 | 14 | 3 | 10 | 2 | 2 | 1 | | | 34 | 10 |
| 국영기업기관 | 3 | 10 | 1 | 5 | 5 | 4 | 4 | 2 | 1 | | 14 | 21 |
| 민영/외국기업 | | 1 | | 1 | 2 | | | | | | 2 | 2 |
| 전문직 | 1 | 1 | 1 | 2 | | 3 | | | | | 2 | 6 |
| 상업/행상 | | 3 | 4 | 8 | | | | | | | 4 | 11 |
| 투옥 남 | | 2 | | 6 | | 6 | 2 | 3 | 3 | 8 | 5 | 25 |
| 운송/서비스 | | | 5 | | 3 | | | | | | 8 | - |
| 전업주부 | | 7 | | 8 | | 1 | | | | 1 | - | 17 |
| 비정규직 | 4 | 3 | 5 | | | | | | | | 9 | 3 |
| 재학생 | 7 | 3 | | | | | | | | | 7 | 3 |
| '완전실업자' | 4 | 1 | 4 | | 2 | | | | | | 10 | 1 |
| '연금실업자' | | | 2 | 2 | 5 | 6 | 4 | 15 | 12 | | 23 | 23 |
| 미분류 | | | 1 | | | | | | | 2 | 1 | 2 |
| 합계 | 27 | 35 | 35 | 35 | 24 | 21 | 14 | 10 | 19 | 23 | 119 | 124 |

---

120) 주민들의 직업분포를 통계적으로 파악하는 데는 한계가 있다. 많은 사람들이 두 개 이상의 직업에 종사하여, 가령 투옥 남 판매상이 행상을 하고, 상점을 경영하는 사람이 '쎄 옴'을 몰기도 한다. 교원이면서 여가시간에 꽃 장사를 하는 사람도 있고, 아내와 같이 장사를 하면서 일고용 건설 인부로 일하는 남편도 많이 있다.

부부 모두 정규직에 종사하고 있는 가구 중에 부부가 동일한 기관에 근무하는 경우는 2가구가 있었으며, 30세 이하의 자녀 중 부모와 동일하거나 관련된 직장에서 근무하고 있는 경우가 7명으로서, 일반적으로 연고채용이 이루어지고 있음을 알 수 있었다. 하노이에서 부모 또는 가까운 친척과의 연줄을 통해 대학에서의 전공을 정하고 졸업 후 취업할 회사나 기관을 정하는 일은 매우 흔한 일이었다. 가령 베트남 관광총국에서 관광특산품 개발 및 판촉부의 주임으로 있는 한 여성의 딸(1978년생)은 법과대학 졸업 후 관광총국 부설 연구소에 취업하였다. 사범대학 교수직에서 1994년 은퇴한 한 공산당원(남, 1938년생)의 두 자녀는 모두 사범대학을 졸업하였다. 아들(1965년생)은 같은 대학 강사이고, 딸(1970년생)은 중등학교 교사가 되었다. 꿈장의 막내딸(1974년생)은 1998년 대학졸업 후 외국항공사 하노이 지점의 발권부에 취업하였는데, 하노이시 인민위원회 교통국 간부인 외삼촌의 도움이 컸다.

또44A에서 투옥 남 재배 또는 판매에 종사하는 사람은 모두 30명으로 파악되었는데, 이 중에 재배와 판매를 병행하는 사람이 남자 3명, 여자 4명 등 7명이었고, 판매에만 종사하는 사람은 남자 2명을 포함하여 모두 23명이었다. 투옥 남 재배에 종사하는 사람 중 4명이 61세 이상의 노년층이며, 투옥 남 판매에 종사하는 부녀자 21명에도 6명의 노년층이 포함되어 있었으며, 이들 중 80세가 넘은 사람도 둘 포함되어 있다. 투옥 남 일에 종사하고 있는 노년층은 실제 많은 일을 하지 못하고 있음에도 불구하고, 자신을 은퇴한 사람으로 규정하지 않았다. 이들은 하루 중 절대 시간을 직접적인 재배나 판매활동으로 보내지는 않지만, 오랜 경험으로 축적된 지식과 고객과의 단골 관계로 인하여 소득에 많은 도움을 주고 있었다. 이들은 거동이 불가능한 정도의 노환에 이르거나 심지어 사망하였을 때 비로소 은퇴하는 것으로 인식한다.

19세 이상의 주민 중 완전 실업 상태에 있는 사람은 모두 11명으로 파악되었다. 주민들 중 부업이나 일시 고용직에 종사하는 사람이 많이 있기 때문에 '완전실업자'에 해당하는 경우는 가족이 스스로 그렇게 규정한 경우만을 포함하였는데, 모두가 조사 당시까지 최소 1년 이상 소득이 있는 직업에 종사하지 않은 경우였다. 연령별로는 20대 5명, 30대 4명, 40대 2명의 분포를 나타내었다. 주목할 점은 실업자로 규정되는 사람 중에 여자는 1명뿐이었고, 나머지는 모두 남자들이라는 것이다. 해당 여자는 30대 초반으로, 5년 전 교통사고 후유증으로 거동이 불편한 상태에 있었다. 그녀는 실제 가사노동에 참여하고 있으니 소득이 없을 뿐 일을 하지 않는 것은 아니었다. '완전실업자' 중에 고등학교 졸업 이상의 고학력자는 남자 3명을 포함하여 모두 4명이 있었는데, 모두 30대 이하의 연령층이었다. 이 중에 20대 후반의 남자는 인문계 고등학교를 졸업 후 군복무를 마쳤으나 특별한 기술이 없어 취업을 하지 못하고 있다고 하였다. 그는 아버지를 도와 마을의 공동 의례에 열성적으로 참여하는 청년이어서 같은 또래의 다른 주민들에 비해 원로들과 접촉이 많았는데, 정작 본인은 일을 나가 돈을 벌지 못하는 이유로 시간이 남아서 하는 일이라고 하였다. 고등학교 학력 미만의 완전실업자들 7명은 모두 남자였는데, 이들 중 20대 초반의 두 남자를 제외하고 일시적으로는 건설노동, 행상 등의 비정규직에 종사한 적이 있으며, 조사 당시에도 그러한 일자리를 찾아다니고 있었다.

'완전실업자'라고 표현되지는 않았지만 실제 상당수의 가구에는 실업자와 다름없는 사람들이 포함되어 있었다. 특히 비정규직 종사자들은 대부분 단순 건설노동을 하는 일고용 일에 종사하여 생계를 연명하고 있는 상황이며, 서비스직 종사자 중에는 일자리가 고정되지 않아서 수입이 불분명한 경우도 포함되어 있다. 일고용 건설노동자들의 경우 평균적인 하루 수입은 2만 동 정도이다. 흥미로운 점은 정착한 이주민 중 일부 일고용 건설 노동자는 주택 개량 또는 신축 수요가 늘어남에 따라 일거리가 꾸준하여 한달 수입이 50-70만 동에 이르기도 하였으나 자신을 실업자로 간주하는 경우가 있었다. 이러한 주민들에게 "취업자"는 '월급을 받는 고정적인 일터에서 일을 하는 사람'의 의미로 규정되고 있었다. 반면에 투옥 남 판매상 중에는 한달 수입이 30만 동 정도에 그치는 경우도 있지만, 완전한 취업자로 간주되고 있었다.

<표 3-3> 또44A의 '연금실업자' 분포

| 연령대 | 40 이하 | | 50 이하 | | 60 이하 | | 61 이상 | | 합계 | | |
|---|---|---|---|---|---|---|---|---|---|---|---|
| 은퇴전 직업\성 | 남 | 여 | 남 | 여 | 남 | 여 | 남 | 여 | 남 | 여 | 계 |
| 노동자 | | 2 | 2 | 4 | 3 | 3 | 7 | 4 | 12 | 13 | 25 |
| 국영기업/기관 | | | | 1 | 3 | 1 | 6 | 6 | 9 | 8 | 17 |
| 전문직 | | | | | | | 2 | 2 | 2 | 2 | 4 |
| 계 | | 2 | 2 | 5 | 6 | 4 | 15 | 12 | 23 | 23 | 46 |

<표 3-2>에서 '연금실업자'는 뚜렷한 일자리가 없는 사람들 중 '완전실업자'와 구별되는 장노년층 실업자들을 가리킨다. 이들은 모두 정규직 봉급생활을 하였던 사람들로 대부분이 연금을 지급받고 있어서, "은퇴하였지 실업한 것은 아니다"라는 인식을 가지고 있었다. 연령별, 성별, 직업별 연금실업자의 분포는 <표 3-3>과 같다. '연금실업자' 대부분은 은퇴 당시 50대 초반의 연령이었고, 일부의 사

람들은 40대에 은퇴하였다. 여자의 은퇴연령이 남자에 비하여 이른
편이었다. '연금실업사'가 포함된 가구 중 6개는 부부 중 1인이, 2개
가구는 부부 모두가 최근 5년 이내에 은퇴한 경우였는데, 이들은 비
록 현장에서 은퇴하였으나 현직에서 담당하였던 직무와 부서의 연고
를 활용하여 비공식적인 부업을 하고 있었다. '연금실업자'가 포함된
가구의 경우, 비교적 최근까지 정규직에 종사한 경우일수록 상대적으
로 부유한 생활조건을 유지하고 있었다. 특히 이들 가구는 배급경제
시절 지급받은 시내의 간부아파트를 비롯한 부동산 장기소유자로서,
최근의 가격상승이 부여한 금전적인 혜택을 누리고 있었다.

이와 같이 도이 머이 이후 마을 주민들의 직업구조는 더욱 다변화
되었다. 국가부문의 종사자와 '원주민'의 전통산업인 투옥 남 종사자
들이 상대적으로 안정적인 직업생활을 유지하고 있음을 알 수 있다.

## (2) 경제적 자원으로서 '원주민'과 국가와의 근접성

시장경제제도의 영향이 일상화되면서 경제에 관한 관심도 증가하
였고, 개인 또는 가구 단위의 생계활동 또는 경제적 목표와 관련된
담론을 쉽게 접할 수 있게 되었다. 많은 주민들이 과거보다 "경제가
발전하였다"(*phat trien kinh te*)고 하고, 경제적인 여유를 "경제가 있
다"(*co kinh te*)고 표현한다. 도이머이의 영향에 대해서는 "이제 모든
일은 경제문제에서 비롯된다. 경제가 생활을 결정한다"고 생각하는
경우가 일반적이었다.[121] 경제에 관한 관심이 증가하였음에도 불구

---

121) 미국의 엠바고 등 국제적인 규제, 전쟁과 막대한 군사지출, 집단화 실패와 농업생산성 위기 등의
구조적인 요인으로 1976년 일인당 국민소득이 U$101에서 1981년에는 $94로 감소하였다가
1984년에는 1976년 수준으로 회복하였다. 하노이의 경우 전국 평균보다 소득이 높은 편이지만,
대부분이 국영부문에 종사하여 높은 물가인상률의 타격을 받았다(Vo Nhan Tri 1990: 160-68).
그들의 고정 급여는 평균적인 가계지출의 25% 수준에 머물렀다(Marr & White 1988: 4-5). 도

하고 연구지역 주민들의 실질 소득에 관한 정확한 자료를 얻기에는 이려움이 많았다. 탈집단화 이후 토지사용권 이외의 세금 대부분이 신고소득에 근거하여 부과됨에 따라 주민들은 각자의 실제 소득에 대해서는 함구하거나 적당히 얼버무리는 태도를 보편적으로 보여주고 있었다. 무엇보다도 한층 더 다변화된 생계양식으로 인하여, 가구별 실질 소득을 객관적인 척도로 분명하게 집계하는 것 자체가 곤란할 정도였다.

정규직 봉급생활자들의 경우 비교적 분명한 소득이 제시되었지만, 직종이나 직장에 따라 차이가 있었다. 가령 외국인투자업체나 민영기업에 취업한 사무직종사자들의 경우 대부분 월급이 곧 소득과 동일한 것이었지만, 국영기업이나 기관에 근무하는 '간부'들의 경우 고정급여 외에 다양한 형태의 '공식적', '비공식적' 추가소득이 있었고 그 중 많은 것은 음성적인 것이었다. '도이머이' 이후 국영기업과 기관들은 업무와 관련된 수익사업을 벌여서 얻은 이익을 매년 말 또는 분기별로 간부들에게 분배하는 제도를 실시하고 있다. 이렇게 분배되는 이익은 월급과는 별도의 것으로서 필자가 '공식적' 추가소득이라고 지칭하는 것에 해당한다. 국가부문 종사자들은 직위 및 담당업무와 관련된 연줄을 활용하여 다양한 형태의 수수료 수입을 얻을 수 있는 비정기적인 부업에 종사하고 있는데, 여기에서 발생하는 수입은 곧 '비공식적' 부가소득이 된다. 비공식적 부가소득 중 많은 것이 직권남용에 의한 것으로서 공무원의 부패와 관련된 사회문제로 지적되기도 하였다. 정부에서는 국가부문 간부들의 부패를 일소하겠다는 선전을 반복하고 있지만, 다양한 형태의 음성적 소득은 사라지

---

이 머이 이후 많은 개선이 있었음에도 불구하고 1999년 일인당 평균국민소득은 여전히 약 $300에 머물고 있으며, 하노이의 경우는 $600 수준이었다(Koh 2000: 20-21).

지 않고 있다. 최근 하노이의 대졸 취업 준비생 중 국영부문을 선호하는 경우는 이러한 음성적, 비공식적 소득의 가능성이 그 중요한 이유가 되고 있었다.

주민들의 생계전략이 다변화되는 여지가 많아짐에 따라, 많은 주민들이 주업 외에 부업을 가지고 있었고, 부업에서 얻는 수입이 고정급여보다 많은 경우도 허다하였다.[122] 그리고 오히려 부가적인 수업이 크고 안정적일수록 부의 축적에 유리하고 가계가 안정되는 경향이 있었다. 이런 점에서 토지사용권을 가지고 있는 '원주민'들은 매매 차익, 임대수입 등으로 이주민보다 훨씬 "경제가 있었고," 1980년 이전에 등록된 이주민의 경우도 안정된 부업과 토지 및 주택 관련 수입으로 인해 "경제가 있었다." 반면에 꿈장의 설명에 따르면 4인 가족을 기준으로 월 1백만 동 이하의 수입을 얻는 저소득 가구가 다이 옌에 약 30% 정도인데, 그 대부분이 1986년 이후에 이주한 사람들이었다.

<표 3-4>에서도 표현되었듯이, 일반적으로 공무원과 국영부문 종사자들이 안정된 월급과 배급받은 주택을 기반으로 비교적 부유한 생활을 꾸리고 있었고, 민영 부문의 경우에는 정해진 상점을 가진 자영업자의 소득이 행상이나 비정규직 종사자의 수입보다 당연히 높았다. 그러나 다이 옌 마을에서 재산의 다소를 결정하는 데 가장 큰 영향을 미친 요소는 토지사용권의 매매였다. 대개 경제적인 여유를 가지게 된 사람들은 과거 배급받은 토지 또는 주택을 장기계약제

---

[122] 베트남에서 최근의 가구소비와 가계예산에 대한 경제학적, 사회학적 연구는 주로, "부가적인 경제적 활동"과 같은 다양한 수입원들을 다룸으로써 빈곤의 정도를 밝히는 것에 집중되어 왔다(Chu Van Lam et al. 1992; Chu Van Vu et al. 1995; Vu Tuan Anh and Tran Thi Van Anh 1997 등). 이러한 연구의 보편적인 분석결과 중의 하나는 복합적 직업구조를 가진 가계일수록 시장경제에 보다 성공적으로 적응한다는 것이다(Dao The Tuan 1997; Chu Van Vu 1995).

<표 3-4> 원주민과 이주민 재산과 소득의 차이

| 구분 | '원주민'A(6인) | '원주민'B(4인) | 이주민A(4인) | 이주민B(4인) |
|---|---|---|---|---|
| 이주 | 1954년 이전 | 1954년 이전 | 1981년 | 1996년(미등록) |
| 가구<br>구성 | - 부모(70, 67),<br>투옥 남<br>- 남편(46), 상업<br>- 처(42), 투옥 남 등<br>- 두 자녀(17, 15) | - 남편(57), 연금<br>- 처(52), 연금<br>- 딸(27), 교사<br>- 아들(22), 대학생 | - 남편(48), '간부'<br>- 처(48), 주부<br>- 딸(25), '간부'<br>- 아들(20), 대학생 | - 남편(43), 운송,<br>이발<br>- 처(40), 행상<br>- 아들(20), 실업<br>- 딸(17), 직업학교 |
| 재산 | - 경작지(360㎡),<br>주택, 상점 등<br>부동산 7억 5천<br>만 동<br>- 택지판매금, 임대<br>수입 등 동산<br>1억 동 이상<br>=계: 약 10억 동 | - 시내 간부주택<br>4억 동<br>- 동산 및 기타자산<br>1억5천만 동<br><br><br><br>=계: 약 5억5천만동 | - 고향의 농지,<br>주택<br>등 2억5천만 동<br>- 현금 3천만 동<br><br><br>=계: 약 3억 동 | - 부동산 없음<br>- 이발소, 행상 등<br>권리금 2천만 동<br>- 부채 1천만 동<br>- 현금자산: 미상<br><br>=계: 0-1천만동 |
| 월<br>소득 | - 투옥 남 70-100<br>- 상점경영 250<br>- 임대수입 등 150<br>=계: 470-500만 동 | - 부부연금 80<br>- 교사월급 70<br>- 임대수입 등 150<br>=계: 300만 동 이상 | -남편 급여 150<br>-딸 급여 100<br><br>=계: 250만 동 이상 | - 남편 30-60<br>- 처 50-100<br>- 아들 0-30<br>=계: 80-190만 동 |

로 전환이후 팔거나, 새로 토지를 구입하고 되팔아서 차익을 챙기거나, 아니면 집을 지어 세를 주거나 판매하여 소득을 올리는 경우였다. 이러한 차이에서도 알 수 있듯이, 마을에서 토지를 가지고 있는 원주민과 장기간 국가부문에 종사한 경우가 상대적으로 많은 재산을 소유하고 있다. 이러한 점은 '원주민'과 국가와의 근접성이 경제적 자원으로 작용해 왔음을 보여준다.

## 2) 가구 경제의 재생산과정

도이머이와 "코안(*Khoan*) 10"의 발표로 국가는 가구를 독립된 경제활동의 단위로 인정하게 되었다.[123] 이 절에서는 가구를 하나의

───────────────

123) 베트남의 제도권 학자들은 가구경제의 변화에 접근할 수 있는 대안을 찾는 과정에서 혁명기에 중

단일화된 실체로 간주하기보다는, 생산물의 분배, 작업과 자원의 할당 능 수많은 활동들을 통합하는 일군의 관계와 실천들로 간주하고자 한다(Wilk 1989: 27).[124] 많은 베트남연구에서 1945년 이전부터 여성들이 소상업활동을 비롯한 많은 종류의 가구경제활동에 적극 참여함으로써 가구경제에서 남성과 동등하거나 크게 열등하지 않은 지위를 누렸다고 주장하였다(Nguyen Tu Chi 1984; Malarney 1998; Luong 1998).[125] 실제로 사회주의 정책 30여 년 동안의 경과가 여성에게 미친 영향은 긍정적인 면과 부정적인 면을 모두 가지고 있다. 우선 농촌 여성들이 합작사의 광범위한 종류의 복지업무와 공공영역의 활동에 참여함으로써 지위가 향상되었다. 다른 한편으로 전쟁에 나간 남자를 대신하여 무거운 책무를 짊어져야 했고, 실제로 남성중심의 이데올로기가 지속적으로 재생산되면서 여성의 지위는 공공영역과 사적인 영역 모두에서 축소되었다고 볼 수 있다(Wiegersma

---

요한 이론적 지침을 제공하였던 '교조적 마르크스주의'를 수정하려고 시도하였다(Chu Van Lam et al. 1992; Nguyen Van Huan 1995; Vu Tuan Anh and Tran thi Van Anh 1997; Dao The Tuan 1997). 예를 들면, 다오 테 뚜언은 신제도주의 경제학을 적용하여 가구경제와 시장경제 일반의 발전을 위하여 국가가 유리한 제도적 조건을 창출하는 데 중요한 역할을 한다는 점에 주목하였다. 그는 인민 스스로의 선택과 아래로부터의 운동을 국가의 요구와 적절하게 통합하는 작업이 필요하다고 제안하였다(Dao The Tuan 1997: 155-163). 그는 지방과 민간의 역동성에 많은 관심을 드러내었으나, 가구구성원 내부와 가구간의 사회적 관계에 관해서는 관심을 두지 않은 한계가 있다.

124) 기존의 연구에서 초점이 되는 논의 중에는 가구(household)의 개념을 둘러 싼 문제도 포함되어 있다. 점차 가구를 동거, 공동의 경제, 집단화된 복지 등의 원리로 설명하는 개념에 대해 문제를 제기하는 연구들이 증가하고 있다(Wilk 1989: 25). 가구구성원 모두가 가족이데올로기 또는 "가족이타주의"를 반드시 동등하게 공유하고 있는 것은 아니며, 이러한 이데올로기로 지탱되는 노동력 동원과 소비도 구성원에게 균등한 영향을 미치는 것이 아니라는 주장도 제기되었다(Whitehead 1981). 한편으로, 가구구조에 관한 논쟁에서 일부 학자들은 농업의 탈집단화의 영향으로 가구 구성원 규모 축소 및 핵가족화와, 세대간 및 가구간 의존성이 줄어드는 대신 "부부관계의 승리(triumph of conjugality)"라고 표현되는 부부간 상호의존이 증대하는 현상이 뚜렷해지고 있음에 주목하였다(Hirschman and Vu Manh Loi 1996: 247; Malarney 1998: 282).

125) 현대 베트남의 여성의 지위의 변화에 관한 논쟁에 많은 이견이 있지만, 베트남연구 학자들은 여성의 상대적인 자율성과 높은 지위를, 남성중심의 유교주의적 모델보다 양변적 친족의 복합성의 영향이 큰 것에 기인한다고 보았다(Le Thi Nham Tuyet 1976; White 1982; O'Harrow 1995; Pham Van Bich 1999; 유인선 1996).

1988). 그러나 북부베트남에서 여성의 지위의 변화를 심층적으로 이해하기 위해서는 지방 수준에서 상호 모순적인 이데올로기적 담론들 간의 상호작용과 일상생활의 정치경제적 틀에 대한 해석이 필요하다(Gammeltoft 1999: 196).

마을의 전통적인 토착산업으로 규정되고 있는 투옥 남의 경우도 촌락공동체의 내부적인 동질성을 재생산하는 토대가 아니다. 오히려 가족 구성원들의 노동력을 강화하면서 재생산되는 것은 가구 내에서도 노동에 대한 참여와 과실의 분배에서의 이질성이다. 투옥 남은 마을 '원주민'의 '전통 산업'으로서 공동체의 물질적인 토대를 표현해주는 상징일 뿐만 아니라, 가구의 노인들과 부녀자들을 바쁘게 하는 일거리였다.

<표 3-5> 약재의 재배 및 판매의 주요 절차와 주요 도구

| 주요 절차 | 상세 내용 | 주요 도구 |
|---|---|---|
| 준비 | 토지, 종자, 묘목, 비료, 도구 구입 | 자본 |
| 밭정리 | 뒤엎고 파기, 잡풀 긁기, 이랑내기 | 괭이, 삽, 갈퀴, '점'(*dam*, 노) |
| 파종, 유목심기 | 파종, 유목 이식, 제자리 잡기 | 주로 '점' 사용 |
| 돌보기 | - 물, 오줌, 액화질소비료 주기<br>- 가지치기, 해충 및 잡풀제거<br>- 동절기 대비 시렁 세워 지탱하기, 재뿌리기 | - 우물, 물뿌리개, 물병, 펌프<br>- 칼, 가위, 괭이, 점<br>- '모옹'(*mong*), 광주리 |
| 수확 | - 연중 혹은 계절별 수확 종류 | 칼, 가위, 낫 등 |
| 비축용 건조<br>약재 판매 | - 비축용 건조 작업(앞마당)<br><br>- 약재 판매는 선별과 분류, 묶음, 포대담기, 운반, 마을과 시내 및 근교 시장에 내다 팔기 순으로 진행 | - 줄, 고리, 키, 큰 바구니, 매트, 뱀가죽 포대 등<br>- 가위, 칼, 묶음용 줄, 뱀가죽 포대, 자전거, 오토바이, '가인'(*ganh*), 매트, 바구니 등 |
| 판매 및 재투자 준비 | | |

다이 옌에서 취급되는 대부분의 약재 종류가 파종과 유목심기에

특별한 시기와 어려움이 없는 종류들이어서 계절별로 분명한 일거리가 확정되어 있지 않다는 특색을 지니고 있다. 이러한 특색에 대하여 주민들은 "계절에 따라 해야 할 특징적인 일(*thoi vu*)이 따로 없다"고 설명한다. 약재 잎 수확도 연중 수시로 행해지며, 종류에 따라서 거의 매일 수확하는 종류도 있다. 한 겨울철이나 가장 무더운 계절을 제외하고 일년 내내 투옥 남 재배와 수확을 진행한다. 투옥 남의 재배와 판매에 관련된 일체의 과정에는 노인들과 부녀자들을 바쁘게 하는 잡다한 일거리가 많이 포함되어 있다. 투옥 남에 종사하는 주민들은 재배한 약재를 팔기 위해 처음에는 많은 지역을 직접 다니면서 구매자를 찾아야 했다. 점차 마을의 약재가 널리 알려짐에 따라 시장이 만들어지고, 마을 입구의 상설시장 외에 시내의 여러 유명 시장에 상점이 개설되었다. 가구 구성원 전체가 투옥 남 판매를 전업으로 하는 경우는 드물다. 가령 국영기업의 근로자, 어린 학생들, 그리고 은퇴한 노인들이 장사에 투입된다. 투옥 남 장사는 전승되는 가업으로서 별도의 직업훈련이 필요 없고 가정에서 자연스럽게 판매와 관련된 기술과 관리방법이 전수된다. 투옥 남 장사의 경우도 연령과 성에 관계없이 모든 가구 구성원들이 장사에 나서거나 예비인력이 된다.

투옥 남 종사 가구 중 다수를 차지하는 가구는 재배와 판매를 겸하는 가구인데 일정한 장소에 상점을 연 가구도 있지만, 이곳저곳을 다니며 장사하는 사람도 많이 있다. 마을 부녀자들은 자전거를 타고 응옥 하, 리에우 쟈이, 반 푹, 반 바오(*Van Bao*), 꺼우 져이, 랑(*Lang*), 마이 직(*Mai Dich*) 등 마을 인근과 하노이의 여러 마을에서 재배된 약재 잎을 구매하러 간다. 시외버스나 기차 등 원거리 교통수단을 이용하여 까오 방(*Cao Bang*), 박 타이(*Bac Thai*), 호앙 리엔 썬(*Hoang Lien Son*) 등 하노이의 북부의 각 성 지역의 산악지역에서 약재를 수집하거나 구입하여 판매하는 가구도 일부 있다.126)

"大女門"이라고 새겨져 있는 마을 입구의 석조 문 앞뒤의 거리 시장은 매일 오후 3-4시경부터 저녁 7시 무렵까지 장이 열리는데, 이곳에서는 주로 약재 잎이 거래된다. 이곳을 '시장'이라고 부르지만, 매일 장에 오는 판매상은 10여명 정도이고, 구매자도 20-30명 정도이다. 부정기적으로 장에 와서 판매를 하는 사람들을 포함하여 판매인들은 모두가 부녀자들이며, 연령층은 20대 후반에서 60대까지 다양하다. 약재를 사가는 사람도 대부분이 프엉 응옥 하 주민들이다. 일부 하노이 인근 마을에서 자전거나 오토바이 또는 쎄 옴을 타고 오는 사람도 있지만, 하루에 두서너 명에 불과하다. 구매자들도 거의 여자들이며, 대부분 인근의 시장이나 하노이 시내의 유명 시장에서 되팔기 위하여 적은 양이지만 도매로 구입하는 경우이다. 이들 대부분이 이미 여러 번 거래를 경험한 지인들이기 때문에 약재 잎의 가격에 대한 실랑이나 복잡한 거래 관행을 관찰할 수 있는 경우는 드물다. 단골고객이 상대적으로 많은 부녀자들은 하루 3-5만 동 가량을 판매하고, 평균적으로는 1-2만 동 내외의 매상을 올리고 있었다.

하노이의 내성과 외성 지역을 합하여 크고 작은 시장 60여 곳의 고유명사가 붙여진 시장에서 최소 두세 개의 투옥 남 상점 또는 가판이 개설되어 있다. 여러 시장을 방문 조사하겠다는 필자의 의도에 대하여 많은 주민들이 "그 많은 시장에 가 볼 필요 없이 모두가 다 이 옌 사람들이 파는 것"이라고 하였다. 시내 중심가에 인접한 꾸언

---

126) 투옥 남을 판매상의 일과는 연중 거의 유사한 시간표대로 진행되고 있음을 알 수 있었다. 여러 판매상들의 일과시간은 대체로 5-6시 약재 구입하러 출발, 11시 30분 귀가 및 점심, 15시 약재의 분류, 묶기, 포대에 담기 등 판매준비, 16시부터 시장판매 또는 약재포대를 쌓기, 시들지 않게 관리하기, 19-20시 귀가로 진행된다.

호안 끼엠, 동 다(Dong Da), 바 딘의 대표적인 상설시장에서 실제 투옥 남 판매를 하고 있는 다이 옌의 부녀자들을 쉽게 만날 수 있었다.127) 이곳의 상점을 꾸리는 부녀자들은 대부분이 15-17세의 어린 소녀 시절부터 약재 장사를 시작한 대표적인 장사꾼들이며, 시장에는 가족 중에 딸이나 며느리가 교대로 상점을 지키고 있었다. 상설 시장의 경우 가장 손님이 많은 시간대인 점심과 저녁시간 전후의 한 시간동안 20-25명 가량의 구매자가 온다. 그 중에 남자는 두세 명에 불과하였고 대부분이 부녀자들이었다.

마을 주민들이 가지고 있는 일상생활의 불만 중의 하나는 최근 들어 더욱 바빠지고 엄청나게 힘들어졌다는 것이다. 도시지역에서 이주 노동과, 이동식 상업활동의 증가로 가구는 점차 그 구성원의 노동에 더 많은 기대와 짐을 안기게 되었다. 바쁜 일상은 일반적으로 남자들보다는 여자, 그리고 청년들보다는 노인에게서 더욱 빈번하게 표현되었다. 많은 노인들은 "요즘 노인들은 쉴 수가 없어"라는 표현을 자주 하였다. 마을 70대 노인의 전형적인 일과를 살펴보면, 우선 5시에 기상하여 약 5분간 '양생체조'를 하는 것으로 하루를 시작한다. 그리고 일터를 나간 자식들을 대신하여 손자 손녀들을 돌보아야 한다. 분가한 자녀들 중 가까운 마을에 사는 경우가 많아서, 취학 전의 아이들을 돌보는 것은 흔히 노인의 몫이 되고 있었다. 투옥 남 재배나 판매를 하는 가구는 낮에는 거의 매일 마당에 펼쳐져 있는 약재를 건조하고 처리하는 일에 신경을 써야 한다. 갑자가 비가 오는 날이 많아 비를 피해 펼쳐 놓은 약재들을 거두어야 하고, 젖은 약재

---

127) 시내의 홈 시장(cho Hom)에 3개, 머(Mo)시장에 4개, 동 쑤언(Dong Xuan) 시장에 3개, 끄어 남 (Cua Nam) 시장에 2개, 그리고 타인 꽁(Thanh Cong)과 땀 다(Tam Da) 시장에 각 1개점을 확인 할 수 있었다.

를 분류해야 한다. 아침과 점심의 대부분은 외식하지만, 저녁은 집에서 준비한다. 저녁 찬거리의 준비는 대개 할머니의 몫이다.

　이러한 일과에 대하여 노인들이 단순히 너무 힘들다는 불만의 감정만을 토로하는 것은 아니었다. 건강하게 장수하는 것과 자식을 위해 희생하는 것이 가족공동체에 도움이 된다는 긍정적인 가치를 표현하며 바쁜 일과를 위로하기도 한다. 노인들은 몸을 움직여 건강을 유지하고, 일하는 즐거움 자체가 중요하다고 이야기한다. 그리고 이렇게 함으로써 스스로가 필요한 존재임을 알고 만족한다고 하였다. 일은 일종의 "운동"(*tap the duc*)이므로 "앉아서 무위도식하는 것"(*an khong ngoi*)과 대립되는 것으로 본다. 노인들은 바쁜 일과를 놓치지 않는 것이 젊은 세대의 미래를 위한 일종의 "희생"이라고 간주하고 있었다.

　주로 이주민 부녀자들이 종사하는 행상과 소상업은 매우 힘든 노동이었다. 장사는 "바쁘고 고역스러우며"(*vat va*), "단 한 순간도 쉴 수 없는 일"(*khong co luc nao nghi ngoi*)로 표현되었는데, 단지 육체적으로 뿐만 아니라 정신적인 휴식의 겨를이 없다는 의미였다. 그러나 기술이 없는 남성 일고용 노동이 하루 평균 15,000동의 수입에 불과한 것에 비하여 계란이나 과일 장사는 2만 동, 그리고 쌀장사는 3만 동, 혹은 5만 동도 벌 수 있어 수입이 좋았다. 일부의 이주민은 '원주민' 이웃과의 새로운 관계를 통하여 부업으로 투옥 남 장사에 나서기도 하는데, 이 경우에도 최소 2만 동 정도의 수입은 올릴 수 있었다. 장사에 나서는 부녀자들이 "어머니와 아내의 역할을 동시에 해야하는 처지"의 어려움에 대하여 토로하는 것을 쉽게 접할 수 있었다. 마을을 떠나 먼 시장에서 장사를 하는 아주머니들은 "몸과 마음이 딴 곳에 있다"(*nguoi mot noi, tam mot neo*)라는 표현으로 집안의 가족도 돌봐야 하고 장사에도 신경 써야 하는 일상의 처지를 잘 나타내 주었다.

여성 이주민의 장사는 남성 이주민의 일용직 또는 "자유직"과 대조된다. 일고용 건설인부 또는 잡역직의 일당은 식사를 제공받지 못하고 1-2만 동이고, 1년 중 많아야 150일 정도 일할 수 있다. 반면에 '쎄 옴'은 하루 2-5만 동을 벌고, 이것으로 연료구입과 식사도 충분히 할 수 있다. 그리고 쎄 옴 운전사는 손님을 기다리거나 찾아다닐 뿐 아니라, 남자로서 도시생활을 재미를 찾아 즐길 수 있다. 하노이의 쎄 옴 운전사들은 자기 아내보다 훨씬 정신적인 여유를 가지고 살고 있다는 의미에서, 부인들이 "지나친 걱정과 계산으로 골머릴 앓는다"고 말하곤 하였다. 남자들은 가내의 여성노동력의 활동에 대해 이중적인 평가를 하고 있는 셈이다(Gammeltoft 1999: 206). 한편으로는 경제적인 도움이 많이 된다고 인정하면서, 여자들의 걱정을 조롱하고 있는 것이었다. 심지어 남자들은 어머니, 아내, 여자형제, 그리고 딸들은 원래 태어날 때부터 시장의 활동과 현금을 만지는 일에 적절하도록 되어 있는 것으로 간주하기도 한다. 여자에게 경제적으로 의존적인 남자들은 주변 친구나 이웃으로부터 "너무 일찍부터 아내 없는 고아"가 되었다는 놀림을 받기도 하였다.

남자들과 노인들은 때로는 두 가지 상반된 요구를 담은 담론에 편승한다. 한편으로는 여자들이 시내에서 힘든 장사에 매진하는 것은 남편과 아이를 위해 희생하는 것이므로 좋은 일이라는 담론이다. 다른 한편으로는 아내가 집을 너무 자주 비우는 일은 가족에게 해야할 충실한 의무를 다하지 못하기 때문에 비판받아야 한다는 것이다. 여자의 상업활동에 의한 현금 수입에 생계를 많이 의존하고 있으면서, 동시에 집을 자주 비우기 때문에 주변 사람들에게 수치스럽다고 느껴야 하는 것이다. 여자들은 집을 오랫동안 비울 수밖에 없는 처지를 스스로도 만족스럽게 생각하지 않지만, 남성 지배적인 담론에 전적으로 동감하지 않는다. 부녀자들은 그들 나름대로의 담론을 통해 남편과 남자 친척들에게 대응하고 있다. 그들은 집안에서의 남자들의 "책임"과 의무를 다할 것을 요구한다. 특히 경제적인 필요를 다 채워주지 못하기 때문에 여자가 나서는 것이라고 주장한다. 상대적으로 "게으르고(*luoi bieng*), 놀기 좋아하고(*ham choi*), 아내와 자식에 대해 신경을 쓰지 않는" 대개의 남편들의 행태를 비난하고, 그것이 여자들이 어쩔 수 없이 경제활동에 적극적으로 나서는 이유라고 강조한다.

노인들과 부녀자들뿐만 아니라 각 가구의 아동들과 청소년들이 가구의 물질적인 재생산을 위한 생계활동에 참여한다. 이들은 사주가 '가구집단'인 기업체에 취업한 일종의 비정규직 미지불 노동력이다. 그러나 가구의 아동들과 청소년들이 미지불 노동력으로서 가구의 물질적인 재생산을 위한 생계활동에 참여하지만, 가계지출에서 이들을 위한 교육비가 지출의 가장 우선 순위를 차지하고 있음을 볼 때, 가족 기업의 실제를 구성하고 있는 불평등한 상품화 과정의 이면에 복잡성과 역동성이 있음을 표현해준다.

## 3) 가구 소비의 사회적 의미

도이머이 이후 가구의 재생산을 위한 소비와 지출 항목에는 의식주 비용, 전화, 전기, 수도세 등의 공과금과 교육비를 비롯한 기본적인 생계비용 외에 다양한 형태의 사회관계와 사회적 성원권을 유지하기 위한 의례 비용과 일종의 '준조세'가 포함되어 있었다. 여기에는 각종 경조사비, 공동의례 후원금 등 "사회에 대한 기부금"(*dong gop xa hoi*)과 꿈별 자치행정에 필요한 비용을 충당하기 위하여 거주 등록 가구에 부과하는 질서유지비, 방범비, 건설지원비, 위생관리비 등이 포함된다. 이외에도 국가기념일 등에 반강제적으로 징수하는 구호금, 고아 빈민 지원금 등의 '옹호금'(*tien ung ho*, 擁護) 등이 포함되어 있다. 주민들 대부분은 실제 소득에 대해 밝히기는 꺼리지만, 지출내역에 대한 정보제공에는 관대한 편이어서 지출내역이 곧 소득을 엿볼 수 있는 자료로 활용될 수 있었다. 부부와 미혼의 두 자녀를 포함한 4인 가족의 경우를 기준으로 2000년 현재 7꿈의 한 달 평균적인 가구 생활비용은 200-250만 동에 이른다.

가구의 재생산을 위한 지출항목 중, 탈집단화 이후의 경제적 조건의 변화, 공동체 내부의 특징적인 사회적 분화와 관련하여 주목할 수 있는 항목은 공과금, 교육비, 그리고 의례비용 등이다. 우선, 배급경제가 종결된 이후 도시 지역의 가구에 매월 고정적인 부담을 안기는 지출 항목에는 수도세, 전기세, 전화세 등의 공과금이 추가되었다.[128] 도이 머이와 '경제개방'(*mo cua nen kinh te*) 이후 가재도구 및 가전제품의 구입이 점차 많아지고 종류도 다양해졌다. 다이 옌에 처음 흑백TV가 들어온 것은 1975년경이었고, 1986년까지는 20% 정도만 가지고 있었다. 냉장고도 1975년 이전에는 전무하였고, 1980년대에도 극히 일부의 가정에서 소련 또는 동유럽산 수입냉장고를 구입한 경우가 있었다. 최근 10여 년 동안 거의 대부분의 가정에서

---

128) 응옥 하 지역에 생활용수로서 수도가 모든 가구에 공급된 것은 1990년이었다. 이전에는 지하수를 관으로 연결하고 펌프를 이용하여 생활용수와 농업용수를 조달하거나, 합작사 시절에 구비한 우물을 사용하기도 하였다. 마을에서 꽃이나 약재를 재배하는 사람들은 대개 마을의 냇가의 물과 일부 지하수를 연결하여 각자 물을 조달하는 경우가 많았다. 1990년 이전에는 '하노이 수도공장'(*Nha May Nuoc Ha Noi*)에서 수돗물을 공급하였는데, 지금은 '편 란 수도공장'(*Nha May Nuoc Phan Lan*)의 수도가 들어오고 있으며, 부착된 계량기에 따라 수도세를 내고 있다.

칼라TV와 냉장고를 구입하였다. 냉장고의 경우 대개 180리터 정도의 소형을 사용하고 있고 최근 5년 사이에 300리터 이상의 중대형을 포함하여 냉장고 구입이 급증하였다. 많은 사람들이 가라오케의 노래를 듣거나 부르는 것을 즐겨서, 오디오와 비디오 기기 구입이 증가하고, DVD또는 CD영화를 선호하는 청년층이 늘어나면서 관련 기기 구입도 증가하였다. 최근에는 일본산과 한국산 제품의 구입이 가장 많다. 세탁기의 경우도 1990년대 이후에 비로소 구입가구가 생겨났는데, 국영부문 종사자 가구들을 중심으로 현재 20-25% 정도가 보유하고 있다. 무더위가 심하지만, 아직까지 가정에서 전기료가 많이 드는 에어컨을 장만한 경우는 일부에 불과하고 모든 가구에서 선풍기를 사용하고 있다.

<표 3-6> 또44A의 가전제품 보유 현황

(2000년 2월 현재, 77가구 중 2가구 자료 미상)

| 품목 | 보유가구 | 품목 | 보유가구 |
|---|---|---|---|
| TV | 72 | 냉장고 | 73 |
| 비디오 | 46 | 오디오/가라오케 | 36 |
| 세탁기 | 17 | 가스레인지 | 27 |
| 에어컨 | 9 | 오토바이 | 65 |
| 전화 | 27 | 휴대폰 | 12 |

* 해당 품목 2개 이상 보유 가구는 1개로 취급

전화를 설치한 가구도 35%에 불과하며, 전화요금이 비싸기 때문에 이웃을 방문할 때에도 사전에 전화 없이 직접 찾아가는 경우가 일반화되어 있다. 최근에 일부 국영부문과 정규직 종사자가 휴대폰을 구입하여 사용하고 있으며, 하노이에서는 오토바이와 함께 휴대폰이 부의 상징으로 등장하고 있다. 이러한 가전제품의 구입과 사용은 1990년대 후반에 급증하고 있으며, 가구 지출에서 공과금 항목의 비중을 증대시키는 요인이 되었다.

주민들의 가계 예산에는 가구 구성원 각각의 개인적인 비용과 가구 전체의 집단적 비용 모두를 포함하는 재생산을 위한 소비가 들어있다. 이것에는 식품비부터 공동으로 사용하는 기자재 구입에 이르기까지 다양하게 포함된다. 가구를 구성하는 개인들의 재생산과정과 가구 외부의 사람들과 맺는 사회적 관계의 정도가 서로 동일하지 않기 때문에, 재생산적 소비도 성과 연령, 그리고 성원들의 지위와 역할에 따라 다르다. 이 중 가장 뚜렷하게 구별되는 두 가지 지출항목은 아동과 청소년 자녀를 위한 교육비와 노년층의 의례비용이다.

소비지출 중 교육비 지출 항목은 현재의 직업구조에서 선호되고 있는 것이 무엇인지를 보여주는 것이었다. 가구에 따라서는 아동과 청소년들이 미지불 노동력으로서 가구의 물질적인 재생산을 위한 활동에 참여하지만, 가계지출에서 이들을 위한 교육비가 지출의 가장 우선 순위를 차지하고 있음을 볼 때, 자녀에 대한 교육비지출은 가구경제의 현실과 희망을 동시에 보여주는 항목이 된다. 20세기 초반만 해도 마을에는 학력이나 학문적인 성취가 사회위신과 동일시되지는 않았다. 대체적으로 글을 알고 있다는 것이 존경을 받는 자원이었으나, 자녀를 상급학교로 진학시키는 경우는 드물었다. 반면에 투옥 남 기술이나 수공업 기술을 배우는 것은 번영과 성공의 열쇠로서 매우 중요한 자원이자 높은 가치를 지닌 것으로 인정되었다. 마을의 사회적 맥락에서 안면, 즉 명성을 갖기 위해 유교적인 학력(si, 士)을 획득한다는 것이 반드시 공식적인 교육을 많이 받는다는 의미는 아니었고, 오히려 비학문적인 영역에서의 지식과 위신을 갖는 것이 지방의 맥락에서는 대안적인 자원이 되어 주었다.

1954년 이후의 사회주의체제 30년간은 육체노동이 영광스러운 것이라는 이데올로기가 마을의 도덕적 세계에 주입되었다. 그것이 어느 정도 성공하였음을 나타내는 징표 중 하나는 주민들이 국가의 녹을 받는 노동자, 즉 '꽁 년'(cong nhan)의 위신을 깨닫게 된 것이었다.[129] 하노이 인근 촌락의 30-40대 젊은 부부들은 자녀가 '촌뜨기'를 탈출하기 위해 국영부문의 노동자나 간부가 되기를 원하는 경우가 많으며, 하노이로 이주한 많은 사람들의 주요한 목적이 바로 그것이었다. 도이 머이 이후 시장경제의 범주에서는 '회사'(cong ty, 公司)가 국가부문 외부에서 작용하는 광범위한 범주의 정규직업을 표현하는 말로 사용되고 있었다. 상대적인 순서는 조금 다르지만, 국영기업의 '꽁 년', 국가기관 간부, 그리고 사영기업('회사')의 근로자가 마을 주민들이 오늘날 가장 선호하는 세 가지 직업군이 되었다. 선호하는 직업에 종사하기 위해서는 학력이 가장 기본적인 자원이 되고 있으므로 교육비 지출비중은 늘어나는 추세이다.

합작사 시절과 달리 이제 학비는 무료가 아니며 교재도 무상으로 지원되지 않는다. 조사 당시 초중등 학생의 1년 학비는 7-10만 동이고, 추가로 10만 동 이상이 교재비 등 다양한 용도로 학교에 지불되었다. 과외가 성행하였는데 과외비용은 농촌지역에서는 월 3-5만 동 정도이지만, 도시지역은 월 5만에서 수십 만 동에 이른다. 부모들은 교육비 증가 때문에 걱정을 많이 하였지만, 비용 증가가 부모들의 교육열에 부정적인 영향을 미치고 있는 것으로 보이지는 않았다. 많

---

129) '꽁 년'은 '꽁 년 비엔 쪽'(cong nhan vien chuc)의 준말로서, 일반적으로 국영부문의 종사자를 지칭한다. 육체노동자와 정신노동자 모두를 가리키지만, 농업합작사의 사원은 '꽁 년'으로 간주되지 않았다.

은 주민들이 자녀가 대학을 진학하는 것을 원하지만, 비용이 훨씬 저렴한 단기 직업학교나 전문대학이 대중적인 대안이 되고 있었다. 가령 하노이에서 4년제 정규대학을 다니면 생활비를 포함하지 않은 학비만 연간 300만 동 가량 든다. 반면에 의류제조 기술학교는 연간 약 100만 동에 그친다. 자녀들이 원하는 직장을 얻기 위해서는 교육비 지출로 끝나지 않으며, '뒷문의 비밀스러운 거래'(*chay chot*)를 위한 별도의 비용이 필요하다. 취직을 보장하기 위해 해당 기관이나 기업체에 인사관련 간부와 줄이 닿는 사람에게 '뒷돈'을 지불해야 한다. 이러한 과정 때문에 모든 자녀에게 균등하게 교육의 기회를 제공할 수 없게 된다. 대개 아들 또는 첫 자녀가 우선권을 갖고 있었다.

1990년대 이후 가구별 소득이 증가함에 따라 점차 많은 현금이 의례적인 용도에 사용되고 있다. 마을의 공식적인 행사가 빈번해지고 이에 대한 참여욕구가 증가함에 따라, 가구별 의례비용 또한 계속 증가하는 추세이다. 사람들은 "부귀가 의례를 가능하도록 해준다"(*phu quy sinh le nghia*)라는 속담을 자주 들먹이고, "경제가 있으니 의례를 크게 연다"(*co kinh te moi mo le hoi lon*)라는 신조어를 사용하기도 한다. 의례비용에는 지인들의 출산, 결혼, 장수, 투병, 사망과 장례 등 통과의례와 경조사의 호혜성에 참여하는 과정에 필수적인 부조금과 연회비용이 포함되어 있다. 다양한 종류의 마을의례나 공동 행사에 의무적으로 혹은 자발적으로 내는 기부금과 헌금도 포함된다. 특히 마을의 종교적 성소의 보수와 장식에 기여하는 것은 주민들이 할 수 있는 가장 위세 있는 비용의 지출이 된다. 실제 의례의 비용이 구체적으로 얼마만큼 지출되며, 가계의 연간 지출 중 다른 비용과 비교할 때 어느 정도인지를 수치적으로 정확하게 밝히기는 쉽지 않다. 그 이유 중 하나는 정해진 연중 일정에 따라 개최되는 의례나 행사도 있지만, 많은 종류의 의례나 행사가 불규칙적으로 열리고, 갑자기 초청 받는 행사가 적지 않기 때문이다.

가구의 지출 중 의례비용의 비중은 각 가구의 상황과 계층적인 분화에 따라 상당한 차이가 있다. 일반적으로 경제적인 여유가 많은 가구의 경우, 특히 부부가 모두 생존하고 있는 노인의 경우에 가장 많은 의례비용을 지출한다. 저소득 가구의 경우, "아직 경제가 없음"(*chua co kinh te*)을 이유로 결혼식과 장례식의 부조, 마을의 공동 의례와 축제에 대한 기부금 등 사회관계를 위해 반드시 내야 하는 '강제적인' 지출항목에만 국한시키고 있다. 그러나 의례에 참여하고, 기부금을 내는 일은 "경제적인 여유에 상관없이(*du khong co kinh te*) 사람으로서의 필수적인 의무"로 간주되고 있다. 사람들이 의무적이라고 간주하는 실제의 구체적인 관계는 가구에 따라 다르지만, 그러한 관계망에 포괄되는 지인의 의례에 부조를 하지 못한다는 것은 상당한 도덕적인 결점이 되며 일종의 경제적인 부채로도 간주된다. 몇몇 가구의 사례를 통해서 연간 지출의 5% 내외를 의례비용으로 지출하고 있음을 알 수 있었다. 가구에 따라서 그리고 마을에 특별한 공동행사가 있는 중요한 해의 경우에는 10%를 넘기는 경우도 있었고, 어떤 가구는 특별한 해에 40%에 이르는 경우도 있었다. 의례비용은 '원주민' 가구와 노인이 포함된 가구일수록 많았고, 이주민 중에도 부모 중 적어도 한사람이 고향마을의 성원권을 유지하고 있는 경우가 많았다.

<표 3-7> 가구별 연간 의례비용 지출의 사례(단위: 만 동)

| 구분 | 원주민 흥(Hung)부부 가구(1999년) | 이주민 밍(Minh)부부 가구(2000년) |
|------|----------------------------------|----------------------------------|
| 내역 | - 부인의 70세 장수축하연 120<br>- 쭈어 흐엉(Chua Huong) 관광 및<br>  순례비용 10<br>- 마을 공동행사에 기부금 5<br>- 자발적인 '꽁 득' 20<br>- 각종 혼인과 장례 30 등<br>총 185만 동 | - 75세 장수 축하연회 150<br>- 고향의 사찰 증축공사 헌금 220<br>- 혼인 및 장례부조금 40<br>- 마을 수호신의례 기부금 5<br>- 고향마을의 종 호 행사 4<br>- 푸 저이(Phu Giay) 관광130) 등<br>총 450만 동 |
| 비고 | 가계 총지출의 약 7%에 해당하는 것으로, 평년의 경우였음. | 전체 가계지출의 15%에 해당하는 것으로 특별한 해의 경우였음. |

<표 3-7>의 사례는 가구별 의례비용이 지출의 상당한 비중을 차지하고 있음을 보여준다. 실제 의례비용은 계산에 포함되지 않은 애매모호한 비용까지 고려한다면 더욱 늘어난다. 마을 공동 의례의 경우 의무적인 최소 기부금 외에 각 가구의 마을 내 위신에 따라 추가적인 자발적 기부금이 추가된다. 매월 초하루와 보름의 몇 천 동에서 몇 만 동에 이르는 작은 기부금은 정확하게 계산되지 않고 있다. 매월의 행사에 5천 동씩 10개월을 참여한다고 가정하여도 10만 동의 지출이 추가된다. 그리고 음력설(tet)에 가족, 친척, 지인이나 소속 기관의 동료들 사이에 나누는 신년 축하금이자 일종의 세뱃돈인 '믕 뚜오이'(mung tuoi)로 지출되는 금액도 상당하다, 설, 중추절 등의 절기 행사에 자녀들에게 선물하는 장난감이나 새 옷은 의례비용으로 간주되기도 하는 애매한 지출이다. 집안에 모시고 있는 조상제단(ban tho)의 의례용품은 한 번 구입하면 몇 개월, 심지어 몇 년 씩 그대로 올려두는 경우도 있어서 지출 항목에 포함하지 않았다. 과일, 술, 담배,

---

130) 남 하(Nam Ha)의 푸 저이는 '모신숭배'(Dao Mau) 신앙의 기원지로 알려진 곳이다. 하노이와 인근의 많은 마을에서는 노인들을 중심으로 매년 혹은 3-5년에 한 번씩 주민들을 조직하여 이 곳으로 효도여행을 겸한 순례 의식을 간다.

향, 초, 구장잎과 빈랑열매 등 일상적인 의례용품의 지출 규모는 그다지 크지 않으며, 그 대부분이 일정기간의 제례에 사용된 후 가족들이 소비하기 때문에 의례비용으로 간주되지 않을 수도 있다.

가족과 친척의 의례를 조직하고, 마을 공동의례에 참가하는 일 대부분이 노인들에 의해 이루어지기 때문에, 가구 지출 중 노인의 몫은 대개 의례비용이 차지하게 된다. 투옥 남 종사자와 연금생활자 등 노후에도 지속적인 소득이 있는 경우에는 노년부부가 자식들과 의례 비용을 항목별로 적당히 배분하여 지출한다. 스스로 벌거나 모아둔 돈으로 의례비용을 지출한 노인들은 자식들에게 의존하지 않는다는 자부심을 공공연히 표현한다. 이들은 많은 의례에서 도덕적 의무를 직접 수행함으로써, 결국 가족 전체를 위한 사회관계를 돈독히 하고 가족의 위신을 세웠다고 판단한다. 연금을 받지 못하거나 저축한 돈이 없는 노인의 의례비용은 자식들이 대신 부담하게 된다. 자식들에게 의존해야 하는 노인들은 매번 의례비용을 요청하기가 쉽지는 않으며, "요즘 자녀들이 부모에게 효도하는 것이 예전 같지 않다"고 불평한다. 노인들 대부분 기력이 있는 한 집안의 생계활동에 참여하고 있으며, 그 대부분이 미지불 노동이었다. 노인들은 현금의 급료를 받는 것이 아니지만, 의례비용을 포함하여 도덕적 보상을 원한다. 반대로 자녀의 입장에서는 부모에게 체면치레를 하도록 비용을 대신 지불하는 것이 곧 임금은 아니지만, 이들을 부양하고 마을의 활동에 참여할 수 있는 최소한의 비용을 지불하는 것이므로 "지불된" 노동으로 간주된다. 즉 미지불 노동은 가족 이타주의, 혈연공동체에 대한 희생 등의 도덕적 원리에 비추어 서로의 은혜와 공덕을 되새기고 기억하는 과정에서 특수한 형태로 지불된다.

마을의 일부 청년들과 장년들은 노인들이 마을의 의례나 집안의 여러 가지 종교적 행사, 그리고 통과의례에서 현실의 필요와 상관없이 많은 지출을 한다고 판단하고, '낭비'(*lang phi*)로 규정하기도 한다. 그들은 부모들이 그러한 비용으로 당신들의 건강을 위해 지출하거나, 노년을 즐기는 데 사용하는 것이 합리적이라는 담론을 표현한다. 이러한 점은, 이후 제4장에서 살펴보겠지만, 국가의 현대화, 과학화를 표방하였던 의례개혁의 시도와 그 결과가 도이 머이 이후에도 영향을 미치고 있음을 보여주는 것이다. 다른 한편으로는 시장경제에 더 익숙한 젊은 세대의 현실적인 욕구를 반영하고 있다. 가령, 투옥 남 재배 토지를 비롯하여 농지를 여전히 집안의 노인이 장악하고 있는 경우, 그들의 의례비용 지출에 대한 젊은 세대의 불만은 그러한 예를 보여준다. 이들은 의례비용보다는 가족의 구체적인 경제적 복지와 새로운 가재도구 구입과 개선을 위해 저축하거나 지출하는 것에 사용하는 것을 선호하였다.

이상에서 살펴본 바와 같이 가족경제 내에서 노동력 동원과 소비지출의 이질적인 과정과 관련된 사례를 통하여 마을의 가구경제의 분화와 활성화는 단순히 정치경제학적인 상황의 결과라기보다는 '문화'와 연계되어 있음을 알 수 있다. 3장 전체를 통해서 살펴본 바와 같이 역사적으로 상이하고 다양한 사회적 구성에 따라 경제적 단위로서의 가족 또는 가구가 재생산되고 있음을 알 수 있다. 마을의 복합적인 이데올로기에 대한 이해와 해석 없이는 가구경제, 가족의 사회적 재생산을 이해할 수 없다. 가구의 재생산과정은 특정의 지방의 맥락에 포함되어 있는 상호 중첩되고 모순적인 이데올로기적 경향들의 상호작용하고 있음을 보여준다. 유교적인 남성의 자기훈련의 가치유지, 자녀들의 효도, 어른 공대, 그리고 비유교적 가치로서 가구 구성원들의 상호협조, 상호 책임, 여성의 사회경제적 억할, 사회주의 노동가치설, 성 평등주의, 미래지향, 그리고 최근의 시장의 경제적 가치, 화폐와 이익의 중요성 등이 그 요소들이다.

제 4 장

# 의례개혁과
# 의례수행자로서의 국가

## 1. 새생활운동과 의례개혁

베트남의 의례 개혁운동의 필요성은 1945년 '8월혁명' 이후 공산당 지도부 차원에서 제기되었고, 1946년 4월 중앙당에서 "새생활운동중앙위원회"(*Ban trung uong Van dong Doi song moi*)가 결성되면서 개혁운동이 추진되기 시작하였다(Malarney 1996: 541). 이후 시와 성단위에서 '새생활운동'의 추진을 위하여 유사한 이름의 조직들이 만들어졌고, 지역에 따라서는 현과 싸 단위에 이르기까지 다양한 이름의 조직이 결성되었다. 하노이시의 일부 행정단위와 인근 성 지역에서도 "새생활창립위원회", "문화가족위원회" 등의 유사한 조직이 결성되었다. 응옥 하의 경우 1955년 싸행정위원회 산하에 "응옥하새생활위원회"가 결성되었다. 프엉 당지부의 당보 집행위원회가 출판한 이 지역의 역사자료에 따르면, 당시 싸 응옥 하 일대에서 추진되었던 '새생활운동'이 단지 의례 개혁에 국한되지 않고, 지방 수준에서 총체적인 의미의 혁명을 추진하기 위한 노력이었음을 보여준다.

1954년 베트남에 다시 평화가 찾아오고 수도 하노이는 해방되었다. 응옥 하에도 투쟁에서 위대한 승리를 거두면서 프랑스식 민정부가 물러나고, 혁명과정에 여러 지역으로 흩어졌던 가족들이 다시 마을로 돌아왔다. 혁명과정에서 성장한 당 간부와 청소년, 청년들도 축복과 한편의 슬픔을 지니고, 약 8년간 떨어져 있던 고향과 가족으로 다시 찾아왔다. 불굴의 투쟁과 단결의 전통으로 응옥 하의 주민들은 서로 손을 맞잡고 '새생활'(cuoc song moi)의 건설을 시작하였다. 생산의 회복, 마을의 재건설, 당지부 및 대중조직의 건설, 정치와 치안의 안정, 주민의 생활안정 등의 현안을 위하여 노력하기 시작하였고, 북부를 보위하고 남부를 해방하기 위한 당의 전략적인 임무를 실현하는데 기여하기 시작하였다. 싸 행정위원회가 창립되고 초대 주석이 부임하였다. 꾸언의 당간부로 활동하던 동지가 응옥하로 돌아와 청년부녀운동조직을 결성하였다. 당지부가 결성되었고 3명의 동지가 활동을 시작하였다. 당시 싸 응옥하에 소속된 5개의 톤에 각각 톤위원회(Uy nhiem thon)와 경찰 조직을 설치하였다. 행정위원회와 당지부는 주민들이 벼, 꽃, 채소, 투옥 남의 생산과 각종의 수공업 생산을 비롯한 경제적 활동을 회복하도록 지도하였다. 전쟁으로 황폐화된 경작지를 개간하고 파손된 건물을 수리하고, 주거설비를 다시 갖추는 사업을 전개하였다. 당지부는 피난 갔다가 돌아온 가구, 군에서 돌아온 사람들, 그리고 당 간부와 혁명전사가 포함된 가구, 그리고 식민지 괴뢰군과 괴뢰정부에 참가하였던 가구 등 각 계층, 각 성분의 주민들이 단결하여 고향을 재건설하고 새생활운동을 전개하도록 지도하였다. 주민들의 다양한 성분에도 불구하고 단결을 통한 조국 및 고향 재건설과 함께, 새생활운동의 일환으로 '미신이단'(me tin di doan)과 '사회악'(te nan xa hoi)을 제거하고, '문맹'(nan mu chu)을 극복하기 위해 노력하였다(Ban Chap Hanh Dang Bo Phuong Ngoc Ha 1996: 65-66).

프엉인민위원회의 공식 문건에서 당시의 의례개혁 자체를 다루는 내용은 없었지만, 의례개혁이 "새로운 조국과 고향의 건설"을 위한 '새생활운동'의 일환으로 추진되었으며, 구체적으로는 '미신이단과 사회 악습의 철폐'를 위한 것이었음을 확인해 주었다. 프엉 응옥 하의 당보뿐만 아니라, 당시의 많은 공문이나 상급 행정기관이나 당지부에서 하달된 지시문, 정책 자료들에서 '새생활운동'의 추진과제를 언급하는 부분에는 봉건적인 의례와 관습을 타파하는 내용과 관련된 핵심어들이 포함되어 있음을 쉽게 확인할 수 있었다(Bo Van Hoa 1975; Dang Kim Son 2000). 당시 당지부의 간부들은 중앙당의 지침에 따라 "혁명은 실제 인민들의 의식과 생활개혁을 통해서 비로소 완수될 수 있는 것"으로 규정하였고, 이를 위하여 마을에서 주민생활의 모든 면에서의 '개량'(cai luong, 改良), 즉 개혁의 필요성을 주창하였다. 새생활운동은 이러한 개혁의 필요성에 의해 추진된 것이었다. 최근 활성화되고 있는 마을의 여러 민간의례를 수행하는 과정에서 많은 주민들이 당시 금지되었던 관습들에 대한 기억을 풀어놓음으로써 필자는 그 때의 상황을 재구성해 볼 수 있었다.

새생활운동의 시작과 함께 주민들이 '새로운 인간'(con nguoi moi)으로서 실천해야 하는 일상적인 과제가 제시되었다. 그것에는 낭비적인 습관 버리기, 간소한 옷차림과 음식 절약 등 검소한 생활하기, 이웃과 동지들을 정직하고 공평하게 대하기, 질병을 줄이고 건강을 위해 개인위생과 집단위생을 유지하기 등이 아주 중요한 것으로 포함되어 있었다. 당시 행정위원회에서는 행정위원회 건물 지붕과 전봇대를 비롯하여 마을 골목의 몇 곳에 확성기를 설치하고 하루 서너 차례의 방송을 통하여 이러한 원칙을 주민에게 유포하였다. 합작사가 조직된 이후에는 각 작업소조 및 대대의 대장과 그 가족은 솔선수범하여 이러한 품행을 유지하여야 했고, 주민들의 실천을 설득하는 일에 앞장서야 했다. 생산이 작업단위로 집단화되면서 '새로운 인간'의 과제로 공동작업 시간을 비롯하여 '노동시간 준수하기'가 추가되었다. 합작사 사원들은 작업시간 외에 여러 형태의 회의와 '정치학습'과 '소양학습' 등의 반복적인 모임과 '자기비판'을 통하여 구체적인 실천강령들이 반복적으로 제시되었다.

합작사에서의 공동작업 시간뿐만 아니라, 행정위원회에서 마을청소, 위생관리, 방역작업 등의 '공동의 사업'을 위해 주민들을 동원할 때에도 새생활의 지침과 관련된 중앙당의 요구가 녹음된 음성을 들려주었다. 국영 라디오 방송에는 하루에도 여러 번씩 당의 노력을 치하하고 인민의 동참을 호소하는 연설과 운동의 성공사례를 소개하는 성우의 감격적인 고백이 포함된 음성을 들려주었다. 그 대부분의 내용은 새생활운동을 통해 주민들이 항상 염두에 두고 실천하여야 하는 덕목들인 "노동과 평화를 사랑하기", 그리고 궁극적으로는 "사회주의를 사랑하기"에 복속되는 하위의 것들이었다. 결국 사회주의 국가와 공산당을 사랑하고 추종하는 과정이 결국 이러한 새로운 인간상의 모든 관행의 지침을 포괄하는 최상의 추상적 개념이었다.

주민들의 신앙과 의례생활에서 가장 개혁이 시급한 '악습'(hu tuc, 腐俗)은 경제적인 낭비였다. 오랜 전쟁과 자연재해로 가난을 면치 못하였던 상황에서 낭비는 혁명의 완수를 위한 의식의 개혁에서 가장 먼저 근절되어야 할 대상이 되었다. 주요 학자들은 의례에서의 낭비 관습이 경제적 번영과 현대화의 적임을 지적하는 자료를 출판하였다.[131] 이러한 자료들은 몇 차례의 보완을 통해 재출판되면서, 당지부와 행정위원회 등 지방의 국가기구의 지도자들에게 배포되거

---

131) 판 께 빙은 모든 낭비벽을 없애고 마을 의례와 축제의 규모를 축소하여 생계를 강화하는 방향으로 애써야 한다고 주장하면서, 의례적인 낭비가 없다면 경제적인 안정의 중요한 수단을 얻게될 것이라고 보았다(Phan Ke Binh 1999[1932]). 판 께 빙의 책 『Viet Nam Phong Tuc』[베트남의 풍속]은 거의 매년 재출판되는 민속의 교과서로 통하고 있다. 응오 땃 또는 의례과정에서 나타나는 구습의 신분질서와 위계체계에 대하여 꼬집었다. 당 내외의 많은 학자들이 현존의 의례들이 부패하고 낭비적이며, 근대화와 번영의 창출에 큰 장애임을 지적하였다(Ngo Tat To 1977).

나, 그 주요 내용을 소개하는 교육행사를 통해 전달되었다. 당시 합작사의 꽃 재배 작업소조에 편입되었던 7꿈의 꿈장은 당시의 경제적인 상황에 비추어 보더라도 이러한 새생활의 지침은 당연한 요구라고 설명하였다. 유사한 연령층의 마을 주민들도 대부분 같은 의견이었다. 당지부 비서의 설명에 따르면, 당시 중앙당에서의 지침은 가난을 극복하고 인민의 생활을 현대화하기 위해 모든 인민들이 총력을 기울일 수 있도록 간부들은 지도해야 한다는 것이었다. 이런 차원에서 주민들의 낭비적인 관습을 부추기는 일부 유력자의 행태를 비판하고, 그러한 관행이 지속되지 않도록 경고하는 등의 조치가 이루어졌다.

조사 당시 마을의 유적관리위원장은 자신의 부친이 직접 겪었던 일을 일례로 들어 당시의 상황을 설명하였다. 유적관리위원장의 선친은 '레 멀 출신의 쯔엉'씨 지파의 호장이자 마을의 유지로서 '봉건적인' 의례의 내용을 잘 알고 수행하는 사람이었다. 유적관리위원장은 선친이 생전에 주민들의 낭비를 부추긴다는 이유로 공개적인 자기비판을 하였던 일을 회고해 주었다. 부친은 한학에 밝았고, 위원장 또한 부친으로부터 직접 한문을 배워서 혁명 이후 '꾸옥 응어'(quoc ngu, 國語)가 보편화되었음에도 다이 옌에서 여전히 한자를 알고 있는 소수 인물 중의 한 사람이었다. 부친은 종 호의 중심인물로서 종 호의 공동조상에 대한 의례를 비롯하여 친척집단 범위의 의례뿐만 아니라, 마을의 장례식이나 혼례 등에서 축문이나 제문을 써주고 제례의 주요 절차와 갖추어야 하는 제물에 대한 지식을 주민들에게 알려주는 인물이었다. 그는 마을의 의례가 격식을 갖추고 수행되어야 함을 늘 강조하였고, 당시 격식대로 의례를 수행한다는 것은 곧 제물, 음식 등의 과잉소비를 포함하여 경제적인 낭비와 직결되는 것이었다. 선친은 독학으로 역학을 공부하여 점을 치는 일에도 능숙하였다. 이웃사람들의 부탁으로 출생시간으로 신생아의 운명을 점치거나 부적에 넣을 문구를 만들어 주기도 하였다. 부적에는 악귀를 물리치고 복을 부르기 위한 일종의 주문이 그려져야 하는 것이었는데, 부친은 심지어 몇 개의 한자어를 조합하여 새로운 글자를 만들어내기도 하였고, 이렇게 만들어진 효과적인 신조어로 단순하고 명쾌한 부적을 만드는 사람으로 유명하였다. 유적관리위원장은 선친이 행하여 비판을 받았던 일 중 많은 것이 사실 지금 마을을 위해 자신이나 다른 위원들이 하고 있는 일이라고 하였다. 세상이 변하여 지금은 가능해진 많은 일들이 당시에는 금지되어 있었다. '새생활운동' 당시 자신의 아버지와 같은 사람은 혁명과 함께 인민의 의례에서 제거해야하는 낭비의 악습을 유지하고자 하는 '반혁명'(*phan cach mang*)세력으로 인식되었다.

의례개혁 또한 궁극적으로는 사회주의를 사랑하고 사회주의 국가를 추종하는 새로운 인간상의 구성을 위해 필요한 요소였다. 따라서 '새생활' 운동은 단지 가시적인 관행과 관습을 변혁하고자 하는 데에 그치지 않고, 의례를 통해 재생산되는 가치와 사회적 관계를 재구성하고자 하는 시도가 포함되어 있었다. 의례개혁을 통해 폐기하거나 조정하고자 하는 대상은 '낙후된'(*lac hau*, 落後) 사고와 '봉건적'(*phong kien*, 封建) 관습들이었다. 당과 국가에 의해 낙후된 악습과 봉건적 관계로 낙인찍힌 것을 제거하기 위한 운동은 곧 "문화와 사상 혁명"(*cach mang van hoa va tu tuong*)이라고 불렸다(Malarney 1996: 545).

베트남 공산당과 국가는 민간의 의례를 '새생활'이라는 상위의 범주에 종속되는 하나의 관습으로 규정하고, '새로운 사회'(*xa hoi moi*)

안의 '새로운 인간'의 이상적인 행위를 표준화하기 위한 일련의 새로운 관습과 관행들을 개발하기 시작하였다. 즉 의례는 현실의 국가를 초월하는 관념의 세계에서 이루어진 우주관과 인생관을 실천하는 영역이 아니라, 일상성 속에서 인민들이 수행해야 하는 '새생활'에 포함된 현실의 관습으로서 인식되었다. 그리고 당과 국가는 새로운 사회의 구성원으로서 개인들이 가져야 할 품행의 여러 가지 일반적인 기준을 제공하면서, 의례에서도 같은 기준이 적용되어야 함을 강조하였다.

당의 이념은 혁명 이전의 사회에 팽배하였던 불평등과 '미신', 즉 비과학적 사고 및 행위를 혁명의 발전을 가로막는 가장 큰 장애물로 규정하였다. 그리고 공산당은 남성우월주의나 부모에 대한 자녀의 무조건적인 복종과 같은 식민시대의 당연시되었던 불평등을 거부하는 급진적인 평등 이데올로기를 전개하였다.[132] 당 이념은 또한 귀신의 존재와 영적인 인과성, 그리고 특정 시일과 관련된 특정 활동의 금지, 즉 기일과 금기 등의 관념이 사회주의의 성장에 방해가 되는 것으로 규정하였다. 이후의 정부 문서가 언급하고 있듯이, "낙후된 관습과 미신은 봉건주의, 자본주의 그리고 과학에 관한 몰이해의 산물"이다(Bo Van Hoa 1975: 1). 문화 및 사상혁명을 통하여 당은 평등의 사회를 창출하는 것과 동시에 '과학적 정신'을 각인시키려고 하였다. 문화 및 사상혁명으로서의 '새생활운동'은 민간의례의 관행을 직접 변화시켰다.

1945년 이후 베트남 사회주의 국가가 적용한 '문화'(van hoa) 개념은 각각의 다양한 역사적 시기에 따라 특수한 국가건설의 목표와

---

[132] 1959년 제정된 "혼인과 가정에 관한 법"(『Luat ve Hon nhan va Gia dinh』)은 혁명사회의 사회 관계의 평등화에 대한 적절한 예를 보여주고 있다(SRV 2000).

구체적인 정책 시행과정에 따라서 변화되어 왔다. 혁명 이후 초기에
는 사회주의, 현대화를 포함하는 세 가지 '문화의 주제' 중 나머지
하나가 '과학화'(khoa hoc hoa)였다. 과학화를 표방하는 것은 곧 "반
과학적이고 반진보적인 문화를 조장하는 모든 것에 대한 반대"를 목
표로 한 것이었다(Truong Chinh 1985: 18). 문화통신부 산하 보존
박물관국(Cuc bao ton bao tang)의 자료에 따르면, 1943년 인도차이
나공산당에서 이미 당의 영도 하에 "인민의 새로운 민주문화 건설에
나설 것"을 주장하였다. 당은 국가가 주도하는 새로운 문화운동의 3
가지 원칙의 핵심어로서 "민족", "대중", "과학"을 전면에 내세웠다
((Dang Kim Son 2000: 2-3).[133] 당은 우선 '민족'과 관련하여 "베트
남 민족의 독립과 베트남 문화의 발전을 위해, 구래의 외세지향과
외부의 잘못된 영향을 타파하여야 한다"고 주장하였다. '대중'과 관
련하여서는 "군중의 이익에 부합하고 군중과 긴밀하게 유착된 문화
를 건설할 것"을 요구하였다. 그리고 '과학'을 위해서는 "반진보적
인 과학을 통해 문화에 나쁜 영향을 미치는 모든 것을 척결할 것"을
선전하였다.[134]

---

133) 베트남 문화통신부 홈페이지에서 관련 자료를 찾아볼 수 있다.
[www.cinet.vnnews.com/chuyende/55vhtt/vanhoa/baot50nam.htm]

134) 베트남 공산당과 '비엣 밍'(Viet Minh, 越盟)이 '과학화'를 주장하게 된 것은 실제로 전통사회와
문화에 대한 1945년 이전의 비마르크스주의적인 근대화이론에 대한 비판과 깊이 결부되어 있다
는 주장도 있다. 1930년대 초 판 보이 찌우(Phan Boi Chau), 판 쭈 찐(Phan Chu Trinh) 등의
계몽주의적 신지식인 운동으로 대표되는 혁명기 이전의 비마르크스주의적 근대화론은 농민의 낙
후성과 "보수적인 관습들"을 대상으로 한 것이었다(Ngo Tat To 1957; Jamieson 1993: 73-99).
이러한 부정적인 "전통"에 대한 거부는 토지개혁(1955-56년) 기간에 사회주의 이념의 내용과 동
일한 것으로 표현되며 베트남 농촌지역을 통해 적절한 구호로 바뀌어 급속하게 퍼져나갔다. 착취
계급의 타도를 목적으로 하는 농촌지역에서의 계급투쟁은 "봉건, 낙후, 미신, 그리고 낭비적이다"
는 낙인을 찍어 의례와 관행들을 철폐하는 운동으로 진행되었다(Malarney 1996: 541; Anagnost
1994: 232).

## 2. '성(聖)과 속(俗)'의 새로운 구분과 국가의 등장

  응옥 하 지역에서 장례, 혼례 등 생애와 관련된 일상의례를 비롯한 전통적인 민간의례의 개혁은 프랑스가 베트남에서 완전히 물러난 1954년부터 본격화되었다. 1946년 정부와 중앙당 차원에서 새생활운동이 시작되었지만, 당과 국가는 프랑스 군대와 식민정부를 완전히 축출하고 '민족해방'을 완수하는 과업에 집중하여야 했다. 인민들의 생계활동을 제외하고 당이 주도하고 동원하고자 하는 인민의 생활은 프랑스 식민주의자들을 물리치는 일에 집중되었다. 프랑스군이 물러나자 지방 행정제도의 개편과 함께 국가와 당은 인민의 일상생활의 영역에 이르기까지 당의 목적을 관철할 수 있는 일원화된 조직에 모든 인민을 편입시키고자 하였다. 응옥 하의 마을들은 행정제도의 개편과 1960년대 농업집단화 정책의 추진으로 공식적인 행정명칭으로서 '랑'과 각 랑들의 경계가 허물어지기 시작하였다. 특히 '응옥 하 화초합작사'가 조직되면서, 친척과 이웃관계를 중심으로 하였던 마을의 사회관계는 합작사의 생산대대를 중심으로 하는 새로운 사회조직으로 재구성되었다. 국가와 당의 목표를 위해 마을의 구성원들이 재조직된 것이었다. 가족, 친척, 이웃관계를 중심으로 하였던 혁명 이전의 사회관계는 적어도 형식적으로는 생산소조를 중심으로 한 합작사 조직내의 사회관계로 대체되었다. 촌락과 이웃의 단위가 국가의 합작사 조직으로 재편되면서 민간의례 조직을 위한 유대의 단위가 파괴되었음을 의미한다.
  '새생활운동'의 확산은 민간 의례활동에 즉각적인 영향을 미쳤다. 우선 당이 추진한 공식적인 의례개혁은 시간을 성(聖)과 속(俗)의 개념으로 구분하는 민간의 관념을 제거하고자 시도하였다. 특정한 범주의 시간에 신성성을 부여하는 관념을 제거하기 위하여, 시간에 있어서의 성과 속의 구분을 없애고 성스럽게 간주되었던 시간을 세속화하고자 하였다. 민간의 관념과 신앙 및 의례행위에서 상정되어 있던 시간에 대한 성과 속의 구분을 폐기하고자 하는 국가의 노력은 결국 국가가 새로 규정하는 새로운 '성스러운 시간'을 도입하고자 하는 시도였다. 즉 성과 속의 폐지, 또는 성스러운 것을 단순히 세속화하는 시도일 뿐만 아니라, 과거와는 다른 방식의 성과 속의 개념과 그에 의한 시간의 구분방식을 도입하고자 한 것이다. 따라서 국가와 당의 혁명과업의 완수 및 그 과정과 결부된 시간을 새로운 '성스러운 시간'에 배치하고자 하였다.

당은 새로운 성스러운 시간의 배치와 함께, 의례개혁을 통하여 민간 의례의 절차에 담겨져 있는 초월적인 존재와 능력과 관련된 여러 신성한 상징들을 제거하고자 시도하였다. 이를 위하여 영적 세계와의 접촉 또는 영적 세계의 조정과 관련된 의식의 요소들과 함께 시간을 구분하는 점성술적인 길조와 관련된 모든 인식을 제거하고자 하였다. 그러나 중국의 '문화혁명' 때와 대조적으로 베트남 공산당은 이러한 과정을 통하여 조상숭배의례를 파괴하려고 시도하지는 않았다(Luong 1993: 285; Potter and Potter 1990: 86). 그럼에도 베트남의 개혁은 형이하학의 세계(corporeal world)에서의 구체적인 결과를 얻기 위하여 형이상학적 존재(non-corporeal world), 즉 영적 존재의 도움과 조언을 청하는 모든 관행들을 제거하려고 시도하였다 (Malarney 1996: 541).

나아가 의례개혁은 혁명 이전 시기의 민간의례를 통해 표현되고 재생산되는 사회적 불평등이나 신분의 차별을 제거하는데 보다 근본적인 목표가 있었다. 이를 위해서 의례에 포함된 불평등과 차별의 요소들을 제거하고자 하였다. 가령 과거의 장례식, 혼례식 등 일상적인 통과의례는 전혁명적 사회질서의 불평등과 신분의 차별을 공식적으로 그리고 경쟁적으로 표현하였었다. 당과 국가는 그러한 통과의례 자체를 제거할 수는 없는 상황에서, 민간의례의 조직, 절차 그리고 용품 등에서 불평등의 요소들을 청소하고 그 자리에 사회적 연대와 평등을 표현하는 모범적인 의례 수행의 모델을 만들고자 하였다.

## 1) 시간의 '세속화'

베트남의 사회주의 혁명기 이전의 시간은 12개월의 음력으로 구성되어 있었다. 12개월의 음력은 농업의 생산주기, 즉 농업력과 결부되어 오랜 세월 동안 유지해온 체계이다. 더구나 음력은 베트남 사람들의 종교 및 민간신앙과 결부된 시간의 흐름을 가늠하는 유일한 기준이었다. 음력의 체계에 따르면 특정의 시간이 '길조'(*thoi gian tot*)라고 간주된다. 즉 점성술적으로 특정의 달, 특정의 날짜와 시각이 어떤 현실적인 목적의 실현에 관계된 초월적인 세계의 규정에 따라 유리한 것으로 이미 정해져 있다는 것이다. 특정 시간에 담겨 있다고 믿는 '길조'가 주민들의 일상생활에서 의미 있는 일을 행하는 중요한 기준이었음을 알 수 있는 설명을 쉽게 접할 수 있었다. 가령, 약 70년간 투옥 남 재배와 판매에 종사해 온 러이(Loi) 할머니 (1916년생)는 음력으로 구성된 시간이 사람의 운명과 결부되어 있다는 점을 강조하였고, 자신은 나라에서 전쟁이 일어나고 혁명을 할 때에도 그러한 생각을 버릴 수가 없었다고 하였다.

"세상의 모든 일이 하늘이 정한 때가 있다고 믿었다. 우리에게 하늘이 정한 때는 음력이다. 프랑스 사람들이 서양식 달력을 보급하여 사람들은 음력과 양력이 모두 표시되어 있는 달력을 걸어 두었지만, 생활은 음력으로 하였다. 사람들의 생로병사도 좋은 시간과 나쁜 시간이 있기 마련이다. 그것은 하늘이 정한 것인데, 사람들이 항상 그것을 모두 알 수는 없었지만, 알고 있다면 그 시간을 따라야 하는 것이다. 새 사람을 들이는 것, 새로운 일을 시작하는 것, 거래를 성사시키는 것 모두 어느 날 어느 시간을 택하느냐에 따라 길흉이 결정된다. 결혼과 장례도 마찬가지이다. 이러한 의식은 길일과 시간을 따져서 행해져야 하고, 좋지 않은 시간에는 그 시간과 운이 맞지 않는 사람들은 재앙을 피하기 위하여 집에 가만히 있어야 했다. 좋지 않은 결과가 있을 것이라고 생각되는데 그 일을 할 수는 없는 일이다."

혁명기 이전 북부 베트남 농촌지역의 절기 명절은 대부분 의례가 수반되는 날이었다. 음력의 절기에 따라 정해진 의례일은 마을에 따라서 부분적으로 차이를 보이기도 하지만, 대개의 경우 응옥 하를 비롯한 하노이뿐 아니라, 북부 베트남의 농촌지역에서 유사한 관습을 지니고 있었다(Ngo Duc Thinh 2001). 혁명기 이전 마을 사람들이 대부분 지켰던 주요 절기의례일로는 '원단 설'(*Tet nguyen dan*, 元旦, '뗏'), '원소절'(*Tet nguyen tieu*, 元宵, 1월 15일), '청명'(*Thanh minh*, 淸明, 3월 5일), '입하'(*Vao he*, 立夏, 4월 15일), '단오'(*Doan ngo*, 端午, 5월 5일), '싸 또이 봉 년'(*Xa toi vong nhan*, 赦罪亡人日, 7월 15일), '중추절'(*Trung thu*, 仲秋, 8월 15일), '옹 따오 렌 쩌이'(*Ngay ong tao len troi*, 12월 23일), '떳 니엔'(*Tat nien*, 畢年, 12월 29일) 등이 있었다. 이 모두가 음력의 시간으로 구성되어 있었고, 이러한 주요 절기 외에도 매월 초하루와 보름에는 절이나 가까운 성소를 찾아 제사를 올렸다. 음력으로 구성된 절기들은 벼농사 외에 투옥 남, 채소,

꽃 재배와 수공업 및 상업 등 다양한 경제활동이 병행되었던 다이 옌에서의 생산활동의 특성상 실제의 생산주기와 관련성이 많지 않은 관습이었다. 그러나 마을 주민들은 저지대 벼농사가 소멸되기 시작하고 화초 및 약재나무 재배경작을 확대하였던 20세기 중반에도 수도작 마을과 유사한 절기관습을 유지하고 있었다.

싸행정위원회는 1957년 '새생활운동'의 일환으로 음력의 절기의례를 공식적으로 비판하기 시작하였다. 가족 단위의 개별적인 의례를 일일이 금지하지는 못하였지만, 절기의례의 '반혁명적인 폐해'를 거듭 지적하였다. 딩(dinh, 亭)의 공동의례는 '봉건적인' 위계에 따라 유력자 남성들이 주도하는 것이어서, 남녀차별과 함께 신분차별을 극명하게 보여주는 악습으로 규정되었다. 미신적인 의례나 축제로 소일하여 생산에 차질을 빚는 악습이라고 규정되었다. 많은 절기마다 길조의 시간을 맞추어 행해지는 민간의례에는 각종의 '비과학적인' 주술이 동원된다는 이유 때문에 미신으로 규정되었다. 종이로 만든 돈과 가마, 제삿상의 장식품 등을 비롯한 의례용품인 '항 마'(hang ma)의 사용은 지나치게 낭비적이라고 비판받았다.

해마다 연말부터 시작되는 신년의례 기간은 거의 한달 간 지속되었다. 북부 베트남 농촌지역에서는 이 날 마을의 특산물을 준비하여, 조상과 신령께 제사를 올리고 마을 축제를 열었다(Bui Thiet 2000: 339-344). 이 시기는 농한기로서 벼농사뿐만 아니라 꽃과 채소, 그리고 투옥 남 경작도 일시 정지되었다. 수확이 끝난 지 얼마 되지 않은 '10월 벼'(mua)와 찹쌀로 집집마다 떡을 만들고 술을 빚었고 제사가 이어졌다. 홍하텔타의 대부분의 농촌에서는 수호신 공동의례가 성대하게 열렸고, 지역에 따라서는 '마을의 일'(viec lang)이라고 불렸다 (Ngo Duc Thinh 2001; Ngo Tat To 1977). 다이 옌에서도 딩에서 공동의례가 열렸다. 대개의 주민들은 정월 보름(*nguyen tieu*, 元宵)이 비로소 뗏 휴가가 끝나는 날로 인식하고, 실제 새로운 한해의 농사를 시작하는 시점으로 간주하고 있었다. 새생활운동의 시작과 함께 이 시기에 집중되는 '뗏 니엔', '원단 설', '원소절' 등의 절기의례를 위해 생산을 포기하는 관행을 악습으로 간주하였으나, 지방에서 이러한 관습은 쉽게 제거되지는 않았다.

'청명'에 주민들은 조상의 묘지를 찾아가서 잡초를 베고 무덤에 흙을 보태는 등 '성묘'(*tao mo*)하고 꽃, 음식, 술을 올려놓고 향을 피워 제사를 지냈다.[135] 성묘를 마치고 집에 돌아와 다시 쌀밥을 지어 중앙 방의 제단에 올려 두고 제사를 모셨다. '立夏' 의례일은 북부 베트남 지역에 본격적인 무더위가 시작되는 시기이다. 이날은 한여름의 무더위를 이기고 가족의 건강과 재복을 기원하기 위하여 많은 주민들이 절과 사당을 찾아 예를 올렸다. 이날 치병의례와 관련하여 타지방의 무당을 초대하는 사례가 빈번하였다. 마을의 전통산업이 투옥 남이어서 치병의례는 약재의 판매라는 현실적인 필요와도 결부되어 있었다. '단오'에는 공동제사와 민속놀이가 열렸다. 이 날도 치병의례와 관련된 민간의 주술이 행해지기도 하였다. 특히 어린이들이 건강하게 자라날 수 있도록 기원하는 주술적인 행위가 동원되었다. 그 전날 밤에 '라 몽'(*la mong*)이라고 부르는 봉숭화 잎을 조그맣게 잘라서 아이들과 여자들의 손가락과 발가락에 잎으로 묶어 싸서 밤새 분홍빛으로 물들였다. 이를 통해 손과 발을 다치지 않게 보호한다는 믿음이 있었다. 이튿날 아침이 밝으면 '호아 붕'(*hoa vung*)이라는 하얀 색의 꽃잎을 물에 띄워 세수를 하며, 눈이 맑으며

---

135) 다이 옌 사람들은 '청명'을 음력 3월 5일로 알고 있으나, 북부베트남에서는 마을에 따라 이날의 절기 일자에는 약간의 차이가 있었다(Bui Thiet 2000: 444-45).

아프지 말라는 의미가 깃들여 있다고 한다. 세수를 한 후의 아침상에는 과일과 찹쌀로 담은 술이 오르는데, 이를 먹으면 해충을 죽이고 질병을 예방하는 효과가 있다고 믿었다.

"싸 또이 봉 년"(赦罪亡人日)은 죽은 자가 생전에 지은 죄를 씻고 영혼을 달래는 제사일로서 전혁명기에 망자의 세계와 살아있는 사람의 세계를 연결하기 위한 대표적인 의례일이었다. 조사 마을뿐만 아니라, 필자가 하노이에 체류하는 동안 어느 지역에서건 대부분의 가정에서 이날을 조상의 기일(ngay gio)과 함께 조상숭배의례와 관련하여 매우 중요한 제사일로 지키고 있었다. 마을 주민들은 조상 제사를 실제 사망일이 아닌 하루 전날 밤이나, 심지어 며칠 전에 길일과 좋은 시간을 따져 행하였다. '싸 또이 봉 년'의 경우도 대개는 하루 전날 밤 제사를 지내어 조상의 영혼과 귀신들이 놀러갈 수 있도록 옷과 여비를 미리 전해주고자 하였다. 이날의 의식과 관련하여 사람들은 죽은 자의 영혼이 저승에 가기 위해서는 큰 강을 하나 건너야 하며, 이 강을 건너는 배가 있다고 믿었다. 그러나 7월 15일 당일에는 모든 영혼이 쉬고 놀기 때문에 아무도 배를 저어 강을 건너지 않는다. 따라서 제사를 미리 모셔야 많은 물건들을 옮길 수 있다는 것이었다. 경제형편이 나아질수록 이 배에 실어야 할 물건 또한 많아졌다. 그 배에 싣는 물건들은 종이로 만든 화폐와 금 등 항 마들이었다. 이 날 주민들은 제사를 모시고, 가급적 많은 종류의 여비와 항 마를 태워 보내야 저승에 돌아가는 조상의 길을 편하고 유복하게 해준다고 믿었다.

'중추'(仲秋)는 우리의 추석과 같은 날이지만, 그 절기의 의미에는 상당한 차이가 있다. 베트남에서는 이 날을 지켜 조상에 제사를 올리기는 마을도 있었지만, 일반적으로 이날을 "어린이의 뗏"(Tet cua *tre em*)이라고 부른다(Bui Thiet 2000: 486). 이날은 아이들에게 새 옷을 지어 입히고 여러 가지 종류의 장난감을 사준다. 이 날 아이들이 가지고 노는 장난감에는 향 마의 일종도 포함되어 있었다. 그 대표적인 예가 마을의 수호신의례에 흔히 수행되는 '사자춤'(*mua su tu*)에 사용되는 사자머리였다. 종이로 만든 사자머리를 아이들이 쓰고 술래잡기와 같은 놀이를 하며 춤을 추었다.

'옹 따오 렌 쩌이'는 부엌 신(*than bep*)이 하늘에 올라 지난 일년의 가정사를 보고하는 의례일이다.[136] 베트남 민간신앙에서 먹는 것이 인간의 생존을 위해 반드시 필요하며 경제의 기본이 된다는 의미에서 부엌은 가정 경제의 상징적인 공간이고, 그 공간을 주재하는 부엌신은 그 가정의 재운을 조절하는 신으로 인식된다. 옹 따오는 어느 집이나 부엌이 있는 곳이면 존재하는 신격으로 간주된다. 이날 옹 따오는 하늘에 올라 지상세계의 모든 신격의 통치자인 "옥황"(*Ngoc Hoang*, 玉皇)을 만나, 일년동안 그 가정의 생활에 대하여 보고한다. 가정마다 이날의 의례를 위해서는 종이모자 3개와 살아있는 잉어(*ca chep*) 3마리를 반드시 준비하여야 했다. 종이로 만든 모자는 일종의 항 마로써 곧 '옹 따오'와 그의 두 부인을 상징하는 것이다. 대개의 가정에서 이날 오전 부엌이나 거실에 향을 피워 제사를 모시고, 제문, 다른 제사용품과 함께 모자를 태워서 그 연기를 하늘로 날려야 했다. 잉어는 가까운 냇가나 강에서 방생을 해야 하는데, 이것은 옹 따오와 일행을 하늘로 모시고 가는 일종의 운송수단의 역할을 하는 것이라고 믿었다. 떳 니엔, 옹 따오 렌 쩌이, 싸 또이 봉 년 등 조상숭배의례 또는 망자의 영혼에 대한 숭배가 동반되

---

136) 이 날을 "따오 꾸안 렌 쩌이"(*Ngay Tao quan len troi*)라고 부르기도 한다. "옹 따오"(*ong tao*) 또는 "따오 꾸안"(*tao quan*)이 곧 부엌신(*than bep*)이다.

는 날에는 제례의 효과를 극대화하기 위해 길조의 시간을 점쳤다. 제례를 열어 제물을 올리고, 방생을 하고, 그리고 항 마를 태우는 시간을 정하였다. 즉, 운명처럼 정해진 좋은 시간에 망자의 넋을 달래는 의식을 통해 이승의 복을 기원하고자 한 것이었다.

음력으로 구성된 전혁명기 절기의례의 '반혁명적 요소'를 제거하고, 민간 의례가 새로운 사회의 건설을 위한 국가의 목표에 부합하도록 개조가 필요하였다. 우선 당지부와 행정위원회의 간부들은 주민들의 일상적인 의례 활동도 양력에 따라 수행되어야 함을 강조하였다. 합작사가 결성된 후에는 합작사의 관리반과 감사반, 그리고 각 작업조의 작업대장들도 이러한 캠페인이 중요한 업무로 부상되었다. 특히 합작사의 간부들은 국가와 새로운 사회의 역할이 모두 양력으로 재구성되어야 하는 시점에 음력의 절기는 새로운 생산주기의 효율적인 진행을 방해하는 악습의 요소로 규정되었음을 거듭 선언하여야 하였다.

그러나 모든 음력의 절기들이 동일한 척결의 대상이 되지는 않았음을 알 수 있었다. 당시 합작사 대장을 비롯하여 많은 주민들이 원단 설과 중추에 대해서는 음력의 절기 자체를 비판하는 공식적인 언설이 부과되지 않았다고 하였다. 국가는 타협적으로 '양력설'(*Tet duong lich*) 1월 1일과 함께, 음력 12월 29일부터 1월 3일까지 4일간의 '음력설'(*Tet am lich*)을 포함하여 모두 '5일간의 뗏'(*5 ngay tet*)을 공휴일로 지정하였다.137) 음력설에는 중앙과 지방정부와 당지부에서도 축하행사를 벌리고 민족의 미풍양속으로서 마을의 공동체 의식을 살리는 날로 인식되었다. 뗏에는 합작사마다 사원들에게 나누

---

137) 4일 간의 음력설을 각각 "29(또는 30)일 뗏"(*ngay 29/30 tet*), "초하루 뗏"(*mung 1 tet*), "초이틀 뗏"(*mung 2 tet*), 그리고 "초삼일 뗏"(*mung 3 tet*)이라고 부른다.

어 줄 선물이 준비되었고, 그 중에는 특히 60세 이상의 노인이 포함된 가구에는 베트남의 '미풍양속'으로서 경로사상을 표현하는 선물이 주어졌다. 중추일은 대부분의 민속적 의식들이 미신으로 규정되었음에도 아이들에게는 특별한 날로 인식되었다. 싸 또이 봉 년과 일부 의례일은 딩에서 공식적으로 치르는 것은 금지되었지만, 가정에 따라 개별적으로 치르는 것까지 모두 감시하고 금지하기는 어려웠다.

국가와 당은 음력의 절기에 따라 반복되는 민간의 전통 의례일을 대신하여 양력으로 재구성된 시간의 흐름에 따라, 국가가 정한 중요한 역사적 기념일로 달력을 채웠다. <표 4-1>에서 보는 바와 같이 국제노동절, 국제여성의 날 등 일부 국제 공산주의운동의 영향에 의해 결정된 기념일과 함께, 베트남 공산당의 '혁명의 역사'와 업적을 드러내는 기념일을 새로이 배치하였다. 국가가 공식화한 기념일과 공휴일은 일부를 제외하고 대부분 양력 날짜를 기본으로 하게 되었다.[138] 이런 점에서 양력은 국가의 시간, 음력은 민간의 시간이라고 할 수 있다. 국가가 양력으로 민간의 음력을 대체하려는 노력은, 민간의 의례를 국가 기념일의 정형화된 의식으로 대체하려는 실천으로 구체화되었다.

멀라니는 베트남의 혁명적인 상황에서의 세속화의 가장 기본적인

---

138) 1962년부터 국가가 "역사문화유적"의 공인사업과 함께 외국의 침략과 위기에서 국가와 민족을 구한 역사적 영웅과 중요한 사건을 기념하는 몇 가지 기념일은 음력으로 지정되었다. 이와 관련하여 제5장의유적공인에 대한 설명을 참고할 수 있다. 특히 1989년 지방의 공동의례에 관한 법규의 제정에 따라, 이러한 기념일의 의례와 축제에는 각급의 당지부와 국가기관에서도 적극 참여하고 있다. 음력으로 치러지는 기념일은 다음과 같다. 1월 2일 람 썬 의거(*Khoi nghia Lam Son*, 1418년), 1월 5일 동 다 승전일(*Le Dong Da*, 1789년, 꽝 쭝[Quang Trung]장군이 청군을 대파한 기념일), 2월 하이 바 쯩(*Hai Ba Trung*) 의거(40년 3월), 3월 8일 바익 당(*Bach Dang*)의 제3차 승전일(1288년), 3월 10일 홍 브엉의 제사일(*Gio To Hung Vuong*), 9월 20일 찌 랑 승전일(*Chien thang Chi Lang*) (1427년 10월 10일), 10월 무술(戊戌) 바익 당 승전일(*Chien thang Bach Dang*, 938년 11월).

요소는 '시간의 세속화'라고 설명하였다(Malarney 1996: 543). 그러나 국가의 의례개혁에서의 '세속화'는 성의 영역을 파괴하는 과정이라기보다는 '성스러움'을 구성하는 주체로서 국가가 등장하고, 국가의 의도에 맞는 새로운 '성스러움'을 구성하는 시도라고 볼 수 있다. 이런 점에서 의례개혁이 혁명 이전의 성스러운 시간의 세속화였다는 해석은 한 측면만을 본 한계가 있다고 생각한다. 음력을 '양력화'한 것은 세속화의 한 부분일 뿐이며, 당-국가의 혁명의 역사에서 강조되는 새로운 시간들이 '성스러운 시간'으로 등장하게 되었다. 따라서 '양력화'를 '세속화'와 동일시할 수는 없다. 국가는 의례 개혁을 통하여 단순히 혁명 이전 시기의 관습에 따라 배치되었던 성스러운 시간을 세속화하는 것에 그치는 것이 아니라 '새로운 성스러운 시간'을 설정하고자 하였다. 즉 공산주의 당-국가의 정당성을 표현하고 이념을 유포하기 위한 의도에 맞추어 시간에 대한 '성과 속'의 구분과 관념을 대체하고자 하였다. 이런 점에서 세속화의 의미도 선택적인 것이고, 세속화도 결국 새로운 성과 속의 구분을 도입하는 과정이었다.

<표 4-1> 양력에 따른 국가의 주요 기념일[139]

| | |
|---|---|
| 1월 6일 (1946) | : 베트남민주공화국 제1기 초대 국회 총선거일 |
| 1월 29일(1258) | : 원(몽고)군에 대한 최초 승전일 |
| 2월 3일 (1930) | : 베트남공산당창립일(*Ngay Thanh Lap Dang Cong San VN*) |
| 3월 8일 | : 국제여성의 날(*Ngay Quoc Te Phu Nu*) |
| 3월 26일(1931) | : 호찌밍공산청년단(*Doan Thanh nien Cong san HCM*) 창립일 |
| 4월 25일(1976) | : 통일베트남 국회 총선거일 |
| 4월 30일(1975) | : 승전 및 남부해방일(Ngay chien thang, giai phong mien Nam) |

5월 1일        : 국제노동절(*Quoc Te Lao Dong*)

5월 7일 (1954) : 디엔 비엔 푸 승전일(*Ngay Chien Thang Dien Bien Phu*)

5월 19일(1941) : 월맹전선(*Mat tran Viet Minh*) 창립일

6월 11일(1948) : 호찌밍 주석의 애국의 경쟁 호소일

7월 2일 (1976) : 제6기 국회에서 국호 "베트남사회주의공화국" 결정

7월 20일(1954) : 인도차이나전쟁 종결에 관한 '제네바협정' 체결일

7월 27일(1947) : 상병 열사의 날(*Ngay Thuong Binh Liet Si*)

7월 28일(1929) : 베트남노동조합총연맹(*Tong cong doan lao dong VN*) 창립일

8월 19일(1945) : 8월혁명 성공 기념일(*Ngay Cach Mang Thang 8 Thanh Cong*)

9월 2일 (1945) : 베트남사회주의공화국 국경일(*Quoc khanh*)

9월 10일(1955) : 베트남조국전선(*Mat tran To quoc*) 창립일

9월 12일(1930) : 응에 띵 소비에트 기념일(*Ngay Xo viet Nghe-Tinh*)

9월 23일(1945) : 남부 항전의 날(*Ngay Nam bo Khang chien*)

10월10일(1954) : 수도 하노이 해방 기념일(*Ngay Giai phong Thu do HN*)

10월14일(1930) : 베트남 농민회(*Hoi Nong dan VN*) 창립일

10월15일(1949) : 인민대중동원(*Dan van*, 民運)의 날

10월20일(1930) : 베트남 부녀연합회(*Hoi Lien hiep Phu nu VN*) 창립일

12월19일(1946) : 전국 승전기념일(*Ngay Toan Quoc Khang Chien*)

12월20일(1960) : 민족해방전선(*Mat tran Giai phong dan toc Viet Nam*)창립일

12월22일(1944) : 베트남인민군(*Quan doi nhan dan VN*) 창립기념일[140]

---

마을 주민들은 새생활운동을 추진할 당시 당의 지침은 음력에 따른 일체의 기념일을 폐기하고 양력을 도입할 것을 역설하는 내용이었다고 회상하였다. 합작사 작업대대의 대장을 맡았던 끄엉(Cuong) 노인은 "양력은 편리하고 합리적이다. 양력에 의해 배치된 날짜와

---

139) 2000년 현재, 양력설 및 4일간의 음력설 외에 '남부해방 및 승전기념일'(4월 30일), '국제노동절'(5월 1일)과 '국경일'(9월 2일)이 공휴일로 지정되어 있다.

140) '베트남 인민군 창립기념일'은 '전인민 국방의 날'(*Ngay Quoc Phong Toan Dan*)이라고 부르기도 한다.

시간은 길흉을 따질 수가 없다"고 하였다. 따라서 파종, 재배, 수확, 가공, 판매 등 경제활동과 관련되어 시간의 금기를 따지는 일이 불필요하였다. 양력에는 흉조로 얼룩질 근거가 없는 것이었다. 합작사에 편성된 주민들은 합작사에 할당된 임무를 수행하기 위해 정해진 노동시간과 생산의 일정에 따라서 조직적인 생산활동에 투여되었다. 사람들은 달력상의 날짜 때문에, 그리고 시간의 좋고 나쁨에 따라 생산과 '새로운 사회' 건설을 위해 자신에게 부여된 의무를 수행하는 데에 주저할 이유가 없어졌다.

그러나 다이 옌의 화초 합작사 활동의 경우, 벼농사 지역과 달리 양력의 주기로 배치된 작업일지는 이전의 개별 농가가 관습적으로 따르던 벼농사 지역의 생산주기를 대체하는 효과는 거의 없었던 것으로 보인다. 이미 많은 농가가 벼농사를 그만두었기 때문이다. 투옥 남 산업의 경우, 파종과 재배 자체보다 수확 이후의 건조와 가공, 그리고 매집과 판매활동이 보다 중요한 요소가 된다. 다이 옌 주민들에게 '농업력'의 개념은 실제의 생산과 판매활동을 위한 개념이라기보다는 오랜 기간 큰 변화 없이 농업사회의 관습을 따르고 있었음에 따른 것으로 다분히 관성적인 것으로 해석될 수 있다.

마을에서 양력의 사용을 위한 당지부의 활동은 생산 및 판매 등 경제적인 필요보다는 행정적인 업무에서 보다 뚜렷하게 나타났다. 국가의 모든 행정기능은 양력을 따르게 하였고, 주민들의 인구이동에 관련된 등록 사항에도 양력의 시간이 기재되어야 했다. 1955-56년 토지조사사업 및 토지 분배과정에서 거주자등록 서류를 새로 작성하고 정리할 필요가 생겼다. 주민들에게 새로 제시된 호적(*ho tich*)에는 출생, 혼인, 출산, 이주, 사망 등의 날짜를 모두 양력으로 기재하게 하였고, 음력 날짜를 기재하는 항목은 아예 사라졌다. 1954년부터 행정위원회와 이후의 인민위원회에서 호적업무 중에 출생신고, 사망신고, 혼인신고 등과 관련된 기록은 모두 양력을 기준으로 수행되었다. 개인의 생로병사와 관련하여 국가의 행정기관의 등록과 관리를 필요로 하는 것과 관련된 일자는 모두 양력으로 대체되었다. 주민들 중에는 오랜 습관으로 양력 날짜를 전혀 기억하지 못하고 음력 날짜를 대신 기재하는 경우도 많았지만, 행정위원회 간부들은 양력으로 기재할 것을 끊임없이 권고하였다.

주민들이 출생신고와 사망신고를 양력으로 하는 것에 대해 불만을 표시하거나 걱정을 표현하는 사람도 있었고, 일부의 저항도 있었다. 어떤 사람은 수십 년, 수백 년 동안 가족과 조상의 생일과 기일을 음력으로 지내왔으며, 특히 조상에 대한 제사를 양력으로 지내는 것은 영혼을 혼란에 빠뜨리는 '불효'로 인식하는 경우가 많이 있었다. 그럼에도 신고서에 음력의 날짜를 기재하는 난이 사라진 이상 어쩔 수 없는 일이었다. 실제 양력과 음력에 상관없이 날짜를 기재하고, 조상의 기일은 음력을 지켜 제사를 지내는 경우가 많았다. '새생활운동'이 착수된 이후 사망일은 어김없이 양력으로 기록되었다. 장례식은 이제 날짜에 원래 깃들여 있는 길조가 아니라 편리성에 따라 치르는 의식으로 바뀌었다. 이전에는 부모나 배우자가 사망하면, 장례식 수행 절차와 관련하여 죽은 영혼을 편안하게 보내고, 영혼에게 깃든 나쁜 징조가 살아 있는 사람에게 끼칠 수 있는 영향을 피하기 위해 나쁜 시간을 피하고 좋은 시간을 선택하는 점(boi)을 보았다. 점에 따라 정해진 시간에 제례를 치르고, 장례식을 진행하고, 무덤을 만드는 등 음력에 의해 이미 정해져 있다고 믿는 시간 자체의 운명에 따라 의식이 진행되어야 했다. 베트남 사람들에게 있어서 조상에 대한 제사는 살아 있는 사람이 죽은 부모나 조상에 대한 애정과 이들에게 지고 있는 빚과 은혜를 기억하는 날로서 가장 중요한 가정의례이다. 당에서는 조상의 기일을 양력으로 지내게 함으로써 가정의례가 지니고 있는 온정적이고 공동의 기념적인 요소는 필요하다고 보았지만, 음력상의 적절한 날짜에 지내야 효과적이라는 생각을 제거하고자 한 것이었다. 그러나 이러한 시도가 어느 정도 효과를 보았는지는 불명확하다. 꿈장은 1960-70년대에 마을에서 실제 일부 가족은 양력 날짜에 제사를 올리는 경우가 생겨났다고 하였다. 그 대부분이 행정위원회 간부나 합작사 지도자의 가족들이었다. 그러나 필자의 현지체류 기간에 주민들의 제사는 모두 음력의 기일에 맞추어져 있었다.

<사진 8> 국가의식을 위해 딩에 사열한 간부와 지도자들

## 2) '미신'의 척결과 국가의 등장

### (1) '이승'과 '저승'의 단절

혁명 이전 시기 의례의 절차 대부분은 초자연적인 존재 또는 초월적인 세계와 살아 있는 사람 또는 실제 세상과의 연결을 의미하는 것들로 가득 차있었다. 조상숭배의례, 절기 의례일의 제사, 장례식 등 민간의례의 가장 핵심적인 절차는 죽은 사람의 영혼, 초자연적인 세계에 거주하는 초월적인 존재 등이 살아 있는 사람들의 일상 생활과 운명을 결정하고 좌지우지한다는 믿음에 근거하는 것들이었다. 즉 '저승'(*the gioi khac*)과 '이승'(*the gioi nay*)을 연결하여 이승의 문제를 해결하고 이승에서의 삶의 어려움을 극복하거나 여러 가지 위기의 상황에서 심리적 위안을 구하고 실제적인 결과를 얻고자 하는 것이 의례의 목표였다. 그러므로 이러한 민간의례를 세속화하기 위한 '새생활운동'의 시도는 형이상학적 존재나 세계가 형이하학적 존재와 세계에 대하여 어떤 영향을 주거나 통제한다는 관념을 없애려는 노력을 포함하게 되었다.

1968년부터 합작사의 소조 대장을 담당하였던 응옥(Ngoc, 1932년생) 노인은 "저승을 달래 주어야 이승이 편하다"고 하면서, 주민들이 종교적인 의례에 열중하였던 것이 모두 저승을 달래기 위한 것이라고 간단히 설명하였다. 마을 주민들이 흔히 표현하는 '저승'은 많은 귀신들(*con ma*)로 채워져 있었다. 이러한 귀신에는 막연한 심령(*than linh*, 神靈)이나 신성(*than thanh*, 神聖)뿐 아니라, '영웅의 혼'(*thanh*, 聖)과 '조상의 영혼'(*linh hon*, 靈魂) 등 역사적으로 실재하였거나 멀지 않은 과거에 같이 살았던 사람들의 영혼도 포함되어 있다. 그리고 귀신들은 토지, 부엌, 지붕, 처마, 창고, 우물, 안방, 사당 등 살아있는 사람의 공간에 함께 존재하며, 생활의 세세한 일들에 대해 간여하고 간섭하고 있다고 믿는다. 즉 이들 모두가 '이승'의 인간사에 영향을 미치는 능력을 가지고 있으며, 해당 공간에서 이루어지는 일상사의 결과를 주재한다고 믿어 왔다.[141]

당지부와 새생활운동위원회는 사람들 사이에 팽배해 있는 그러한 관념에 맞서기 위하여 이와 결부된 신앙과 의례를 '미신과 이단'(*me tin di doan*)으로 규정하고 이것을 배척하는 운동을 벌이기 시작하였다. 당지부 간부들은 주술적인 것이나 '저승'과 직접 접촉하려는 노력과 관련된 관행들이 곧 '미신'임을 설명하고자 하였다. 나아가 여러 가지 방법으로 이러한 미신의 요소들을 배척하기 위한 실천과제를 제시하고 또 집행하였다. 직접적인 방법으로는 특정의 의례 절차나 주술의 사용을 '미신이단'으로 규정하여 금지하거나, 민간의례의 공간을 감시하고 관리하는 것이었다. 간접적으로는 이러한 믿음이 과학적인 근거가 없으며, 현실 세계에서 아무런 실제적인 효과를 거두지 못할 뿐만 아니라 귀한 물자를 낭비하고 말았다는 식의 고백과 평가를 유포하는 것이었다.

우선 당은 의례의 수행에서 '귀신 부르기'(*goi ma, goi hon*), '점치기'(*boi toan, xem boi*), '신내림'(*dong bong*) 등의 절차와 악귀를 막는 '부적'(*bua*)의 사용을 금지하였다. 이러한 절차와 주술을 포함하고 귀신과의 직접적인 접촉을 시도하는 것을 의례의 주요 내용으로 하는 '싸 또이 봉 년', '옹 따오 렌 쩌이' 등의 절기 자체를 공식적으로 금지하지는 않았지만, 미신적인 관념을 표현하는 용품의 사용과 의

---

141) 클라이넨은 베트남의 민간신앙이 유, 불, 도 3교 합성의 혼합주의적 양태를 보인다고 기술하였다 (Kleinen 1999).

례의 주요 절차를 금지함으로써 결과적으로 그것이 빠져서는 의미가 없는 절기의례를 금지하는 결과를 유도하고자 하였다. 그리고 '무당'(*thay cung*)이나 '점쟁이'(*thay boi*)와 같은 의식의 수행자들이 그러한 역할을 하지 못하도록 감시하였다. 응옥 하의 경우 1950년대에도 마을에 거주하는 무당이 없어서, 다른 마을에서 귀신 부르기 의식을 수행하거나 효험이 있는 부적을 만드는 사제나 무당을 불러오는 경우가 많았다. 행정위원회와 새생활위원회에서는 마을에 자주 출장 오는 인근 마을의 무당들의 목록을 만들어 감시하였다. 주민 중에는 일부 풍수지리나 역학에 밝아 이웃의 점을 봐주고 길일과 좋은 방향을 정하는 일을 도와주는 사람이 일부 있었는데, 이들은 각자 소속된 작업대대에서 생산활동에 전념하도록 권고하고 일체의 점보기를 금지시켰다.

미신적인 의식의 수행자들뿐만 아니라 의식의 공간도 감시 하에 두었다. 1954년 이전 북부 베트남 촌락에 공통적인 주요 종교적 건축물로는 마을의 공동사당인 딩(亭), 불교사찰 쭈어(*chua*), 공자의 묘를 모신 유교사당 '반 찌'(*van chi*, 文趾), 각종의 민간신앙의 성소인 덴(*den*)과 디엔(*dien*, 殿), 그리고 작은 암자들에 해당하는 미에우(*mieu*, 廟), 꺼우(*cau*) 등이 있었다. 이 중에서 특히 딩과 덴은 베트남 사람들의 민간신앙에서 숭배하는 여러 종류의 신성과 전설 및 역사적인 인물을 신격화한 마을의 수호신에 대한 종교적인 의례의 중심지였다.[142] 규모가 작은 덴이나 디엔, 꺼우 등은 주로 소규모 자연촌

---

142) 딩과 덴 등 민간 신앙의 성소에서 숭배의 대상으로 삼는 신격은 크게 '턴'(*than*, 神)과 '타인'(*thanh*, 聖)으로 분류될 수 있다. '턴'은 '턴 띵'(*than tinh*, 神性) 또는 '꾸이 턴'(*quy than*, 鬼神)이라고도 불리는데, 곧 초자연적, 초역사적인 존재로서 사물에 깃들어 있는 영혼 중에 신격화된 것을 통칭하는 개념이다. 그리고 '타인'은 '득 타인'(*duc thanh*, 德聖)이라고도 하는데, 과거 어느 시기에 실존하였던 인물을 신격화한 것이다(Ngo Duc Thinh 2001: 91-125; 송정남 2002: 185-201 참조).

락이나 이웃(*xom*)의 범위에서의 토지와 관련된 초자연적인 영들(*tho dia, tho cong*, 土公)에 대한 숭배의례를 지내는 장소가 되었다(Vu Ngoc Khanh 1994: 48). 이러한 신성에 대한 신앙의 정통성을 지키기 위한 성소의 개축과 순례행사용 공간확보를 위해 엄청나게 많은 양의 금이 동원되기도 하였다. 그 과정에는 '봉건적' 혹은 '반혁명적' 신분관계가 드러났으며, 전혁명기의 사회경제적 분화가 반영되어 있었다. 응옥 하에서도 일대의 영적인 사당들에서는 그러한 의식이 수행되지 못하도록 하였고, 이들이 소유한 토지는 합작사에 접수되어 경작민들에게 재분배되었다. 마을의 주요 절기 공동의례가 금지되면서 이들 사당은 성소로서의 기능을 상실하였고, 특히 미국의 북폭이 진행된 1972년 이후에는 주민들의 집회장소, 합작사의 창고, 혹은 학교 교정 등으로 활용되었다.143)

이러한 직접적인 감시와 규제뿐 아니라, 영혼에 대한 믿음을 스스로 폐기하려는 주민의 결정을 격려하고 칭찬하는 교육적인 이야기들을 유포하는 등 다양한 간접적인 방법을 동원하였다. 가령, 투옥남 장사를 하는 또38의 응옥(Ngoc) 할머니는 시아버지의 병을 치료하기 위해 고향인 호아 빙(*Hoa Binh*)성까지 찾아가 유명한 무당을 불러왔으나, 위원회에 발각되어 낭패를 당했던 일을 얘기해주었다. 당시 마을사람들이 익히 알고 있는 이웃마을 무당의 부적과 치병의례를 통한 처방이 효험이 없었던 탓이었다. 호아 빙의 무당은 행정위원회 공안의 조사를 받았다. 결국, "귀신은 없습니다. 미신이지요. 단지 낙후된 생각에 사로잡힌 사람들이 많이 있어서 무당 짓을 계속하고 있을 뿐이지요. 나는 단지 제물로 바쳐진 돼지와 닭고기가 먹

---

143) 이러한 과정은 성소 즉 의례공간의 세속화라고 설명할 수 있다. '성소의 세속화'과정은 다음 5장의 국가의 유적 공인에 관한 내용을 참조할 것.

고 싶었습니다. 사람들이 그것을 나에게 바치기 때문에 그랬습니다"
라는 후회의 고백을 하였다는 이야기도 들려주었다. 마을 주민들의
경험을 각색한 교훈적인 이야기뿐만 아니라, 상급의 행정기관에서
지침으로 전해진 다른 지역 사람들의 경험도 포함되어 있었다. 가령,
"하 박(Ha Bac)성의 어느 마을에서 가족의 병을 치료하기 위하여 무
당의 치병의례 처방에 따라 돼지 스무 마리, 염소 열 마리와 수십 마
리의 닭과 오리를 바쳤으나, 그 사람은 결국 죽고 말았다"는 등의
내용이었다. "마을에서 재배한 투옥 남을 일상적으로 복용하는 것이
병을 예방하거나 치료하는 데에 실제 도움이 되며, 일단 의술로 치
료할 수 없는 병에 걸리면 부적을 쓴다고 살아나는 일은 없다", "무
당이 치료할 수 있는 질병은 병원에서도 고칠 수 있다"는 등의 이야
기는 당시 마을의 한의사들의 입을 통해 표현되었다.

장례식은 이러한 의례개혁의 성격을 가장 잘 보여주는 대상이었
다. 혁명 이전 시기의 장례식 절차에서 가장 중요한 요소이었던 영
혼 접촉의 절차는 금지되었다. 그 중에서도 살아 있는 사람이 죽은
사람의 영혼과 접촉함으로써, 현실세계에 대한 저승의 영향을 인정
하는 관념에 근거한 의식의 절차는 미신으로 규정되어 엄격히 금지
되었다. 당시의 장례식을 경험한 주민들의 설명에 따르면, 영혼과의
접촉과 저승의 영향에 대한 믿음을 가장 잘 보여주는 장례식의 절차
가 '영혼 부르기'(goi hon)와 '항 마 태우기'(dot hang ma)였다. 한 또
장 조부의 다음 장례식 사례는 이러한 관습을 잘 보여주고 있다.

> 또39의 또장의 조부인 훙(Hoang Van Hung)은 1961년 음력 1
> 월 말 73세의 나이로 숨을 거두었다. 오랫동안 폐병을 앓았는
> 데, 그 해 1월은 거의 매일 '봄비'(mua xuan)가 계속 오고 유난

히 음산하였다.[144] 임종이 다가오자 가까운 친척들이 모였다. 숨을 거두기 며칠 전부터 이미 기력이 없었고, 유언도 남기지 못한 상황이었다. 임업부 산하 국영기관에 근무하던 큰아들 타인(Thanh, 또장의 큰아버지)은 신년 휴가를 얻어 라오 까이(Lao Cai) 성에서 귀향하였다가 어른의 임종이 임박하여 근무지로 되돌아가지 못하였다. 큰아들은 국영기관의 간부답게 의례 개혁의 취지를 잘 알고 있던 터라, 부친의 장례를 앞두고 미신적인 관습을 그대로 지키는 문제로 고민하였다. 삼촌과 다른 형제들이 망자를 편하게 모시자는 것을 강조하여 타인은 마지못해 장례식의 일체를 관습대로 치르기로 결정하였다. 부친의 유언을 듣지 못하였다는 것이 가장 큰 이유였다. 유언이 있었어도 망자의 '영혼 부르기' 의식을 해야 편히 가신다고 주장하는 친척도 있었다. 따라서 전문적인 무당을 부르기로 하였다. 수 년 전 모친의 장례에 인연이 되었던 점장이를 다시 불렀다. 그는 '영혼 부르기', 입관과 매장, 그리고 일주일 후의 '향 마 태우기' 의식까지 주관하였다.

'영혼 부르기'는 시체를 매장하기 전에 망자의 영혼을 불러내어 위로하고, 살아있을 때에 가졌던 원한을 풀어 홀가분하게 이 세상을 떠나고, 남겨진 사람들에게 마지막으로 전하고 싶은 이야기를 하는 의식이다. 이 과정은 전문적인 무당이나 점쟁이를 고용하여 이루어졌다. 무당은 준비된 주문과 함께 망자의 영혼을 힘겹게 불러내는 과정을 연출하면서 수많은 항목의 제물 외에, 결국 자신의 수고비로 돌아갈 금품을 요구하고 일정한 금액에 이르기까지는 영혼을 성공적으로 불러내지 못하였다는 동작과 언설을 반복함으로써 유가족의 더 많은 공여를 이끌어내곤 하였다. 가까운 친척과 이웃 중에도 공

---

144) 북부베트남에서는 음력설 휴가 전후부터 3월초까지 두 시간 이상 일조를 볼 수 있는 밝은 날은 드물며, 흐리고 음산한 날씨가 계속된다. 이 시기에 거의 한 달 이상 조금씩 계속 오는 일종의 보슬비를 "봄비"(*mua xuan*)라고 한다. 이러한 계절성 강우로 인하여 홍하델타에도 이모작이 가능한 것이다.

여를 보태는 사람이 있었고, 심지어 무당이 누구의 주머니에서 금괴가 나와야 한다고 공여해야 하는 사람의 이름과 양을 정해주기도 하였다. 어떤 유가족은 영혼을 부르기 위해 무당에게 금 10꺼이(*cay*)를[145) 바친 경우도 있었다고 하였다. 따라서 이 과정은 단지 저승과 영혼과의 접촉이 가능하다고 믿는 미신일 뿐 아니라, 경제적인 낭비를 부추긴다는 이유로도 금지되었다.

그리고 각종의 의례용품을 태워서 연기를 날려보내는 의식인 '항마 태우기'는 주로 매장이 끝난 무덤 앞에서 제례를 지낸 후, 제문을 태우는 의식에 이어지는 장례식의 마지막 절차였다. 그 때 태워지는 항 마는 종이로 만든 영구대 가마(*nha tang*)에 실려 함께 날려 보내진다. 이것은 영혼 부르기 의식을 통해 위로 받은 망자의 영혼이 저승길을 편안히 갈 수 있도록 돕는 여비와 운송수단을 상징하는 것이었다. 이 또한 영혼 및 저승과의 직접적인 접촉을 상징하는 절차로서 미신이단으로 규정되었고, 영구대 장식물과 항 마의 주문제작에 많은 비용을 낭비하는 악습으로 낙인되어 엄격히 규제되었다.

베트남 민간의례에서 항 마는 매우 빈번하게 사용되었다. 시기를 막론하고 실제 항 마가 사용되지 않는 의례는 없다고 할 수 있다. 조사 당시에도 집마다 중앙 칸에 모셔 놓은 조상의 제단(*ban tho*)에는 주황색 종이에 빨간색으로 형상을 그려 넣은 '저승화폐'(*hoa vang*)와 죽은 이의 영혼을 상징하는 모자가 올려져 있었다. 많은 가구에서 조상의 제단에서 종이돈과 모자가 내려온 적이 없었다고 하였다. 조상숭배의례에는 어김없이 항 마가 사용되고, 제사가 끝나면 제문과 함께 모든 혹은 일부의 항 마를 태웠다. 조상의 영혼이 왕림하였고,

---

145) 금 10꺼이는 2000년 환율을 기준으로 약 500만원에 해당한다.

다시 저승으로 편안히 돌아감을 상징하는 것이다. 절기의례에도 항 마가 사용되었다. 특히 '싸 또이 봉 년', '옹 따오 렌 쩌이', '떳 니 엔' 의례 등에는 더욱 많은 종류의 항 마가 사용되었다. 딩과 덴, 그 리고 사찰(chua)의 의례에도 항 마가 사용되었다. 이러한 성소에는 의례객들이 태워 날리기 의식을 치를 수 있도록 항 마를 비치하여 판매하기도 하였다. 이러한 성소의 마당 한 구석에는 석재로 만든 큰 항아리나 화로를 두어 태운 항 마의 재를 담도록 하였다. 성소를 방 문하여 제를 치른 사람들은 서로 경쟁을 하듯 항 마를 태워 날리고 그 재를 화로에 담으며 기도를 올렸다. 새생활위원회에서는 응옥 하 에 소재한 딩, 사당, 사찰 등에 설치된 화로를 철거하기로 결정하였 다. 정부에서는 항 마의 제작과 판매를 불법으로 결정하고, 이것을 전문으로 하는 수공업자와 상인을 감시 하에 두었다. 시내 꾸언 호안 끼엠의 36개 전통수공업-상업 거리 중 하나인 '포 항 마'(pho Hang Ma)에서도 항 마의 제작과 판매는 금지되었다. 이들 수공업자나 상 인들은 장난감 제조판매나 다른 품목으로 전업하여야 했다. 일부의 상인은 항 마에 해당하는 기념품이나 폭죽을 만들어 판매하였으나, 제례용으로 공급하는 것은 엄격히 규제되었다.

## (2) 의례 수행자의 변화와 국가의 등장

새생활위원회의 활동이 본격화되면서, 당지부와 합작사의 간부들 이 마을의 장례식에 참여하여 의식을 주도하게 되었다. 이들의 주도 로 과거 장례식 절차에 포함되어 있었던 미신과 이단의 요소들이 자 유스럽게 수행될 수 있는 여지를 없애고자 하였다. 망자 가족내의 전통적 서열에 따라 정해진 인물이 아니라 국가가 정한 인물이 의식을 주도함으로써, 망자의 가족 또는 그 가족이 고용한 영혼의 매개자들이 귀신의 세계가 살아 남은 사람에 미칠 수 있는 영향과 관련된 상징을 표현할 수 있는 가능성이 사라지게 되었다. 간부들을 통해서 관철되는 죽은 사람의 영혼에 대한 당의 입장은 살아있는 사람에게 영향을 미칠 수 있는 귀신이나 귀신의 세계는 존재하지 않는다는 것을 확인하는 것이었다.

그러나 당이 주도하는 의례 개혁의 시도가 사망 이후의 영혼의 존재를 완전히 부정하는 결과를 이끌어 내지는 못하였다. 사람들은 귀신과 접촉하거나 귀신을 조정하려는 어떠한 시도가 포함되어 있는 의식의 수행이 금지되었음에도 불구하고, 일부의 의례에서는 여전히 영혼의 존재를 인정하였다. 국가권력의 위기 상황에서 그것을 회복하거나 유지하는 데 기여한 사람을 비롯한 역사적 영웅이나, 식민시대로부터 혁명기에 이르기까지의 전쟁열사들에 대한 공식적인 숭배를 허용하는 등 국가와 당이 정한 특정의 영혼에 대한 숭배는 장려되기도 하였다. 이런 점에서 당이 실현하려고 하였던 미신과 이단의 철폐의 한 핵심적인 과제인 '저승과 이승의 절연(絶緣)'의 시도는 모호한 성격을 지니고 있다.

가족의 일상적인 조상숭배의례에서 표현되는 사자(死者)에 대한 인식과 그 영혼을 공경하는 의식의 절차는 방해받지 않고 지속되었다. 집마다 조상의 제단인 '반 터'(ban tho)가 사라지지 않고 계속 보존되어 왔다. 조상의 기일뿐만 아니라 매일 제단에 제물을 올려두고 약식의 제례를 올림으로써 망자의 영혼이 주는 혜택을 기원하는 의식은 지속되었다. 매일의 의식의 수행 시간과 수행 양태는 가족에 따라서 조금의 차이가 있었다. 드물기는 하지만 어떤 집은 전쟁기에도 하루 세 번 빠지지 않고 밥을 지어 올렸다고 하였다. 많은 가정에서 향을 피워 손을 모아 절을 하는 의식은 하루에도 여러 차례 수행되었고 의례개혁이 진행되고 있음에도 이것을 멈춘 적은 없었다고 하였다. 매월 초하루와 보름에는 집안의 부녀자들이 짙은 회색의 불교 신도복을 차려 입고 제사를 지냈다. 간혹 당지부의 간부나 마을 행정위원회의 직원이 방문하여 이를 목격하기도 하였으나, 안부를 물을 뿐 조상숭배의례를 탓하는 사람은 없었다.

가족 내에서 수행되는 조상숭배의례는 이전에 많은 것을 주고 간 사람들에 대한 존경과 애정을 표현하는 것이고, 그것은 살아있는 사람들이 공동으로 간직하고 있는 기억과 기념으로 구성되는 의식으로 설명되었다. 1970년대 초 싸행정위의 문화부 간부로 일하였던 뚜언(Tuan, 1948년생)은 "조상숭배는 베트남 사람에게서는 가장 기본적이고 오래된 전통"이라면서 그 무엇으로 금지할 수 있는 대상이 아니라고 하였다. 대부분의 주민들도 가정에서 지키고 있는 조상숭배에 대해 미신을 운운하는 것이 상상이 되지 않는 일이라는 반응이었다. "자기 부모나 조부모에 대한 제사는 미신이 아니다. 살아 계실 때 자식을 위해 들인 공에 보답하는 것이다. 아이들은 조상을 직접 만나지 못하였지만, 제단에 정성을 들이는 우리들은 얼마 전만 하여도 같이 살면서 그 은덕을 받았다. 살아 계실 때 우리는 받기만 했는데, 죽은 후에 그 일부라도 갚는 것이다."

집안에서 행하는 자신의 부모와 조상에 대한 제사는 살아있는 사람에게 실제적인 결과를 초래하도록 영혼과 접촉하거나 영혼을 조작하는 의식은 아닌 것으로 설명되었다. 기관에서 조상숭배의례 자체를 금지하지 않은 것은 사람들이 "부모나 조상의 귀신이 되살아나 무엇인가를 해주기를 바래서 제사를 하는 것은 아니다"라고 인식하고 있기 때문이라고 설명되었다. 현실에서 실제적인 효험을 기대하지 않고, 생전에 갚지 못한 빚을 갚기 위한 것이므로 조상숭배의례 자체를 금지하지는 않았다는 것은 민간의 형이상학적 세계에 대한 관념과 실천에 대해 당이 애매모호한 이념과 입장을 가지고 있었음을 보여준다.

사회주의 국가의 건설에 공을 세운 영웅이나 전쟁열사에 대한 공식적인 숭배는 계속 허용되었고, 심지어 인민위원회와 당지부가 나서서 그 업적을 찬양하는 형식의 의식은 지속되었다. 이런 점에서 '이승'과 '저승'의 절연이라는 의례개혁도 국가에 의해 선택적으로 이루어진 것이다. 특히 전쟁열사에 대한 추념의 과정 또한 그 형식과 절차는 달라졌지만, 죽은 영혼을 달램으로써 이승에 어떤 효과를 바라는 관념은 지속되고 있는 장이다. 마을 출신의 전쟁 열사들에 대한 의식은 국가가 양력으로 정한 기념일 의식에는 빠짐없이 수행되었다. 이전에 민간이 수행하였던 제례에 동원된 제물은 보이지 않았지만, 사후 세계와 이승의 관계는 국가가 허용하는 제도의 틀에서는 지속될 수 있게 되었다. 이런 점은 당과 국가의 이념이 '전통적' 관념을 이용해서 재등장하는 측면이라고 볼 수도 있다.

## 3. '평등주의'와 의례개혁

### 1) 차별적 상징의 폐지

1954년 이후 지속된 의례 개혁의 또 다른 주요 목표는 의례과정에서 표현되는 불평등한 관계와 신분 차별 요소를 제거하는 것이었다. 당에서는 민간의 낙후된 의례과정이 사람들 사이의 차별을 재생산하는 데에 일조하고 있으며, 이러한 의식의 지속은 곧 불평등관계의 지속을 상징하는 것이라고 간주하였다. 당은 평등의 원리를 '새로운 사회'의 중심적인 교의의 하나로 중시하였고, 여러 가지 경로를 통해 평등의 중요성을 역설하였다. 민간의 수준에서 평등을 실현하고자 하는 당의 의도는 인민의 차별 없는 참정권을 인정하는 헌법의 제정과, 토지개혁과 '경자유전' 원칙의 토지 재분배 및 생산의 집단화 실시로 가시화되기 시작하였다. 싸 행정위원회는 1955-56년 두 차례의 토지조사사업과 토지재분배 사업을 실시하였다. 능력에 따라 일하고 필요한 만큼 분배받는 공산주의의 원리를 실현하는 핵심적인 제도로 규정된 집단화를 위해, 불평등한 토지소유관계를 철폐하고 직접 경작자 수에 따라 토지를 나누어주고자 하였다. 생산작업은 합작사의 소조단위로 집단화되었고, 분배 또한 작업에 참여한 노동력과 가족의 수에 비례하여 균등하게 이루어지도록 조치하였다. 응옥 하 화초합작사의 주석은 당지부 위원 중 한 사람이 겸임으로 임명되었으나, 작업대대와 생산소조의 대표는 각각의 단위에서 일일이 직접 투표로 선출하였다.

평등을 실현하는 과제는 성적 차별에 대해서도 제기되었다. 여성의 참정권은 물론이고, 특히 이혼 여성의 자녀양육 및 재혼에서의 평등한 권리관계에 관한 규정이 첨가된 "혼인과 가족에 관한 법률"이 1959년 제정되었다. 가족관계뿐만 아니라 사회적 활동에서 여성에 대한 차별을 철폐하기 위한 가시적인 조치가 이루어졌다. 응옥하의 각 톤에서는 부녀회가 새로 결성되거나 그 활동이 활성화되었다. 중앙당 차원에서 베트남여성동맹이 조국전선에 조직적으로 통합되는 당 산하의 대중조직 중 하나인 것과 마찬가지로, 각 마을의 부녀회는 공식적으로는 조국전선 프엉 지부에 편입된 대중조직의 성

격을 지니고 있었다. 부녀회뿐만 아니라 마을 단위의 선출직 지도자
에 여성의 출마가 더욱 권장되었다. 거주등록 및 호적에 관한 시행
령이 개정됨에 따라, 여성의 호주 등재가 자유롭게 되었다. 앞에서
살펴본 바와 같이, 오랜 전쟁으로 집안의 남자들이 집을 떠나 있거
나 남편이 먼저 사망한 경우가 많아 여호주 가구는 더욱 증가하였
다. 다이 옌의 또38과 또44의 경우 1954년부터 1985년까지 거주등
록을 한 가구의 경우 70% 정도가 여호주로 등재되어 있었다. 여호
주 등재가 곧 가족 내에서 여성의 권리신장을 직접 의미하는 것은
아니지만, 적어도 형식적인 제도상에는 남녀의 차별이 철폐되고 성
의 평등이 공식화되었음을 보여주는 것이었다.

혁명기 이전의 성차별과 신분차별의 관습이 가장 극명하게 드러
났던 수호신 의례의 성소이자 지방의 남성 원로 유력자 정치의 상징
이었던 딩의 경우, 영혼이나 저승과의 접촉을 시도하는 의례의 금지
와 함께 성과 신분을 초월하여 접근할 수 있는 공간으로 변모하였
다. 특히 부녀회의 집회장소로 사용되기도 하였다. 1954년 이전 딩
에서의 매 번의 의례 절차는 마을의 유력자위원회(*Hoi dong ky muc*)
가 직접 수행하였다. "마을 공동의 일"(*Viec lang*)이라고 표현되었던
수호신 공동의례의 진행에도 이러한 차별은 분명하게 드러났다
(Nguyen Van Huyen 2000: 145; Toan Anh 1991).[146] 공동의례 후
에 흔히 열렸던 딩에서의 연회에도 다양한 서열의 남성 유력자 원로

---

146) 북부 베트남에서 '마을의 공동사업'으로 불리는 수호신 공동의례에 관해서는 일부 사례연구들이
제시되었다(Luong 1994; Kleinen 1999; Truong 2001). 대부분의 경우 가장 중요한 공동의례의
절차가 마을의 유력자 원로에 의해 수행되었고, 지역에 따라서는 수호신의 제사일(*ngay ky*)과 마
을의 복지를 기원하는 불교의 주기적인 제례(*ngay cau*)가 포함되어 있었다(Luong 1994: 83;
Kleinen 1999: 168). 수호신상이 두 곳 이상 나누어져 있는 마을의 경우에는 의식의 제물 올리는
과정과 함께 따로 떨어진 성소에 소재하는 두 수호신상을 딩으로 옮기는 순례행사도 치러졌고, 마
을의 위신을 둘러싸고 서로 경쟁하는 주요 종 호와 '잡'(*giap*)의 성원들이 교대로 신상에 특별한
제물을 준비하여 올리기도 하였다(Truong 2001: 239-240).

들이 위계적인 순서로 정해진 자리를 엄격히 지키고 앉아야 했다 (Nguyen Van Huyen 2000: 617-620). 딩 안에서는 서열이 있는 남자들이 회식을 즐기면서 전통 가극(*hat co dau*)을 즐겼고, 부녀자들을 포함한 나머지 일반 주민들은 딩 밖에서 열리는 서민의 민속 음악극 (*hat cheo*)을 보거나, 각종의 민속놀이와 경연대회에 참가하였다. 당시의 공동의례의 수행에 필요한 비용을 충당하기 위해서 의례용 공전 (*ruong dinh*)이 활용되었다.[147] 그러나 응옥 하의 각 마을의 의례용 공전은 3사오(1,080㎡)가 채 되지 않아서, 그 토지의 경작만으로는 마을의 공동의례에 필요한 모든 비용을 충당할 수가 없었다. 그래서 마을 유력자위원회에서는 위원회의 몇 자리를 판매하여 기금을 마련하였다. 이러한 자리를 구입한 사람들은 '레 카오 봉'(*le khao vong*, 犒望禮)을 통하여 연회를 제공하는 의무를 졌다.[148]

딩에서의 공동의례는 그 자체가 혁명기 이전의 성차별과 신분차별의 현장이 되었다. 그러나 당은 의례개혁을 통해 딩을 여러 가지 세속적인 용도의 공간으로 활용하였고, 일반 주민 모두에게 평등하게 개방하였다. 특히 혁명 이전에는 여자가 딩을 출입하는 것이 엄격히 규제되었던 것에 비하면, 여성들이 집단적으로 딩에서 집회를 갖고 담소를 나누고 놀이를 하는 것은 의례개혁과 평등권 실현과정의 성과를 가장 뚜렷하게 보여주는 것이라고 판단된다.

사회활동에서의 차별의 금지와 함께, 의례개혁을 통해 차별을 드러내거나 정당화하는 상징을 제거하고자 하였다. 혁명 이전 시기에

---

147) 마을 공동의 사당인 딩에 소속된 토지라는 의미에서 "주옹 딩"(*ruong dinh*)이라는 용어로 불리지만, 일반적으로는 "공전"(*cong dien*, 公田)이라고 하였다.

148) '레 카오 봉'을 비롯하여 1954년 이전 북부베트남에서 관료의 직위, 부의 차이 등에 따른 신분차별의 상징으로서 의례의 성격에 관한 연구들이 일부 축적되었다(Malarney 1996; Luong 1993; Nguyen Van Huyen 2000 등).

는 각종 민간의식의 행렬과 제례순서, 참가자들의 역할 등에서 차별에 관한 상징들이 뚜렷이 표현되고 있었다. 새생활위원회는 당의 의례개혁과 평등이념의 실현을 위한 지침에 따라, 우선 의식에 수반되는 여러 복잡한 절차와 관행들을 간소화하여 차별의 요소가 포함되어 있는 절차를 제거하고자 하였다. 그리고 복장, 의례용품, 동작, 역할에서 차별의 상징을 제거함으로써 주민들 사이의 사회관계들을 변화시키고, 새로운 사회의 중심 이념의 하나인 평등주의를 표현하고자 하였다.

따라서 민간의 의식에서 남녀의 차별을 인정하는 여러 가지 의례용품의 사용을 금지하였다. 남녀의 차별은 혁명 이전 시기의 장례식 복장에서도 뚜렷하게 나타났다. 망자의 자녀들은 비탄을 상징하기 위해 하얗거나 누렇게 빛이 바랜 면망사로 거칠게 만든 상복을 둘러쓰고 허리띠를 착용하였다. 장남의 경우 끝이 뾰족하게 세워진 볏짚 모자(*mu rom*, '무 점')를 착용하였고, 다른 아들들도 서열에 따라 조금씩 차이가 나는 유사한 형태의 모자를 썼다. 장례식이 진행되는 동안 망자의 아들들은 모두 사탕수수 지팡이(*chong gay*, '쫑 거이')에 기대어 움직이거나, 항상 지팡이를 옆에 끼고 있어야 했다. 딸들은 무명으로 만든 머리 수건을 둘러쓰고, 망자와의 혈족관계의 거리에 따라 각각 다른 색깔의 머리띠를 착용하였다. 이 모든 것이 망자에 대한 마지막 효도를 상징하기 위한 것이었다. 유적관리위원장의 설명에 따르면, 지방에 따라 그리고 각 친척집단이 준비하고 있는 의례용품에 따라 머리띠, 복장의 모양과 재료, 그리고 색깔의 차이가 있지만, 어느 지방이나 남녀, 그리고 친척관계의 원근에 따라 차별을 두는 관습은 쉽게 발견할 있었다고 하였다.[149]

행정위원회와 새생활위원회는 장례식 개혁을 위해 우선 모든 의식용 복장의 제작과 착용을 금지하였다. 1960년대 초 한 당지부 간부의 사망에 즈음하여, 당지부 비서가 주민들을 불러모아 그의 유언을 낭독하며, 유언의 내용에 따라 자신의 집에 보관하고 있던 의식용 복장을 모두 모아 불살라버리는 행사를 벌였다. 이러한 일종의 모범적인 시위가 벌어진 이후 응옥 하 일대에서는 한동안 면망사나, 무명, 혹은 볏짚으로 만든 장례복장은 공식적으로 사라졌다고 한다. 대신에 의식의 참가자들은 누구나 할 것 없이 평상복을 착용하였다. 남녀노소의 구별 없이, 그리고 망자와의 관계에 상관없이 보통의 복장만 허용되었다. 곡을 하여 슬픔을 표현하거나 지팡이와 끝이 뾰족한 면 모자와 볏짚모자를 사용하는 것이 금지되었다.

다만 망자의 형제자매, 배우자와 자녀 등 직계가족은 '정감'(*tinh cam*)이 유별함을 인정하여 그것을 표현할 수 있도록 머리띠를 착용하는 것은 허용하였다. 그것을 다이 옌 주민들은 '땅'(*tang*)이라고 불렀다. 그러나 머리띠 색깔을 통해 원근에 따른 관계를 구별하거나 남녀를 차별하는 것은 금지하였고, 유가족과 가까운 친척은 모두 하얀색 머리띠를 쓰도록 하였다. 유적관리위원장은 언제인가 하노이 인근 마을의 성공적인 장례식 개혁사례가 알려지면서 머리띠 착용도 금지하자는 의견이 있었지만, 자신이 기억하고 있는 1970년대까지의 몇 차례 장례식에서 유가족의 머리띠는 사라지지 않았다고 하였다. 그러나 머리띠도 과거에는 망자와의 관계에 따라 수개월에서 2년 동안 착용하는 경우도 있었으나, 이제는 장례식이 끝나면 바로 벗어버리도록 조치하였다.

당지부와 새생활위원회는 망자와의 관계에 상관없이 조문객들이

---

149) 또안 아인은 장례식에서 망자의 배우자, 자녀, 친척들이 착용하는 머리띠의 색과 모양에 관해서 자세히 기술하였다(Toan Anh 1991: 338-58).

팔에 검은색 완장을 차거나 가슴에 검은 리본을 부착하는 것으로 애도의 상징을 표준화하였다. 이는 민간의 의례에 당이 지정한 이상적인 애도의 상징을 보급함으로써, 망자가 살아있을 때 가졌던 사회적 관계에 따라 사람들을 구분하고, 또 살아있는 사람들이 여전히 그 구분에 의해 망자와의 관계뿐만 아니라 서로의 관계를 유지하고자 하는 인식을 제거하고자 하였다.[150]

1977년부터 합작사 작업대대장을 담당하였던 빅(Bich, 1939년생) 할아버지는 하 떠이성에서 이주한 사람이다. 그는 1975년 하노이로 이주한 이후에도 친지의 사망으로 수개월 내에 두 차례 고향의 장례식에 참석하였는데, 그곳에서는 당시에도 여전히 과거의 의례복장과 머리띠를 착용한 사람들이 많이 있었다고 하였다. 민간의례의 활성화와 관련하여 응옥 하 일대뿐만 아니라, 지방 성 지역의 농촌에서 이루어지는 마을의례에 참석할 기회가 많았던 유적관리위원장도 유사한 설명으로 도시지역과 농촌을 비교하였다. 그는 하노이와 같은 도시지역의 마을에서는 행정 감시의 직접적인 영향을 받는 경우가 많기 때문에 장례식 복장도 어렵지 않게 표준화에 성공하였다고 설명하였다. 그래서 거의 매주 하노이의 주요 거리에서 관찰할 수 있는 장례식 행렬에는 대부분 참가자들이 검은 완장이나 리본을 착용하고 있었다고 한다. 하노이의 경우 1954년 이후 시 중심가 두 곳에 장례식장을 만들어 의식을 표준화하였는데, 이곳의 참가자들은 모두 말끔하고 정숙한 평상복에 검은 완장과 리본을 착용하고 있다. 그러나 농촌지방의 경우 마을에 따라 차이가 있으며, 많은 지역에서 새 생활운동이 강압적으로 진행되었음에도 유가족들이 구래의 장례복

---

150) 멀라니는 이에 대하여 "망자와 민간의 사회의 관계를 망자와 국가의 관계로 치환하고자 시도한 것"이라고 해석하기도 하였다(Malarney 1996: 542).

장을 착용하고 곡을 하는 것을 모두 금지할 수는 없었다.151)

모자, 머리띠와 의식용 복상 외에 의식의 절차와 참여자의 연행에서 표현되는 성차별의 상징들도 금지되었다. 장례식의 경우 입관이 끝나고 매장을 위해 이동하는 동안 아들은 어머니의 관 앞에서, 그리고 아버지의 관 뒤에서 걸어야 하는 관습(*bo dua me don*, '보 드어 메 돈')이 있었다. 이것은 사망한 부모에 대해서마저도 성에 따라 차별을 하는 악습으로 간주되어 금지하였다. 모든 자녀들은 부모 어느 쪽이건 상관없이 관 뒤에서 이를 따르도록 하였다. 아들이 등을 구부리고 관을 등지는 듯한 자세로 걸으면서 관이 가는 길을 막는 절차(*giat lui*, '젓 루이')는 망자의 영혼의 존재를 인정하는 비과학적인 악습이라고 규정되어 금지시켰다. 딸이나 부인이 관 앞의 길에 누워 구르면서 통곡하며, 영혼을 보내는 길을 애통해 함을 표현하는 의식 (*lan duong*, '란 드엉')은 봉건적일 뿐만 아니라 여성을 비참하게 차별하는 모욕적인 절차라는 이유로 금지시켰다. 그리고 큰소리의 통곡도 금지시켰다. 장례식의 "곡하기"는 특히 여자들이 담당해야 하는 중요한 역할이었는데, 곡하기에 참여한 사람의 수나 통곡의 크기와 지속 시간이 곧 망자의 은덕에 보답하는 정도를 나타내는 것으로 인식되었다. 여유가 있는 집안의 경우 종종 망자의 가는 길에 살아 있는 가족들의 슬픔을 강조하기 위하여 외부의 '곡꾼' 여자들을 고용하는 관행이 많았다. 가난한 사람도 마지막 효도를 위하여 경제적

---

151) 르엉은 하노이 인근 성 농촌지방에서의 1987-1991년 세 차례의 단기 현지조사를 토대로, 농촌지역의 경우 행정단위의 크기와 중앙당과의 거리에 따라 의례개혁의 성공 정도에 차이가 있음을 밝히고 있다. 도시의 프엉급에 해당하는 싸(*xa*) 단위인 빈 푸(*Vinh Phu*)성 소속의 싸 썬 즈엉(*Son Duong*)에서는 비교적 성공적으로 개혁이 진행되었음을 보여주지만, 중앙당과 현(*huyen*) 당지부의 영향력이 상대적으로 약하게 미치고 있는 톤(*thon*) 단위의 자연촌락인 하 박성의 톤 호아이 티 (*Hoai Thi*)에서는 개혁의 성공을 위해 더 많은 시간이 필요하였고, 많은 부분이 주민의 저항에 부딪혔음을 보여준다(Luong 1993).

으로 큰 부담을 지고 곡꾼을 고용하였다. 새생활위원회는 이러한 관행은 봉건적 미신일 뿐만 아니라, 명백한 낭비의 악행이라고 규정하고 곡꾼의 고용은 일체 허용하지 않았다.

성차별 철폐를 위한 의례개혁의 요소 중에 장례식과 관련된 것으로 특히 주목되는 점은 아버지나 남편이 사망한 후 딸이나 미망인은 일정한 추모기간 동안에 결혼 또는 재혼을 금지하였던 관습을 없앤 것이다. 지방에 따라 차이가 있지만, 응옥 하에도 대개 3년의 추모기간 동안 여자들은 혼인을 할 수가 없었다. 반면에 남자는 아내가 죽은 지 1년 정도만 지나면 재혼이 가능하였다. 1959년 '혼인과 가족에 관한 법'을 개정하여 이러한 개혁을 뒷받침하였다. 이러한 법적 조치와 더불어 '새생활운동을 통하여 추모기간을 폐지하고 남녀 누구나 장례식이 끝나면 결혼 또는 재혼을 할 수 있도록 허용하였다.

당과 국가는 성차별뿐만 아니라 민간의 의례에서 나타나는 모든 형태의 신분차별을 철폐하고 평등주의 이념으로 그것을 대체하려고 시도하였다. 혁명 이전 시대에는 혼례, 장례 등 민간의 통과의례가 신분과 부의 차이를 극명하게 드러내 주는 중요한 상징으로 작용하였다. 이러한 상징을 가장 뚜렷하게 표현하는 관행 중의 하나는 장례식의 경우 사망 후 관을 일정기간 매장하지 않고 전시해 두는 관습이었다. 다이 옌에서 어느 집안의 장례식에 그러한 관습을 실제 행하였는지를 구체적으로 확인해주는 정보는 없었지만, 누구나 쉽게 그런 집을 찾을 수 있었다고 주민들은 설명하였다. 오랫동안 관을 전시한 것을 여러 차례 보았다거나 이야기를 들었다는 주민들은 많이 있었다. 주민들은 단지 이러한 관습을 실행하였던 사람들이 "부유한 유력자 가족들"이라고 지칭하면서, 그들이 부모의 시체를 담은 관을 심지어 한 달 이상 전시해 두는 경우도 있었다고 하였다. 이들의 부모나 조부모 중 누군가 중병에 걸려 임종을 앞두고 있으면, 시내의 유명한 상의사나 항 마 제조업체를 찾아 장식이 잘 되고 부패하지 않도록 처리가 되어 있는 고가의 관을 주문하여 임종을 기다렸다고 한다. 주민들의 설명에서 이러한 사람과 대비되는 '가난한 평민'(*binh dan ngheo*)은 고가의 장식으로 치장된 내구성이 강한 재질의 관을 사용할 여유가 없었다. 가난한 인민들은 보통 부모가 사망한 지 하루 또는 이틀이면 매장을 하여야 했다. 심지어 관을 쓰지 못할 정도로 가난한 사람도 많이 있었고 시체를 수의나, 천 보자기 또는 볏짚 멍석으로 덮어 매장을 하는 경우도 허다하였다.

당의 지침에 따라 새생활위원회와 합작사의 지도자들은 이러한 부와 신분에 따른 장례 관습의 차이를 일소하기 위하여 몇 가지 조치를 취하였다. 우선, 유가족이 관을 구입하거나 준비할 책임을 갖지 않도록 하기 위하여, 망자가 소속되었던 합작사나 정부기관이 표준화된 단순한 형태의 관을 공급해 주었다. 상급 인민위원회의 조치에 따라 합작사 사원들은 가족의 갑작스러운 죽음에 대비하여 각자 집에 몇 개씩 빈 관을 보유하고 있을 것을 권하고 미리 나누어주기도 하였다. 응옥 하 화초합작사는 작업대대의 소조단위로 주기적으로 필요한 관의 수를 정하여 준비하도록 하였다. 그리고 정부는 시체가 늦어도 48시간 이내에 매장되어야 한다는 명령을 발표하였다. 정부의 발표에는 콜레라, 열병 등 전염성 질환으로 사망한 경우에는 늦어도 24시간 이내에 최대한 빠른 시간 내에 매장하도록 하는 규정도 포함되어 있었다.[152] 이러한 규제는 공중위생을 유지하기 위한 것으로 정당화하였다. 응옥 하에서는 새생활운동의 착수와 함께 활

---

[152] 하노이 인근의 하 떠이, 닝 빙(*Ninh Binh*)성 등에서는 망자의 질병에 상관없이 사망 후 24시간 이내에 매장하도록 정한 곳도 있었다(Malarney 1996: 545-46).

발한 활동을 시작한 '보건위생위원회'가 나섰다. 위원회에서는 정부의 결정을 알리면서, 장기간의 보관으로 부패한 사체에서 세균이 발생하고 이에 따른 감염의 위험과 질병의 확산을 방지하기 위한 것이라고 설명하였다. 의례의 관습과 상관없이 행정위원회의 간부들과 새생활위원회에서는 주민들의 일상생활에서 건강과 집단위생을 위해 지켜야할 것들을 강조해왔다. 그래서 도시 지역으로 편입된 응옥하에서는 위생을 이유로 관의 장기적인 전시를 금지하는 조치는 대부분 주민들로부터 어렵지 않게 환영받을 수 있었다.

1970년대 말 정부의 공식적인 금지가 발표되기 전에도 도시와 각 지방의 인민위원회나 당지부에서 장례절차를 간소화하는 조치가 이루어졌지만, 제대로 관철되지 못하였다. 정부의 조치는 이러한 저항에 대한 강력한 대처였다고 해석될 수 있다. 매장을 연기하는 관행은 특히 길일을 따져서 의례를 행하는 관습의 영향으로 쉽게 사라지지 않았다. 혁명의 영향에도 불구하고 유가족들은 길조에 따라 의식을 치르지 않음으로 해서 사망한 조상의 영혼이 가져다 줄 수도 있는 불행한 결과에 대하여 우려하였다. 그리고 운명적으로 정해진 시간에 매장을 하고 영혼을 편안히 모시지 못하는 불효를 저지르는 것을 주저하는 것이었다. 역시 구체적으로 어느 집의 장례식이었다고 밝히지는 않았지만, 심지어 합작사가 공급한 관을 사용하는 경우에도 '좋은 날'과 '적합한 시간'을 택하여 매장하고 의식을 치르기 위해 관을 집에 두는 경우도 있었다고 한다.

새생활운동은 신분차이의 표현을 제거하기 위하여 의식의 절차와 도구에 대해서도 개혁을 추진하였다. 절기 의례와 관련하여 향 마의 사용을 금지한 조치는 큰 저항 없이 비교적 어렵지 않게 관철할 수 있었다. 그것은 과거의 '성스러운' 음력의 시간들을 세속화하고 영혼과 저승의 영향에 관한 믿음과 관련된 의식을 금지함으로써 가능하였다. 그리고 딩과 사당, 사찰 등의 성소를 세속적인 용도로 사용하거나, 민간의례가 수행되더라도 타고남은 제례용품의 재를 담는 화로를 없애는 등 '미신이단'의 관행을 금지하는 조치를 취함으로써 부나 신분의 차이에 따르는 의례비용의 차이를 적어도 공적인 공간에서는 드러나지 않도록 할 수 있었다. 그러나 가족 단위의 의례의 경우, 조상숭배의례가 근본적으로 금지되지 않은 상황이어서 의식의 절차와 도구의 사용을 개혁함으로써 차별을 금지하는 조치는 상대적으로 많은 시간이 필요하였다.

장례식과 관련하여 당지부는 우선 관이 묘지로 이동될 때 관 위에 올려두는 정교한 모양의 장식으로 치장한 종이로 만든 일종의 영구대(*nha tang*, '냐 땅')의 사용을 금지하였다. 종이로 만든 장식물과 영구대도 '항 마'의 일종으로 매장 이후 혼령의 무사한 승천을 기원하는 의미로 다른 유물과 함께 태워진다. 이것은 주로 부유한 가정에서 주문 제작하여 사용하였고, 죽은 자의 은공에 대한 해석과 부여된 의미에 따라 다양한 장식물과 추가적인 항 마가 부착되었다. 주로 꽃, 동물의 형상이 만들어졌고, 집이나 사당, 관직이나 벼슬을 상징하는 모자가 올려지기도 하였다. 영구대에는 수의와 별도로 고급 천으로 만든 의복이 담기기도 하였고, 조문객에 따라서는 돈을 얹어 놓는 사람도 있었다. 가난한 사람들은 화려한 영구대를 구입하지 못하고 몇 가지 저렴한 항 마로 대신하거나, 값싸고 단순한 형태의 '냐 땅'을 씌우는 것이 고작이었다. 관을 사용하지 못할 정도로 가난한 상황에서 화려한 냐 땅은 지나친 부담이었다. 따라서 이러한 관행은 신분과 부의 차이를 극명하게 드러내는 관행으로 규정되었다.

당지부는 이와 관련된 믿음을 미신으로 규정하여, 모든 종류의

'영구대' 사용을 금지하였다. 당에서는 이것을 대신하여 관을 묘지로 옮기는 데에 소수의 이웃 주민들이 끄는 '쎄 땅'(*xe tang*)이라는 손수레 또는 자동차를 사용하게 하였다. 이와 함께 사람들을 고용하여 관을 매고 이동하는 관행도 금지시켰다. 보건위생위원회에서는 차량이나 수레로 관을 이동시킴으로써 시체와의 접촉을 최대한 방지하여 보다 위생적인 의식이 될 수 있다는 점을 강조하면서, 집단의 위생을 위하여 반드시 지켜야 한다는 인식을 심어주고자 하였다. 당시에는 관을 매기 위해 고용된 사람의 숫자가 곧 신분 차이를 나타내는 요소 중의 하나였다. 관을 사용하는 장례에는 반드시 관잡이가 필요하였는데, 부자는 30-40명씩 고용하기도 하였고 가난한 집에서도 최소 10명 정도는 동원하였다. 망자의 가족들은 관잡이의 수가 많을수록 죽은 자의 은공에 대하여 보답의 의무를 충실히 하는 것이며, 생전에 못한 금전적인 보상을 대신하는 것이라는 인식하였다. 응옥 하 합작사에는 전쟁이 끝난 후 장례식이 그다지 빈번하지 않고 마땅히 사용할 차량이 없으며, 마을 진입로나 골목이 너무 좁다는 이유로 오토바이 '쎄 땅'을 사용하였다. 당시에는 오토바이 공급이 보편화되어 있지 않았고, 응옥 하에서도 극히 일부의 가구가 소유하고 있었으며, 대부분은 합작사나 당지부에서 공무로 사용되는 것들이었다. 오토바이 쎄 땅은 1990년대 중반에 하노이 시내에서 어렵지 않게 만날 수 있는 '쎄 람'(*xe lam*)과 유사한 형태였는데, 오토바이를 개조하여 뒷바퀴 위에 2미터 정도의 수레를 달아 시체를 운반하게 하였다. 자전거를 개조하여 사용하는 경우도 있었다. 장례식 개혁과 함께 관잡이는 합작사의 청장년 사원들이 담당하였으므로 별도의 사람이 고용될 필요가 없어졌다. 따라서 관잡이의 고용 여부 또는 고용된 관잡이의 수에 따른 신분의 차이도 철폐된 것으로 표현되었다.

묘지와 관련된 상징들을 표준화함으로써 신분 차이를 해소하려는 조치도 이루어졌다. 베트남의 민간신앙에 따르면, 묘지가 길운을 불러주는 장소에 위치하는 것이 망자와 집안의 지위를 표시하는 중요한 기준이 되었다. 부유한 사람들은 풍수학자나 점쟁이를 불러 가장 좋은 장소를 고르고 그 땅을 미리 매입하였다. 1993년 새로운 토지법에 따라 토지 매매가 자유화되면서, 하노이 사람들 사이에는 길조의 터를 선점하기 위한 투기가 성행하였다. 지역에 따라서는 집을 구하는 것보다 묘지를 구하는 것이 우선인 경우도 있었다. 하노이 인근 지역의 많은 토지들이 가족의 묘를 만들기 위해 하노이 사람들이 미리 매입해 놓은 땅들이거나, 많은 사람의 관심을 끌어 지가상승을 부추기고 있다. 마을 주민들은 이것은 베트남 사람들의 오랜 관습이며, 8월혁명 이후에도 이러한 현상은 여전하였다고 하였다. 사망한 가족이 매장되면 공동의 추념을 위하여 돌로 묘비를 세웠다. 그러나 가난한 사람들은 편리한 대로 버려진 땅에 매장하고 묘비를 세우거나, 심지어 어떠한 표식도 만들지 못하는 경우도 허다하였다.

새생활운동이 착수된 지 20년이 지났음에도 불구하고 이러한 관행이 사라지지 않고, 심지어 1975년 전쟁이 끝나면서 지역에 따라 더욱 성행하고 있는 현상이 있음에 주목하여, 1979년에 정부는 이러한 관행을 금지하는 법령을 발표하였다. 당에서는 풍수보기를 통한 묘지 선점을 금지하는 대신에 마을마다 특정 지점을 공동묘지로 지정하게 하였다. 하노이에서는 시내 지역이 공동묘지로 개발될 마땅한 터가 없다고 판단되어 시 남쪽 하 동(*Ha Dong*)의 반 디엔(*Van Dien*)에 공동묘지를 만들었다.[153] 공동묘지에는 화장터와 장례식장

---

153) '반 디엔' 공동묘지에는 연고가 없이 사고로 죽은 사람을 화장하여 안치하는 구역도 있다. 하노이 사람의 농담에는 "너 반 디엔 가고 싶니?"(*Cau muon di Van Dien a?*)라는 표현이 가끔 등장하는

이 구비되어 있다. 화장, 납골함에 유골 안치 등의 절차가 끝나면, 망자의 성명, 출생 및 사망일, 군대, 정부, 당 등 소속기관에서의 계급이나 서열을 표기한 간단한 묘비가 세워진다. 공동묘지에는 전쟁과 혁명의 과정에서 사망하였거나 국가에 공을 세우거나 국가와 사회를 위해 희생한 사람들을 "열사"(*liet si*)로 분류하여 별도의 구역에 안치될 수 있도록 지정해 두었다. 전쟁 열사나 국가 유공자의 경우 지방행정 단위별로 특정의 공동묘지를 만들어 별도의 추모식이 가능하도록 하기도 하였다. 혁명에 성공한 베트남사회에서 죽음은 사회적 부, 신분이나 학력으로 구분되는 것이 아니고, 국가의 이념과 목표를 위해 희생한 정도에 따라 분류되게 되었다.

　당과 국가는 이상의 의례 개혁을 통해 혁명 이전 시기에 의례를 통해 표현되었던 촌락사회의 불평등한 사회관계를 시정하고 새로운 사회의 평등주의적 질서와 사회관계를 구성하려고 시도하였다. 이를 위해서는 남녀의 성적 차별의 금지뿐만 아니라 신분이나 계층의 차이와 차별을 표현하는 의례의 요소를 금지하고자 하였고, 궁극적으로 의례 과정 자체가 평등주의를 공식적으로 표현할 수 있도록 하는 구상이었다. 그리고 국가가 새롭게 구성하고 표준화한 상징들에는 국가자체가 의례의 새로운 주체로 등장하고 있음을 보여주고 있다.

---

데, '너 죽고 싶나?'와 '너 개죽음 당하고 싶냐?'라는 중의적인 의미로 사용된다.

<사진 9> 장례식을 알리는 원로회의 지도자들과 또장

<사진 10> 하노이 국영 장례식장의 장례식

<사진 11> 홍하델타 농촌 지역의 장례식

## 2) 호혜성의 의미 변화

의례 개혁과정을 통해 당과 국가는 혁명 이전 시대의 민간의 사회적 가치들의 변화와 더불어 지방의 사회관계들의 변화를 추구하였다. 당의 개혁은 민간의례와 관련된 구래의 의미와 가치체계를 일소하고 국가의 공식적인 이데올로기와 일치된 의미와 가치들로 대체하려고 시도하였다. 이를 위하여 각종의 통과의례에 수반되는 회식과 그것에 내재된 교환관계를 금지하고 당과 지방 행정기관의 간부들에게 그것을 대체할 수 있도록 일련의 역할을 부여하였다.

장례, 혼례를 비롯한 민간의 통과의례에는 음식나누기를 중심으로 하는 잔치가 반드시 수반되었다. 통과의례에 동원되는 잔치는 신분을 드러내는 과시소비의 현장이자, 가족과 개인들이 긍정적인 애정관계를 재생산하고 마을 공동체에 관한 이상적인 인식을 구성하는 장이다. 이런 의미에서 베트남 사회의 민간의례와 의식에 수반되는 잔치는 "베트남 촌락에서 가장 모순적인 현상 중 하나"(Malarney 1996: 547)였다고 볼 수 있다. 마을의 장례식과 혼례, 신생아의 '한 달 잔치'(*day thang*),[154] 첫돌 등은 이웃간에 지켜야할 가장 중요한 가치의 하나인 '슬픔과 기쁨 나누기'(*chia buon, chia vui*)를 표현하는 과정이었다.

주민들은 그들간의 실제의 관계가 어떤 양상이건, 이웃간의 갈등이나 다른 어떤 심각한 일에도 불구하고 서로를 도우러 가는 것이 같은 촌락에 거주하는 사람으로서의 도리임을 강조하였다. 주민들은 서로 싸움이 있었거나 빚 문제 등 여러 가지 갈등이 있었어도, 이웃

---

154) 출생 후 한 달이 되었음을 기념하는 "더이 탕"(*day thang*)을 통해 비로소 신생아를 가족 외부의 사람에게 보여주고 건강과 행운을 기원하는 축하잔치를 벌인다.

의 잔치에 참여해야 했다고 하였다. 집안에 따라서 여러 대를 이어 서로 사이가 좋지 않은 경우도 있지만, 싱이 나면 가족을 잃은 사람을 도와야하고, 혼례가 있으면 결혼하여 새로운 가정을 꾸리는 사람을 축하하는 일에는 빠지지 않았다고 하였다. 대부분의 주민들은 갈등과 반목에도 불구하고 경조사에 참여하는 것이 "인지상정"(*tam ly giong nhau*)이라고 설명하였다. '미운 이웃'이라도 그들의 도움이 없으면 가정도 제대로 꾸리기 힘들고, 많은 경조사를 치를 수도 없었다고 하는 이도 있었고, "자기 잔치에는 불러 놓고 그 사람의 잔치에 참여하지 않는 것은 있을 수 없는 일"이라고 부연하는 경우도 있었다. 경조사에서 이웃의 정을 나누는 관습에 대한 설명에는, "멀리 사는 형제자매는 팔아 치우고, 가까운 이웃을 사라"(*ban anh em xa, mua lang gan*)는 옛 속담을 동원하기도 하였다.

슬픔과 기쁨을 나누는 것이 곧 이상화된 "마을의 정신"(*tinh lang*, "띵 랑")이라고 표현되었다. '마을의 정신'은 주민들의 도덕세계의 핵심적인 요소이며, 각종의 통과의례에 수반되는 잔치에서의 부조의 관행으로 가장 뚜렷하게 표현되었다. 이러한 관행은 위로하기, 축하하기, 의식의 진행과 절차를 도와주기 등으로도 표현되지만, 가장 중요한 것은 해당 의식이 진행되는 기간 중에 음식을 차려 부조하는 것이었다. 또44의 부또장(Nhiep, 1935년생)은 1952년 조부의 장례식에 대하여 자세한 기억을 간직하고 있었다. 원로회의 일부 노인들과 전 당지부 비서가 니엡 조부의 장례식에 대한 유사한 기억을 지니고 있었다.

조부의 입관의식이 끝나자 가족은 친척과 이웃을 집으로 불러 들였다. 입관의식은 오랜 시간의 독경과 힘께 불교의식으로 지려졌지만, 무당이 와서 다른 조상의 영혼을 불러 제물을 올리고 절하는 의식도 포함되어 있었다. 음식을 나누기 위해 모여든 사람들 대부분이 입관의식에 참여했던 이웃이었고, 부임한 지 얼마 되지 않은 행정위원장과 마을 원로회의 노인들도 포함되어 있었다. 이웃 사람들은 큰 쟁반에 음식을 담아 가져왔는데, 이것을 한 "멈"(mam)이라고 불렀다.[155] 한 멈에는 겉에 누렇게 기름을 바른 듯 윤이 나는 지름 15㎝ 정도의 케이크 모양의 찹쌀밥이 놓여 있었는데, 어느 멈이나 최소 1㎏ 정도는 되었다. 삶은 닭고기도 놓여 있었다. 어떤 사람은 닭고기 대신 삶은 돼지 머리를 가져오기도 하였고, 꽃이나 향을 얹어 놓은 사람도 있었다. 찹쌀밥에 삶은 돼지 살코기를 잘게 썰어 넣어 주먹 크기로 정성스레 만든 '오안'(oan)을 가져오는 사람도 일부 있었다. 간혹 돈을 가져와 주는 사람도 있었지만, 대개는 찹쌀밥을 놓은 한 멈에 돈을 얹어 주거나, 조문객을 위해 별도로 차려진 제상의 이곳저곳에 올려두었고, 현금만 가져오는 경우는 드물었다. 사람들은 대개 조용히 조부의 추모를 위해 차려 놓은 제상 위에 준비한 멈을 차곡차곡 올려 두고 향을 피워 머리를 숙여 절하며 제를 올렸다. 곡을 하는 사람도 있었다. 마당 구석과 집 앞 공터를 비롯하여 집 안팎의 공간이 여러 집에서 빌려 온 식탁과 나무의자, 그리고 멍석으로 빼곡이 채워졌다. 모여든 이웃이 족히 200명은 넘었다. 조문객들 각자의 조문이 이어지고 사람들 사이에 망자의 업적을 포함한 과거사와 살아 있는 사람들의 품행에 대한 이런 저런 이야기가 오갔다. 몇 차례의 간략한 제례(phung vieng)가 끝나자 가족은 이들에게 음식을 대접하기 시작하였다. 집에서는 삶은 닭고기 살을 가늘게 찢어 넣고 닭 뼈를 고운 국물에 시금치를 넣어 다시 끓인 국을 준비하였고, 쌀국수(pho)와 밥도 만들었다. 가족들과 이웃 아주머니들은 술과 과일을 쟁반에 담아 나르기에 분주하였다.

---

155) 1980년대 말 이후 베트남 지역사회의 의례 활성화 과정에서 '멈'은 뚜렷하게 재생되었지만, 이제는 의식을 치르는 집안에서 내놓은 음식에 붙여지는 단위가 되었고, 조문객들이나 하객들은 대부분 현금으로 부조한다.

이처럼, 장례식에서 이웃의 음식 공여는 조문객의 정과 감정, 존경을 표현하는 동시에 '슬픔을 나누는 과정'이다. 조문객이 많을수록 망자의 긍정적인 도덕적 위치를 분명하게 드러내는 것이었다. 장례기간 중 그 집이 사람으로 가득 차는 것이 심리적인 위로일 뿐만 아니라, 망자에게 다하지 못한 생전의 보답을 어느 정도는 해냈다는 위안이 되는 것으로 간주된다. 조문객과 그들의 선물을 기록하지는 않았지만, 유가족은 오랫동안 그것을 기억할 수 있었다. 주민들은 명부를 만들어 기록하는 가족도 있었다고 말하기도 하였지만, 1970년대 이전에는 보통교육의 혜택을 받은 주민들이 그다지 많지 않아서, 참석한 사람들이 그것을 일일이 기록하였다고 추측하기는 어렵다. 실제 마을에서 당시 명부를 기록한 가족을 정확하게 밝히는 주민들은 없었고, 기록의 증거도 발견되지 않았다. 그러나 이러한 기억은 그들이 참가자들의 가족에게 언젠가 호혜적으로 되갚아야 할 때에 효과적으로 사용하기에는 충분한 것이었음이 분명하다. 기억은 되갚아야 하는 부채에 대한 기억이고, 또한 그 중에 많은 것은 이미 증여자의 경조사에 해당 유가족이 이미 증여하였던 것에 상응하는 것인지 여부를 판단하는 기준으로도 작용하였다. 이렇게 기억을 근거로 실현되는 의례에서의 마을 주민들간의 호혜성은 "먹고 마심으로서 빚을 교환하는 관습"(an uong tra no mieng nhau)이라고 표현되었다. 빚을 교환하는 과정에서 주민들이 항상 서로 주고받는 것의 양이 정확하지는 않더라고 비슷하여야 하고, 반드시 되갚아야 하는 것이었다. 즉, 시차를 두고 실행되는 호혜적인 교환은 기억된 증여의 양에 따라 주어지는 등가교환이었다.

마을 수준에서 이러한 의례의 호혜성은 몇 가지 중요한 사회적 의미를 지닌다. 우선, 음식을 증여함으로써 의식에 동반되는 회식과 잔치의 비용을 충당하는 것을 돕는 경제적인 효과를 가지고 있다. 잔치에서는 반드시 음식이 빠져서는 안되고, 부족해서도 안된다. 의례를 주최한 가족의 경제적인 상황이 수백 명에 이르는 사람들을 충분히 먹일 만큼 음식을 준비하기에는 분명 어려움이 많았을 것이다. 그러므로 이웃의 음식부조가 없다면 잔치나 회식이 아예 불가능하였을 것이다. 나아가, 음식 공여의 호혜적인 교환을 통해 '마을의 정신'을 실현하고 그 정신이 표현하고자 하는 바의 사회관계를 재생산하는 기회가 된다. 사람들은 이것을 흔히 "띵 깜 관계"(*quan he tinh cam*, 關係情感)라고 하였다. 필자가 베트남 사람을 사귀는 과정에서 헤아릴 수 없을 정도로 많이 듣고, 사용하게 되는 말이 "띵 깜"(情感)이었다. '띵 깜'에 대하여 그 누구도 정확한 의미를 정의하지는 않았지만, 그것이 사람들 사이에 관계를 맺고, 그 관계를 유지하고 발전시키는 과정에서 반드시 필요한 요소를 뜻하는 것임에는 틀림없다. 사람들은 일상적으로 "띵 깜이 중요하다", "우리의 띵 깜을 위해서", "띵 깜이 부족해서", 혹은 "띵 깜이 있으면 무엇이든 이해할 수 있다"는 등의 말을 사용한다. 촌락 수준의 사회질서에 있어서 "띵 깜"은 매우 중요하다. 이것은 사람들 사이의 관계와 그것에서 비롯되는 서로에 대한 행위와 감정 및 관념의 긍정적인 중요성과 관련된 모든 것을 한 마디로 표현하는 용어이다.

그러나 '띵 깜'은 현실의 관계에 내재되어 있는 차별과 불평등을 가리는 이데올로기적인 속성도 동시에 지니고 있다. 베트남의 촌락사회는 실제 연령, 신분, 재산, 성 등 여러 가지 기준에 따라 사회적인 분화를 이루고 있었다. 다이 옌도 예외가 아니었다. 그럼에도 '띵 깜 관계'는 마을 주민들이 이러한 기준에 의해 분리될 수 있는 가능성을 불식하고 결속과 평등을 실현하는 것이다. 촌락의 일상에서 '띵 깜을 가지고 살기'와 '풍부한 띵 깜'은 긍정적인 가치기준이다. 가족이나 이웃의 죽음 때문에 사회관계는 근본적으로 위협받게 되는 위기에 처하는데, 마을 주민들은 '띵 랑'을 발휘하여 그것을 극복하고 이전의 결속과 평등을 재생산하는 것이고, 이것을 위하여 음식 공여의 교환체계가 활용되는 것이다. 따라서 '띵 랑'은 띵 깜이 마을 전체의 수준으로 확대된 가치라고 해석될 수 있다. 이런 점에서 의례과정의 음식교환과 호혜성은 실제 혁명 이전 시기의 마을의 사회관계의 재생산을 위한 결정적인 수단이 되었다. 그러나 사람들이 표현하는 띵 깜 관계의 재생산과 강화뿐만 아니라, 동시에 지위경쟁과 과시소비를 통한 차이와 불평등의 재생산 현장이기도 하였다.

당지부와 행정간부들은 결혼피로연이나 장례회식, 한달 잔치 등 낭비와 과시소비, 그리고 지위 경쟁의 장으로 간주될 수 있는 관행을 "봉건적 부속"(hu tuc phong kien, 腐俗封建)으로 규정하여 금지하였다.[156] 그러나 그러한 구래의 악습의 한 면에 표현되는 공동체적인 정신으로서 띵 깜이 갖는 결속의식과 평등주의적 속성을 제거하는 것에는 주저하였다. 차이에 기반한 과시소비를 금지하되 띵 깜의 긍정적인 속성을 유지하는 것이 과제였다. 당의 입장에서 의례에 수반되는 연회는 물적 자원뿐만 아니라 인적 자원까지 낭비하여 결국 나라의 힘을 약화시키고 '생산성 강화'에 장애가 되는 것이었다. 결

---

156) 장례식 회식의 경쟁적인 측면은 혼인식 피로연의 관습과 대비되는 측면이 있다. 모두 6명을 한 '맘'으로 준비하는 음식상이 대접된다. 그런데 결혼식에는 부자일수록 초대하는 사람의 수가 늘어나고 따라서 맘의 숫자도 늘어나는 것인데 반해, 장례식에서는 초대란 있을 수 없다. 장례식의 손님은 망자와 유가족이 유지하고 있는 사회적인 평가가 참가자의 수를 결정하는 보다 중요한 요소가 된다.

혼식 피로연의 경우 새생활위원회에서 돼지고기 20kg, 닭 25마리 등으로 음식의 양을 제한하도록 권고하는 조치를 취하였다. 이러한 제한은 지역에 따라서 품목과 양에 있어서 차이가 있었지만, 대개의 경우 규정을 따로 정해두어 따르도록 하였다. 제한을 넘어서는 낭비적인 잔치의 금지에도 불구하고, 당시 각종의 연회에 참석하였던 주민들은 낭비가 엄청나게 많았음을 기억하고 있다.[157)

장례식의 경우 조문객에 대한 유가족의 음식접대는 모두 금지되었다. 새생활위원회에서는 당의 지침에 따라 사람들이 '먹고 마심으로 빚을 교환하기'를 금지하였으나, 촌락의 간부들은 여전히 주민의 "띵 깜"의 요구에 대하여 적절한 대안을 마련하여야 한다고 인식해야 했다. 새생활위원회의 간부, 합작사 대장, 싸 행정위원회 간부들 대부분이 촌락의 사회적 관계에 직접 메여있는 사람들로서, 국가의 관료인 동시에 촌락민이다. 그들로서도 혁명의 요구에도 불구하고 지방의 가치는 존중되어야 할 요소를 여전히 내포하고 있으며, 특히 '띵 깜'의 관계는 일상생활의 주요한 전략적 자원으로도 활용되는 것으로서 무시될 수 없었다. 의례개혁을 통해 국가의 강력한 이념을 관철하여야 하는 한편, 주민들의 희로애락과 관련된 동정을 표현할 수 있어야 하였다.

따라서 낭비와 차별은 철폐하되 '띵 깜'을 살리는 대안이 필요하였다. 당지부는 '띵 깜'을 이전처럼 물질의 과시적인 증여 및 교환을 통하여 재생산하는 것은 금지하는 대신에, 다만 장례식에 참석하는

---

157) 1970년 하 박성 인민위원회에서는 지난 일년간 12,150회의 혼인과 8,184회의 장례식에 쓰여진 돈과 쌀은 일년간 한 현의 인구를 모두 먹여 살릴 수 있을 만큼의 양이라고 발표하였다. 노동력 손실이라는 측면을 부각하여 다시 계산하면, 1년에 평균 250일을 일한다고 할 때 16,267명의 인력의 노동에 해당한다고 하였다. 한 합작사 당 평균적인 노동인구가 500명이라고 가정하면 32개 합작사의 연간 노동력을 손실하는 셈이 된다(Bo Van Hoa 1975: 94; Malarney 1996: 548).

것으로만 표현할 수 있도록 시정하였다. 새로운 사회에서는 다만 면전에 나타나는 것으로도 서로의 도덕적인 의무를 행할 수 있는 것이라고 규정하기도 하고, 구래의 속담인 "있으면 한 가마, 없으면 한 주먹 혹은 빈 손"의 의미를 변형하여 "(물질이) 없어도 나눌 수 있다"(*khong co gi, nhung van chia duoc*)는 담론을 공론화 하였다. 개혁된 장례식에 참석하는 조문객들은 이제 향, 초, 꽃을 가지고 올 수 있게 되었다. 새로운 장례식은 일회적인 추념의 장으로서 그치는 것이지 이후 아무런 사회적 부채를 만들지 않는 것으로 개혁되었다. 문상을 할 때에는 세 개의 향에 불을 피워 양손에 끼워 들고 세 번의 간략한 절을 하는 것으로 간소화되었다. 섬세하고 정성스러운 절하기는 폐지되었다. 당의 지도자들은 이러한 행위로서 주민들 간의 띵 깜 관계의 재생산을 확실히 충족시키는 것으로 규정하였다. 당지도부에서는 연회를 금지함으로써 사회적 가치도 재구성하려고 하였다. 물질이 아닌 '안면을 비추는 관계'를 통하여 새로운 사회주의 사회의 가치를 구성하고자 하였다. 이전에는 물질의 교환을 통한 친척 또는 이웃의 결속을 가장 중요시하였으나, 얼굴을 비추는 '평등한' 사람의 관계를 통하여 보다 포괄적인 사회 단위인 국가를 구성하는 의식으로 개혁하고자 한 것이었다. 국가와 새로운 사회에 내포된 가치는 개인이 가족이나 이웃에 쏟았던 정성과 물질을 국가를 위해 사용하는 것이었다. 개인은 가급적 지역적인 문제에 대한 관심을 멀리하고 그 대신에 자신의 행동과 자원을 국가에 헌신하는 것이 요구되었다.

장례식에 국가를 침투시키는 것은 단지 이데올로기만으로 해결되는 문제가 아니었다. 따라서 국가의 가시적인 역할이 이전의 관습을 대체할 만한 구체적인 행위로 표현될 필요가 있었다. 즉, 혁명 이념의 확산 사체를 위해서도 국가 관료들이 이전에 가족의 구성원이 수행하였던 많은 역할을 대신하여야 했다. 따라서 지역의 당지부와 행정기관, 합작사 간부들이 단지 의례적 관행들에서의 세속적이고 평등적인 요소의 수행을 감시하는 것뿐만 아니라, 주민의 의례에 적극 개입하여 개인들이 혁명적인 국가에 더욱 통합될 수 있는 기회를 만들고자 하였다. 따라서 당간부와 국가의 관료가 민간의례의 수행자로 직접 등장하게 되었다. 다이 옌의 주민 중 1970년대 혼인한 12쌍 중 8쌍이 합작사 주석 또는 당지부 비서가 주례를 본 의식을 치렀다. 이 중에서 5쌍은 당시의 싸행정위원회 마당에서 식을 거행하였다. 혼인 후 피로연의 음식도 합작사 사원들의 협력으로 간소하게 준비되었고, '멈' 대신에 구장 잎과 빈랑 열매(*trau cau*, "쩌우 까우")를158) 씹으면서 차를 마시거나 몇 잔의 술을 나누는 정도에 그쳤다. 혼례식에서 행해지는 축사에는 새로운 부부가 새로운 인간으로서 통과의례를 통해 사회주의 국가에 통합되어야 함을 역설하는 내용이 담겨졌다.

장례식에서도 간부들의 역할은 강화되었다. 농촌지역의 경우 합작사나 지방 행정기관이 관을 제공하는 것 외에, 합작사가 무덤을 파고, 상여꾼과 관잡이를 구성하여 이전에 친척이 했던 역할을 대신하도록 하였다. 의식의 전체적인 조직도 지방 간부들의 책임으로 부여되었다. 다이 옌에는 원로회장이 장례조직위원장을 맡게 하였다. 장례조직위원에는 합작사의 간부와 당지부 위원들도 참여하였다. 당

---

158) "쩌우 까우"는 베트남에서 가장 기본적인 접객용 음식이자, 전통적인 기호식품이다. "한 잎의 쩌우 까우가 대화의 시작이다"라는 속담이 있듯이 구장잎과 빈랑 열매는 대부분의 가정에 일상적으로 비치하여 손님에게 차와 함께 대접한다.

시 '원로회'는 조국전선에 포함된 당의 공식적인 대중조직은 아니었으나, 식민시대의 '유력자위원회'(耆目會)와는 달리 마을의 행정위원회로부터 공식적인 지위를 인정받은 민간조직이었다. 누군가 사망하게 되면 원로회의 간부와 다른 지도자들이 장례시간을 결정하여 주민들에게 알리고 모든 절차가 원활히 진행되도록 조치하는 등 의식의 계획과 집행을 유가족이 아닌 국가의 의도대로 추진하고자 하였다. 공동묘지에서의 화장 직전의 장례식에서 원로회장이 나와 이전에는 종 호의 중요 일원이 수행하였던 조사를 낭독한다.

혁명 이후, 민간의 장례식에 국가가 침투함으로써 살아 남은 사람들을 교육하는 장으로 활용되었다. 조사에는 전쟁 영웅, 혁명의 수행, 그리고 사회주의 구성을 위한 열렬한 참가자로서의 공적이 강조된다. 당지부에서는 아예 장례식 중에는 망자의 일생이 언급되는 것을 규칙으로 정하기도 하였다. 이를 통하여 가족과 참가자들이 그의 선행과 모범을 배우고 따르도록 하는 목표가 있으며, 살아 있는 사람은 죽은 후에 국가와 사회를 위해 모범적인 삶을 살았음이 공표될 수 있도록 준비하게 하는 효과가 있다고 설명되었다. 망자는 살아 있는 사람의 모델이다. 그러나 이 모델은 새로운 사회주의 국가에 의해 재구성되고 규정된다. 그러므로 개인의 일생에 대한 궁극적인 평가는 국가가 부여하고, 국가의 관료가 발표한다. 국가는 개혁된 의례절차를 직접 수행함으로써, 장례식을 통하여 망자는 지방의 공동체가 아니라 사회주의 국가로 재통합되었음을 표현하고자 하였다.

<사진 12> '원주민'의 결혼피로연에 참석한 '프엉'의 당-국가 간부들

<사진 13> 결혼피로연에 참석한 원로회 성원들

# 제 5 장

# 유적공인 사업과
# 민속에 대한 국가의 침투

# 1. 지방의 성소와 민속에 대한 국가의 침투

## 1) 성소(聖所)의 '세속화'

혁명 이후 '새생활운동'을 추진하면서 민간의 종교적 성소에 대한 규제와 탄압이 시작되었다. 정부와 공산당은 토지개혁과 농업생산의 집단화 과정에서 각 지방의 전통적인 민간의례 공간이나 종교적인 성소가 생산력의 증진에 필수적인 요소인 토지를 잠식하고 있으며, '미신과 이단'을 실행함으로써 집단적인 생산활동을 통해 국가의 목표를 실현하는데 주력해야 하는 인민을 봉건적이고 비과학적인 악습에 묶어 두는 반혁명의 온상으로 간주하였다(Kleinen 1999). 이러한 공간에서 일체의 민간의례 행사를 수행할 수 없도록 하거나 심지어 건물을 철거하는 경우도 있었다. 그러나 이러한 시책의 실제 집행은 지방의 당지부와 행정기관의 형편에 따라 수행됨으로써 지역에 따라서 그러한 정책을 철저하게 수행하기 어려운 경우도 있었다.[159) 응옥

---

159) 지방 촌락의 각 성소에 대한 당지부와 국가기구의 처리방식과 처리시기는 마을에 따라 다르다. 많

하 일대의 경우 이미 1945년 이후 실제 많은 성소가 주민 공동의 의례공간으로서의 역할을 점차 잃어가지 시작하였고, 토지조사 사업이 끝난 이후 새생활운동이 본격화되었던 1950년대 말부터는 딩에서의 봉건적인 의식과 의례의 수행을 엄격하게 금지되었다.

응옥 하 일대에서 '마을의 공동사업'인 수호신의례는 1945년 봄에 열린 것이 마지막이 되었다. 1950년 이후에는 일부의 성소들이 불타기 시작하였다. 그리고 토지개혁 시기에는 '사회성분'의 분류와 함께 마을 주민들 사이에 적대적인 분위기가 형성되어 아무도 감히 공동의례의 복구를 생각할 수 없는 상황이었다. 이후 약 30년 동안 의례개혁운동의 영향으로 인하여 어느 마을에서도 전혁명기의 사회관계를 반영하고 있는 공동의례를 재생하고자 시도하지 못하였다. 홍하델타의 다른 농촌지역과 마찬가지로 마을의 성소들은 대부분 세속적인 용도의 공간으로 변모하였다(Kleinen 1999: 163). 빙 푹의 한 사찰은 합작사의 창고로 사용되었고, 흐우 띠엡의 한 사당은 두부 생산대대의 작업장으로 활용되었다. 일부 사당의 앞뒤 뜰은 축사로 변하기도 하였다. 대개의 경우 민간의례의 성소를 당지부의 간부들과 민족해방전선, 공산단청년회를 비롯한 당 대중조직의 활동가들이 장악하여 당과 국가의 혁명과정과 관련된 정책의 홍보나 주민들의 집회 공간으로 활용하였다.

딩 다이 옌(*Dinh Dai Yen*)은 1954년 이후 오랫동안 마을회관이나 정치적 집회장소로 활용되었다. 딩 정문 밖의 공터는 '대미 항전기'에 마을의 유소년들을 교육하는 소학교로 활용되었다. 지금도 딩의

___

은 지역에서 새생활운동을 시작한 초기의 토지개혁 기간 또는 합작사 조직의 초기인 1960년대에 이루어졌다(Malarney 1996; Kleinen 1999). 그러나 하 떠이 성의 동 방(*Dong Vang*) 마을의 경우 홍하델타 지역의 다른 마을과는 다르게, 성소의 철폐가 가장 급진적이고 강력하게 추진된 것은 고도로 중앙 집중화된 경제정책이 실시되는 시기(1975-1981)였다(Truong 2001: 241-42).

정문 외벽에 남아 있는 "응옥 하 제2소학교"라고 새긴 글씨가 그 때의 상황을 말해준다. 해방 이후 정부는 의무교육을 실시하면서 하노이를 비롯한 도시지역의 경우 소학교에 입학한 학생이 급증하게 되었다. 당시 응옥 하에는 한 곳의 소학교가 있었는데, 교정과 교실이 협소하여, 일대 몇 곳의 딩과 사당이 교실 또는 교정으로 활용되었다. 딩 다이 옌은 응옥 하 소학교의 분교로 사용된 셈이었는데, 현재 흔적이 남아 있는 외벽 앞에 나무 기둥과 천막 등으로 가건물을 지어 교사로 사용하였고, 딩 안마당의 부속 건물을 교무실로 활용하였다. 40세 전후의 주민들은 당시 딩의 공터에서 학교수업을 받고, 전쟁 이후의 마을과 조국의 재건을 위한 사업에 참여하여야 하는 인민으로서의 소양교육을 받았던 기억들을 이야기하였다.

당원으로 소학교 교육에 참여한 교사들은 한결같이 딩을 봉건적 미신의 잔재라고 설명하면서 딩에서의 일체의 종교적 의례에 대하여 비판하였다. 그들은 '새로운 사회'의 주역이 될 학생들이 미신과 악습에 얽매이지 않고, 제대로 된 학교교육을 받게 된 것은 다행스러운 일이라고 입을 모았다. 딩이 학교로 사용됨에 따라 딩의 마당과 주변 공터는 아이들의 놀이터로 바뀌었다. 당시 딩 본당의 출입문에는 큰 나무판자들로 못질을 하여 사람들의 출입을 막았고, 건물 외벽과 주변에는 갖가지 혁명구호가 적힌 붉은 천과 벽보들이 나붙었다. 딩이 교정으로 사용되는 동안 건물 벽은 아이들의 낙서로 얼룩져 있었다. 1970년대 들어 일대에 소학교 세 곳이 증설되면서 딩을 학교로 활용할 필요가 없어지게 되었지만, 딩이 수호신 의례나 마을 주민의 개별적인 의례를 위한 성소로 완전 회복되지는 않았고, 주민교육과 정치집회의 장소로 활용되어 왔다.

마을 '원주민'들은 오랜 전쟁과 가난 때문에 마을의 전통 의례를 제대로 수행할 수 없었던 일을 안타깝게 생각하고, 당시의 어려운 상황에 대한 기억들을 풀어놓았다. 주민들은 1980년대까지는 각급 행정조직의 감시와 규제뿐만 아니라, 어려운 경제 여건으로 마을 공동의례를 활발하게 벌일 수 없는 상황이었다고 하였다. 많은 청년들이 전쟁에 참가하였고, 폭격을 받고 피난을 다니는 난리 통에 전통의례를 제대로 지키고 실행할 수는 없는 일이었다. 전쟁이 끝나고 합작사가 해체되기 시작한 시기에도 대부분 지방 행정단위 소재의 유적들은 미신의 온상으로 낙인되어 계속 일체의 의례가 금지되었다. 1975년 남부가 해방된 후 딩은 다른 많은 마을에서와 같이 딩을 지키고 관리하는 사제를 두어 계속 향을 피우고 예를 올리며, 유적을 유지하고 관리하는 일은 계속할 수 있었다. 그러나 일반 마을 사람들에게 개방할 수는 없었다.

국가는 지방 촌락마다 존재하는 민간신앙의 공간에서 '봉건'과 '미신', 그리고 '비과학성'을 제거하려는 시도만으로 혁명적 이념을 유포하기는 부족하였다. 구래의 악습을 철폐하면서도 공동체의 이념을 재생산할 수 있는 적절한 대안이 필요하였다. 그러한 시도 중의 하나가 1950년대 지방의 주요 행정단위마다 마을 공동의 회관을 설치하는 것이었다. 정부에서는 이것을 '문화의 집'(*Nha van hoa*) 건설 사업이라고 불렀다(Kim Ninh 1996: 318). 하노이의 경우 새생활운동을 추진하면서, 소구 또는 싸 단위마다 적절한 문화건물의 건설을 지시하였다. 응옥 하에서는 한 딩(*Dinh Ngoc Ha*)의 부속건물을 당이 지정하는 '문화의 집'으로 개조하고자 하였다. 그러나 이러한 시도는 촌락 주민들의 즉각적인 지지를 끌어내는 데에는 어려움이 많았다. 특히 랑, 톤, 쏨 등 전통적인 촌락 단위나 이웃관계의 연망에서 구축된 구래의 의례공동체는 국가가 재건한 지방행정 단위를 기준으로 만들어지는 공간에서 민간의 일상적인 관습을 실천하는 것에 쉽게 적응할 수 없었다. 싸 응옥 하에서 문화건물은 혁명기에 당지부와 인민위원회의 공식적인 정치적 행사를 위한 공간으로 사용되었으나, 인민의 자발적인 참여를 통한 공간으로 인식되지는 않았음을 알 수 있었다. 문화건물의 지정에도 불구하고 각 '전통촌락'의 주민들은 각각의 마을에 소재한 딩과 사당, 사찰 등에서 소규모의 집회가 이루어지는 것에 더욱 친숙하였다. 주민들은 공간적으로나 상징적인 의미에서도 해당 촌락과 거리가 먼 곳에서 추진되는 문화건물에 대하여 거의 관심을 두지 않았다.[160]

또 다른 시도는 다음 절에서 살펴보는 바와 같이 1960년대 초 '민족의 찬란한 본색문화(van hoc ban sac)'를 간직하고 있는 민족의 유산을 보존한다는 명목 하에 민간의 성소를 국가가 직접 관리하고자 하는 정책을 집행하기 시작한 것이었다(Nguyen The Long 1998: 275-80, 352-57). 이러한 과정은 당국가가 혁명을 통하여 민간의 성스러운 공간을 세속화하는 시도에는 모호한 이중성이 내재되어 있음을 엿보게 한다. 즉, 구래의 민간영역의 성소를 탄압하면서, 지방에서 당의 새로운 권력구조를 확보하려는 국가가 새로운 의미의 성소를 구성하고자 하는 시도라고 볼 수 있다.

혁명의 시기에 대부분의 마을 공동의례가 더 이상 수행되지 않게 되었다는 것이 곧 지방 공동의 공간이 전적으로 공산당의 권위 하에 놓이게 되었음을 의미하는 것은 아니다. 합작사 시기 집중되었던 국가에 의한 '성소의 세속화'가 곧 민간의 의례공간에 대한 국가이념

---

160) 낌 닝은 1950-60년대 문화부가 수행하려고 하였던 '문화건물' 건설 사업이 실패한 것은 부분적으로는 그 사업이 땅이나 톤 단위가 아니라 싸(xa) 단위로 수행된 점에 있다고 지적하였다. 당의 지도자들은 이후 그 사업을 보다 작고 보다 친밀한 행정단위에 초점을 두는 것으로 바꾸고자 하였다(Kim Ninh 1996: 319-323).

의 완전한 침투를 의미하는 것은 아니었다. 오히려 성소가 다른 용도로 활용되는 과정에서 사회주의 국가의 의도와 상관이 없거나, 합작사의 집단 생산 활동의 직접적인 영역 외부의 많은 문제들이 제기되고 토론되기 시작하였다. 이런 점은 전혁명기의 '성소'는 기존의 권위체계에 따라 접근가능성과 정도가 엄격히 차등화되어 있었음에 반하여, 혁명이후 세속적인 용도의 집합적인 공간에는 남녀노소의 차별 없이 보편적인 접근이 가능해졌기 때문에 발생된 결과라고 할 수 있다. 주민들은 집단화 기간 동안에 딩에서 개최되었던 생산조직의 모임이나 회의에서 농업생산이나 노동의 관리와는 거리가 먼 일상생활의 많은 문제들에 관해 논의하였다고 회고하였다. 더욱 흥미로운 사실은 일단 일상적인 의제가 제기되면 남자들보다 훨씬 많은 여자들이 그것에 대해 토론하고 '발표'(*phat bieu*)하고자 하였다는 점이다. 이러한 현상은 마을에서 사회주의 국가가 주도하는 사회적 공간의 확대가 지방의 관심사 모두를 배제하는 결과를 이끌지는 못하였음을 보여준다. 오히려 마을의 일에 대한 논의 참가에 성별, 신분별 차이를 해소함으로써, 사회주의 혁명 이전 시기의 유력자위원회보다 훨씬 더 많은 참가자들에 의해 지방의 관심사들이 논의되고 의사가 결정되는 새로운 잠재적인 공간을 제공하게 된 효과가 숨어 있었다고 해석될 수 있다. 혁명기간 동안 마을의 공동의 공간으로서의 딩은 더 이상 존재하지 않게 되었지만, 주민들의 공간은 국가의 공식구조 속으로 포섭되어 들어가는 동시에 다면적인 복합적 참여가 가능한 새로운 공간이 만들어지기 시작하였다.

## 2) 유적공인과 국가의 성소

1980년대 농업집단화가 해체되기 시작하고, 개인별 혹은 가구별 생계활동의 자유가 확보되기 시작하면서, 민간의 일상의례에 대한 국가의 직접적인 간섭은 많은 부분 완화되었다. 그럼에도 지역 수준에서의 민간의례에 당지부과 행정기구가 여러 가지 형태로 개입함으로써 당-국가의 공식 이데올로기를 유포하려는 시도는 계속되고 있다. 그러한 과정은 분명 도이 머이 이전의 혁명기의 국가의 역할과는 차이를 나타내지만, 민간의 의례와 관련된 요소들을 세속화함으로써, 국가의 기능을 유지하려는 시도는 계속되고 있음을 보여준다.

이러한 연속의 성격을 가장 뚜렷하게 보여주는 것이 민간의례의 공간을 국가의 유적으로 공인하고, 그 공간에서의 의례에 당-국가가 간여하는 사례이다. 이러한 과정은 도이 머이 이전의 의례개혁 시기의 세속화 운동과 일맥상통하며, 곧 '의례공간의 세속화'라고 해석할 수 있다. 그러나 이 때의 '세속화' 또한 혁명기 민간의 성스러운 시간의 세속화와 유사하게 이중적이고 모호한 성격을 지닌다. 유적의 공인은 민간의 성소를 국가가 장악하여 주민들의 정치적 선전과 교육의 장으로 활용하였다는 측면에서 세속화의 과정을 겪지만, 동시에 국가가 정의하는 새로운 '성스러운 의식'의 집행장소로 변모한다. 이런 점에서 '봉건적 권위체계'에 기반하였던 구래의 성소가 새로운 사회주의 국가의 '국가적 성소'로서의 의미를 획득하고 기능을 복원하게 되었다. 즉, 국가는 민간에 의해 정의된 성스러운 공간과 그 곳에 부여된 여러 가지 의미들에 국가가 정의한 새로운 성소의 개념을 삽입하고자 시도한다. 이런 의미에서 의례수행의 공간들은 국가-민간이 경합하는 '성소'로서 변화하여 왔다고 볼 수 있다.

정부는 지방에서 민간의 성소로 기능하였던 각종의 사당과 사찰을 국가의 유적으로 공인하고 베트남 민족의 우수한 전통문화(*Van sac truyen thong*, 本色傳統)을 보존하기 시작하였다.161) 실제 1962년부터 유적의 공인 사업이 시작되었다. 정부는 국가의 공인 사업의 대상이 되는 유적은 "역사나 전설을 통하여 그 인물의 공적과 종교적 의미가 전승되고 있는 입증된 역사적인 존재를 신앙의 대상으로 정해 내려온 경우"라고 정하였다(Nguyen The Long 1998: 14). 1962년부터 2001년까지 하노이에서만 사찰, 딩, 덴 등의 성소와 혁명 및 전쟁 기념물 중 공인된 유적은 모두 457개에 이른다. 이 중에 중앙정부의 수상실과 문화정보부에서 공인한 유적은 420개이다.162) 1998년 이후 일부의 유적공인 사업이 지방 시, 성의 문화통신국(*So van hoa thong tin*)으로 이관되어, 하노이인민위원회에서 공인한 유적이 37개이다. 꾸언 바 딩 문화부(*Phong van hoa*)의 자료에 따르면, 2001년 현재 꾸언에 소재하는 56개의 유적 중 절반인 28개가 중앙정부 및 하노이시의 공인을 받았다.

역사 및 문화유적의 공인 지정 및 관리에 관한 정부의 행정부서에는 각 급의 수준에 따라 담당하는 유적 및 의례행사가 정해져 있다. 가령 '국자감'(*Quoc Tu Giam*, 國子監), '덴 레 멑'(*Den Le Mat*), '홍왕 사당'(*Den Hung Vuong*) 등은 중앙정부급 유적으로서 정부 수상

---

161) 당은 우수한 민족문화를 보전, 계승하는 것은 호찌민 주석의 주요 사상이었다고 주장한다(Dinh Xuan Lam & Bui Dinh Phong 2001; Bui Dinh Phong 2001).

162) 참고로 1994년 12월까지 전국의 공인된 유적은 모두 1,659개이다. 이 중 81개는 "특별중요유적"(*di tich dac biet quan trong*)이고, 247개의 "혁명항전유적"(*di tich cach mang-khang chien*)을 포함하여 "역사유적"(*di tich lich su*) 898개, "예술건축유적"(*di tich kien truc nghe thuat*) 690개, "명승유적"(*di tich thang canh*) 52개, 그리고 고고학유적(*di tich khao co*) 19개 등이 분포되어 있다(Cuc bao ton bao tang 2000, "So lieu tong hop Nghanh Bao ton bao tang"[보존박물관 영역의 종합 통계자료] 참고). 2003년 1월의 보충 현지연구 당시 필자는 하노이의 보존박물관국과 하노이유적관리위원회(*Ban Quan ly di tich Ha Noi*)를 비롯한 문화통신부 산하 기관의 간부들과의 면접을 통해, 2002년 현재 전국적으로 모두 2,500여 개의 공인유적이 있음을 확인할 수 있었다.

실에서 공인 과정과 관리에 관여하고 있으며, 수상이 직접 공인증에 날인하였다. 반면에 하노이를 비롯한 지방의 각 마을의 시조신이나 수호신을 모시고 있는 성소의 경우에는 평가된 가치에 따라 정부의 문화정보부 혹은 시 또는 성 인민위원회의 문화정보국에서 담당한다. 딩 다이 옌의 경우는 문화정보부에서 공인증에 날인하였다. 1962년 정부가 최초로 공인한 14개의 유적들과 도이 머이 이전에 공인된 유적들은 국가에 의해서 그 소재지 마을 차원의 유적이 아니라 전통왕조가 국가의 차원에서 역사적 유적이거나 국가의 통치이념을 상징하는 장소로서, 국가적 행사를 시행하던 곳들이다(Nguyen The Long 1998). 따라서 국가가 나서서 해당 유적을 공인하는 과정이 있었다. 그러나 딩 다이 옌처럼 역사적 사실보다 촌락 고유의 신화와 관련된 마을 수준의 유적은 아래로부터 요구가 상급 기관에서 승인을 받고 결국에는 중앙정부에서 최종적으로 결정하는 방식을 취한 것이었다.

하노이 유적명승관리위원회(Ban quan ly Di tich va Danh thang)의 자료에 따르면 정부의 유적 공인 사업은 1990년대에 이르러 급증하였다. 1962년 처음 14개의 국가 규모의 유적들이 공인된 이후 1975년 이전까지는 4개가 추가되어 모두 18개 유적에 머물렀다. 1975-85년 기간에도 13곳이 공인되는데 그쳤다. 도이 머이가 시행된 1986년 이후 유적공인은 증가하기 시작하였고, 특히 1990년대 들어서만 매년 약 40개 이상의 유적이 공인되어 왔음을 알 수 있다.[163] 이 시기에 유적공인이 급증한 것에는 우선 1984년 정부가

---

163) Ban quan ly Di tich va Danh thang(하노이유적명승관리위원회). 2002, "Danh Muc Di Tich da Xep hang Cap Quoc gia va Thanh Pho"[국가급 및 하노이시급의 공인을 받은 유적목록], So van hoa thong tin Ha Noi(하노이문화통신국).

"역사문화유적 및 명승고적의 보호와 사용에 관한 법령"을164) 제정하여 지방 단위의 각종의 유적을 발굴 복원하고 보존하는 사업을 벌이기 시작한 데에 결정적인 영향을 받았다. 이 때부터 각종의 의례 행사도 옛날부터 내려오는 것과 동일하게 혹은 유사하게 되도록 조직하기 시작하였다(Nguyen The Long 1998: 6-7). 도이 머이 정책과 함께 정부에서는 유적을 관리하고 보존하는 정책에 보다 적극적으로 나서기 시작하였고, 유적이나 소위 전통의례의 복원을 지원할 수 있도록 각급 행정기관이나 민간 차원의 조직 구성을 허용하기 시작하였다. 정부는 1986년 이후 매년 공인된 유적의 보수와 보존을 위하여 각급 기관에서 예산을 배정하고 있다. 지역 소재의 문화관련 기관에서는 정부의 예산을 받아 지방의 유적들을 새로이 꾸미고 장식하는 일을 경쟁적으로 벌이고 있다.165) 1998년 이후에 국가의 유적 공인이 줄어든 것은 공인 사업이 시나 성 등 지방인민위원회로 이관된 탓도 있지만, 1990년대 중반까지의 적극적인 공인 사업의 결과 그만큼 공인의 대상이 되는 대상 유적이 줄어들었기 때문이다.

---

164) 이것은 1984년 4월 4일 발효된 전국인민회의(*Hoi dong Nha nuoc*)의 제14호 법령(*Phap lenh so 14-LCT/HDNN*)이다.

165) 가령 1995년의 경우 상급 기관에서 경비를 지급 받은 유적은 전국에 모두 203개 이고 총경비는 112억 3,500만 동(약10억 원)에 이른다. 이 중에 62개 유적은 상급에서 유적의 소재지에 핳당하는 예산 57억 동을 지급 받았으며, 141개 유적에 부여된 55억3,500만 동의 예산은 각 지방의 일반예산 중의 "상설사업예산"에서 분배되었다. 그밖에도 베트남 정부는 유네스코, 세계은행 등에서 국내의 유적을 보존하기 위하여 국제적인 지원을 요청하고 있다. 가령, 1994년 국제 기금에서 유적의 보수에 투자된 금액은 '국가급'의 3개 유적에 총 42만 달러에 달하였다 (www.cinet.vnnews.com/chuyende/55vhtt/vanhoa/baotslth.htm, "So lieu tong hop Nghanh Bao ton bao tang" 참조).

## 3) 응옥 하의 공인유적과 국가의 '책봉'(冊封)

프엉 응옥 하를 구성한 5개 전통 촌락들에는 마을 고유의 딩, 덴 혹은 사찰이 소재하고 있다. 촌락을 대신하여 '꿈' 단위로 행정이 개편되어 있지만, 마을마다의 이러한 유적들이 주민들에게는 전통촌락의 경계와 소속감을 유지하는 상징적인 공간이 되어왔다. 이러한 성소의 이름에는 아직도 전통촌락의 이름들이 그대로 붙어있다. 이 중에 정부로부터 "역사문화유적"으로 공인된 것은 2000년 현재 딩 3개, 사찰, 덴, 전쟁혁명유적 각각 한 곳 등 모두 6개가 있다. 모두가 중앙정부가 공인한 유적들로서 문화정보부가 공인증에 날인하였다.

<표 5-1> 프엉 응옥 하 소재의 공인유적들

| 유적명 | 공인일자 |
|---|---|
| 딩 빙 푹(Dinh Vinh Phuc) | 1990. 3. 5. |
| 쭈어 빙 푹(Chua Vinh Phuc) | 1990. 3. 5. |
| 딩 다이 옌(Dinh Dai Yen) | 1990. 12. 27. |
| 딩 응옥 하(Dinh Ngoc Ha) | 1992. 2. 15. |
| 덴 동 느억(Den Dong Nuoc) | 1993. 5. 11. |
| B52격침 기념유적(혁명/전쟁 유적) | 1992. 4. 22. |

응옥 하 일대의 유적들 모두 왕조기에 '책봉'(sac phong, 冊封)의 증거와 함께 수호신으로 숭배되는 영웅이 국가에 공을 세웠다는 기록 및 전설에 따라 국가의 유적으로 공인되었다. 이러한 공인유적들에는 대개 왕조기부터 왕권의 지시나 시혜에 의해 보호받아 왔음을 보여주는 기록이나 유물, 혹은 관련된 전설이 전해지고 있었다. 가령 '딩 응옥 하'는 응우옌(阮)조인 19세기초에 건립되었으며,[166] 이

---

166) 이곳의 많은 주민들은 딩 응옥 하가 라쩐 시대에 처음 건축되었었다고 믿고 있었다. 주민들이 실제 건축된 시기보다 무려 7-8세기 이전 시기까지 딩의 기원을 오래된 것으로 믿고 있는 것은 딩

미 프랑스 식민기 이전부터 조정과 지방행정관의 도움으로 여러 차례 보수되었다는 기록이 남아 있다(Nguyen The Long 1998: 427). 인민위원회의 부주석은 "이러한 애국애민과 민족문화애호 사상이 곧 베트남과 수도 하노이 천년의 아름다운 문화전통이며, 각 유적과 의식들은 보존과 회복가치가 높은 것들로 이어지고 있다. 이 모든 임무가 당, 정권, 대중조직과 프엉 응옥 하의 모든 인민 단체의 책임인 것이다"라고 하였다.

딩 응옥 하는 '현천흑제'(*Huyen thien hac de*)를 성황신으로 모시고 있다.[167] 전설에 따르면, 리조 때에 8세의 한 소년이 쓰(*Su*)산의 한 나무에 올랐다가 떨어져 죽어 신령으로 변하였다. 왕이 '남정'(*Nam chinh*, 南征) 군대를 조직하여 당시의 참파 지역에서 침략한 적의 정벌에 나서자 그 신령이 왕의 꿈에 나타나 적의 형세를 알려주었다. 신령의 정보대로 군대를 배치하여 대승을 거둔 이후 왕은 그 신령에게 작위를 내려 '현천흑제'라고 부르게 하였다.[168] 이러한 전설은 각 성소가 모시고 있는 신성이 과거 왕조시대에 국가 및 조정에 대한 공적을 남겼음을 표현하고 있다. 전설에 따라 현천흑제의 승전일로 알려진 음력 1월 19일과 그가 사망한 11월 21일에는 매년

에 모시고 있는 마을의 성황신에 관련된 전설이 리(李)조기로 거슬러 올라가기 때문이었다. 이러한 믿음은 다른 딩과 덴에 대해서도 유사하게 표현되고 있었는데, 전설상의 마을의 기원을 곧 딩의 건축시기와 일치하는 것으로 생각하는 공유된 오해 때문이라고 볼 수 있다.

167) 이곳 사람들은 '현천흑제'를 검은 임금이라는 의미인 '옹 부어 덴'(*Ong Vua Den*)이라고 부르기도 한다. 프엉 응옥 하에 소재하는 아직 공인받지 못한 유적인 '딩 흐우 띠엡'과 '딩 쑤언 비에우'도 같은 신성을 모시고 있다.

168) 다이 옌의 유적관리위원회의 위원들은 인근 마을의 유적에서 이루어지는 공동의례에도 여러 차례 참여한 바가 있고, 일상적으로 각 마을의 유적관리위원회와 교분을 유지하고 자주 왕래하는 편이어서, 서로의 유적과 수호신 전설에 대하여 상당한 지식을 가지고 있었다. 유적관리위원장은 옥화공주, 현천흑제, 바익 타오(*Bach Thao*) 등 프엉 내의 각 마을의 성소에 모시고 있는 수호신들이 서로 형제남매간이라고 설명하였다. 그의 설명을 입증해주는 역사적인 자료는 없으며, 그도 뚜렷한 근거를 제시하지는 않았다. 단지 이들 수호신의 관계가 형제지간이라는 설명을 통해 각 신위가 숭배되고 있는 마을들간의 관계를 표현하고자 하였다.

쑤언 비에우, 응옥 하, 흐우 띠엡 등 '땀 잡'(*Tam giap*, 三甲)의 주민 들이 제례를 여는데, 수호신이 나라와 백성을 구한 공을 기념하기 위한 것이다. 세 마을에서 대표를 한사람씩 선출하여 대회에 참가하게 된다. 당지부, 인민위원회와 조국전선의 간부도 참가한다.

덴 동 느억(*Den Dong Nuoc*)은 현재 꿈5에 해당하는 톤 동 느억에 소재하고 있다. 이곳에는 '삼부성모'(*Tam phu thanh mau*, 三府聖母)를 성황으로 모시고 있어서 '삼부성모의 사당'이라고 부르기도 한다. 삼부성모는 하늘에서 내려온 세 선녀를 지칭하는 것인데, 그 중 '응옥 느엉'(*Ngoc Nuong*)이라는 이름의 한 선녀만이 '속세'(*tran the*, 塵界)에 정착하였다고 전해진다. 전설에 따르면, 응옥 느엉은 원래 용왕(*Long Vuong*, 龍王)의 딸이었으나, 하이 즈엉(*Hai Duong*)의 리 응이(*Ly Nghi*)장군 부부에게 입양되었다. 당시 남쪽에서 응우옌씨 세력이 군대를 이끌고 쩐(*Tran*, 陳)의 수도를 침략하자 응옥 느엉이 꿈에서 본 바대로 적의 형세를 아군에 알려주어 바익 당 강(*song Bach Dang*)에서 적을 섬멸할 수 있었다. 전쟁을 이기고 돌아온 쩐조의 임금이 그녀에게 "똔 링 공주"(*Cong chua Ton Linh*)라고 책봉하고, 지방관에게 그녀의 공을 기리는 사당을 지을 것을 명하여 건축된 것이 바로 이 덴이었다고 한다. 매년 음력 8월 17일에는 주민들이 모여 '응옥 느엉 똔 링 공주'의 제사를 모시고 있다.

딩 빙 푹은 '황태제'(*Thai Te Hoang*, 太宰黃)를 성황으로 모시고 있는데, 딩의 관계자들은 그가 하노이 촌락의 '근원 고향'으로 알려진 13짜이를 개척한 영웅과 동일인물이라고 주장하였고, 호앙 푹 쭝(*Hoang Phuc Trung*)이라는 이름으로 불리기도 한다고 설명하였다. 쭈어 빙 카인(*chua Vinh Khanh*, 永慶禪寺)의 경우는 전설과 관련된 역사적인 영웅을 숭배하는 곳은 아니지만, 바오 타이(*Bao Thai*) 7년

(1726)에 주조된 종(鐘)을 비롯하여 몇 가지 역사적 유물이 전해지고 있어 유적으로 공인되었다.[169)]

응옥 하의 공인유적에는 공통적으로 봉건왕조기에 국왕과 조정으로부터 여러 차례 '책봉'을 받았다는 증거와 기록이 남아 있었다. '책봉'은 봉건 군주가 나라에 공을 세운 인물이나 그 공적과 관련된 유적에 대하여 일정 직위를 부여하여 공식화하는 과정을 의미하는 것이었는데, 사회주의 정부 하의 열사의 지정이나 유적의 공인도 국가가 주체가 된다는 점에서 같은 의미를 지니는 것으로 인식되고 있었다. 과거 왕조기의 조정과 마찬가지로 현재의 정부에서 중요한 역사적, 문화적 유적에 공식적인 직위를 부여하고, 그 역사적인 특성을 기리고 보존하기 위해서 추진되고 있는 것이다. 왕조의 권위를 지방에까지 침투시키는 한 방식으로서 지방의 역사를 보호하고 신앙의 성소가 되는 중요 유적, 그것도 국가 및 왕조에 공을 세운 특별한 인물을 신성으로 모시는 장소를 유적으로 지정하여 권위를 주는 것이었다. 지금도 정부가 그것을 계속하고 있으며, 특히 1990년대 들어서 해마다 하노이 내외성의 여러 마을에서는 마을 소재의 유적을 국가의 공식적인 유적으로 인정받기 위해 노력하고 있다.

이러한 점은 혁명을 통하여 '봉건'을 극복하고자 하였던, 사회주의 당국가의 의례개혁이 모호한 성격을 가지고 있었음을 보여준다. 즉 국가가 혁명을 통하여 타도하려는 대상 또한 선택적이었다. 그리고 사회주의 당국가가 국가권력의 신성함과 정당성을 위하여, 모순

---

169) 쭈어 빙 카인의 대표적인 유물인 종의 표면에는 "쭈어 빙 카인은 껑 도(京都)의 성안에 있다. 이 곳은 껑 타인(京城의 신령의 땅이다. 리 왕조가 이곳에서 제례를 올렸으며, 빙 카인이라는 유적을 남겼다(永慶禪寺, 京都內城, 京城靈地, 李朝起供, 永慶古迹)"라는 내용이 포함된 한시가 새겨져 있다. 주민들 중에는 이 시가 리, 쩐 왕조기의 탕 롱 내성의 형세를 추측하게 하고, 오늘날의 프엉 응옥 하가 그 중심이었다는 것을 보여준다고 주장하였다.

적으로 제거하려고 하였던 전혁명기적인 요소를 재생시키거나 선택적으로 동원하고 있음을 보여준다. 사회주의 국가의 유적 공인은 곧 '사회주의 당국가에 의한 책봉'이라고 할 수 있다. 즉 봉건 왕조의 책봉과 현재 국가의 유적공인은 지방촌락의 성소를 복원하고자 하는 인민의 요구에 대하여 온정주의적이면서 권위적인 국가의 후광을 입힌다는 점에서 동질성을 지닌다. 사회주의 국가는 봉건왕조의 미신적 악습을 제거하고자 하였으나, 중앙 권력이 민간의례에 대한 개입을 통해 권력을 신성화하려고 하는 동일한 시도를 한다는 점에서 '봉건'과 '미신' 또한 국가권력의 자원으로 활용 또는 재활용되고 있는 것이다.

국가는 전혁명기의 권력 신성화와 정당화의 요소들을 선택적으로 활용할 뿐만 아니라, 새로운 이념에 걸맞은 새로운 형태의 후광을 창조한다. 전쟁 및 혁명의 업적을 기념하는 역사유적으로 공인된 'B52격침 기념유적'(Xac May bay B52)은 사회주의 국가가 새롭게 구성하는 '책봉'의 사례를 보여준다. 이것은 딩 흐우 띠엡 정문 앞의 작은 호수(ho Huu Tiep)를 비롯하여 미군폭격기의 잔해가 떨어져 있는 곳을 유적으로 지정해 두었다. 이 호수를 'B52 호수'라고 부르기도 한다. 1972년 12월 27일 미국이 신년을 앞두고 북부베트남과 수도 하노이에 대한 대공습을 감행하였을 때에 하노이 인민군이 대공전차포로 공습 중이던 미군 폭격기 B52기를 격침시켰다. 정부는 이곳을 역사유적으로 지정하였고, 도이 껀변에 'B52 전승 박물관'(Bao tang Chien thang B52)를 건립하여 인근에서 수거한 비행기 잔해와 함께 당시의 대전차, 대공포 등의 전쟁유물들을 전시하고 있다. 이곳에서는 딩과 덴과 같은 종교적인 유적에서와는 달리, 해마다 이 지역에서 전쟁으로 사망하여 국가로부터 열사로 지정 받은 인물들에 대한 묵념을 올리는 식을 거행하고 있다. 의식은 매년 9월 2일의 건국기념일(*Quoc Khanh*, 國慶日)과 5월 1일 국제노동절에 거행된다. 현재 이 날의 기념식은 프엉 인민위원회에서 주관 하에 이루어지는데, 정부 사회부상병부(*Bo Xa hoi va Thuong binh*) 산하의 지역 단체와 마을의 구전병회, 조국전선의 임원들과 지정된 열사들의 가족들이 함께 참여한다.

앞장에서 살펴보았듯이 혁명에 성공한 국가는 살아 있는 사람뿐만 아니라 죽은 사람에게 죽음의 의미와 함께 죽은 자의 위상을 부여하는 주체가 된다. 전쟁과 혁명의 과정에서 국가의 명을 따르다가 죽은 사람들은 생전의 국가와 국가의 명령에 각자 부여하였던 의미에 상관없이 국가를 위해 죽은 '열사'(*liet si*, 烈士)로 분류되었다. 국가는 그러한 죽음을 모아 '열사기념비'를 만드는 사업을 지속하였다. 응옥 하의 열사기념비는 쭈어 빙 카인에 소재하고 있다. 열사기념비는 공인 유적은 아니지만, 이 지역의 전쟁 및 혁명 열사들의 넋을 위로하는 국가적인 의식의 성소로 활용되고 있다. 열사비와 명부에 등재된 이 지역의 열사는 모두 1946년에서 1981년까지 사망한 사람들이다. 기간별로 출신 고향별 인원의 분포는 <표 5-2>와 같다.[170]

---

[170] 열사의 시기별 출신지역분포에서도 이 지역의 도시화에 따른 인구이동의 결과를 엿볼 수 있다. 1954년까지 사망한 열사의 수 63명 중 응옥하 지역출신이 42명으로 전체의 3분의 2였으나 이후 각각 30% 수준으로 감소하였다. 이것은 1954년 이후 하노이 지역의 도시화에 따라 타지역 출신의 이주민이 증가한 것이 주원인이라고 판단되고, 1975년 이후에는 이주민의 증가세가 약간 완화되었다. 프엉의 전체 인구의 지역출신별 비율에서도 알 수 있듯이, 1970년대 중반 이후 상대적으로 하노이 시 구역 내에서의 프엉 또는 꾸언 간 인구이동은 적었던 것이 이 열사의 출신지역 분포에도 반영되어 있다.

<표 5-2> 프엉 응옥하에 등록된 열사(단위: 명(%), %는 각 시기별 지역분포)

| 출신지역\기간 | 1946-54년 | -1975년 | -1981년 | 계 |
|---|---|---|---|---|
| 프엉 응옥하 | 42(66.7) | 25(30.1) | 6(40.0) | 73(45.3) |
| 하노이의 타지역 | 3(4.8) | 4(4.8) | - | 7(4.4) |
| 기타 지역 | 18(28.6) | 54(65.1) | 9(60.0) | 81(50.3) |
| 계 | 63(100) | 83(100) | 15(100) | 161(100) |

자료: Ban Chap Hanh Dang Bo Phuong Ngoc Ha. 1996:. 85-90. 및 인민위원회와 기념관의 비석 자료 참고.

응옥 하 일대에 주민들이 각자의 신앙생활을 위해 찾는 사찰이나 사당 중에 공인받지 못한 곳도 있다. 이러한 비공인 성소에서도 주민들의 일상적인 의례를 치러지고, 각각에 사제들이 활동을 하고 있지만, 마을 공동의례를 비롯한 공식적인 행사는 가능하지 않다. 응옥 하의 대표적인 비공인 유적으로는 '팔무사'(*Chua Bat Mau*, 八畝寺)와 '반 찌'(*Van Chi*, 文趾)가 있다. '팔무사'는 최근 복원사업을 벌이면서, 유적으로 공인을 받기 위한 준비를 하고 있다. '반 찌'는 일종의 공자 사당(孔子廟)이다. 레(*Le*, 黎)조와 응우옌조의 숭유정책에 따라 하노이의 여러 마을에서 이러한 공자묘를 건설하였는데, 혁명 이전 시기 중앙 정부의 통치이념과 도덕과 효에 대한 백성의 존중을 표현해주는 곳이기도 하다. 과거에는 매년 가을에 지방의 유교 엘리트의 모임(耆穆會)에서 유교식 제례를 모시기도 하였다. 1960년대 초반 사회주의 혁명과정에서 봉건적인 잔재라는 비판과 함께 부속 건물 대부분이 파괴되었고, 대신에 일부 주택이 들어섰다.

<사진 14> 전쟁 및 혁명기념 공인유적(B52 격침 기념비)

<사진 15> 열사비 앞의 묵념(2월 3일 공산당창립기념)

## 2. 유적의 공인과정과 의례조직의 구성

### 1) '딩 다이 옌'의 공인과정

<사진 16> 딩 다이 옌(*Dinh Dai Yen*)의 전경

'딩 다이 옌'(大安亭, 이하 '딩')은 마을의 중앙에 위치하고 있다. 딩은 랑 다이 옌을 지형적으로 양분하는 작은 개천인 '앞내'를 바라보고 있으며, 행정구역상 제7꿈의 또38과 또44의 경계에 위치하고 있다. 딩의 정문 앞에는 시멘트로 포장한 앞마당이 있고 마당 한 구석에는 우물터가 남아있다. 앞마당은 오토바이주차장으로 사용되기도 한다. 마당을 둘러 무릎 높이의 낮은 담이 쳐져 있다. 딩의 전면과 양 측면을 둘러싸고 있는 골목은 2미터 정도의 넓이여서 자전거나 오토바이로 통행이 가능하다. 앞내를 건너면 높이가 불규칙한 잡목들이 엉켜있는 황무지가 펼쳐 있어, 과거 딩에서의 제례를 위해

경작하였던 공전(cong dien, 公田)의 흔적을 짐작할 수 있게 한다. 황무지에시는 일부 주민들이 잡목들 사이로 자란 자연산 약초를 채집하는 모습을 쉽게 볼 수 있다.

딩은 앞마당을 포함하여 약 1,600㎡의 면적을 차지하고 있어 프엉 응옥 하에 소재하는 다른 유적들 중 '쭈어 빙 카인'을 제외하고 가장 넓은 규모이며 고풍의 장식을 많이 갖추고 있는 건축물과 유물을 보유하고 있다. 딩에는 전설상 마을의 시조로 알려진 '응옥 호아'(Ngoc Hoa, 玉花) 공주가 수호신으로 모셔져 있는데, 주민들은 공주를 흔히 '덕성'(duc thanh, 德聖) 또는 '성황'(thanh hoang, 城隍)이라고 부른다. 딩의 본당 뒷마당에 "옥화공주지묘"(玉花公主之墓)라는 비석과 함께 공주의 무덤이 놓여있다.171) 공주의 무덤은 약 5미터 높이의 언덕에 놓여 있는데, 딩이 유적으로 복원되면서 1995년 언덕을 오르는 콘크리트 계단을 새로 놓았고, 무덤의 둘레도 다듬어진 석재로 장식을 하였다. 많은 주민들이 공주의 묘지를 "장엄하고 아름다운 모습"이라고 묘사하고, 무덤이 보존되어 있는 딩이 마을의 가장 큰 자랑거리라고 표현하였다. 딩의 내부에는 몇 개의 불상과 여타의 신상도 함께 모시고 있다. 마을의 수호신 전설에 따르면 응옥 호아 공주는 리(Ly)조기였던 서기 995년 음력 3월 14일 태생으로, 최근 마을의 공동의례가 활성화되면서 다이 옌 사람들은 매년 이날을 즈음하여 공주의 공을 기념하는 제례와 기념행사를 갖는다.

---

171) 다이 옌 마을은 과거 "다이 비"(lang Dai Bi, 大碑)라고 불렸는데, 딩의 뒤뜰에 있는 여신의 묘지에 큰 비석이 서 있었기 때문이라고 전해진다. 지금도 마을의 일부 노인들은 "다이 비"라는 이름을 혼용하고 있다.

## (1) 공인과정과 국가 대리인들의 역할

정부가 지방의 유적을 심사하여 선택하고 공인하는 제도는 그 자체가 국가가 인민의 전통과 문화에 대하여 어떠한 위상과 입장에 있는지를 가장 잘 나타내어 주는 중요한 주제이다. 공인증을 하사하는 전체적인 과정에는 해당 지역 주민들, 각급 행정기관의 문화부서, 그리고 전문적인 역사학자와 민속학자들간의 상호작용이 결부되어 있다. 유적공인증은 지방의 '문화'를 인식시키는 가장 강력한 상징 중의 하나인데, 이것을 하사 받는 일은 근본적으로는 국가기관과 전문학자를 비롯한 국가 대리인들뿐 아니라 지방주민들의 역할에 달려있다(Kleinen 1999: 163). 중앙정부가 지방의 종교를 통제하는 이러한 특수한 방식은 결코 근대 사회주의 국가의 새로운 발명품이 아니다. 과거 봉건 왕권들도 지방 촌락의 신성을 선택하여 책봉하는 사업을 반복하였다(Ho Tai 1987: 132). 오늘날 딩에는 과거 왕조가 하사한 다섯 차례의 '책봉'의 증거들이 남아 있는데, 그 중 가장 오래된 것은 1852년 뜨 득(*Tu Duc*) 6년에 한 것이고, 가장 최근의 것은 1923년 카이 딩(*Khai Dinh*) 때였다.[172] 따라서 1990년 베트남 사회주의공화국 정부에 의한 공인이 곧 여섯 번째 책봉이 되는 셈이었다.

마을의 원로회와 유적관리위원회는 1990년 옥화 공주 탄생 895주년을 맞이하여 인민위위원회를 통하여 정부에 유적의 공인을 신청하기로 의견을 모으고, 1989년부터 유적공인신청을 위한 준비에

---

[172] 딩 다이 옌의 옥화 공주의 제단은 뜨 득(*Tu Duc*) 6년(1852), 뜨 득 35년(1879), 동 카인(*Dong Khanh*) 2년(1883), 주이 떤(*Duy Tan*) 3년(1908), 카이 딩(*Khai Dinh*, 1923년) 등 역사적으로 모두 다섯 차례에 걸쳐서 조정의 책봉을 받은 것으로 기록되어 있다. 이러한 책봉의 기록은 905주년 공주의 생일의례에 낭독된 '신보'(*than pha*, 神譜)를 통해 공포되었고, 유적공인 신청 당시 구비서류에도 자세히 기술되어 있었다.

들어갔다. 이에 따라 사학계, 고고학계 및 민속학계의 관련 교수들과 학자들, 문화정보부의 관료들이 합동으로 딩의 역사적 가치에 대하여 실사를 하였다. 딩의 사제와 유적관리위원장은 딩의 건축양식이 매우 아름다우며, 보존되어 있는 각종 유물들이 역사적으로 매우 훌륭한 가치를 지니고 있다는 자랑을 수도 없이 반복하였다.173) 유적관리위원회 위원들과 딩을 자주 찾는 원로들도 그러한 자랑에 말을 덧붙였고, 심지어 당지부 비서나 행정 간부들도 마을 유적의 위대함을 자랑하였다. 딩에는 '위패'(*bai vi*, 牌位), '구대'(*cau doi*, 句對), '횡비'(*hoanh phi*, 橫扉) 등의 유물들이 보존되어 있다.174) 그리고 마을과 시조신의 역사와 관련된 기록물이 남아 있고, 그것에는 과거 황제 또는 임금이 조정에 대한 마을의 공헌과 유적의 가치를 높게 평가하였다는 증거가 되는 기록, 즉 '책봉'도 반드시 포함되어 있었다.

프엉 인민위원회 부주석, 문화정보국의 간부와 유적관리위원장은 국가의 유적공인과정과 심사규정에 관하여 유사한 설명을 하였다. 그들은 해당 유적들이 단순히 역사적인 유래를 가지고 있으며, 오랫동안 주민들이 해당 수호신에 대한 의례를 행하고 있다고 해서 국가

---

173) 딩의 사제는 현지연구기간 동안 필자를 베트남의 문화유적에 관한 연구자로 인식하는 듯 하였다. 필자가 딩의 역사, 문화적 가치나 민간의례와 상관없는 주민들의 가족관계, 직업생활, 마을의 사회조직 등에 관심을 가지고 있음을 알고 있었지만, 그러한 것과 관련된 질문을 할 때에도 매번 마을의 유적과 공동의례에 대한 이야기를 들려주었다. 그는 이국에서 베트남을 알고자 온 학생이 자신이 관리하는 딩에 관심을 가지고 있음에 대해 마음 뿌듯하게 생각하고 있다고 여러 차례 표현하였다. 필자 연구의 많은 부분에 대해 그 이유를 묻기도 하였지만, 대개의 경우 기실 자신의 짐작대로 베트남의 훌륭한 문화유산의 한 예인 딩과 전통의례를 연구하는 것이 당연하다는 전제에서 나를 대하였다. "베트남을 제대로 알려면 딩과 같은 유적을 낱낱이 이해해야 한다"는 충고도 여러 차례 하였다.

174) 딩, 사당(*den*), 묘(*mieu*) 등의 유적의 역사적 가치를 평가하는 소재가 되는 유물들의 예를 보여주는 부분이다. '바이 비'(牌位)는 나무에 한자로 신위의 이름을 새겨놓은 위패 또는 명패를 말하는데, 딩 다이 옌의 경우 내부의 해당 신상 앞의 제단 위 또는 묘지 옆에 각각 놓여 있었다. '꺼우 도이'(句對)는 대구(對句)의 한자로 된 한 쌍의 긴 나무판의 글로서, 유적과 관련된 역사 또는 전설의 내용이나 후대에 전하는 교훈의 글귀로 이루어져 있다. '호아인 피'(橫扉)는 병풍 또는 간막이 나무에 횡으로 간략한 사자성구 또는 표어를 새긴 판을 말한다.

의 공인을 받게 되는 것은 아니라고 설명하였다. 이들이 각 유적이 국가의 공인을 받기 위해서는 우선 무엇보다도 "필적"(but tich, 筆跡)이 남아있고 그것의 보존가치가 뛰어나야 한다는 점을 강조하였다. 즉 과거 왕조기의 왕으로부터 역사적 성소로 공인받은 기록이나 증거가 남아 있거나, '구대', '횡비' 등 그러한 사실을 직접적 혹은 간접적으로 증명할 수 있는 유물들이 보존되어 있어야 한다. 그리고 지붕, 기둥 등의 건축양식이 역사적 가치와 함께 예술적 가치를 인정받아야 하며, 벽면이나 처마, 혹은 지붕의 기와 등에 꽃, 새, 동물 등 각종의 무늬와 문자가 새겨져 있고, 지방 민속의 특성과 관련된 조각이나 문양이 많이 발견될수록 보존가치가 높은 것으로 인정된다고 설명되었다. 그리고 각 성소에 수호신 또는 성황으로 모시고 있는 신의 역사적인 업적과 그 업적과 관련된 신화나 역사가 고증된 것일수록 정부의 공인을 받기에 유리하다고 하였다. 특히 마을의 시조신이나 수호신의 업적과 관련하여 소재지 마을 주민들이 숭배의례가 민속적인 "문화적 가치"를 지니고 있으며, 의례에 동원되는 각종의 상징들과 소품들 또한 역사적인 의미를 내포하고 있는 것으로 보존이 필요한 것인지가 검토된다고 하였다.

여기에서 주목할 점은 '새생활운동' 및 혁명의 과정에서 부정하였던 봉건적 악습과 미신을 실행하는 온상으로 간주되었던 장소가, 국가의 후광을 통해 "역사적 혹은 문화적 가치가 있는 유적"으로 재생되었다는 점이다. 마을의 간부나 유적의 보존 및 관리에 간여하는 사람들, 그리고 딩에서의 의례에 적극적으로 참여하는 주민들 대부분은 과거 왕조에서 인정받은 바와 같이 현재의 국가가 이곳의 가치를 인정하기 위한 요소를 딩이 간직하고 있다는 사실을 자랑하고 있다. 이와 같이 딩의 문화적 가치에 대한 자랑은 마을 주민들의 공통적인 인식을 반영하고 있었다. 그럼에도 딩을 찾아 일상적으로 의례를 치르는 주민들이 딩내의 여러 유물과 건축양식이 자신의 신앙생활에 주는 의미가 무엇인지를 이해하고 해석하려는 시도는 발견되지 않았다. 단지 그것이 역사적으로 문화적으로 가치가 있음을 동어반복적으로 선언할 뿐이었다.

공인과정에 지식인과 '문화간부'(can bo van hoa, 幹部文化)가 참여하는 것은 지방 주민의 공간이 국가의 성소로 복원되어 가는 변화에 학문적인 전문성이 정당성을 부여하는 과정이다. 국가의 위임을 받은 전문가의 진단은 성소에 부여된 역사적인 의미를 더욱 신성한 것으로 만들어 준다. 지식인의 역할은 그러한 권위가 국가로부터 주어지는 것이라는 점을 강조하는 것이며, 조사를 통해 그것을 입증하는 것이다. 마을의 원로들은 성소의 회복이 곧 마을의 정신의 회복으로 간주된다. 응옥 하 일대의 여러 사당의 제단과 유물들에 대해서 정부의 공인 절차의 심사과정에 전문성을 지닌 베트남사학원(Vien su hoc, 史學院)의 교수와 연구원들이 참여하였다. 전문 지식인이 국가와 지방의 사이에서 정책의 관철과 인민의 요구를 실현하는 양쪽의 역할을 위임받은 것이었다.[175] 그들은 마을에 직접 현지답사를 와서 딩의 각 건축물과 유물들이 어느 시대로부터 전해진 것인지, 그리고 그것들의 역사적 가치와 보존의 필요성 등과 관련한 조사를 실시하였다. 다이 옌의 경우도 국립사학원과 하노이종합대학 역사학과의 교수들과, 꾸언 바 딘 문화국의 담당간부들이 참여하여 약 1년에 걸친 기간 동안 고찰과 심사를 진행하였다. 교수들은 1990

---

175) 베트남 역사학계의 위상과 연구동향이 국가의 정책의 변화와 깊은 관련이 있음에 대하여는 유인선교수의 논문을 참조할 수 있다(유인선 1994).

년 말 조사를 마치고 정부에 딩에 관한 전문가로서의 의견서를 작성하여 제출하였고, 정부에서 역사유적 공인증을 수여하는 의식에 참가한 바 있다. 최종 심사보고서에는 특히 사학원 교수들의 연구 결과가 가장 핵심적인 것으로 제시된 것으로 알려져 있었다.

전문교수와 간부들의 연구결과를 토대로 하여 우선 "유적고찰보고서"가 작성되어 하노이시 인민위원회에 제출되었다. 총 18면으로 작성된 "보고서"에는 당시 공주의 생일의례가 개최되었던 1990년 4월 15일자로 하노이의 문화국 부국장, 하노이시 유적명승관리위원회 위원장 등 두 사람이 대표로 날인을 하였다.[176] 보고서를 토대로 한 "유적공인 제의서"는 1990년 5월 29일자로 제출되었다.[177] 제의서에는 하노이 인민위원회 부주석, 꾸언 바 딩 인민위원회 주석, 하노이의 문화국(*So van hoa*) 부국장, 하노이시 유적명승관리위원회 위원장, 꾸언 인민위원회의 문화실장, 프엉 응옥하 인민위원회 부주석 등 모두 6명이 공식 서명하였다. 제의서의 내용에는 딩의 규모, 외관, 유물의 내용, 역사적 가치와 관련된 역사적 사실과 전설 등이 약술되어 있고, 그것들을 근거로 하여 "유적의 가치에 관한 평가"가 상세히 기재되어 있었다. 이와 함께 당시 공인을 신청한 유적에 대한 심사를 하청 받아 실시하는 국영기업인 "하노이유물고찰공사"(*Cong ty Khao sat do dac Ha Noi*)가 실사를 마쳤음을 기록하고

---

176) 정부 문화통신부에 제출하는 공인신청서에 첨부된 "유적 고찰 보고서"의 내용은 모두 11개 장으로 구성되어 있었다. (1)유적명칭, (2)위치와 교통, (3)역사적 사건과 인물, (4)유적의 종류, (5)유적의 고찰(딩의 지세, 건축물, 묘지 등), (6)딩에 보존되어 있는 현물 유적들(신상, 위패, 구대 등 상세한 유적 설명), (7)유적의 현상태에 대한 기술 및 평가, (8)역사·과학·문화적인 가치 평가, (9)보존보호 방안, (10)참고자료, (11)결론 및 제안 등이다(하노이유적명승관리위원회의 보관자료 "Bien ban De nghi Xep hang Di tich"[유적공인 제의서], 1990년 5월 29일).

177) 이 제의서에 따르면, 이러한 절차가 1984년 4월 4일 발효된 "역사문화유적 및 명승고적의 보존과 사용에 관한 법령"(제14호 전국인민회의 법령, Hoi dong Nha Nuoc, 4-4-1984, Phap lenh so 14-LCT/HDNN, "Bao ve va su dung di tich lich su, van hoa va danh lam thang canh")에 근거하고 있음을 알 수 있다.

공사의 사장이 날인하였다. 하노이유물고찰공사는 역사학자 및 고고학자 등 선문학자의 의견서와 함께 딩의 건축물과 내외부의 부속 유물 등을 실사하였음을 증빙하는 사진자료와 설계도면을 첨부하였다. 기타 첨부자료에는 딩 건축물의 주요 도면과 함께, 건축물의 주요 부위, 신상, 구대 등의 내부 유적들, 그리고 왕조기에 책봉을 받은 유물 자료 등을 촬영한 약 30장의 사진도 포함되었다.

제의서는 정부 문화정보부에 제출되었고, 약 반년의 심사기간을 거친 후 1990 12월 27일자로 정식 공인되었다는 승인서류를 받게 되었다.[178] 정식 승인서류에는 당시의 문화통신체육관광부장관이 하노이인민위원회 주석과 보존박물관부의 국장에게 딩 다이 옌이 "건축예술유적"(*Di tich Kien truc-Nghe thuat*, 遺跡建築藝術)으로 공인되었음을 알린다는 내용이 들어 있었다.

필자는 당시의 유적실사에 참여하였던 역사학계와 국립연구소의 일부 교수와 연구원들을 만날 수 있었다. 한 교수는 필적과 관련된 유물 중에서도 특히 '구대'의 보존 정도가 가장 중요한 요소라고 강조하였다. 실제 딩의 내부에는 마을의 성황신인 옥화 공주가 나라를 위기에서 구하고, 고향마을을 영광스럽게 해준 공적을 칭송하는 내용의 '구대' 현판들이 선명하게 남아 있다.

---

178) 다이 옌 유적 공인 승인서는 1990년 당시의 문화정보체육관광부(*Bo Van hoa Thong tin, The thao va Du lich*)에 의해 날인된 것으로서 제1539 결정(*so 1539-QD*)으로 승인되었음을 밝히고 있었다. 흥미로운 것은 이 결정이 다음과 같은 세 가지 상위법률에 근거하고 있다는 것이었다. 첫째는 1980년 12월 발효된 당시의 베트남사회주의공화국 헌법 46조. 둘째, 1984년 4월의 "역사문화유적 및 명승고적의 보존과 사용에 관한 법령", 그리고 1988년 1월 6일 "토지법"(*Luat dat dai*) 제 42조. 특히 토지법 42조는 공보(*cong bao*)를 통해 공인유적의 사용과 관리가 베트남사회주의공화국 전국인민회의(*Hoi dong Nha nuoc*)의 "유적의 토지 관리와 사용에 관한 제도 관련 규정"(Cong bo ve viec quy dinh che do quan ly va su dung dat dai cua di tich)에 근거하고 있음을 규정하고 있다.

一陣還軍殿安宇宙, 九玲破賊扶李江山
婦界出英雌微趙而後, 國朝隆布誥生死非凡[179)]

　이러한 문구의 내용은 대개 국가 또는 중앙정부에 대한 지방의 공
헌을 상징적으로 표현하는 것들이다. 즉 마을의 유적에서 모시고 있
는 수호신이 위기의 상황에서 중앙의 왕권 또는 왕족을 보호하는 데
결정적인 기여를 하였음을 역사적인 사실로 받아들일 수 있게 하는
것들이다. 그것을 입증해 주는 유물을 공인 유적의 핵심적인 요소로
간주함으로써, 지방의 역사는 중앙 정부, 즉 국가에 대한 공헌의 정
도에 따라 사실적인 것으로 인정받을 수 있음을 보여준다. 딩 다이
옌에는 이러한 여러 '구대' 현판의 선명한 글씨뿐만 아니라, 공주의
묘지 형태도 크게 훼손되지 않고 보존되어 있는 데다가, 묘지 주변
에 수백 년의 나이를 가진 보리수를 비롯하여 딩의 역사적 가치를
인정할 만한 여러 증거가 보존되어 있어 유적 공인에 큰 이견이 없
었다고 전해진다.

　응옥 하의 공인유적 관리의 실무 책임자인 인민위원회 부주석은
심사과정에서의 '전문가'의 역할을 여러 차례 강조하였다. 그는 일
반사람들의 요구대로라면 아마도 전국의 모든 유적이 공인되어야
할 것이라고 하면서, 각 유적의 역사적인 기반에 대하여 잘 알지 못
하는 일반 주민들의 요구가 아무리 높다고 하여도 전문적인 평가를
받는 과정이 반드시 필요하다고 하였다. '전통 문화예술적 가치'를
지닌 것인지에 대한 평가는 주민의 종교적인 심성과는 직접 관련이

---

179) 두 '구대'의 내용을 직역하면 각각 다음과 같다. "한번의 진지전으로 적군을 돌려보내고 땅을 안
　　전하게 지키고 우주를 빛나게 하였네, 어린 아홉 살 나이로 적을 평정하고 리왕조의 강산을 지키
　　도록 하였네." "여성계에서 영웅이 탄생하니 쯩 자매의 뒤를 잇고, 조정이 칙령을 내려 그 업적을
　　기리니 삶과 죽음이 예사롭지 않구나."

없으며, 남아 있는 유적과 그것들에 대한 전문적인 평가에 의해 결정되는 것이라고 하였다. 따라서 국가가 나서서 공인 여부를 결정하는 것이라며, 국가의 기능이 곧 전문성을 담보로 하는 것이라는 주장을 하는 셈이었다. 부주석은 '민족 본색문화'를 관리하는 업무를 책임지고 있는 점에 대하여 큰 자부심을 가지고 있음을 여러 차례 표현하였다. 그는 유적 심사과정에 참여하였던 '전문가'들의 이름을 일일이 언급하면서 그들과의 친분을 과장되게 표현하였다. 그리고 자신이 관리하는 유적에서 의례를 행하는 일반 주민이나 의례의 지도자들과 자신을 구분하고자 하는 태도를 보였다. 그에 따르면 자신은 전문가의 평가와 관련된 행정업무를 담당하는 국가의 간부로서, 전문가와 유사한, 혹은 동일한 능력을 가진 사람이다. 반면에 주민들은, 국가 혹은 국가기관과 동일한 수준에 있거나 그것의 대리인인 전문가 및 간부의 능력에 따라 비로소 각자의 요구를 실현할 수 있는 존재라고 주장하고 있는 셈이었다.

이와 같이 민간의 성소를 보호하고 보존하기 위한 국가의 역할과 국가의 대리인으로서의 전문가와 행정기관의 간부의 노력을 강조하는 입장과 달리, 마을 주민들과 민간의 의례 및 유적관리를 위한 조직에서는 마을 수준의 열망과 요구가 가장 중요한 요소라고 설명하여 대조적인 입장을 표현해 주었다. 대부분 '원주민' 출신이거나 마을의 전통주의자에 해당하는 사람이라고 볼 수 있는 유적관리위원회의 위원들은 유적의 공인을 위해서는 형식적으로는 중앙 정부의 승인절차가 핵심적인 것이지만, 실제의 과정에서는 마을 주민과 자치 조직의 역할과 의지가 더욱 중요한 것이라고 강조하였다. 1990년 공인을 신청하는 사업에 주민의 대표로 참여하였던 유적관리위원장은 "마을에서부터 올라가는 신청서의 경우 해당 마을의 역사적 기원이 일반인에게 알려져 있다고 하더라고 국가가 나서서 그것을 적극처리하는 방식이 아니라서, 해당 지역 주민과 관계자의 의지를 모으는 것이 가장 기초적으로 필요한 것"이라고 하면서, 주민의 "아래로부터의 요구"가 공인을 이끌어내었다는 점을 강조하였다.

<사진 17> 딩 다이 옌의 역사문화유적 공인증

## (2) 유적공인과정에서의 이질적인 공동체

아래로부터의 열망과 요구가 동일하였다는 주장은 공식적인 것일 뿐이며, 이에 대한 주민의 설명에는 이견이 있었다. 유적공인이 주민들 전체의 집합적인 요구라는 주장이 마을의 성원 모두에게 동일한 의미를 지니지 않음을 알 수 있었다. 마을 유적의 복원이 누구에게나 거부할 수 없는 가치있고 필요한 일로 규정된 것은 인정하더라도, 유적의 복원과 공인이 마을 주민 모두에게 동일한 복지를 보장해주는 것은 아니었다. 유적공인과정에 실제의 공을 세우지 못했던 주민들과의 면접을 통하여 유적공인과정이 곧 마을 주민들의 이질적인 구성을 드러내는 것이었음을 알 수 있었다. 공인과정은 원주민, 원로, 마을 지도자 등 마을의 사회정치적 분화에서 우위에 있는 사람들이 자신의 위치를 드러내는 경합의 공간이었다. 이러한 주민간의 상호작용에는 마을의 이질적인 구성이 표현되었다. 그리고 공인을 성사시키는 데 핵심적인 역할을 하는 관련기관의 간부와 지식인들과의 비공식적인 거래가 있었다. 이들에게 비공식적으로 '수고비'가 전달되고, '향응'이 베풀어지는 등의 일종의 뒷거래가 있었다. 이러한 점들은 공인과정이 단순히 국가의 본색문화를 수호하려는 의지와 마을의 공동체적인 정신이 맞물려 빚어낸 공동체적 산물이 아님을 보여준다. 비공식적인 뒷거래에 참여하는 과정 또한 마을 주민들의 이질성을 드러내는 과정이었다.

유적공인과 마을의 공동의 의례의 회복이 '마을 공동의 일'이었지만, 실제 공인 준비에 참여한 사람과 참여하지 못한 사람들이 구분되었다. 1989년 유적공인을 위한 노력의 필요성을 제기한 것은 원로회였다. 그리고 마을 대부분의 원주민 노년층이 참여하고 있는 원로회와 불교여신도회 등 두 조직이 주도적으로 준비과정을 수행하였다. 1989년 "전통 행사 개최에 관한 규제"라는 법규가 공포됨에 따라 프엉 응옥하 일대의 마을에도 유적공인의 요구가 전통마을을 단위로 경쟁적으로 제기되었다. 공인신청을 위한 초기의 작업은 프엉의 관련 간부들을 만나 가능성을 타진하는 것이었다. 프엉과의 일상적인 관계가 돈독한 것으로 규정된 마을의 원로들이 이러한 역할을 맡은 것은 당연하였다. 원로회와 토착 지도자들이 원주민으로 구성된 이상 이 과정에 이주민들이 배제되어 있었음은 당연하였다. 당시 이러한 노력에 참여하였던 일부 원로는 이주민들이 실제 공인과정에 큰 관심을 드러내는 경우가 드물었기 때문이라고 설명하면서, 그들은 각자의 고향에서의 일에 더 관심을 갖는 것이 당연하다고 주장하기도 하였다. 일부에서는 이런 점에서 이주민은 진짜 이 마을의 주인이 아니라는 주장도 있었다. 그러한 언설이 일상생활에서 이주민의 성원권을 배타적으로 금지한다는 것을 의미하지는 않는다. 다만 마을 공동의 전통적인 공간, 그것도 국가의 유적으로의 공인을 앞두고 있는 상황에서 마을 공동의 일에 대해 관심이 부족할 수밖에 없다는 점을 강조하여 이주민과 원주민의 경계를 드러내고자 하는 의도가 숨겨져 있는 것이었다.

마을 원로들이 운동을 시작한지 2년 후인 1990년 말에 하노이의 문화부가 공인증에 날인을 하고 마을에 하사하였다. 공인운동 참가자들은 신청 서류를 준비하면서, 다양한 수준의 행정기관의 '문화관련 간부'와의 인맥의 발동하기 시작하였다. 인맥을 가진 사람들은 경쟁적으로 각자가 가지고 있는 연줄의 강점을 부각하였고, 그 연줄이 공인과정에 필요한 핵심적인 요건을 제시해 줄 것이라고 주장하였다. 그리고 그 과정에는 전문적인 역사가나 작가에게 제안서를 작성하게 하고, 간부들이 매번 마을을 방문할 때마다 회식을 열기 위하여 상당한 금액이 지불되었다. 비공식적인 통로를 통해 수고비가 전달되기도 하였다.

이와 같이 유적공인의 추진과정에 참가한 사람들이 모두 한 가지 목적으로 뭉쳐서 동일한 과정의 노력을 한 결과가 아니라, 그 과정에는 개인과 집단들 간의 노력과 부여하는 의미가 서로 달랐고, 그리고 유대감만큼이나 일부의 갈등이 드러나게 되었다. 무엇보다도 공인과정에 참가하는 것 자체가 바로 사회관계를 재형성하는 과정이었다. 공인과정은 또한 마을 주민들이 공인을 위한 규칙과 요건을 규정한 국가와 지속적으로 상호작용하는 과정이기도 하였다. 주민들은 매개의 위계적 수준에 있는 구체적인 국가 대리인들과 협력해야 했다. 더구나 공인자체가 지방 수준에서 선택적인 문화적 유산과 과정에 대한 통제권을 정당화하고자 노력 중이던 국가가 만든 고안물이었다. 이러한 의미에서 국가는 이미 의례 공간의 재생에 깊이 간여하였을 뿐만 아니라, 주민들의 의례의 재생과정에도 침투하고 있었던 것이었다. 유적공인과정에서 드러나는 마을 구성의 이질성과 주민들간의 지위의 경쟁을 둘러싼 상호작용, 그리고 주민들과 국가 간부들의 상호작용의 성격은 다음 장에서 살펴 볼 유적의 복원을 위한 모금운동, 공동의례의 활성화과정 등의 사례에서도 드러난다.

### 2) 의례 수행조직의 구성

### (1) 유적관리위원회

다이 옌의 유적관리위원회(*Ban quan ly di tich*)는 1990년에 딩을 역사문화유적으로 공인 받기 위하여 프엉 인민위원회를 통하여 문화통신부에 공인요청서를 올리면서 구성되었다. 유적공인을 요청하는 해당 마을에 유적을 집단적, 체계적으로 관리하는 조직이 상설화되어 있는 것이 필요하였기 때문이었다. 도이 머이 이후 전국적으로 공인유적이 증가하면서, 공인유적이 존재하는 각급의 행정단위마다 다양한 이름의 유적관리위원회가 조직되었다. 시(*thanh pho*)와 성

(tinh)에는 중앙 당조직 및 문화통신부와 업무가 연계되어 있는 유적 관리위원회가 공식기관으로 조직되어 있는데, 하노이시의 경우 "유 적명승관리위원회"(Ban quan ly Di tich va Danh thang)가 하노이 소 재의 국가급 및 시급 공인유적 일체를 관리하는 업무를 총괄하고 있 다. 그리고 꾸언-후엔, 프엉-싸 또는 그 이하의 행정단위에서는 소재 지의 공인유적이나 공인사업을 추진중인 유적의 분포에 따라 해당 유적의 관리위원회가 조직되어 있다. 그런데 프엉 또는 그 이하 수 준의 유적관리위원회는 해당 지역이나 마을에 따라 다양한 성격을 지니고 있으며, 특히 당 및 국가조직과의 관계의 측면에서 다른 대 중조직과 상이한 성격을 지니고 있다. 가령, 다이 옌(혹은 7꿈)의 유 적관리위원회는 당지부의 직접적인 지시에 따라 구성되거나 당지부 의 활동과 긴밀한 연계성을 갖는 여타의 대중조직과는 성격이 다른 마을의 공식적인 민간조직이다. 하노이시 유적명승관리위원회 부국 장의 설명에 따르면, 지방 촌락 수준의 유적을 관리조직은 대개 주 민들이 자발적으로 구성하는 경우가 많으며, 활동의 내용 또한 지방 의 상황에 따라 결정되고 있다고 하였다. 다이 옌의 경우에도 결성 당시부터 특히 '원주민'의 의사결집에 의해 구성이 되었으며, 이후 의 활동도 자치적인 결정에 의해 이루어지고 있었다.[180]

---

180) 1945년 이전에도 마을의 원로들이 호선의 형태로 선출하여 마을의 의례 행사와 유적의 관리를 책임지는 모임이 있었는데, 당시에는 "선지회동"(Hoi dong tien tri, 會同先指)라고 불렸다. '선지 회동'의 성원들은 마을의 학식과 덕망이 높은 원로들의 모임 또는 과거 유교 유력자의 모임의 성 원이기도 하였는데, 이 중에는 특히 마을의 최고 연장자 3명이 반드시 포함되어야 했으며, 의례뿐 만 아니라 마을의 여러 가지 대소사에 대해서 이 3인 장로에게 반드시 자문을 구한 후 의견을 모 아 집행하여야 했다. 지금도 마을의 최고 원로들을 '최고 연로한 원로들'이란 의미로 "최고원 로"(cu gia nhat)라 일컬으며 이들에 대한 존경심은 남아 있어서, 이들의 장수를 축하하는 행사도 매년 새봄이면 개최한다. 그러나 이들 원로들이 마을의 여러 행사의 조직에서 했던 역할의 대부분 이 지금은 꿈장, 또장이나 기타 마을조직의 지도자들에게 이관되었다.

<표 5-3> 7꿈(랑 다이 옌)의 유적관리위원회의 구성(2000년 3월 현재)

| 직위 | 성명 | 성/연령 | 비고/이주시기 |
|---|---|---|---|
| 위원장 | Truong Van S. | 남/63 | 토착 종 호 출신 |
| 부위원장 | Trinh Sy N. | 남/65 | 1950년대 이주 |
| 위원 | Nguyen Van C. | 남/69 | 토착 종 호, 딩의 사제 |
| 위원 | Nguyen Xuan N. | 남/67 | 1950년대 말 이주 |
| 위원 | Nguyen Thi D. | 여/58 | 토착 종 호 출신 |
| 위원 | Nguyen Thi H. | 여/56 | 원주민 |
| 위원 | Nguyen Thi T., | 여/54 | 1970년대 이주 |
| 위원 | Truong Thi D. | 여/49 | 토착 종 호 출신 |
| 명예위원 | | | 프엉 인민위원회 부주석 |

&lt;표 5-3&gt;에서와 같이 제7꿈, 랑 다이 옌의 유적관리위원회는 9명의 위원으로 구성되는데, 1998년 말 새로운 임기를 시작한 위원회의 경우 명예위원인 인민위원회의 부주석을 제외하고 남녀 각각 4명씩 모두 8명의 위원이 활동을 하고 있었다. 다이 옌의 유적관리위원회의 성원은 형식적으로는 프엉 응옥 하의 7꿈 인민회의에서 추천하여 선출하도록 규정되어 있다. '인민회의'는 7꿈 전체 주민이 성원이 되는 마을의 공식적인 의사결정기구이다. 그러나 처음 유적관리위원회를 구성하였을 때에 딩에 다수의 마을 주민들이 모여서, 추천된 인원을 추인하는 형태의 인민회의를 소집한 적이 있었으나, 그 이후로는 주민 전체의 회의를 통하여 위원회의 성원을 충원한 경우는 없었다.

유적관리위원의 자격으로는 소학교 졸업 이상의 학력으로 문자를 알고 자신과 가정이 이웃의 모범이 되는 '도덕성'을 갖추어야 하며, 또한 육체적으로 힘든 일을 수행해야 하는 경우가 많기 때문에 건강상태가 양호하고 체력에 문제가 없는 사람이어야 한다. 유적관리위원의 임기는 2년으로 연임이 가능하다. 위원회에서 활동하기 위해서 반드시 다이 옌의 원주민일 필요는 없다. 현재의 유적관리위원회의 위원 중에 세 사람의 이주민이 포함되어 있다. 이들의 고향은 각각 다른 지역이지만, 이 마을에서 어린 시절부터 40-50년 이상 거주한 사람들로서 최근에 이주한 사람이나 원주민 청년층보다 마을의 각종 행사와 주민들에 대하여 더 많이 알고 있고 도움을 주는 사람들이다.

유적관리위원회 위원장의 경우 현재까지 모두 다이 옌의 '원주민'이 맡아 왔다.[181] 위원장은 마을에서 이루어지는 모든 종류의 공식의례의 조직과 진행의 수장으로서 책임을 진다. 이주민이 이러한 민간조직의 책임자로 나서기에는 한계가 있는 것이다. 형식적으로 마을의 최고 의결기구인 인민회의에서 선출하는 지위이지만, 마을의 토착민이라는 기준이 여전히 강하게 작용하고 있음을 알 수 있다. 제5대 유적관리위원장은 1993년에 2대 위원장을 맡은 이래로 8년째 이 일을 계속하고 있었다. 그는 필자의 현지조사 기간 중 마을의 거의 모든 종류의 의례행사에 관한 가장 중요한 정보제공자의 역할을 해 주었고, 각종 민간의례와 국가 행사에 대한 해박한 지식을 소유하고 있었다. 그는 다이 옌에서 행해지는 대부분의 행사와 의례의 의미와 순서뿐만 아니라 하노이 및 인근 지역에 최근에 활성화되고 있는 많은 민속 의례에 관하여 자세히 파악하고 있었다. 그는 8남매 중 장남으로서 어릴 때부터 집안의 조상 제사를 수행하기 위해서는 반드시 의례에 관계된 격식들을 모두 알고 있는 것이 당연한 일이라

---

181) 2003년 1-2월의 보충조사 당시 필자가 다시 다이 옌을 방문하였을 때, 2002년 말 새로운 임기가 시작된 유적관리위원장은 사범대학교 교수직을 은퇴한 후 시간강사를 계속하고 있는 70세의 공산당원으로 바뀌어 있었다. 일부의 위원들도 교체되었다. 당시 신년축제 기간에 몇 차례의 공동의례와 행사에 참여관찰하면서, '당원' 출신 위원장의 등장 등의 변화와 함께, 의례조직과 집행에 일부의 변화가 발생하였음을 관찰할 수 있었다.

고 여기면서 자라왔다고 하였다. 그는 부모로부터 제사와 의례의 격식에 관하여 배운 섯도 있고, 어릴 적부터 하노이 곳곳의 각종 의례에 참가하여 마을 어른들이 이끄는 대로 제사와 의례 방법을 배운 적이 있었다. 그리고 관련 문서와 책자, 기록 등을 읽고 익혀 왔다. 그는 민간의례에 대한 자신의 경험과 지식이 "정통한 것"이라는 자신감을 여러 차례 표현하였다. 이 점에 대하여 그는 "지역과 장소에 따라 경제적인 상황이 다르고 주어진 환경과 역사적인 근원이 다르기 때문에 많은 종류의 의례가 서로 차이가 난다. 따라서 어떤 사람이 한 지역의 격식을 모두 알고 능통하다고 해서 다른 마을의 의례에 대해서도 똑같이 능통할 수는 없는 문제이다. 그럼에도 경험에 비추어 마을마다의 차이를 누구보다도 쉽게 간파하고 비교할 수 있다"고 설명하였다.

유적관리위원회의 가장 기본적인 임무는 마을 내 유적의 보존과 관리이다. 그리고, 딩에서 이루어지는 마을주민들의 의례 일체를 관리하고 감독하는 역할을 한다. 우선 딩의 보존과 관리를 위해서 지속적인 복원사업과 새로운 장식과 단장을 위한 재건축사업을 벌인다. 이를 위해서는 프엉 및 꾸언의 문화부와의 의견을 조율하는 과정과 주민으로부터 필요한 비용을 충당하기 위한 헌금을 모금하는 사업이 핵심이 된다. 즉 유적관리위원회는 딩의 유적으로서의 복원과 관리를 위한 과정에서 국가와 주민의 상호작용을 매개하는 존재이다. 유적관리위원회가 감독하는 마을의 공식적인 의례행사는 여러 가지 수준이 있다. 마을 수호신 공동의례, 절기의례, 그리고 13짜이를 비롯한 다른 마을과의 연대의례와 순례의례 등 지역적인 의례교환에서 조직의 핵심을 맡는다. 그리고 국가가 새로 규정한 국가의 기념일 중 마을의 딩에서 수행되는 의식에서 국가주도의 의식의 보조자 역할을 한다. 특히 이점은 유적관리위원회가 마을수준에서 민간 대중조직의 위상을 가지고 있지만, 마을의 공동의례가 국가가 부여한 새로운 '책봉'에 의해 그 정당성을 회복하게 됨으로써 민간의례에 대한 국가의 관리를 대리하는 역할까지 하게 된 것임을 보여준다. 그리고 이런 점에서 유적관리위원회의 위원들은 '사회'와 '전통'을 대변하는 집단이면서, 동시에 국가의 효율적인 민간의례 통제의 기반이 되고 있다.

## (2) 의례 수행 조직의 구성과 사회관계의 변화

민간의 의례가 재활성화되면서 마을에서 의례수행자의 구성도 변화하게 되었다. 딩의 유적공인과 함께 마을의 새로운 의례수행조직으로 부상한 것 중 의례의 활성화과정에서 주민들의 상호작용이라는 주제와 관련하여 주목할 수 있는 것은 "도이 정 흐엉"(*doi dang huong*), 즉 '헌향대'(獻香隊)이다. 마을의 여러 가지 공식적인 공동의례와 마을간의 연대의례를 위해 만들어지는 조직을 '경절반'(*Ban khanh tiet*, 慶節班)이라고 부른다. 경절반 중에서 실제의 의례의 연행 절차에 참가하는 조직을 '제대'(*doi te*, 祭隊 또는 祭團)라고 한다. 마을의 대표적인 공동의례인 응옥 호아 공주의 생일의례에 참여하는 의례대표단인 제대 중에 가장 중요한 조직이 '헌향대'이다. 헌향대는 수호신 의례를 비롯한 전통적인 제례의 가장 핵심적인 과정인 제물을 순서대로 바치고 관련된 의식을 행하는 조직으로, 보통 30명 내외의 인원으로 구성된다.[182] 2000년 공주의 생일의례에 '제주'(*chu te*,

---

182) 수호신 공동의례나 마을간의 연대의례의 구성에서 도이 정 흐엉의 역할은 크게 '쭈우 떼'(*chu te*, 主祭)와 '쟈이 떼'(*giai te*, 階祭)로 구분된다. '쭈우 떼'는 형식적인 제주의 역할을 맡은 구성원이며 붉은 색 복장(*ao do*)을 하고 있다. 노란색 복장(*ao vang*)을 한 '쟈이 떼'는 다시 두 가지 역할

主祭)를 맡은 일부 부녀자의 설명에 따르면, '제대'에 참가하는 사람들은 문서화된 규정이 정해져 있는 것은 아니지만, 반드시 세밀하고 일정한 기준에 의하여 선택된 사람이어야 한다. 이들의 설명에 공통적으로 강조되는 기준으로는 "부부가 모두 함께 살아있는 완전한 가정의 사람", "덕이 있고 가풍이 훌륭한 가정의 심덕한(tam duc, 心德) 사람", 그리고 "자식들을 착하고 훌륭하게 키운 부모" 등이 제시되었다.

1990년대 이후 강화되고 있는 의례 수행자의 조건에는 '당성'이나 '사회주의 혁명 또는 국가에 대한 공헌자' 등 사회주의국가가 부여할 수 있다고 판단되는 가치는 전면에 드러나지 않는다. 오히려 혁명과 개혁의 과정에서 오랫동안 전면에 내세우지 않았거나, 나아가 배척하고자 하였던 '봉건적인' 도덕 또는 '가족주의적' 가치관을 기준으로 제사단 참가자의 자격을 부여하는 것이다. 특히 '제주'의 경우 마을 의례를 대표하는 사람이기 때문에 '완선'(hoan thien, 完善)한 사람들을 골라 세워야 한다고 강조하고 있다. 그런데 '완선'하다는 것도 내용적으로는 가정에 문제가 없음으로 해서 이웃에게 도덕적인 본이 될 수 있음을 뜻하거나, 전통적인 의례와 의식의 절차를 잘 이해하고 숙지하고 있는, 마을에서 가장 연로한 사람들을 가리키는 말이었다.

1990년대 초 딩의 공인, 유적관리위원회의 결성과 함께 마을의 주요 공동의례가 복구되었음에도 몇 년간은 마을에 자체적인 제대

---

로 구분된다. 첫째는 '보이 떼'(boi te)라고 하여 붉은 허리띠를 한 사람들로서 제물을 바쳐 들고 '쭈우 떼'를 따르는 사람들이다. 둘째는 '베'(be)라고 하는데, 각각 2쌍의 초를 들고 행렬의 양편에 도열하는 사람들로 두 개의 '베'가 구성된다. '도이' 별로 제를 올리게 되면 이중 한 '베 도이'(be doi)는 신에게 제물을 받아 올리는 '정 타인'(dang thanh)을 하고, 다른 한 배는 초를 들고 쭈우 떼와 자이 떼에 앞서 가면서 길 안내의 역할에 해당하는 '소이 드응'(soi duong)을 한다.

를 조직하여 추진하는 의례행사는 거의 없었다. 다른 마을에서 이러한 유사한 의례의 경험이 많은 제단을 초빙하고 일부의 마을 주민들이 그것에 보조하는 역할로 참여하여 행사를 진행하는 경우가 많았다. 1993년에 비로소 다이 옌에 제대가 자체적으로 조직되었다. 당시 처음 조직된 의례수행조직이 곧 '헌향대'인데, 처음부터 부녀자들을 중심으로 구성되었다. 당시 헌향대를 처음 구성할 때에는 수호신 공주의 생전의 모습을 가장 잘 재현할 수 있는 방향에서 의례단이 구성되어야 한다는 원칙이 제기되었다. 공주는 사망할 때에도 여전히 '정절'(*trinh tiet*, 貞節)을 지키고 있기 때문에, 정결한 여성으로 구성된 제대가 의례를 수행하는 것이 바람직하다는 판단 때문이었다고 할 수 있다.

이후에는 매년 행사를 마을의 주민들로 진행하면서, 행사 때마다 새로운 사람들을 충원할 수 있을 정도로 주민들의 의례에 대한 이해가 많아지고 참여 가능한 인원도 점차 증가하게 되었다. 1995년 이후로는 거의 매년 초대받은 다른 마을의 행사에 다이 옌의 도이 떼가 참여하고 있으며, 심지어 다이 옌의 도이 떼가 다른 마을행사에서 직접 의례를 수행하는 경우도 생겼다. 이런 경우는 대부분 13짜이에 속한 다른 마을에서의 순례의례이다.

헌향대에 구성원의 자격으로 제시된 것은, 미혼의 소녀와 처녀, 도덕이 높고 미풍양속과 구체적인 관습을 잘 알고 있는 집안 출신, 최근 일년 이내에 집안에 상을 당한 사람이 없고, 용모가 단정하고, 건강해야 하고, 4세대가 같이 살고 있는 집안의 자녀여야 한다는 등이 규범적인 기준으로 설정되었다. 그러나 필자가 관찰한 2000년 공주의 생일의례에 동원된 다이 옌의 '헌향대'의 구성은 위의 기준과는 동떨어진 성격을 지니고 있다. 우선 미혼여성은 한 명도 없으며,

대부분이 40대와 50대의 부녀자들이다. 헌향대에서 중요 역할을 하고 있는 마을의 보건위생담당 간부(50세)는 "미혼은 아니지만, 모두 도덕이 높은 건실한 집안의 사람들이며, 최근 일년 이내에 집안에 상을 당하지 않은 사람들이고, 의례의 진행을 잘 이해하는 의식을 갖추고 있다. 그리고 4대가 함께 살고 있지는 않지만 남편이 살아 있고, 자식들이 별 탈없이 교육받은 집안의 어머니들이다. 특히 행사를 위하여 모두 용모를 단정히 하고, 술이나 음란한 일들을 하지 않는 덕망 있는 사람들로 구성되었다."고 하였다. 흥미로운 점은 헌향대의 구성에는 원주민이라는 조건이 크게 작용하고 있지 않다는 점이었다.

헌향대의 구성과정과 활동의 성격은 그것이 여성으로 구성된 의례수행조직이라는 점에서, 유적의 공인과 의례의 복원과정에서의 중심적인 역할을 하였던 원로회의 활동 또는 주민들의 상호작용과 다른 측면이 드러나는 사례가 되었다. 헌향대의 조직 및 활동의 전개과정 이면에는 지방 여성들의 집단이 제도화되는 과정, 즉 여성조직의 규칙이 어떻게 만들어지고 재생되며, 그 활동이 어떻게 관례화되어 반복되고, 또한 그들의 문화적인 성원권이 어떻게 규정되고 공식적으로 인식되는지를 살펴보는 소재가 되었다.

마을의 여성조직에는 크게 세 가지 종류가 있다. 헌향대가 조직되기 이전부터 있었던 여성조직 중 하나는 당의 대중조직인 '부녀회'(*Hoi phu nu*)이고 다른 하나는 당과 무관한 '여성노년불자회'(*Hoi phat giao*, 會佛敎)이다.[183] 여성노년불자회의 활동은 불교가 혁명기

---

183) 홍하델타 마을의 유사한 조직 중에는 '호이 깍 쟈'(*Hoi cac gia* 또는 *Hoi quy*)가 있었다. 응옥 하 일대에서도 여성불자회를 같은 이름으로 부르기도 한다. 유사한 조직의 사례는 북부 베트남의 의례활성화를 다룬 대부분의 연구에서도 발견된다(Luong 1992: 58; 1993: 289; 1994: 81; Kleinen 1999: 167 등).

에도 국가에서 규제하는 종교가 아니었기 때문에, 집단경제시대에도 일정정도의 명맥을 유지할 수 있었다. 불자회와 헌향대는 모두 1990년대 마을의 의례부활에 적극적인 역할을 한 여성조직으로 각각 나름대로의 성원권 규칙을 가지고 있다. 전자는 60세 이상의 여성으로 구성되는데, 활발한 성생활이 불가능한 세대인 점이 강조되었다 (Luong 1992: 58; Kleinen 1999: 167). 반면에 헌향대는 모든 연령층에게 성원권이 개방되어 있었고, 실제 20대부터 70대까지 다양한 사람들이 참여하고 있었다.

두 조직은 구성원 연령대의 측면에서 차이가 날 뿐만 아니라, 매우 상이한 규칙을 가지고 활동을 수행하고 있다. 무엇보다도 불자회는 입사시기에 따른 서열과 연령에 따른 엄격한 위계서열의 원칙을 유지하고 있는 반면에,[184] 헌향대의 경우 성원들이 공식적으로 연령별로 구별되지 않고 매우 동등한 위치에서 참여하고 있다. 베트남 불교의 친자연적인 철학을 배경으로, 종교적인 공간에는 일련의 엄격한 금기가 정해져 있다. 그러나 헌향대는 그 자체가 한가지 종교교리를 기준으로 구성된 신도 집단이 아니기 때문에 특별한 금기 없이 회원들의 활동이 비교적 자유스럽고 서로의 태도나 복장에 대하여 관용스러운 편이다. 가령, 불자회의 경우 제물로 고기를 쓰지 못하며, 음식 공여는 곡물과 채소, 과일 등 식물성으로 이루어지지만, 헌향대가 참여하는 의례의 경우 술과 담배뿐만 아니라 육류와 해산

---

184) 앞에서도 언급하였듯이 불교여신도는 북부베트남의 대부분의 마을에 보편적인 여성조직 중 하나이다. 성원권의 특징에도 유사성이 많이 있다. 가입시기에 따른 서열(seniority)과 연령에 따른 위계(gerontocratic hierarchy)는 약간의 미세한 차이가 있는 개념이었다. 나이가 많고 가입 시기가 빠른 여신도('바이', *vai*)일수록, 사찰에서의 제례나 의식에서 부처상에 가까운 자리에 배치될 수 있다. 가장 높은 자리는 '땀 바오'(*tam bao*)라고 한다. 그 다음 자리는 땀 바오와 같은 나이지만 가입이 늦은 다른 바이(*vai*)가 차지한다. 노년 여성들이 더 이상 성생활을 하지 못한다는 사실로 인하여 순결한 여성으로 인정되고, 종교적인 성소에서 높은 지위에 앉는 것이 정당화된다(Truong 2001: 254-55 참조).

물을 포함하여 다양한 종류의 음식이 등장한다. 마을의 일반 불교 신노들이 일상적으로는 채식주의를 실천하지 않더라고, 새우나 동물성 해산물로 만든 음식이나 개고기를 먹은 날은 사찰 출입을 삼가야 한다.

'새생활운동' 이후 40년 이상 마을 공동의 행사가 개최되지 못하였으므로, 대부분 주민들은 유적이 공인되고 공동의례가 부활한 이후 비로소 전통적인 의례의 수행 절차와 방법을 배우기 시작하였다. '원주민' 대부분도 약 40년간 마을에서 수호신의례가 수행되지 못한 상황에서 일체의 의례과정을 익숙하게 체득할 기회가 없었다. 주민들이 새로이 의례의 수행방법과 절차를 배우는 과정에는 마을의 위계변화의 단면들이 드러나게 된다. 유적의 공인과 기금마련 운동과정에서 노년 남성과 여성들이 비로소 의례를 행하는 방식을 배우기 시작하였다. 당시 마을 노년 중 아무도 1954년 이전 마을의 딩에서의 공동의례의 수행절차나 제반 과정을 정확히 알고 있는 사람은 없었다. 그래서 일부의 사람들은 하노이의 유명한 사찰이나 사당에서의 의례에 참여하여 그 "적절하고", "정확한" 의례방법을 익히려고 하였다. 이러한 사실이 곧 마을의 의례가 말 그대로 새로이 창조된 것이라는 표현을 가능하게 한다. 하노이의 사찰에서 의례를 학습하는 여행기간에 노년 남녀 모두 원래 남성이 수행하는 제물 올리기와 기복 의례의 조직과 절차를 익히게 되었다. 그들은 또한 다른 종류의 일련의 의례과정이 여성에 의해 수행된다는 것을 알게 되었는데, 그 것이 향을 올리는 의식, 즉 '헌향례'(*Le dang huong*, 禮獻香)이다.[185]

---

185) 마을 노인들의 의례학습은 주로 "덴 꾸언 타인"(*Den Quan Thanh*)과 형제마을 잡 뜨의 의례, 그리고 13짜이의 고향마을인 레 멀의 공동의례에서 실시되었다. "꾸언 타인"의 의례는 이미 1962년에 회복되었고, 이후 국가에 의해 정당성이 부여되어 있었다. 국가가 나서서 '영웅'의 제례를 권장하는 상황이었기 때문이었다. 그리고 잡 뜨는 같은 여성영웅에 대한 의례를 재현하고 있어서 일부의

이 때 하노이의 유명 사찰과 사당의 여성노년불자회의 높은 지위에 있는 신도들, 즉 '바이'(*vai*)들이 마을의 노년불자들(*vai*)을 초대하여 직접 의례를 가르치기도 하였다. '헌향대'의 경우 의례 절차에서 엄격히 따라야 하는 걸음걸이, 몸동작, 그리고 다른 수행절차와 과정에 대하여 세밀히 알아야 했고, 그것들은 하노이의 국가의 공인을 받은 주요 성소에서 배움으로써 가능하게 되었다. 이렇게 학습과정을 겪은 20명의 마을 바이들은 재건된 마을의 수호신 공동의례 행사에서 처음으로 향을 올리고 제례를 수행하는 역할을 해낼 수 있었다. 결과적으로 노년불교신도회는 스스로 이전에 마을에는 존재하지 않았던 것이 분명한 새로운 의례를 창조하여 수행할 수 있게 되었을 뿐만 아니라, 역사상 처음으로, 그리고 '혁명적으로' 마을의 공식적인 행사가 이루어지는 공식적인 공간에 등장하게 되었다. 그것은 과거에는 원로 남성들로만 배타적으로 행해지던 것이었다. 그러므로, 단지 자리를 잡은 관중들 틈에 뿐만 아니라, 실제의 의례를 수행하는 위치에서 "마을의 공동사업"(*viec lang*)에 참여할 수 있게 됨으로서, 마을의 노년여성들은 성적 차별로부터 벗어나는 중요한 성취를 이루어낸 것이라고 설명할 수 있다. 더구나 의례수행에 직접 참가한다는 것은 개인적으로 자랑스러운 일일뿐만 아니라, 마을의 수호신을 비롯한 신성한 초월적인 존재의 축복을 직접 받을 수 있는 기회가 분명해졌다는 것을 의미한다. 다시 말해서, 헌향 행사는 사회적으로 중요한 의미를 갖는 변화를 상징하는 것이다. 이런 점에서 하

절차는 그대로 복사해올 수 있었다. 마을마다 새로 구성되는 수호신의례의 모범이 되는 의례들은 마치 의례교과서와 같은 정통성을 부여하는 행사로 구성되어 있다고 공식적으로 평가받을 수 있었다(Kleinen 1999). 이런 의미에서 국가의 종교정책에 애매모호성이 다시 한 번 드러난다. 농촌 지방에서 종교적 의례의 재생과 활성화는 부분적으로는 이러한 국가의 모호성 때문에 가능한 것이었고, 따라서 국가의 의도와는 다른 방향으로 발전할 가능성도 존재한다고 평가할 수 있다.

나의 관습이 사회적 관계를 복원하고자 하는 의도를 지니면서 현재의 "억사"에 도입되는 과정을 볼 수 있다(Williams 1977: 117; Sider 1986: 185; Truong 2001: 257-259).

마을의 노년 남녀 사이의 관계뿐만 아니라 여성들 사이의 관계도 재형성되기 시작하였다. 우선, 연공서열의 원칙이 의례의 숙련과 전문성이라는 새로운 기준에 의해 도전 받기 시작하였다. 헌향대가 행하는 의례는 보통 한 번의 절차가 적게는 30-40분에서 길게는 두 시간 이상 지속되는 것이어서, 기본적으로 체력이 매우 중요한 요소가 된다. 그리고 몸동작과 움직임, 발걸음 등 절차가 매우 복잡한 과정과 세세한 내용 및 기준을 갖추고 수행되어야 하고 음악과 북소리에 맞춰야 하기 때문에, 자신의 몸을 조화롭고 자연스러운 동작이 되도록 하여야 할 뿐 아니라 기억력도 좋아야 했다. 그리고 다른 성원들의 몸동작과 개별적인 절차를 전체적으로 조화되게 맞추는 역할을 하는 사람(*xuong*)과, 진행과정을 공식적으로 알려주거나, 작성된 제문을 읽는 사람(*doc van*)은 강하고, 또렷하고, 그리고 음조가 맞는 목소리를 가진 사람이라야 수행할 수 있게 되었다. 따라서 의례의 직접 수행자는 연령이나 입사의 연공서열이 아니라, 더구나 사회적인 배경이나 경제적 지위는 더욱 아니고, 육체적으로 그 일을 수행할 수 있느냐가 훨씬 중요한 기준이 되었다(Kleinen 1999: 165). 실제로 가장 존경받는 지위에 있는 일부 노년 '바이'들이 처음 의례를 수행하는 자리에 선출되었으나, 몇 차례의 행사를 치른 후 곧바로 보다 수행능력을 갖춘 다른 사람들로 교체되었다.

이러한 의례수행자의 선택 과정은 겉으로는 아무런 갈등이나 긴장 없이 무사히 진행된 것처럼 보였고, 실제 많은 주민들이 그렇게 설명하고 있었다. 그러나 보다 빨리 수행의 숙련성을 체득한 사람과 그렇지 못한 사람들 사이에 긴장이 발생하기 시작하였다. 이러한 새로운 긴장은 기존에 이미 존재하였던 '원주민'과 '시집온 사람들' 사이의 반목을 통해 더욱 강화되었다. 왜냐하면 많은 새로운 의례 숙련자들에는 '비원주민' 여성들도 포함되어 있었기 때문이다. 이러한 현상은 역사적으로는 집단화 시절에 당조직에 의해 공식적인 대중문화운동의 한 양식으로 제시되었던 '군중문예'(van nghe quan chung, 群衆文藝) 행사 때 상급 당조직에서 파견된 간부들의 결정에 따라 비원주민들이 대거 참여하였던 것에 뿌리를 두고 있다. 유적 공인 이후 마을에서 의례행사의 조직이 점차 빈번해지고 일상생활에서 중요성이 커짐에 따라 많은 비원주민 여성 의례수행자들이 급속도로 기존 불자회에서 자기 목소리를 갖기 시작하였다.

그러나 이러한 대중적인 이미지의 성장은 바로 '원주민'들과 특히 선배 '바이'들의 불만에 직면하게 된다. 실제의 갈등은 제주(chu te, 主祭)의 역할이 매 번의 의례행사에 등장하게 되면서 터져 나오기 시작하였다. 한편 수행자 중 이주민들은 제주 또는 부제주(pho te, 副祭)로서의 역할을 맡을 수 있다는 것을 정당화하기 위하여 자신의 의례수행의 숙련성을 부각시키고자 하였다. 반면에 원주민 수행자들은 연령과 연공서열에 의존하여 자신의 정통성을 주장하였다. 결국 1995년 이후 의례의 중심역할은 계속 '원주민'의 몫이 되어 왔다.

결론적으로 현향대와 현향 의례는 의식적으로 만들어진 집단적인 창조물로서, 기존의 남녀, 그리고 세대별로 존재하던 사회관계를 재형성하는 결과를 빚었다. 이러한 새로운 의례의 창조과정과 수행과 재생산 과정에서 다양한 연령층의 여자들은 서로를 구별할 필요뿐만 아니라 같이 참여하여야 한다는 필요도 함께 깨닫게 되었다. 각 조직과 집단 출신의 성원들은 그들의 참여와 배제에 관하여 재고하여야 했고, 서로의 경쟁과 반목에서 비롯된 분파에서 어떤 한 편에 서야 했다. 요약하면, 유적의 공인과 마을의례의 재생과정에서 남성과 여성, 노년과 청년, 원주민과 이주민 등 복합적인 분화에 따른 다양한 집단의 지속적인 제도화과정에서 공동참여, 갈등과 반목, 그리고 때때로 긴장이 계속되었다.

제 6 장

# 전통의 재창조:
# 의례 활성화와
# 이질적인 공동체

# 1. 의례개혁의 영향과 전혁명적 요소의 재생

<사진 18> 꿈장의 조상숭배의례와 제단(*ban tho*)

## 1) 통과의례의 전혁명적 요소

이 장에서는 1990년대 이후 뚜렷하게 재생되거나 활성화되고 있는 민간의례의 여러 가지 양상들에 관하여 기술하고자 한다. 이러한 민간의례의 재활성화 과정에서 정부와 당이 혁명 이후 추진하였던 의례개혁의 어떤 요소가 성공적으로 지속되고 있는지, 또 어떤 점들이 거부되거나 저항 받아 왔는지를 살펴보고, 전통과 혁명의 연속과 단절의 성격을 해석하고자 한다. 프엉 응옥 하 뿐 아니라 하노이와 북부 베트남에서 일반적으로 나타나고 있는 통과의례의 재활성화 과정은 혁명의 시기에 당이 제거하려고 시도하였던 많은 전혁명적 요소들이 여전히 유지되고 있음을 보여준다. 그러나 혁명 이전 시기와의 유사성이 곧 장례식, 혼례 등 의례개혁의 완전 실패를 의미하는 것은 아니다. 자세히 관찰해 보면 개혁의 많은 내용이 민간의 의례와 관련된 공적 담론의 성격을 변화시켰으며 차별의 철폐, 평등주의 실현 등의 주요한 목표는 어느 정도 달성되었음을 알 수 있다. 국가가 민간의 의례와 관련된 모든 의미와 가치를 통제하고 단일화하는 데에 실패하였으나, 그것들과 관련된 사회적 지식과 관념의 골격을 어느 정도 변형하는 데에는 성공하였다고 보인다. 도이 머이 이후 금지되었던 과거의 관습들이 재생되고 있는 과정에 대한 고찰에서, 실제 지방 차원에서 1954년 이후 도이 머이 이전에도 의례개혁의 많은 요소에 대한 저항이 지속되었음을 알 수 있다. 동시에 의례개혁 과정의 성공적인 결과로서 개혁운동이 만든 민간 의례 변화의 성격을 파악할 수 있다.

우선 장례식의 경우를 살펴보자. 당지부의 간부와 새생활위원들이 의례개혁을 통한 혁명정책을 집행하고자 했을 때에 주민들의 즉

각적인 저항에 부딪히게 되었다. 그 대표적인 예가 장례음악에 대한 규제였다. 하노이시의 결정에 따라 장례식에서의 음악연주를 금지하였고, 이 결정은 하노이뿐만 아니라, 타인 호아, 하이 홍 등 지방의 성 지역에도 확산되었다. 다이 옌의 경우에도 북부베트남에서 보편적인 의례 음악의 하나로 사용되었던 '꽌 호'(*quan ho*)가 민간의례의 필수적인 요소로 동원되었다.[186] 1950년대만 하여도 마을에 자체적인 악대가 구성되어 있었고, 규모가 큰 장례식의 경우에는 인근 마을의 악대를 불러 합주를 하기도 하였다. 장례식에 음악을 동원하는 것은 망자의 슬픈 영혼을 달래어 즐거운 마음으로 저 세상에 보내는 과정에 필요한 것이라는 믿음에 근거한 것이었다. 이러한 '미신적인' 요소 외에도 악대를 불러 길게는 며칠동안 연주하게 하고, 그것에 상응하는 물질적인 대가를 치르는 과정은 주민들 사이의 경제적 능력의 차이를 드러내는 '반혁명적' 요소로 간주되어 금지한 것이었다. 이에 대해 주민들은 음악이 없으면 장례식이 너무 슬프다는 이유로 연주를 할 수 있도록 허락할 것을 요청하였다. 새생활운동위원회와 행정위원회에서는 주민들의 악기를 수거하여 합작사 창고에 보관하게 하는 조치를 취하기도 하였다. 주민들은 의례개혁 기간의 몇 차례의 장례식에서 국가의 금지에도 불구하고 꽌 호 연주를 들을 수 있었다고 하였다. 장례식에 음악이 연주되는 것은 단순히 귀신을 달래기 위한 것일 뿐만 아니라, 살아 있는 사람을 위로하는 목적도 있었다. 사람들은 음악을 연주하여 장례식의 분위기를 슬프지 않도록 하는 것은 "산 사람이 계속 살아가도록 흥을 돋우는 것"이라고 설명

---

186) 박 닌(*Bac Ninh*) 지역에서 기원한 전통민요와 창극을 "꽌 호"라고 한다. 꽌 호는 혁명 이전 시기부터 이미 박 닌뿐만 아니라 북부베트남 대부분 지방에서 민간의례에 사용되는 음악으로 보편화되었으며, 특히 장례식에는 분위기를 만드는 필수적인 요소로 활용되었다. 최근 활성화된 지역축제와 민간의례에서 꽌 호의 연주나 확성기로 들려주는 꽌 호를 쉽게 접할 수 있다.

하였다. 즐거운 음악을 연주하고 같이 들음으로써 가족의 사망으로 생기는 역할의 공백에 따른 불안감을 해소할 수 있도록 서로 돕는 일이라는 것이라고 해석할 수 있다. 음악은 이웃 사람들의 '띵 깜'을 표현하는 것으로 간주되었다.

　의례 복장에 대한 개혁조치 또한 유족의 반발에 부딪혔다. 많은 유가족들이 밀짚모자를 쓰지 않고 사탕수수 지팡이를 짚지 않는 아들과 무명모자를 쓰지 않는 딸의 모습은 '불효'로 비춰진다고 인식하고, 공식적인 규제에도 불구하고 구래의 복장을 유지하려고 하였다.[187] 의례개혁이 진행될수록 구래의 장례식 복장은 점차 사라졌지만, 상당한 기간동안 많은 장례식에서 신분과 성의 차별을 표현하는 복장이 유지되어 왔다. 조사 당시 마을 노인들 중에는 1960-70년대에 만든 상복을 보관하고 있는 사람도 일부 있었다. 이들은 "전통은 쉽게 사라지지 않는 것"이라고 믿고 언젠가는 상복을 입게 될 것이라는 믿음이 있었다는 다소 과장된 표현으로 당시의 상황을 설명해 주기도 하였다. 의례복장을 단순화하는 개혁의 시도가 외형적으로는 성공적이었음을 보여 주었지만, 많은 사람들이 암묵적으로 그것에 저항하였음을 간접적으로 설명해 주는 것이었다.

　이러한 사례들에서도 비추어지듯이 의례개혁에 대한 가장 중요한 저항은 두 가지 측면에서 표현되었다. 첫째는 살아 있는 사람들이 망자를 온전히 저승으로 가도록 도와주고 평안을 유지하도록 하는 의식을 금지한 것에 대한 저항이고, 둘째는 살아있는 사람들이 서로의 유대와 '띵 깜' 관계를 재생산하는 과정을 금지하는 개혁에 대한 저항이었다. 이러한 저항의 주요 측면이 곧 1980년대 후반, 즉 도이

---

187) 멀라니는 북부 베트남의 다른 지역에서 유사한 저항의 사례에 대하여 기술하고 있다(Malarney 1993, 1996).

머이 이후의 민간의례 활성화의 주요한 내용이 되고 있다.

4장에서 살펴본 바와 같이 장례식의 주요한 목적은 망자의 영혼을 이승에서 저승으로 평화롭게 이동시키는 것이다. 사람들은 장례식에 수반되는 영혼의 존재와 관련된 의식을 엄밀히 수행함으로써 망자의 영혼이 살아 남은 사람들에게 해가 되는 악귀로 변하는 것을 방지하고자 하였다. 이러한 과정을 무사히 치르는 것이 자식들의 의무이며, 부모에 대한 가장 중요한 '효'(hieu, 孝)의 하나가 되었다. 영혼의 평안한 여정을 위하여 가족들은 망자가 살았을 때의 신앙이나 집안 어른들의 결정에 따라서 다양한 종교적 전통에서 필요한 요소들을 선택한다. 많은 경우 승려나 '노년여성불자회'를 초청하여, 관 옆에서 독경을 하고 망자의 여정을 위로하도록 하였다.[188] 일부이지만 점성술의 전문가 사제(thay cung)나 무당을 불러 같은 목적을 위한 다른 절차의 의식을 치르게 하였다. 이러한 의식들이 유가족에게 부여된 의무를 다하는 과정이며, 장례식 절차의 핵심을 구성하고 있었다. 베트남 헌법에 규정된 '종교적 신앙의 자유'에 따르면, 이러한 관행들은 모두 용인될 수 있는 것이다. 그러나 1954-86년의 개혁기간 동안에는 지방의 당 간부들은 대부분의 종교를 넓은 의미의 미신으로 간주하여 절이나 교회, 또는 수호신의 사당을 찾아 제사를 지내는 행위를 억압하였다. 그러나 억압이 곧 신앙을 포기하게 하지는 못하였다. 많은 가족들이 비밀리에 무당을 부르거나, 불교여신도회를 불러 제사를 지내곤 하였다.

다이 옌에서 의례개혁을 둘러싼 주민과 국가간의 갈등은 1980년

---

188) 르엉은 북부베트남 농촌 마을에서의 사례연구를 통하여 식민시대와 혁명 이전 시기뿐만 아니라, 지역에 따라서는 혁명기에도 민간의 통과의례에서 불교도 모임과 불교의례가 중요한 역할을 하였음을 기술하였다(Luong 1993).

대 마을에서 행해진 비교적 규모가 큰 두 번의 장례식의 사례에서 잘 나타난다. 그 중 하나는 당시 행정위 간부 모친의 장례이고, 다른 사례는 당지부 간부 부친의 장례식이었다. 이 장례식에는 수백 명에서 1천여 명의 조문객들이 참가하였다. 이러한 조문객의 규모는 망자 자식들의 사회적 지위 때문이었다. 국가의 정책과 이념에 충실해야 하는 당간부의 가족이라는 배경으로 인하여, 적절한 장례식의 규모를 둘러싸고 가족들간에 갈등이 있었지만, 결국 국가의 입장에서 적절한 규모가 아니라 부모에게 적절한 규모로 결정되었다. 이러한 사실은 마을 주민들이 공식적인 이데올로기와는 달리 장례식을 망자의 영혼을 편안히 저승으로 이동시키고자 하는 의식으로 인식하고 있음을 보여준다.

장례식에서 망자의 여정을 위로하는 요소의 유지를 통한 저항과 재생은 '항 마'(*hang ma*)의 사용에서 뚜렷하게 나타난다. 이것은 당이 엄격하게 '미신'으로 규정하여 금지하는 것이었다. 금지에도 불구하고 많은 사람들이 종이와 대나무를 사용하여 금괴, 모자, 의복, 가마 등의 모양의 항 마를 제작하였다. 이것들은 장례식뿐만 아니라, 제사와 영혼을 불러내는 의식 일체에 동원되었다. 지난 10여 년간 항 마의 사용이 장례식의 가장 중요한 요소로 다시 뚜렷하게 부상되었다. 1990년 정부는 항 마의 판매에 세금을 부과하는 정책을 집행함으로써 항 마의 사용을 공식적으로 인정하게 되었다(Luong 1993: 288 참조). 현재 의례에서 항 마의 사용은 점차 늘어나는 추세이며 그 종류도 다양해지고 있다.[189]

---

189) 시내 '36 길드 거리'(36 *pho phuong*)의 항 마 거리(*pho Hang Ma*)에 가면, 비행기, 아파트, 외국산 오토바이와 자동차 등 개방경제 이후 새로 추가된 항 마들을 쉽게 접할 수 있다. 일부의 고가 항 마들은 주문 제작된다.

의례개혁 중 음식의 증여와 소비를 억제하려는 노력도 결과적으로 실패한 부분이라고 평가할 수 있다. 새생활위원회에서는 식민시대에 촌장의 장례식 회식에도 15멈(90명) 혹은 20멈(120명) 정도 차렸다고 하면서, 개혁 기간 중 30멈(180명 정도)을 사용한 회식을 지나친 낭비라고 간주하였다.[190] 그러나 주민들은 이러한 한계를 그대로 받아들이지는 않았다. 의례개혁 이후에도 많은 주민들이 자신들의 자원이 허용하는 한 회식을 크게 하려고 하였다. 1960-70년대 전쟁기의 궁핍과 특히 1970년대 말의 경제 환란기를 겪으면서 그 규모를 더욱 엄격히 제한하였다. 주민들은 1990년대 초반 마을의 공동의례가 활성화되기 시작할 무렵의 혼인식 피로연의 경우, 대개 50멈을 기준으로 잔치의 규모를 구분하였다고 설명하였다. 당시는 다이옌이 하노이에서 상대적으로 낙후된 지역이어서 잔치 규모가 큰 편은 아니었다. 1990년대 초반에 있었던 몇 차례의 피로연에서는 평균 규모가 50멈(300명) 내외였고, 큰 규모는 심지어 100멈(600명)을 넘는 경우도 있었다.

1멈 당 평균 비용은, 닭고기나 돼지고기를 기본 메뉴에 포함하지 않았던 1991년에는 45,000동 정도였다.[191] 당시에 일부 전문업체가 피로연 음식을 준비하여 출장 서비스를 하기도 하였는데, 그러한 경우 50만 동 이상 고가의 멈도 상품으로 만들어졌다. 1990년대 초반의 평균적인 수준의 회식 비용은 50멈을 기준으로 약 225달러였고, 그 외에 삶은 닭 30마리와 돼지고기 100kg 정도가 소비되었다. 큰

190) 한 '멈'(mam)은 보통 6-8명을 기준으로 한 상차림이다.
191) 1994년 환율 기준으로 45,000 동은 미화 약 4.5달러에 해당한다. 전문업체에 주문하여 피로연을 준비하는 것이 보편화된 2000년의 경우 1멈 당 최소 30만 동으로 인상되었다. 2000년의 환율이 1달러 당 약 15,000동이었으므로, 20달러 정도에 해당하는 셈이다. 피로연 음식의 공급과 서비스를 전문으로 하는 업체가 늘어남에 따라, 과거와 달리 '한 멈'의 주문에 음료와 고기류도 기본 메뉴로 포함되어 있다. 참고로 2000년 도시지역 국영기업 근로자의 월 평균급여는 70달러 정도이다.

규모의 경우 360-405달러에 삶은 닭 60여 마리와 돼지고기 180-200 kg이 소비된다. 규모가 클수록 단가가 비싼 멈을 주문하게 되어 총 비용은 500달러에 이르기도 하였다. 규모가 큰 회식일수록 닭고기가 많아지고 돼지고기는 상대적으로 줄어드는 경향이 있다. 1960-70년대에는 돼지고기가 가장 많이 쓰이는 육류였으나, 1980년대 초반에 돼지고기로 만든 '죠'(*gio*, 소시지의 일종)와 '짜'(*cha*, 튀김만두의 일종)가 첨가되었고, 최근에는 가장 값나가는 중요한 음식의 위치를 닭고기가 차지해가고 있는 추세이다. 마을 사람들은 흔히 "닭고기가 없으면, 큰 잔치가 아니지"라고 말한다.

혼례의 경우 '전통의 재활성화'는 의례개혁시대에 '미신'으로 규정되었던 초자연적인 세계에 대한 관념이라는 측면보다는 피로연에서 음식나누기 관습이 다시 활성화되고 있는 현상을 통해 비교적 뚜렷하게 감지될 수 있다. 도시지역의 결혼식은 전통적 혼례의 절차와 상징의 유지라는 측면보다는 '현대화된 이벤트'의 성격을 많이 가미하고 있었다. 피로연 음식 또한 전통음식과 많이 달라져 있었다. 그럼에도 피로연 자체의 사회적 의미와 중요성은 정부의 의례개혁의 노력에도 불구하고 많은 부분 혁명 이전의 방식과 관념들이 유지되고 있다고 판단되었다. 주민들이 "전통 혼례"라고 설명하는 것도 실제는 개방이후 전통의 재생과정과 도시환경에 적응하는 과정에서 여러 가지 외래의 요소와 융합되어 변형되고 있다.[192] 혼인식 절차를 사진 또는 비디오로 촬영하는 것이 보편화되어 가는 추세여서, 혼인과 피로연이 진행되는 동안 신랑신부와 주변 인물들은 촬영기

---

192) 관변 연구자들의 민속보고서에는 전통혼례가 대부분 중국의 '육례'를 원칙으로 한다고 밝히고 있지만, 실제로는 지역에 따른 변이가 많이 있었다. 청혼·사주교환·약혼·정혼 등 혼례 절차에 관해서는 Phan Ke Binh(1999[1932]: 59-67) 참조.

사의 연출에 따라 움직인다. 신랑신부의 복장 또한 혼인식이 진행되는 동안은 양복과 드레스를 입고 있다. 심지어 '전통 혼례'의 한 주요 절차인 조상의 제단에 간단한 제물을 올리고 절하는 순서에도 같은 복장으로 촬영기사의 지시에 따라 향을 피우고 술을 올린다. 혼례식은 흔히 이틀 동안 진행된다. 첫날에는 주로 오후 늦은 시간이나 저녁에 마을의 이웃과 가까운 친척들이 찾아와 신랑 신부와 그 가족들에게 축하를 한다. 둘째 날에는 혼주가 대접하는 피로연 회식이 열린다. 피로연이 진행되는 동안 신부가 전통 복식인 '아오 자이'(ao dai)로 갈아입고 하객의 축하에 답하지만, 대개 신랑은 양복 차림 그대로이다. 주민들은 이러한 결혼식의 모습이 '전통'과 '현대'의 혼합이라고 설명하기도 하고, '농촌'과 '도시'가 혼합된 것이라고 설명하기도 하였다.

결혼식에 참가하는 주민들은 이러한 변모된 혼례의 양상에도 불구하고, "이것이 베트남 사람들의 전통"이라고 설명하고 있었다. 이러한 설명에 동원되는 '전통'의 요소에는 혼례과정에서 당사자의 의견보다 집안 어른의 의사를 존중한다는 점, 조상에게 보고하고 감사하는 제사가 남아있다는 점, 혼인식 날짜와 함과 사주단자가 들어가는 시간 등의 구체적인 일정과 절차를 실행하는 시간을 점성술적인 길조에 따라 정해진 일시를 택하여 한다는 점 등이 제시되었다. 그중에서 참석자들이 전통의 요소로서 가장 강조하는 측면은 혼인식 피로연에서의 음식나누기와 부조의 관습이었다.

필자의 본격적인 현지연구 초기인 1999년 12월 18일 마을 사람들과의 라뽀 형성을 위한 아주 좋은 기회를 제공해 주었던 꿈장의 둘째 딸 결혼식은 혼인식 피로연의 전혁명적인 요소가 재생되는 대표적인 예를 보여 주었다. 하객을 맞기 위해 꿈장 가족은 이틀 전부터 친척이 살고 있는 옆집과 경계가 되는 나무 울타리를 헐어 두 집의 방과 앞뜰을 모두 잔치에 사용할 수 있도록 임시 개조하였다. 집안 마당과 안채의 공간 모두를 접객실로 쓰고, 바깥채는 음식 준비 공간 및 부엌과 창고로 이용할 수 있도록 모두 청소하여 집을 모두 연회장으로 꾸몄다. 식탁과 의자는 모두 임대하고, 천막도 전문업체에 주문하여 임대하였고, 결혼식 전문 출장 서비스를 하는 식당에서 음식 요리와 접대를 맡았다. 꿈장은 처음에는 시내의 호텔을 빌려 손님을 접대하려고 계획하였으나, 꿈장 집안의 혼례인 만큼 마을 사람들이 주요 하객들이므로 집에서 치르는 방향으로 계획을 변경하였다. 꿈장의 가족들은 약 3-400명의 하객을 예상하고 일단 60멈을 준비하였다. 실제 400여 명이 참석하였으나, 일부 집에서 자체 준비한 음식으로 보충할 수 있었다. 1멈 당 40만 동(약 27달러)으로 계약하였으므로, 술과 음료수를 포함하지 않은 음식값에만 약 2,500만 동(약 230만원)의 거금이 쓰였다. 필자가 하노이 체류 기간에 초대받아 참가한 여러 번의 혼례식 중 꿈장 집안의 혼례는 비교적 규모가 큰 편에 해당되었다.[193]

결혼식의 절차를 주도하는 역할을 담당한 신랑측의 한 노인은 "다이 옌은 이미 많은 부분 도시화가 된 마을이지만, 여전히 많은 전통적인 관습이 남아 있다. 여기 꿈장 집안의 결혼식을 보아도 알 수 있다. 결혼식에 참여해 보면 과거 농촌사회에서 행하였던 많은 전통이 도시에서도 여전히 행해지고 있음을 알 수 있다"면서 결혼식

---

193) 같은 날 옆 골목의 이웃집에서도 혼례가 있었는데, 혼주는 은퇴한 국영기업의 노동자였고 1996년 마을로 전입하였다. 호치민시 인근 비엔 호아(*Bien Hoa*) 공단에 소재하는 대만계 외국인투자 신발공장에서 일하는 둘째 아들의 혼례였다. 꿈장 딸의 결혼식에 참석한 하객들 중에는 그 집의 혼인식에도 다녀온 사람들이 일부 포함되어 있었다. 필자도 잠시 틈을 내어 그 집의 혼례를 구경하였다. 필자가 보기에도 꿈장의 결혼식에 비하여 규모가 작았고 하객도 많지 않았다.

에 대한 설명을 해주었다. 그는 이 마을 사람들이 이렇게 많이 결혼식에 참여하여 서로 일을 도와주고, 부조를 하는 것도 모두가 전통적인 관습을 그대로 유지하고 있기 때문이라고 하면서, 피로연의 성대함을 전통적인 관습의 유지 또는 재생과 동일한 것으로 설명하였다.

꿈장이 행정지도자로서 꿈을 대표하는 지위인 만큼 인민위원회, 당지부, 공안 등 주요 기관의 간부들, 또장, 부또장 등 행정지도자 대부분이 피로연에 참석하였다. 마을의 원로회, 부녀회의 주요 인사들과 유적관리위원회의 위원들도 대부분 참석하였다. 인민위원회 주석은 주요 간부들과 행정지도자들을 위해 따로 마련된 자리의 중앙에 앉아 여러 차례 건배를 제안하였다. 그녀는 도시 지역에서도 혼례가 보통 이틀간 열리고 피로연도 성대하게 벌어지는 것은 "어쩔 수 없는 민간의 요구"라면서, "정부는 결혼식을 하루만에, 심지어 한나절에 마칠 것을 권하고 있다. 마을에서 열리는 결혼식에서 요즘은 전날 저녁에 행하는 예는 가족을 중심으로 이루어지며, 아주 가깝게 지내는 주요 이웃들만 찾아오는 경우가 대부분이다. 국가가 관혼상제에 관하여 쓸데없는 낭비를 줄이고 계층간의 위화감을 없애기 위한 공식적인 제도를 만들어 놓았으나 민간차원에서는 주민들과 이웃과 친척의 축하를 막을 수도 없는 일이다"라고 설명하였다.

1980년대 중반 이후 전통적인 민간의례의 요소들이 뚜렷하게 재생되는 현상은 당이 추진하였던 의례개혁이 실패하였다는 인상을 준다. 그러나 의례의 재생과정은 "선택적인 재생"(selective revitalization)이다(Luong 1993: 20). 혁명 이전 시기의 관습의 부활을 과거 상태로의 단순한 복귀로 해석해서는 안된다. 비록 많은 면에서 과거와의 유사성이 존재하지만, 현재의 장례식에는 혁명을 통한 개혁의 영향이 새겨져 있다. 가장 명백한 영향은 간소화이다. 장례식은 3일 이내

치르는 것으로 간소화되었고, 시체는 사망 후 48시간 내에 매장된다. 대부분의 가족들은 이제 길일에 제한하기보다는 각자의 직업생활에 비추어 편리한 시간에 제사를 모시고 의식을 치른다. 심지어 음력에 맞춘 사망일이 아니라, 해당 주간에 가족들이 대부분 근무하지 않는 일요일에 미리 제사를 모시는 것을 선호하는 가족이 늘어났다. 일부 가족은 아예 양력으로 지내기도 한다.

하노이의 많은 마을에서도 이러한 변화의 양상은 발견되지만 여전히 길일을 따지는 관념이 보편적임을 알 수 있다. 관념적인 가치와 실제의 행위가 불일치 하는 모습을 보이기는 하지만, 길일을 따져서 대소사를 처리하려는 관념과 관습은 여전히 강하게 작용하고 있었다. 일요일이나 양력을 제사일로 하는 경우, 가족 구성원 중 특히 연로한 사람의 경우 그 의미를 설명하거나 이것이 올바른 방식이 아님을 이야기하고자 하는 경우가 많다. 또한 장례식 의례에서의 평등화도 성공한 요소로 판단된다. 아들이 관 앞에 서서 울며 관의 행진을 거부하거나 딸과 아내가 길에 누어서 통곡하는 등 자식들의 미천한 모습의 재현과 같은 관행은 많은 사람들이 '봉건적 관습'이라고 규정하고 있으며, 지금은 거의 발견되지 않는다. 과거에 신분이나 지위를 나타내는 관행들도 대부분 사라졌다. 관을 치장하기와 장시간 전시하기, 큰 무덤을 만들기, 수십 명의 상여꾼과 곡꾼을 고용하기, 묘지의 선정을 위하여 역학자나 풍수학자를 동원하기 등은 더 이상 부활하지 않는 것으로 관찰되었다. "닭이 없으면 큰 잔치가 아니다"라는 표현에서처럼, 지위경쟁을 암시하는 관행은 재생되기 시작하였으나, 일반적으로 보편화되어 가는 평등화의 모습에 비하면 미미한 수준이다.

당이 추진하였던 의례개혁의 가장 주목할만한 영향 중 한가지는 의례의 진행과 관습을 둘러싼 공적 담론의 변화일 것이다. 1998년 말의 구전병회(*Hoi cuu chien binh*)의 지도자였던 밍(*Minh*) 노인의 장례식은 당시 장례식의 조직에 참여하였던 마을 원로회 성원들 대부분이 생생하게 기억하고 있었다. 밍 노인의 사망으로 마을에서 장례식을 조직하기 위한 방법에 관한 논쟁이 벌어졌다. 살아있는 사람들이 망자의 영혼을 돌보고 존경과 조의를 표할 수 있도록 적절히 장례식을 조직하여야 한다는 점에 대해서는 거의 의견일치를 보였지만, 구성 절차와 구체적인 방법에 관해서는 의견이 분분하였다. 원로회의 성원 중 당원이나 국영기간 간부의 배경을 지닌 사람들은 대부분 낭비적인 관행을 문제시하였다. 의식에 소모되는 자원들은 반드시 국가의 채널을 통하여야 한다고 주장하는 사람은 없었지만, 많은 사람들이 그런 자원들이 다른 방식으로 보다 유익하게 사용될 수 있다고 느끼고 있었다. 어떤 사람들은 지위의 표현이나 과시소비를 반대하며, 가난하였을 때에는 가난 때문에 동질감을 표현할 수 있었다고 주장하였다. 빈부의 격차로 장례식이 오히려 사람들을 분리시킨다고 염려하는 사람도 있었다. 이들은 장례식을 크게 여는 것이 곧 진정으로 망자를 위로하는 마음을 갖게 하는 것은 아니라고 주장하였다. 이런 의미에서 "추모의 마음은 100명의 음식에서나 달걀 한 개, 밥 한 그릇에도 똑같은 것일 수 있다"는 주장도 제기되었다.

민간의례에 대한 국가의 직접적인 간섭은 사라졌음에도, 미신적인 관행과 관련된 것들은 논쟁의 주요 초점이 되고 있었다. 주민들은 살아 있는 사람이 죽은 사람의 영혼과 접촉하거나 귀신의 영향을 받는다는 관념과 결부된 관습을 유지하려는 경향이 여전하였다. 지금도 당원들은 이론적으로 이러한 관념과 결부된 관습을 미신이라고 주장하고, 많은 남자들이 그러한 관습의 효과에 대하여 문제를 제기한다. 추모기간과 미망인의 재혼 시기가 논쟁의 초점이 되기도 하였다. 많은 사람들이 부모나 배우자가 사망한 이후 추모기간이 3년은 너무 길다고 생각하고, 1-2년 정도가 적당하다고 이야기한다. 많은 사람들이 아직도 과부가 재혼하는 것은 죽은 남편에 대한 배반이라고 인식하며 재혼하지 말아야한다는 입장이 많은 듯하고, 홀아비의 재혼은 여전히 문제삼지 않고 있다.

현재의 장례식은 혁명 이전 시기보다 간소하고, 기간도 짧고, 보다 평등적인 모습인 것은 분명하다. 그리고 혁명과정을 통하여 많은 공식적 이데올로기가 지방의 장례식을 둘러싼 마을의 담론을 변화시켰다. 지방의 담론에서 낭비, 미신, 평등, 봉건적 관계 등의 관한 내용을 쉽게 발견할 수 있다. 그럼에도 불구하고 여전히 살아있는 사람의 망자에 대한 의무와 관련한 과거의 인습과 관념은 강하게 작용하고 있고, 이것은 장례식의 적절한 조직에 관한 가족간의 논쟁과 갈등에서도 발견된다. 토지개혁 이후 약 30년 동안 이러한 타도 대상으로서의 핵심어들은 점차 마을 수준의 언어와 담론에 포함되기 시작하면서 여러 중첩된 의미를 갖는 것으로 변화되어 갔다. 가령 오늘날 어느 며느리가 시어머니가 "봉건적"이라고 불평할 때는 '시대에 뒤떨어지고 억압적'이라는 의미를 지닌다(Gammeltoft 1999). 유사하게 마을 청년들이 노인들이 "미신적"이라고 꼬집을 때는 쓸데없이 낭비하고 보수적이라는 의미이다. 그리고 마을 의례와 관련하여 낙후성과 낭비뿐만 아니라 종종 한편으로는 "비위생적"이라는 비판이 첨가되기도 한다. 한편으로 지방의 관련 기관에서는 항상 민간 신앙의 특정의 요소를 선택하여 미신이거나 낙후된 것이라고 규정하는 나름의 방법을 가지고 있다. '낙후성'이나 '미신'과 같은 핵심어들은 정부부처의 주요 공문이나 시, 현 또는 꾸언의 당지부에 공포된 각종의 공문에 자주 등장하고 있다. 그 핵심어의 사용이 여전히 빈번하고 또 강한 어조로 표현되고 있음을 볼 때, 혁명 이후 수십 년 간 당-국가는 이러한 이데올로기적인 영역에 대한 관심이 감소하지 않았고, 철저한 통제를 지속하려고 시도해 왔음을 알 수 있다.

## 2) 절기의례의 재활성화와 국가의 기능

### (1) 공동의례로 재생된 절기의례

딩이 유적으로 공인되고 민간 신앙과 의례를 목적으로 딩을 출입하는 것이 자유롭게 되면서, 억압되었던 절기의례의 많은 요소가 뚜렷하게 재생되고 있다. 다이 옌에서도 딩이 국가의 유적으로 공인된 이후에 절기의례 중 많은 것들이 마치 원래 마을의 공동의례였던 것처럼 활성화되고 있었다. 그렇다고 혁명 이전 시기에 대다수 주민들이 지키거나 염두에 두었던 연중의 절기들과 그날의 의례들이 모두 재생되는 것은 아니다. 그리고 최근에 활성화된 절기의례들 모두가 다이 옌에서 공동의례로서 공동의 성소인 딩에서 치러지는 것은 아니며, 많은 의례들이 가정에 따라 개별적으로 행해지고 있었다. <표 6-1>은 2000년 한 해 동안 딩에서 음력의 절기에 따라 치러진 마을의 '공동의례'와 행사의 목록을 보여주고 있다. 절기에 치러진 '공동의례'는 유적관리위원회에서 공식적으로 주민의 참가를 홍보하고 지원하는 의례를 말한다. 이 날에는 마을의 공동의례 연행조직인 '헌향대'가 의식의 절차를 직접 담당하고, 절기에 따라 당지부와 인민위원회의 간부들이 참여한다. 꾸언급의 간부나 다른 마을의 지도자들을 초청할 경우도 있다. 이런 점에서 가정이나 딩에서 주민들 개별적으로 치러지는 다른 절기의례와 공동절기의례는 구분이 된다.

<표 6-1> 2000년 마을 공동의례와 축제 및 조직의 참여(*는 부분적 참여)

| 날짜(음력) 절기명 | 유적관리위원회 | 헌향대 | 당/인민위원회 |
|---|---|---|---|
| 1월 1일 *Tet nguyen dan*(元旦) | O | O | O |
| 1월 4일 *Hoi mung tho*(경로행사) | O | O* | O |
| 1월15일 *Tet nguyen tieu*(元宵, 上元) | O | O | X |
| 3월13-14일 공주의 생일의례 | O | O | O |
| 4월15일 *Le vao he*(立夏) | O | O* | X |
| 7월15일 *Le ra he*(出夏, 또는 赦罪亡人日) | O | O* | X |
| 12월15일 *Le tat nien*(畢年)/공주의 제사일 | O | O | O* |
| 12월29일 *Giao thua*(除夜) | O | O | O* |

각 가정의 개별적인 의례의 성격을 넘어 마을의 유적관리위원회가 공동의례를 조직하고 헌향대와 불자회의 성원들이 형식적인 의식을 치르는 형태로 뚜렷하게 재생되고 있는 절기의례일은 제야(除夜)부터 신년 초까지 이어지는 신년의례 외에, 1월 15일(上元), 4월 15일(立夏), 7월 15일(出夏), 12월 15일(畢年) 등 연중 모두 네 차례가 있었다. 이러한 절기의례가 공동의례의 성격을 지니며 재생되어 활성화되고 있는 배경에는 도이 머이 이후 민간의례가 공식적으로 허용되고 딩의 유적 공인이 지대한 영향을 미쳤다. 1995년 헌향대의 조직과 의례참여가 공식화되면서, 주민들이 딩에서 의례에 가장 많이 참여하는 매월 보름의 절기 중에 4월과 7월 그리고 12월 15일의 수호신 공주제사의례를 유적관리위원회가 직접 조직하는 공동의례일로 지정하게 되었다. 공동의 절기의례로 지정된 날에는 헌향대가 참여하는 의식을 삽입하게 되었다. 유적관리위원장의 설명에 따르면 딩이 유적으로 복원된 것과 함께, 혁명의 영향에도 불구하고 지속되

었던 주민들의 '전통적인 신앙'을 실천하는 의지를 받아들인 것이라고 하였다. 인민위원회 부주석도 주민들이 자발적으로 많이 모이는 의례일에 지방의 '공동체성'을 도모할 수 있도록 지원하고, '정권'(政權)의 참여가 당연하다고 하였다. 그리고 국가가 새생활운동과 의례 개혁을 통하여 '미신과 봉건 및 비과학성'을 폐기하는 대신에 보존하려고 하였던 '민족본색의 문화'로서의 의례의 집단적 성격, 즉 '꽁동'(*cong dong*, 共同)을 강조한 결과라고 해석할 수 있다.

일부의 절기의례가 공식화되면서, 혁명 이전 시기와 가장 뚜렷한 차이를 보이는 것은 부녀자들의 역할이 전면에 등장하게 되었다는 점이다. 절기의례를 지키는 가구에서는 대부분 집안의 어른 중 여자를 중심으로 딩에서의 의례를 주도하고 있었다. 마을의 공동의례의 실제 수행자들이 '헌향대', '불자회' 등 대부분 여성으로 구성되어 있었고, 따라서 딩의 출입에 여자가 허용되었다는 것이 실제 딩에서 절기의례가 행할 수 있는 직접적인 배경 중의 하나가 되었다. 공동의 절기의례에서 남녀평등과 함께, 혁명의 영향으로 뚜렷하게 드러나는 것은 국가가 민간의 절기의례에 빈번하게 초대된다는 점이다. 당지부, 인민위원회, 공안 등 지방의 당국가의 대리인들은 딩의 절기의례에서 중요한 손님으로 초대되기도 하고, 직접 의례를 주관하기도 한다. 유적관리위원회, 원로회를 비롯한 지도자들과 마을의 의례주관자들은 국가의 참여가 딩에서의 절기의례의 공식성을 더욱 분명하게 부각하는 요소가 되지만, 동시에 민간의 의례가 여전히 지속하고 있는 전혁명적인 요소를 정당화하는 보호벽이 되기도 한다. 의례개혁의 영향이 딩에서 공동의례로 활성화되었건, 가정마다의 개별적인 의례로 치러지고 있건 최근 재활성화되고 있는 민간의 절기의례에는 국가가 일소하고자 하였던 많은 전혁명적 요소들도 함께 재생되고 있었다.

절기의례가 마을공동의례의 형태로 활성화되면서, 의례개혁의 대상이 되었던 전혁명기 관습도 일부 재생되고 있었다. 정월보름인 '상원'(*thuong nguyen*, 上元)에는 주민들이 과거 새로운 농절기의 시작을 맞아 일년의 농사와 마을 경제의 번창함을 기원하는 이 날의 의미를 간직하고 있었다. "연중의 레(*le*)가 정월 보름만 못하다"라는 속담으로 새해 들어 처음 맞는 보름날의 제사가 절기 제사로는 가장 중요하고 규모도 크다는 의미를 표현하였다. 가정마다 여러 지역의 유명한 절을 찾아가거나 하여 재물, 행복, 건강을 기원한다. 최근에 절기의례가 재활성화되면서, 상원의례는 섣달 그믐과 정월 초하루에서 일주일 이상 지속되는 가족, 친척과 이웃단위의 일련의 축제와 의례가 거듭되는 '신춘기'(*dau xuan*, 頭春) 휴가와 축제의 연장선에 있다고 볼 수 있다. 상원은 절기 중 그 어느 날보다 많은 사람들이 제례를 올리고, 주민들의 헌금(*cong duc*, '꽁 득')도 많이 모이고 또 딩에서 제례객을 위해 준비한 선물(*phuc loc*, 福祿)도 많은 날이다. 이 날은 다이 옌 주민들뿐만 아니라 연고가 있는 다른 마을 사람들도 딩을 찾아 레를 올린다. 이날 사람들은 대개 각자의 집안에서 제사를 마치고, 종이 금을 비롯한 항 마, 향, 꽃과 일부 제수용품을 준비해 온다. 향을 피워 기복을 하고 나면, 몇 천 동에서 1, 2만 동 정도의 '꽁 득'을 한다. 유적관리위원회에서는 가족 단위로 딩을 찾은 사람들에게 나누어 줄 '투 록'(*thu loc*, 受祿)을 준비하는데, 바나나, 빈랑열매와 찹쌀떡(*oan*)을 넣어 비닐에 싸서 각각 한 묶음씩 선물하였다. 주민들은 대부분이 초하루와 보름의 의례에 빠지지 않고 참가하는 편이라고 대답하였다. 실제로는 매월 모든 가구에서 딩을 찾는 것은 아니지만, 초하루나 보름은 절이나 딩을 찾아 제를 올리고 '꽁 득'을 하여야 일상을 편안하고 유복하게 지낼 수 있다는 관념은 강하게 지니고 있다.

공동의례일로 활성화된 절기 중 상원과 함께 전혁명기적인 요소의 연속과 단절을 잘 보여주는 절기는 7월 15일이다.[194] 이 날은 '망인사죄일'(*ngay xa toi vong nhan*, 赦罪亡人)로서 각 가정마다 지키는 개별적인 조상의례일일 뿐만 아니라, 딩의 공인에 따라 마을 공동의 '출하의례일'로 인정되고 있었다. '망인사죄일'을 지켜 악재를 막으려는 관습은 '저 세상'이 '이 세상'에 대하여 강력하게 작용하고 있다는 믿음이 비과학적 미신이었다고 배척되던 시대의 이념으로 인해 딩에서의 의례에서는 불교식 제례를 포함하고 있는 출하의례에 참석한 것으로 표현하는 사람들이 많이 있었다. 주민들이 이 날을 출하의례일이라고 표현하건, 망인사죄일로 인식하건 상관없이, 이날의 절기 의식은 대부분의 가정에 의해 지켜지고 있었다. 다만 과거 주로 개별 가족단위의 의례에 그쳤던 것이 딩의 복구와 함께 마을 공동 의례의 공간에서 행해지는 의례로 표현됨에 따라, 사람에 따라 과거 금지되었던 개별 의례의 미신적인 성격에 대해 여전히 분명히 드러내지 않으려는 경향을 보이고 있다는 점을 알 수 있었다. 많은 가정에서 조상을 위한 옷, 집, 모자 등의 향 마를 준비하여 제사가 끝난 후 태워 재를 날려보내는 의식을 치렀다. 그러나 향 마를

---

194) 공동의례일로 변화한 네 차례의 절기 중, 4월 15일의 입하의례는 봄벼의 수확을 앞두고 풍년을 기원하고, 본격적인 무더위와 장마가 시작되기 전 건강하게 여름을 나도록 기원하는 날이다. 전혁명기의 치병의례와 관련된 주술이 여전히 행해지고 있었다. 치병의례 자체가 공동의례의 형식으로 치러지는 것은 아니었지만, 공동의례에 참여하는 주민들은 이러한 절기를 지키고 딩의 의례에 참여하는 것이 예방과 치병의 목적에 효험이 있다고 믿고 있었다. 12월 15일은 지난 한 해를 정리하는 세모 의례일이다. 다이 옌의 경우 이 날이 마을의 '득 타인'(*duc thanh*, 德聖)인 옥화공주의 사망일이어서 필년(畢年) 의례와 공주의 제사를 같이 지내고 있다. 유적관리위원장은 "필년은 과거 왕조기부터 지켜지던 중요한 절기 중 하나로서, 지난 한해를 돌아보며 조상에게 보고하는 의미를 가진다"고 하였다.

태워 날리는 의식은 집안이라는 사적인 공간에 국한되고, 마을 공동의 공간이며 국가가 공인한 유적인 딩에서 향 마 태우기 의식을 치르는 주민은 발견되지 않았다. 딩을 찾은 대부분의 주민들은 향을 피워 머리를 숙이는 간단한 절차의 의식을 치른다. 제단에 꽃을 올려 두는 주민들도 많이 있지만, 대부분의 경우 제사용품의 사용은 딩에 비치해 둔 향을 태우는 것에 그친다.

공동의례에서 제문을 다루는 능력은 의례의 회복이 부여하는 또 다른 높은 지위의 자원이 되기도 한다. 2000년 입하의례일 유적관리위원장은 새로이 제문을 작성하여 공동의례를 준비하였다. 주기적인 절기의례와 마을의 공동의례에 낭독되는 제문(van te, 文祭)은 마을에서 '위신이 높고 문화(van hoa)를 갖춘' 사람이 작성한다. 8월혁명 이후 한문교육이 공식 교육 영역에서 사라지고 '국어'(quoc ngu) 상용화 정책이 집행되면서 하노이에서 60세 이하의 사람들 중 한학에 밝은 사람을 찾기는 매우 힘들며, 일부의 한자를 아는 사람도 드물다. 과거 한학을 깨우친 유생의 모임인 '기목회(耆目會)'가 해체되고, 그 자리를 원로회가 대신하면서 마을 노년들에 대한 존경과 그들의 사회적인 역할은 중요한 것으로 재생되었으나, 유학을 배경으로 하는 토착 지식인 계층의 역할은 사라졌다. 현재 마을의 제문은 유적관리위원회 위원장, 원로회의 일부 간부들 중 한자를 알고 있는 몇몇 사람들이 교대로 작성하고 있으며, 최근 몇 년간은 유적관리위원장이 대개의 행사에 사용되는 제문작성을 담당하고 있었다. 그럼에도 원로들과 유적관리위원회 구성원들은 학식과 지위를 상호 밀접한 관련성이 있다고 설명함으로써, 과거 왕조기의 전통적 지식인의 역할이 여전히 작용하고 있다는 인식을 표현해주었다. "제문은 위신과 문화가 높은 사람이 좋은 글씨로 작성하여 주고, 또 그만큼 위신이 높은 제주가 읽는 것이었다. 왜냐하면 위신이 높은 사람일수록 학식도 많고, 또 그만큼 한학도 밝기 때문이다."

농업력과 관련된 절기 의례는 아니지만, 전통사회에서 지속되었던 관습의 일부가 새로운 의미가 부가되어 재창조된 사례도 존재한다. 그 대표적인 사례가 '새봄맞이 행사'(*Hop mat dau xuan*)와 '경로행사'(*Mung tho*)이다. 다이 옌에서는 해마다 음력 1월 4일에 새봄맞이 행사를 조직한다. 이날의 행사에는 헌향대가 주도하는 공동의례의 절차가 첨가되어 있었다. 이 행사는 딩이 공인된 이후 음력의 절기에 행하는 마을의 공식 의례행사로 만들어졌다. 경로행사의 경우 연령등급이 가지는 전통적 가치를 지속하고 있는 사례로서도 주목된다. 2000년 딩에서 열린 "새봄맞이 공동의례와 경로행사"에서 유적관리위원장은 이날을 "새봄을 맞아 마을의 수호신에게 보고하는 의례일"이라고 정의하였는데, 딩을 찾은 대다수 주민들이 유사한 의미를 표현하였다.195) 2000년 경로행사는 원로회에서 조직하고 집행하였다. 이날의 행사는 특히 조국전선의 대표자들이 대부분 참석하였는데, 이들이 곧 원로회의 지도적인 인물들이기 때문이었다. 그러나 공식적으로는 조국전선이 이 날의 모임을 주관하지는 않으며, 단지 참여함으로써 이 행사를 지원한 것이라고 하였다.

경로행사는 국가의 의례개혁의 영향과 유적 공인과 복원 이후 민간의례 활성화과정에서 나타나는 딩의 성격변화를 잘 설명해주는

---

195) 몇 년 전에는 신춘맞이 의례를 마을 수호신 공주의 생일의례 같이 그 하루 전 오후부터 행사를 시작하였다. 전날 행사를 보통 '레 머이'(*le moi*, 초대의례) 또는 '레 까오'(*le cao*, 보고의례)라고 부른다. 이 날은 행사를 진행하는 이유와 근원에 대하여 마을 사람들에게 알리고, 죽은 조상들에게 의례를 연다는 사실을 보고하고 초대하여, 그 후손들이 여전히 과거 조상들의 은덕을 기리고 계승하고 있음을 직접 볼 수 있도록 하는 의미를 지닌다고 설명되었다. 그러나 행사를 가급적 간소화하자는 의견이 제시되어 1999년부터는 1월 4일 하루에 새봄맞이 의례를 치르고, 2000년의 경우 같은 날 경로행사를 함께 치르기로 결정되었다. 마을 원로회 성원 대부분이 이러한 행사에 관계된 사람들이었기 때문이다.

사례이다. 이 날의 행사에는 마을의 원로회와 인민위원회가 공동으로 장수패를 전달하는 식을 가졌다. 즉, 민관합동으로 행사를 주관하는 형식을 취했다. 이 해에 50, 60, 65, 70, 75, 80세 등이 되는 노인들에게 각각 해당 나이의 장수패를 수여하였다. 마을의 최장수 노인인 100세 할아버지와 97세 할머니에게 새로운 패와 장수 깃발, 그리고 몇 가지 선물을 증정하였다. 원로회 부회장을 맡고 있는 또44A의 또장이 장수패 수여식을 주관하였고, 인민위원회에서는 부주석과 공안이 참석하였다. 65세 장수패를 받은 한 할머니는 이날의 행사를 이끄는 사람들의 지위에 대해 이중적인 표현을 번갈아 사용하였다. "장수패를 수여한 또장은 당원이다. 그는 원로회 부회장이면서, 원주민이고 덕망이 있는 사람이다. 그는 마을 사람들을 대표하고, 그 자신이 원로이다." 이날 70세 장수패를 받고 사임의사를 공식으로 표명한 7꿈 당지부 비서는 자신이 "베트남공산당과 나이가 같은 사람"이라고 우스갯소리를 하면서, 전통적인 의례의 부활과 소위 전통적인 풍속의 회복에 대하여, "마을 사람들의 경제수준이 그것을 할 수 있을 정도가 되었고, 또 보다 나은 생활을 위해 필요하므로 이루어지는 일"이라고 했다. 당지부와 인민위원회의 간부들은 이러한 행사가 주민들의 의사결정에 의해 자치적으로 구성된다는 점을 강조하였다.196)

---

196) 인민위원회 부주석은 경로행사에서 다음과 같이 설명하였다. "이러한 행사는 마을에서 자치적으로 하는 것이지 외부에서 도움을 주는 것은 아니다. 합작사 시절에도 각 가정마다의 제사는 어느 집이나 계속하였고, 마을에도 주요한 행사는 치러졌지만 규모가 매우 작았다. '두 번의 해방'[식민지로부터의 해방과 대미 전쟁, 필자 쥐을 겪은 지 얼마 되지 않았기 때문에 사람들이 의례를 크게 여는 일에 대하여 중요시하지 않았고, 중요시할 수도 없었다. 정부차원에서도 민간의 요구를 수용하여 도이 머이 정책의 실시 이후 과거의 전통적인 풍습과 민속에 대한 기록과 연구가 활발히 이루어지고, 각 마을에서 행해졌던 전통의례를 부활하는 움직임을 격려하기 시작하였다. 지금은 어느 지역이나 비슷한 양상이다. 인민위원회는 주민들이 한다면 따르는 것이지 강압은 있을 수 없다."

## (2) 개별적인 절기의례의 활성화

마을의 공식조직이 관리하는 의례로 규정되지는 않았지만, 음력의 절기에 시간의 길조에 따라 행하는 개별적인 의례가 활성화되고 있다. 여기에서 '개별의례'는 마을의 공동의례로서 공식화되지 않고, 가족 단위 또는 개인별로 치르는 의례를 말한다. 우선, 매월 초하루와 보름은 불교식 의례를 수행하는 날로서 사찰에 가지 않은 주민들은 딩에서 불교식 의례를 행한다. 그리고 항 마와 주술의 사용, 영적인 존재와의 직접적인 접촉에 관한 상징 등 봉건적인 악습으로 엄격히 규제되었던 '옹 따오 렌 쩌이'(*Ngay ong Tao len troi*, 음력 12월 23일)는 가정 경제와 관련한 중요한 절기일로서 재생되었고, 그 날 행하던 주술적인 요소 중 일부가 부활하거나 강화되었다. 그리고 국가나 지방의 공공기관이 주최하는 의식에 주민들은 개별적으로 참여하여 기복의례를 수행한다.

'옹 따오 렌 쩌이'의 경우는 공동의 성소인 딩에서의 의례로 복원되지 않았다. 일부의 주민들이 이 날 딩을 찾아 제를 올리는 경우도 있지만, 이 날의 행사는 대부분 각 가정별로 시간을 정하여 의식을 치른다. 가정마다 부엌신(*ong tao* 또는 *ong cong*)을 위해 관직을 상징하는 빨간색 종이모자, 의례용 종이 황금 등의 항 마, 잉어, 그리고 향, 꽃, 과일과 술을 준비한다. 2000년 이 날, 필자는 우선 당지부 비서의 집을 방문하였다. 비서의 부인은 제사 의식이 끝난 후의 방생을 위해 새끼 잉어 3마리를 사왔다. 세 마리의 잉어는 부엌의 세 신성과 동일시되는 것이다. 이날 제사는 부엌신이 무사히 하늘에 올라가 지난 일년간 가정에서 이루어진 일들을 옥황상제에게 보고하도록 하는 목적을 지니고 있다. 그리고 가정마다 조상들이 집으로 내려와 놀다 가도록 하는 의미도 있다. 제수용품을 미리 사서 준비해두고 주로 오후 늦은 시간에 간단히 제를 올리고 나서 각종 향 마들을 태워 상징적으로 부엌신을 하늘로 보낸다. 그리고 잉어 세 마리는 제사가 끝난 후 가까운 냇가나 호수에 가서 방생을 한다.

당지부 비서뿐만 아니라 꿈장, 또장 등 마을의 주요 지도자들의 집에서도 이날의 의례를 해마다 치르고 있었다. 즉 의례개혁이 지속적으로 추진되고 있다면 '미신과 이단'에 해당하는 이 날의 의식의 절차를 규제하는 데 앞장서야 할 사람들이었다. 마을의 청소년들도 90% 정도는 '옹 따오 렌 쩌이'와 같은 전통의례일의 의미와 행사에 대하여 이해하고 있었다. 한 또장은 조상 제사일이나 그 밖의 의례일은 자식들과 손자손녀들에게 그 내용을 설명하고 이해시키는 기회가 된다고 강조하기도 하였다.

딩이 국가의 유적으로 공인되고, 일부의 절기의례가 마을의 공동의례화 되어 강화되는 것과 더불어 개인 또는 가족단위의 일상적인 의례 또한 활성화되고 있다. 주민들은 딩에서의 여러 공동의례 과정과 그 시공간에 자유롭게 참여하여 각자 개별적인 기복의례를 실천한다. 딩에서 행하는 개인적인 의례는 대개 '구복'(*cau phuc*, 求福)이라고 부른다. 유적관리원장은 마을의 공식적인 의례의 시공간에서 행해지는 주민들 개인의 개별적인 의례가 자유로와진 점이 과거와 특히 달라진 점이라고 하면서 "정부가 도이 머이 정책을 실시하기 이전에는 약 30년간 마을에는 '구복의례'가 없었다. 그러나 지금은 딩에 와서 사람들이 레를 올리면 모든 사람이 '구복'을 할 수가 있다"고 설명하였다. '구복' 의례는 원래 불교식으로 치러지는 개인적인 의식을 가리키는 말로서 주로 사찰(*chua*)에서 이루어졌다. 그러나 지금은 마을의 의례가 공식적으로 복원되고 허용됨으로써 공식적인 의례를 행하는 공적 공간인 딩에서도 개인적인 의례인 '구복'을 행할 수 있게 되었다.

대부분의 주민이 불교신도여서 매월 보름과 초하루에는 딩을 종일 개방하여 주민들이 가족과 함께 개별적으로 의례를 치를 수 있도록 한다. 초하루 의식은 대개 전날인 그믐날 저녁부터 시작되기 때문에 밤늦도록 불을 밝혀두는 경우가 많고, 밤을 새고 새벽녘에 딩을 나서는 주민들도 있었다. 초하루와 보름의 의례일에는 불자회 여신도들이 집단으로 오후 5시경 독경과 함께 불교의식을 치르고, 나머지 참여자들은 대개 저녁 시간에 개별적으로 딩에 들러 의식을 치르고 간다. 실제 '구복의례'에 참가한 여성불자회의 성원들은 한 시간 여의 독경, 수십 번의 절하기, 준비한 제물을 쟁반에 차려 올리기(*mam cung*, '멈 꿍') 등의 절차를 수행하는 등, 개별적으로 구복 의례를 행한다. 이러한 절차에는 어김없이 향 마가 동원된다. 초하루에는 음식 금기도 지켜야 한다. 이날 일반적으로 육류를 먹지 않는 주민들이 많으며, 딩에서 준비하는 음식에도 육류가 빠지고, 쌀 또는 찹쌀로 만든 떡과 과일이 주종을 이룬다. 개고기의 경우 초하루부터 보름까지 금기시한다. 사람에 따라서 이 기간동안 개고기를 먹는 경우도 있지만, 특히 초하루와 보름에는 먹지 않는다. 실제 시내 호 떠이 근방의 유명한 개고기 음식점 거리는 이날 문을 닫는다.

공식적인 의례에 동반되는 사적인 제사를 다른 말로 '중생(衆生)의 제사'(*le cung chung sinh*)라고 일컫는 것도 이러한 이유에서이다. 유적관리위원들은 자신들의 입장에서 볼 때, "제대로 형식을 갖추어 공식 의례에 누가 되지 않고 정확하게 책임지고 한다면, '중생(衆生)

의 제사'는 공식적인 행사인 마을의 성황신에 대한 제사(*cung thanh*, '꾸옹 타인') 이후 또는 이전에 조직될 수 있는 것"이라고 하였다. 따라서 마을 주민들의 개별적인 제사는 유적관리위원회의 용인 하에 자체적으로 이루어지기 시작하였으며, 몇 년 전부터는 아예 행사의 공식적인 한 절차로 삽입하여 진행하고 있다. 그밖에 공식 의례의 중간의 휴식시간이나, 의례가 시작되기 이전 또는 모든 공식 절차가 끝난 후에 희망하는 사람들이 자체적으로 구복의례를 조직하여, 자연스럽게 개별적인 중생의 제사를 할 수 있도록 딩을 계속 열어 둔다. 제대로 형식을 갖춘 '중생의 제례'를 위해서는 다음과 같은 준비물과 절차를 따라야 한다. 우선 '음부(陰府)화폐'(*tien am phu*)라고 부르는 항 마를 준비해야 한다. 이것은 주황색 종이에 저승을 상징하거나 그것과의 접촉을 의미하는 도형과 그림을 그려 넣은 것인데, 사람들은 저승에서 통용되는 화폐라고 믿는다. 둘째로는 '중생의 제물 쟁반'(*mam cung chung sinh*)이 준비되어야 한다. 즉 중생의 제사를 위해 둥근 쟁반 위에 '생기 없고 살아있지 않은'(*vo hon*, 毋魂) 음식물을 올려놓고 제물로 바치는 것을 말한다. 이것에는 쌀 떡(*banh*)과 옥수수가 반드시 올라가야 하며, 그밖에 쌀, 소금, 감자 등 평민(농민)의 생산물(*san pham binh dan*)이 준비된다.

해마다 연말이 되면 뗏과 신춘을 준비하여 열흘 혹은 심지어 약 한 달 전부터 집을 단장하고 집안의 장식을 새로이 하는 등 가정마다 새해맞이에 여념이 없다. 이 시기에 토종 귤나무(*cay quat*), 복숭아꽃 나무(*cay dao*)를 집집마다 사두고 새해의 건강과 행복과 부를 희망한다. 복숭아꽃이 피면, 따뜻한 새봄이 왔음을 알려주는 것이면서 동시에, 새순과 싹이 나무에 많이 열릴수록 새해의 재물과 행운

(*loc, tai, phuc*, 祿, 財, 福)이 많아짐을 의미한다는 믿음으로 가급적 새순이 많이 돋아나 있는 싱싱한 복숭아꽃나무를 미리 사두려는 주민들도 시내의 시장이 매우 붐빈다. 귤나무도 유사한 의미를 지니는 중요한 장식물이다. 귤 열매는 곧 재록(財祿)을 의미하는 것으로 많이 열릴수록 집안에 재화가 많아짐을 의미한다고 믿는다. 이러한 기복신앙의 의미 외에도 이듬해 봄에 잘 익은 열매를 따서 설탕에 절여 두었다가 목감기 치료를 위해 귤차를 마시거나 차게 하여 해갈용 음료로 사용하는 실용적인 용도도 지니고 있다. 8월혁명 이후에 민간신앙과 결부된 많은 관습들이 국가의 이념에 부합하지 않는다는 이유에서 금지되었음에도 불구하고 꽃과 관상수와 관련된 믿음들은 유지되어 왔다. 원주민 출신으로 모친과 부인이 오랫동안 꽃 재배를 하였던 전 당지부 비서는 필자에게 복숭아꽃 관상수를 기념으로 선물하면서, 미풍양속에 대해 언급하였다. "꽃을 주고받는 것은 훌륭한 관습이다. 뗏을 전후하여 집안에 새로운 관상수를 들여놓는 것은 새봄을 맞이하여 집안을 새로이 단장하기 위한 민간의 오랜 관습이다. 그것을 미신이라고 볼 수는 없는 일이다. 물론 귤나무 열매나 복숭아꽃이 집안에 부를 가져온다는 믿음을 가지고 있는 사람들이 많았던 시절이 있었지만, 사실 반드시 그것을 믿기 때문에 관상수를 들여놓는 것은 아니다. '미풍양속'(*thuan phong my tuc*)이다."

　이러한 주술적인 관습과 마찬가지로, 민간신앙과 결부된 구래의 '악습'들의 많은 부분이 재생되거나 유지되고 있었다. 그 대부분은 초월적이고 형이상학적인 세계가 이 세계에 강력한 영향을 미친다는 믿음과 결부되어 있는 것들이다. 다만 도시적인 환경과 개방정책의 영향으로 많은 관습들이 종교적인 의미와 별도로 놀이와 여가의 성격을 가미하게 되었다는 차이가 있을 뿐이었다.

주민들은 한해가 지나가는 음력 12월 그믐날 제야(*giao thua*, 除夜, 除夕)가 되면 갖가지 의례용품을 준비하여 딩에서 의례를 행한다. 대부분 향과 초를 준비하고, 정성스레 찹쌀로 밥을 지어 올리는 사람도 있다. 새해를 준비하여 깨끗한 지폐뭉치를 풀어 딩내의 각 신상의 제단에 조금씩 올려두고 불을 붙인 향대를 두 손에 감싸쥐고 몇 번의 절을 하고 새해의 복을 기원한다. 남녀노소를 불문하고 많은 주민들이 각자 의례를 행하고, 탁자에 삼삼오오 모여 앉아 차를 나누며 담소를 즐긴다. 해질 무렵부터 모이기 시작한 사람들로 자정이 가까워질수록 딩은 점점 붐빈다. 집회의 자유가 보장되어 있지 않지만, 정부의 개방정책이 실시된 이후에는 이날 시내 호안 끼엠 호수 주변의 중심가와 호 떠이(西湖) 주변에는 행진을 하고 축포를 쏘고 불꽃놀이에 참여하며 새해를 맞으려는 하노이 각 마을의 청년들과 가족들로 가득 찬다.

뗏이 되면 섣달 그믐날 자정을 즈음하여 이러한 성소에서 의례를 한 후 '쏭 냐'(*xong nha*) 행사를 치른다. '쏭 냐'는 뗏 절기에 어느 집에 처음으로 찾아가는 방문 행사로서, 그 집의 입장에서는 새해 첫 손님을 맞이하고 인사를 나누는 민속행사이다. 이를 '쏭 덧'(*xong dat*)이라고도 한다. 이것과 결부된 몇 가지 비과학적인 관념은 '쏭 덧'을 받아들이는 사람의 나이와 시간과 관련된 길조 및 흉조에 대한 것이다. 1999년에는 9자가 흉조를 의미하는 숫자로 알려졌다. 이미 1999에 9가 셋 있는 상황에서 제4의 9는 죽음을 의미하는 사(死)와 발음이 '뜨(tu)'로 같기 때문이라고 설명되기도 하였다. 실제 스물 아홉, 서른 아홉, 마흔 아홉의 지인이 쏭 덧을 하는 것을 꺼린다고 하였다.

　제야에 시작된 신년맞이 의례는 보통 정월 초사흘까지 지속된다. 가정에 따라 귀향(ve que)을 하지만, 마을에 머무는 주민들 중에는 이 기간에 매일 딩에서 개별적인 의례를 치르는 사람들이 많이 있다. 딩에서의 신년 새벽의 구복의례는 곧 '쏭 냐'로 이어진다. 이 때 조상과 수호신에게 바치는 제물에는 닭살을 넣은 주먹밥(xoi ga, '쏘이 가')이 빠지지 않는다. 제사가 끝난 후 신으로부터 되돌려 받고 나누는 음식에도 '쏘이 가'를 쓴다. 3일간 향을 피우고 하는 제례(thap huong, '탑 흐엉')가 끝나면, 각자가 준비한 제문, 제사용품과 각종의 '항 마'를 태워 '금불'(hoa vang, 金火)을 만든다. 사람들은 이로써 신년 구복의례의 결과를 보장해주는 영혼들이 안식처로 되돌아가기 위한 여비를 보태고 그들이 편안한 저승생활을 보내라는 위로를 상징하는 것으로 이 세상과 저승의 끈을 연결하는 중요한 가교가 된다고 믿는다.

　이상과 같이 마을에서 여러 수준의 의례가 재활성화되는 과정은 곧 베트남 지방에서의 전통의 연속성을 보여준다. 그러나 그것이 곧 포괄적으로 국가의 혁명이 실패하였다는 것을 의미하지는 않는다. 민간 전통의 연속성의 이면에는 국가의 기능도 연속하고 있음을 보여준다.

<사진 19> 헌향대의 신년 축하 의례의 연행

<사진 20> 신년축하의례에서 민속의상을 입은 필자

## 2. 공동의례의 활성화와 전통의 재창조

### 1) 수호신의례의 활성화와 '역사'

도이 머이 이후 하노이의 마을마다 뚜렷하게 나타나는 의례 활성화의 특징 중 하나는 딩, 덴, 사찰 등 지방의 민간의례 공간의 복원과 함께 마을 시조신의 업적을 기념하는 공동의례의 복원 및 활성화이다. 1991년 7차 당대회의 결정에 따라 하노이시는 2010년 천도 1000주년을 맞이하는 해에 맞추어 수도의 개발 및 사회경제발전계획을 추진 중에 있으며, 그 내용 중의 하나가 하노이의 전통문화를 발굴, 복원, 계승시킨다는 것이다. 이에 따라 각 마을의 역사와 결부된 수호신의례가 급속하게 재생 또는 창조되고 있다. 2000년 하노이 천도 990주년을 기념하여 시인민위원회 문화국에서 발간한 『하노이의 축제와 의례(*Le Hoi Ha Noi*)』에 따르면, 중앙정부와 하노이시에서 지원하는 수호신 의례만 25개 마을에서 개최되고 있다. 꾸언과 프엉급 행정기관에서 관리하고 있는 마을의 축제와 수호신의례를 포함하면 훨씬 많은 축제들이 하노이의 각 마을에서 개최되고 있다.[197] 1995년 말 필자가 조사 마을을 선정하기 위해 하노이의 몇몇 유명 사학자와 민속학자들을 찾아 자문을 구하고, 몇 개 마을을 방문하였을 때에 어느 교수는 아예 하노이의 마을축제를 연구하는 것이 조사지 선정에 매우 용이할 것이라고 조언하였다.

지역 축제의 성격을 겸하고 있는 마을 수호신 공동의례의 활성화는 정부차원에서도 관련 법규를 만들면서 지원해왔고, 행사에 대한

---

197) 2000년 현재 하노이시에서만 113개의 마을 의례와 축제가 집계되었다(Le Trung Vu et al. 2001 참조).

관련 기관의 공식적인 관리와 국가기구의 참여의 근거를 마련해 왔다. 특히 필자의 하노이 현지연구 당시 각 마을의 수호신의례 활성화와 관련된 법규는 문화통신부가 1994년 5월 7일 마련하여 같은 해 5월 21일의 문화통신부 장관의 "제636호 결정-규제"(*636/QD-QC*)에 의해 공포된 "의례 규제"(*Quy che Le hoi*)가 기본법으로 적용되고 있었다.[198] 1994년의 "의례 규제"의 전문에는 "의례(*Le hoi*)는 전통문화생활의 한 양식으로서, 사람들을 참가시키고 유입하는 힘을 가진 것이며, 이미 인민의 정신생활에서 필요한 요구사항이 되었다. 미풍양속 및 국가의 경제와 사회의 요구에 부합하도록 각 의례를 조직, 관리, 지도하고, 사회생활의 훌륭한 모범을 만들기 위해서, 문화통신부는 '의례 규제'를 공포하는 바이다."라고 밝히고 있다. 3장 13조로 구성된 "의례 규제"의 내용은 다음과 같다.

### <제1장. 일반 규정>

1조. 다음과 같은 의례 조직을 위해 의례를 조직할 수 있다.
- 국가건설과 보위의 역사와 문화와 관련한 민족의 훌륭한 전통의 교육.
- 인민과 국가에 공적을 세운 사람들, 역사, 문화적 인물들의 업적 기념.
- 역사유적, 명승고적, 건축예술을 통해 문화적 가치에 대한 평가와 감상을 도모하고, 민족의 아름다운 전통문화 및 풍

---

198) 도이 머이 이후 민간의 공동의례 활성화와 관련된 법적 근거를 마련하기 위해 제정된 최초의 법규는 1989년 10월 4일 문화통신부의 '54호 결정'(*54/VHQC*) 결정에 따라 공포된 "전통 행사의 개최에 관한 규제"(*Quy che mo hoi truyen thong*)이다. 1994년 5월의 "의례규제"는 이 것을 개정한 것이다. 1991년 1월 하노이인민위원회는 1989년 문화통신부의 '54호 결정'의 내용을 그대로 옮겨서 시인민위원회 '제179호 문화사회결정'(*179/VHXH*)으로 "전통민속의례 조직에 관한 규제"(*Quy che To chuc Le hoi truyen thong dan toc*)를 시행하였다. 문화통신부는 2001년 8월 23일자의 '제 39호 결정'(*Quyet dinh so 39/2001/QD-BVHTT*)에 따라 중앙 정부와 지방의 다양한 수준의 '전통의례'와 지역축제에 관한 관리와 규칙을 정비하여 "의례 조직 규제"(*Quy che to chuc Le hoi*)를 새로이 공포하였다.

속습관의 근본을 보존하고 발휘.
- 건전하게 즐기고, 피로를 풀고.
2조. 민족의 미풍양속에 반하는 반동과 퇴폐, 미신이단의 내용으로
된 각 활동을 조직하기 위해 의례를 이용하는 것은 엄금한다.

## <제2장. 의례의 조직 및 관리>

3조. 의례의 조직은 다음 규정에 따라 심사권이 있는 국가기관의
사전허가를 받아야 한다.
1. 주로 하나의 싸/프엉 범위의 주민들을 흡수하는 규모의 행
사는 후엔/꾸언 인민위원회에서 허가.
2. 많은 싸/프엉, 한 성의 여러 지역 범위의 주민들을 흡수하
는 규모의 행사는 성/시 인민위원회에서 허가.
3. 여러 지역, 여러 성과 도시의 주민들이 참여하는 규모의 행
사는 정부 문화통신부에서 허가를 관장한다.
4조. 혁명, 항전 등의 역사적 사건과 관련된 의례생사는 허가를 관
장하는 급의 기관은 무엇이든 조직을 지도하는 책임을 갖는다.
5조. 의례과정에 국기 외에 전통적인 행사의 깃발, 각 종교나 신앙
의 깃발을 내걸 수 있다.
6조. 각 의식은 전통에 따라 장중하고 엄숙하게 진행되어야 한다.
7조. 쭈어 흐엉(Ha Tay)과 바 덴 산(nui Ba Den, Tay Ninh성)의 "봄
축제"(Hoi Xuan)를 제외하고 의례의 조직 기간은 3일을 초과
할 수 없다.
8조. 모든 의례행사에는 입장표를 판매할 수 없다. 그러나 공연행사
나 풍물놀이, 노래, 춤, 음악 등의 시연행사를 조직하거나 유적
지 탐방과 전시행사의 경우 입장표를 판매할 수 있고, 그 가격
은 재정부서에서 결정한다.
9조. 각 행사의 조직반이 질서, 안전, 안녕을 담보하여야 하며, 각
임부의 조직과 보건 위생, 식음료, 휴식, 위생의 문제를 주도면
밀하고 공손하게 처리되도록 책임을 진다.

&lt;제3장. 의례 규제의 집행&gt;

10조. 모든 종류, 모든 형태의 의례의 조직과 관리는 이 규제에 따라 국가 전체가 실현해야 하고, 각 행사는 "문화"의 취지를 따라야 한다. 각 급의 문화통신 부서와 기관은, 각 급의 의례에 부합하도록 행사가 조직될 수 있게 지도하고 그 지방의 의례에 관하여 연구할 책임이 있다.

11조. 기초문화통신국(*Cuc Van hoa Thong tin co so*)이 본 규제의 실현은 지도하고 검사할 책임을 진다.

12조. 본 규제를 위반한 조직 또는 개인은 그 정도에 따라 행정처벌을 받거나, 법률이 정한 규정에 따라 형사상의 책임을 추구하게 된다.

13조. 본 규제는 공포와 동시에 효력을 갖는다. 1989년 10월 4일 문화통신부 '54/VHQC' 결정에 따라 공포된 "전통 행사의 개최에 관한 규제"와, 이전의 지도와 안내 관련 문건들의 효력은 상실된다.

이러한 구체적인 법규의 제정은 도이 머이 이후 보편화되고 있는 지방 주민들의 전통의례 부활의 요구에 대한 국가의 대응이자, 국가가 직접 민간의례를 관리하고 조직하기 위한 제도적 틀을 마련한다는 취지에서 이루어진 결과이다. 이러한 법규를 통해 국가의 관리하에 수행되고 있는 민간의 공동의례 대부분은 전통 마을의 공동체적 정체성의 상징으로 존재해 온 수호신 신앙과 결부되어 있다. 수호신 신화는 곧 해당 마을의 창립설화로서 주민들에게는 실제의 역사와 버금가는 사실적인 것으로 인식되고 있다. 그 신화들은 대부분 국난의 위기에서 나라를 구한 공을 세워 중앙왕권의 안정에 기여한 인물에 대한 것으로 구성된다. 주민들은 마을의 고유한 성황신의 역사적인 업적과 은공에 대한 전설의 내용을 실제의 마을 고유의 역사로 인식하는 경향이 있다.

응옥 하 일대의 형성과정과 하노이의 역사와의 관련성을 설명해 주는 여러 가지 민간의 전설이 전해 내려오고 있는데, 그 대부분은 마을의 기원이 10-11세기까지 거슬러 올라간다는 내용이었다. 그 중에서도 특히 최근의 마을의 공동의례 활성화와 관련하여 주목할 만한 전설은 모두 세 가지가 있다. 첫째는 하노이성 서부 지역의 농업 촌락의 형성을 설명해 주는 13개 마을, 즉 '13짜이'(thap tam trai, 十三寨)의 형성과 근원 마을인 레 멀(Le Mat)과의 관계에 관한 전설이다. 둘째는 하노이 동남쪽 남 하(Nam Ha)의 잡 뜨(thon Giap Tu) 마을과 다이 옌의 관계에 관한 것이고, 셋째로 다이 옌의 시조신 '옥화공주'(Cong chua Ngoc Hoa, 玉花公主)에 관한 전설이 있다.

우선 현재까지 하노이의 많은 사람들 사이에 회자되고 있는 '13짜이' 전설에 따르면, 리(Ly, 李)조에 현재의 하노이 외성 쟈 럼(Gia Lam)현 레 멀 마을의 호앙 푹 쭝(Hoang Phuc Trung)이라는 인물이 인근 마을 주민들을 이끌고 탕 롱성 서쪽 인근의 황무지로 이주하여 13개의 크고 작은 마을을 형성하였다고 전해진다.[199] 그 마을들 중 일부가 현재의 프엉 응옥 하에 해당한다. 전설은 궁녀들과 함께 강에 물놀이를 왔다가 강물에 빠져 죽은 공주의 시신을 건져내어 나라에 공을 세운 '레 멀의 호앙 장사'(Chang chai Hoang Le Mat)가 임금에게 금은보화와 관직 대신에 간척할 토지를 하사하도록 요청하

---

199) '13짜이'와 관련하여, 뜨 득(Tu Duc)제 26년(1873)에 건립된 딩 반 푹(dinh Van Phuc)에 있는 '萬寶總碑記'라는 비석에 따르면, '짜이'(寨)는 응우옌조의 지방 행정 및 방위체제의 한 단위인 '똥'(tong, 總)에 포함된 하위 단위이고, 보통 여러 개 '톤'이 모여 하나의 짜이를 이루었다. 당시에는 13짜이가 하나의 똥에 포함되어 있었는데, 시기에 따라 '똥 노이'(tong Noi) 혹은 '똥 반 바오'라고 불리기도 하였다. 19세기 '똥 반 바오'는 하노이성의 '빙 투언'(Vinh Thuan)현에 소속되어 있었다고 알려져 있다. 그러나 수도 하노이의 '똥'에 대한 사가들의 설명자료에는, 특히 행정 단위와 지명에 대해서 여러 이견이 있었다(Chu Xuan Giao 1996: 11).

여 하노이의 농업마을이 개척되었다고 전하고 있다. 잡 뜨와 다이 옌의 관계에 대한 전설은 두 마을이 같은 기원을 지닌 자매마을이라는 것을 알려주는 내용으로 구성되어 있다. 전설에 따르면, 리조의 홍하 유역은 험한 지류들이 서로 얽혀서 하노이에 근접할수록 더욱 복잡한 지형을 형성하고 있었다. 하노이의 동남동쪽 약 110㎞ 지점에 위치한 잡 뜨 주민들이 탕 롱성의 왕궁에 세금을 바치고 돌아가는 길에 배가 암초에 걸려 좌초할 위기에 빠지게 되었다. 이 때 우연히 발견한 강가의 작은 암자에 모신 한 성인이 '잉어신'(*ong ca chep*)으로 변신하여 배를 암초에서 구해주었다. 그 암자가 현재의 딩 다이 옌의 위치에 있었고, 배를 구한 신이 바로 옥화공주의 화신이라고 전해 준다. 그리고 옥화공주에 관한 전설은, 12세기 초 참파(Champa) 세력이 침공하였을 당시 9세의 소녀가 적의 동태를 파악하여 아군에 알려줌으로써 외적을 물리치는 데에 결정적인 공헌을 하였다는 내용으로 구성되어 있다.

베트남 역사학계에서도 이러한 진실의 사실성과 구체적인 사료를 둘러싼 논쟁이 분분하였지만, 최근 재생되고 있는 마을 공동의례와 마을간 연대의례의 활성화 과정에서 이러한 전설은 하나의 사실로서 공포되고, 마을의 기원의 유구함과 의례의 역사적인 정당성을 보장하는 것으로 활용되고 있었다. 마을의 기원 및 수호신에 관련된 이러한 전설에 대한 지식이 원주민과 이주민, 혹은 세대간의 차이를 입증하는 자료가 되기도 하고, 자신이 '전통주의자'임을 주장하는 근거로 제시되기도 하였다.

마을의 '원주민'에 해당하는 가구의 30세부터 87세에 이르는 주민들 대부분은 이 전설에 관하여 상세히 알고 있었다. 그리고 그 대부분이 다이 옌의 '역사적인 고향'이 '레 밑'과 '13짜이'라고 설명하였다. 많은 주민들의 인식과 설명방식에는 13짜이는 그 자체로 하나의 고유명사가 되었음을 보여주었다. '호앙 레 멀'의 전설은 원주민들에게는 하나의 '역사적인 사실'로 받아들여지고 있으며, 마을의 원로들은 이것이 곧 "가치를 따질 수 없을 정도로 신성한 공동체 정신의 유산으로 간직되고 있다"고 설명하였다. 그러나 '이주민'에 해당하는 사람들의 경우에는 전설에 대한 지식의 정도와 그 진위에 관한 해석, 그리고 현재의 도시화된 삶에서의 의미에 관한 규정에 차이가 있음을 알 수 있었다. 특히 비교적 최근에 이주한 주민들일수록 전설을 기억하고 있는 것이 중요한 인식이 아니었다. 유적관리위원회 위원들은 이주한 사람들도 마을의 공동의례에 참여하여 이러한 '역사'를 배우게 됨으로써 비로소 '마을 사람'(nguoi lang)이 되는 것이며, '마을의 정신'(tinh lang)을 익히게 된다고 주장하였다. 많은 청년들과 이주민들은 이러한 주장을 한편 받아들이면서도, 전설의 사실성에 대해서는 의구심을 가지고 있거나 그다지 큰 의미를 부여하지 않는 모습이었다. 마을의 전설에 대한 지식이 부족하거나, 그것을 역사로 받아들이는 것을 그다지 심각하게 간주하지 않는 청년들은, '전통주의자'인 장노년층 원주민에게는 아직 완전한 '마을 사람'이 아니었다. 이런 점에서 전설에 관한 지식과 전설을 역사로 받아들이는 정도가 곧 원주민과 이주민을 구분하는 척도일 뿐만 아니라, 마을의 정신과 결부된 세대를 구분하는 기준으로도 작용하고 있었다.

'전통주의자'이자 '완전한 마을 사람'임을 자임하는 원로들은 단지 전설의 내용을 '원본'대로 구술할 능력이 있다는 사실만으로 자신들의 정통성을 주장하지는 않는다. 그들 중 많은 사람이 역사적 근거를 들어 전설을 해석함으로써, 전설에 직접 표현되지 않은 역사를 설명하기도 한다. 가령, 마을의 '원주민' 원로들은 전설의 내용과 관련하여 다음과 같은 사실을 유추할 수 있다고 설명하였다. 요약해 보자면, 먼저 당시 홍하 유역은 북부베트남의 중요한 곡토이자 교통의 중심지였다는 것이다. 따라서 홍하 지류, 또 릭(*To Lich*)강의 언저리에 위치하는 다이 옌도 위치상 아주 중요한 마을이었다는 주장이 가능하였다. 둘째로 하노이 성 외곽을 지키는 군대가 있었고, 최초의 독립 왕조가 군사적으로 매우 강건하였음을 알려준다고 하였다. 수도를 방위하는 군사제도, 지방의 세금을 중앙에 납부하는 제도 등의 내용이 그것을 지지한다고 설명하였다. 그리고 옥화공주가 적의 침략에 맞선 것, 잡 뜨의 주민이 공물을 바쳐 백성의 의무를 다한 것, 그리고 레 멀의 농민의 공이 모두 '나라'(*nha nuoc*)에 큰 공을 세웠으며, 또 그것으로 마을의 역사성과 명성을 높이고 있다는 해석이 있었다. 필자는 연구과정에서 '전설'이 '역사'임이 입증되었기 때문에 이러한 해석이 가능하였는지, 사실에 대한 지식과 역사해석이 어느 한 방향으로 정해져 유포되어 왔기 때문에 전설이 그렇게 설명되고 부각된 것인지에 관해서 판단할 수는 없었다. 한 가지 분명한 사실은 이러한 마을의 역사는 가장 중심적인 의례공간인 딩에서 거듭 언급되며, 당원 여부나 지위에 상관없이 '전통주의자'의 '정통성'을 입증하는 경합자료로 활용되고 있다는 점이다.

한편 '전설'에 관한 이러한 '역사적 해석'은 일정 부분 사실성의 후광을 가지고 있다. 사학계의 연구가 그것을 반영해준다(Luu Minh Tri & Hoang Tung 1999; Nha Xuat Ban Su That 1984). 13짜이의 형성과 역사는 베트남 역사학과 민속학 분야의 주요 연구주제였으며, 특히 '하노이학'(*Ha Noi Hoc*) 분야에서는 많은 논쟁이 이루어져 왔다.[200) 13짜이의 형성의 역사적 사실에 대한 규명이 곧 탕 롱, 동도, 동 낑(*Dong Kinh*, 東京), 그리고 하노이로 이어지는 수도의 역사를 규명하는 열쇠로 인식되기도 한다(Phan Huy Le 1999: 65-141).

13짜이가 형성된 시기와 위치에 관한 역사 해석은 크게 두 가지로 대별할 수 있다. 쩐 후이 바(Tran Huy Ba), 호앙 다오 투이(Hoang Dao Thuy), 부이 티엣(Bui Thiet) 등은 13짜이가 지리적으로 리(*Ly*)-쩐(*Tran*) 시대의 황성이었던 탕 롱성에 속해 있었다고 주장한다. 반면에, 쩐 꾸옥 브엉, 부 뚜언 썬(Vu Tuan San), 팜 한(Pham Han) 등은 실제 13짜이는 레(*Le*)-응우웬(*Nguyen*)조에 이르러 형성되었으며, 따라서 리-쩐 시대의 탕 롱성의 위치와 무관하다고 주장한다(Chu Xuan Giao 1996: 13-19). 1970년대 이전의 연구에는 전자의 의견이 다수를 차지한다. 가령, 호앙 다오 투이는 13짜이는 리조의 수도 방위의 총사령관이었던 리 트엉 끼엣(Ly Thuong Kiet, 李常傑) 장군의 지휘하에 있는 군대가 주둔하던 13개 병영을 말하는 것이라고 설명하고 있다(Hoang Dao Thuy 1969). 그의 설명에 따르면, 당시 가령 '짜이 남 동'(*trai Nam Dong*, 南東寨)이 군을 소집하였던 병영 초소가 있었던 곳인 것과 같이, 13짜이도 13개의 '짜이 링'(*trai linh*)을 가리키는 말로서, 수도의 황성과 여러 군사적, 정치적 요지를 방어하는 요새 마을들을 지칭하는 것이 틀림없다고 주장하고 있다. 13짜이가 리, 쩐시대부터 완전한 촌락으로 형성되었다는 입장의 학자들은 군사적인 면뿐만 아니라, 경제적인 측면에서 하노이 근교농업과 마을의 형성을 연관시켜 설명하고 있다. 이들의 설명

---

200) 베트남의 역사학계에서는 하노이의 역사, 지리와 민간문화를 다루는 여러 수준의 연구 및 교육기관이 있다. 대표적으로 우리의 학부 수준인 하노이국가종합대학의 역사학과를 비롯하여, 사학원(*Vien su hoc*), 고고학원(*Vien cao co hoc*), 민간문화원(*Vien van hoa dan gian*) 등이 있다. 특히 이 중 하노이학 분야는 역사학계에서는 아주 중요한 위치를 차지하고 있으며 하나의 독립적인 분과로 다루어질 정도의 연구성과가 축적되어 왔음을 알 수 있다. 역사학계의 연구경향과 국가정책과의 관련성에 관해서는 유인선(1994), Truong(2001) 등을 참조할 수 있다.

에 따르면, 하노이 성 서쪽의 13개 농업 마을은 도성의 왕족들과 백성들에게 양식을 공급하고, 수공업과 상업을 통해 '경제'를 일으킨 근원마을이라고 할 수 있다(Nguyen Van Chinh 1985 참조).

최근에는 이러한 가설을 부정하는 새로운 주장이 제기되었다. 즉, '13짜이'가 분포하는 지역은 탕 롱의 전통 농업 구역이 아니라, 18-19세기에 비로소 마을로서 형성된 지역이라는 주장이다(Nguyen Van Tham and Phan Dai Doan 1986; Nguyen Van Chinh 1985; Nguyen Quang Ngoc 1986). 이러한 새로운 주장의 근거로 각 마을의 시조신 또는 수호신인 '타인 호앙'(thanh hoang, 城隍)의 성격과 그와 관련된 제례 의식의 장소인 유적들의 건축시기 등이 제시되고 있다. 13짜이 각 마을의 성황으로 숭배되고 있는 시조신에 관한 전설은 마을이 10-11세기 무렵부터 형성되었다는 내용이지만, 실제 각 딩이 만들어진 것은 대부분 18세기 이후로 비교적 최근의 일이라는 점을 들어 전설의 사실성을 반박하고 있다. 그러나 이러한 주장들은 모두 마을 외부의 전문가들 사이에 공유되고 있는 학문적인 가설일 뿐 마을 주민들의 역사인식에 큰 영향을 미치지 못하고 있었다. 마을의 의례나 공식적인 행사를 주도하는 사람들의 입장에서는 '역사'로 기정 사실화된 '전설'을 얼마나 알고 있느냐가 '마을의 공동체성'(cong dong lang) 혹은 '마을의 정신'(tinh lang)을 공유하는 중요한 척도로 작용하고 있었다.

하노이의 여러 전통 마을에도 각각 고유한 수호신이나 시조신이 있으며, 이를 숭배하는 성소가 있다. 다이 옌의 경우는 옥화공주가 변방에서 침략해 들어온 적군을 물리치는 데에 결정적인 기여를 하여 마을과 나라를 지켰으며, 마을에서 투옥 남을 시작한 인물로서 숭배받고 있다. 응옥 하 일대의 마을들이 리, 쩐시대에 완전한 형태를 갖추었다고 확증할 만한 역사적 증거가 발견되지 않았으며, 전문 사학자들 사이에 부정적인 견해가 많음에도 불구하고, 주민들은 옥화공주의 전설을 곧 마을 기원의 역사와 등치시키고 있었다. 특히 '원주민'들은 공주가 역사상 실존하였던 인물이었으며, 마을뿐만 아니라 나라에 대하여도 공을 세웠다고 믿고 있었다. 1990년 딩 다이 옌이 국가의 유적으로 공인되면서 딩에 모시고 있는 신성인 옥화공주도 역사적인 인물로 공인되었다.

## 2) 수호신 공동의례

### (1) 공주 생일 의례의 준비과정

2000년 랑 다이 옌의 수호신의 905주년 생일의례를 조직하기 위해서, 사전에 먼저 프엉 인민위원회에 행사 허가신청서를 제출하여야 했다. 공주의 생일의례는 한 프엉의 규모로 조직되는 행사이므로 프엉에서 승인된 행사개최 신청 서류는 꾸언 인민위원회에서 최종 승인을 받아야 한다("의례규제"의 3조 1항). 딩이 공인된 이후 딩에 모시고 있는 수호신과 관련된 공동의례는 형식적인 서류를 갖추면 쉽게 승인을 받게 되었다. 수호신의례의 준비를 위하여 마을의 주요 지도자들과 주민들은 여러 차례 준비회의를 가졌다. 딩에서 열린 준비회의는 모두 네 차례 열렸는데, 모든 회의에 꿈장과 일부의 또장, 유적관리위원회, 부녀회, 원로회 등 대중조직의 지도자들과 프엉인민위원회 및 당지부 간부들이 참석하였다. 준비를 위한 모임에는 회가 거듭될수록 점차 많은 인원들이 참석하였고, 마지막 대책회의에는 의례조직과 수행에 책임을 맡은 대부분의 인원들이 참석하였다. 공식

의례의 준비를 위한 회의는 딩 앞마당 왼편의 부속 건물에서 열렸고, 매 번의 모임에는 부주석이 인민위원회를 대표하여 참석하였다.

매 번의 회의 전후에는 비공개적인 '간부회의'가 인민위원회 부주석 사무실 또는 딩의 부속사무실(도서관, 회의실)에서 개최되었다. 간부회의에는 유적관리위원원장, 꿈장, 또장 대표 2인, 조국전선 비서, 원로회장, 부녀회장, 당지부비서, 인민위원회 주석 및 부주석, 문화통신부 간부, 공안이 참석하였다. 간부회의는 의례 조직과 집행과 관련된 의견조율을 위한 사전협의 성격을 지니는 것이었다. 실제 의례조직과 준비과정에서 이루어지는 중요한 결정은 대부분 이 회의에서 만들어졌다. 다이 옌에서 준비한 행사가 인민위원회에 이르기까지 의견통일을 이루는 과정은 '아래로부터 위의' 수직적인 행정 위계의 순서를 따르고 있었다. 유적관리위원회 등 조직위원회는 의례의 절차와 내용, 참가자의 규모와 인원에 대해서 조직위원장을 맡게 되는 꿈장에게 보고한다. 꿈장은 이미 의사결정과정에 깊이 간여하고 전체 과정에 계속 참가해 왔기 때문에 보고라는 것은 특별한 절차가 없고, 단지 형식적으로 하는 것이다. 그 다음 꿈장을 위시하여 유적관리위원회, 원로회, 부녀회와 조국전선 등 주요 대표자들이 인민위원회 주석 및 부주석, 그리고 공안 등 주요 간부들에게 보고한다.

네 차례의 회의 과정에서 주목할 만한 몇 가지 사실들은 다음과 같다. 우선 첫 준비회의에서 행사 집행조직과 역할분담을 논의하면서 쯔엉(Truong)씨 종 호가 '접객조'의 의례에 참가한 손님들에게 상을 차려 접대하는 '멈 레 쭝'(Mam le chung)을 도맡아서 봉사하기로 결정되었다. 당시의 유적관리위원장이 쯔엉씨 지파의 대표 역할을 하고 있어서, 사전에 이러한 결정이 이루어졌다. 이것은 다이 옌의 경우 종 호가 과거의 '잡'과 같이 경계가 뚜렷한 사회집단의 단위가 되고 있지는 않지만 일상적으로 친밀한 관계를 유지하고 있으며, 마을의 공동의례에서 일정 역할을 부여받아 수행의 효율성을 발휘할 수 있는 집단으로 인정되고 있음을 보여주는 사례이다.

<표 6-2> 공주생일의례 조직을 위한 준비모임(2000년)

| 구분 | 참석자 | 주요 안건 | 결정사항 및 비고 |
|---|---|---|---|
| 1차회의 (3. 21) | 행정지도자들, 원로회, 부녀회, 유적관리위원회 (이상 모든 회의 공통) 당지부 비서, 인민위원 회부주석, 공안 | 행사 조직과 책임조 구성 및 역할 구분 전체 준비일정 | 조직반 구성(88인) 쯔엉씨 종 호가 '접객조'의 역할(mam le chung)을 맡기로 결정 |
| 2차회의 (3. 28) | 당지부 비서, 조국전선 비서, 인민위원회 부주석 등 | 예산 및 프로그램 "영도자 동지"의 초청 범위 | 꾸언의 간부, 13짜이, 잡 뜨, 인근마을 초대 범위 전문 "예술가"초청 및 비용 |
| 3차회의 (4. 5) | 전체 주민(약 70명 참석) | 프로그램 최종 결정 행사의 내용 선전 | 초대장 인쇄 및 발송작업 |
| 4차회의 (4. 13) | 지도자 및 행사집행인 원 전체(약 70명 참석) | 행사의 구체적인 준비를 위한 인원점검 각 조의 역할과 준비 사항에 대한 점검 | |

매번의 모임에서 회의를 주재한 유적관리위원장은 첫 회의에서 행사의 규모와 중요성에 비추어 주민들의 적극적인 참여와 열의를 호소하면서 다음과 같은 발언을 하였다. "올해가 중요한 해인 만큼 작년에 비하여 준비과정에서부터 주민들의 관심과 참여가 훨씬 많아졌다. 사람들이 열렬히 분기하고 기뻐하고 있음을 주목하자. 유적관리위원회는 이번 행사에 만전을 기하기 위해 행사 관리를 보다 조직화, 체계화하였다. 경비를 최대한 절약하여 경제적인 행사가 되도록 준비하였다. 올해 하반기부터 딩 다이 옌 보수공사를 시작하므로

그 공사에 꽤 많은 비용이 들어가기 때문이다. 내년 2001년 행사는 가급적 새로 단장된 딩에서 열 수 있도록 올해의 사업을 준비해나가고 있다. 힘이 부치더라도 내년에는 일단 일차적으로 설계부터 제대로 하여 보수공사를 마쳐야 한다." 유적관리위원장은 또장들에게 각 또 소속 주민들에게 나누어 줄 행사프로그램을 건네주면서 "마을의 정신"의 분기를 재차 강조하였다. 두 번째 회의는 예산문제와 함께 "영도자 동지들"의 초청 범위가 핵심의제였다. 이 문제에 관한 논의는 꿈장이 주도하였다. 이 과정에서 초대받는 국가의 지도자대표의 범위에 대한 주민들의 인식을 어느 정도 관찰할 수 있었다. 꿈장의 설명에 따르면 국가에서 '내려오는' 관리 부분에서 꾸언의 문화국이 최고 기관이다. 마을에서 꾸언의 지도자와 소재지 프엉 인민위원회도 초대하는 형식을 취한다. 마을에 내려온 "찡 꾸엔" 동지들도 제례에 직접 참여한다. 국가는 지방 마을에 의해 초대받지만, 곧 행사를 빛내는 존재이자 민간 의례의 직접적인 수행자이다.

두 번째 준비회의가 끝난 후 인민위원회에서 사전 준비회의의 성격의 가진 간부들의 회의가 진행되었다. 유적관리위원장은 행사의 집행을 위해서 구체적인 계획에 대하여 민간이 주도가 되는 조직위원회와 국가기관인 인민위원회의 의견통일이 반드시 필요하다고 하였다. 행사 집행과정에서 주민들 사이에 생길 수 있는 이견을 조정하기 위한 것이었다. 인민위원회의 대표자 회의는 네 차례의 행사준비모임 중간마다 비공개적으로 열렸는데, 실제 대부분의 계획은 이러한 대표자 회의 과정에서 사전 조율을 통해 조정되고 완성에 가까운 의사로 결정되었다. 필자가 참여관찰한 2차 회의 이후의 간부회의에서 유적관리위원회는 2000년 행사가 마을 사상 최대의 규모라는 점을 강조하였다. 특히 행사의 수행에 100명 이상의 주민이 참여하고, 조직위원회에 이름을 올리지 않았더라도 많은 주민들이 자발적으로 지원할 것이라는 점을 구체적으로 설명하였다. 그리고 외부의 주요 참가 인물을 나열하면서, 레 멑과 응옥 카인, 반 푹 등 13짜이 마을의 대표들과 쟙 뜨에서 의례단을 파견하여 연대의례의 성격을 지니며, 단지 프엉에 국한되지 않는 행사임을 여러 차례 반복하여 강조하였다. 그리고 행사가 끝나면 '기부금'(*cong duc*)을 취합하여 딩의 보수공사의 예산을 보충하는 데에 활용할 예정이라고 밝혔다. 인민위원회 측에서는 우선 조직위원회의 구체적인 인원구성에 대하여 검토하면서, 예년에 비하여 규모가 커진 이유에 대하여 공감을 표시하였다. 부주석은 인민위원회가 유적관리위원회를 비롯한 마을의 조직과 지도자들이 주민의 적극적인 참여를 가능하게 한 것은 당과 인민위원회의 '영도' 덕분이라는 의례적인 발언을 하였다. 그리고 올해 행사가 10월에 예정되어 있는 하노이 성도 990주년 행사와 같은 해에 치르지는 것인 만큼 꾸언, 시 등 상급 기관에서도 관심이 많다는 점을 설명하였다. 실제로 꾸언의 문화통신부 간부가 행사에 직접 참여할 예정이며, 인민위원회에서는 딩의 보수사업을 지원하기 위해 상급기관과 유기적인 협조체계를 구성하고 있다는 점을 설명하였다. 공안과 부주석은 행사의 규모가 커지고 상급기관에서 관심도 지대한 만큼 특히 안녕과 질서유지가 중요하다는 점을 강조하였다.

마지막 4차 회의는 의례 개막 4일 전에 의례의 집행에 실제 참여하는 인원들을 다 모아서 행사의 구체적인 준비를 위한 인원점검과 각 조의 역할과 준비사항에 대한 점검의 시간이었다. 이러한 모임을 통하여 각 시간대별 순서별 의식을 과거의 전통대로 정확하게 재현하여야 한다는 점이 강조되었다. 즉 전체 의식을 구성하는 부분별 의식 순서에서 필요한 예물과 장비와 소품들을 그대로 동원하고, 음악,

낭독 제문, 제단 참여자들의 동작과 무용, 절 등의 절차를 엄격하고 엄숙하게 수행하는 것이 가장 중요하다는 점을 매번 강조하였다.

<표 6-3> 수호신 생일의례 집행조직의 구성[201]

| 집행조의 구성 | 인원수 |
|---|---|
| 1. 선전조(To tuyen truyen, 宣傳組) | 2(3) |
| 2. 장치조(To trang tri, 裝置組) | 2 |
| 3. 안녕보위조(To an ninh bao ve, 安寧保衛組) | 11 |
| 4. 안내 및 꽁 득 접수조(To tiep le va ghi cong duc) | 16 |
| 5. 접빈조(To tiep khach, 接賓組) | 19 |
| 6. 다과 및 음료수 접대조(To tiep nuoc) | 6 |
| 7. 생활위생조(To doi song) | 15 |
| 8. 쌀떡 및 음식 준비조(To in oan) | 17 |
| 합계(8개조) | 88 |

의례의 조직을 전체적으로 대표하는 대외적인 총책임자인 조직위원회 위원장는 인민위원회 부주석이 담당하게 되었다. 즉 인민위원회가 이 행사의 책임 기관이며 대외적으로 행사를 대표하는 기관인 셈이다. 유적관리위원장은 그러나 '그것은 형식적인 명예'라고 하였다. 그의 의견에 따르면, 해당 지방의 기초적인 행정단위의 간부가 정(正) 핵심의 역할을 하지만 대외적, 형식적인 것이며, 마을 고유의 수호신 의례의 실제 내용은 주민들이 결정한다는 것이었다. 그는 특히 유적관리위원회의 실질적인 권한과 역할의 중요성을 강조하였다. 이와 함께 마을 원로들의 '모범적인 역할'을 강조하면서, 국가행정기구 차원의 행사가 아니라 마을에 내재된 위계질서에 따른 것임을 부각하였다. 원로들은 "실제 행사의 집행은 유적관리위원회가 담당

---

201) 7꿈 유적관리위원회 회의록 자료 및 "905주년 옥화공주 생일 기념 의례 참가 제 7꿈의 각 단체 및 인원표" 참고.

하지만, 의례의 내용으로 담겨야 하는 '도덕적, 전통적, 교육적인 측면과 신앙적인 요소'는 마을의 원로들이 담당한다"고 하였다. 이들은 스스로 마을 공동을 위한 구복 의례에 직접 참여하고 실행하는 것을 보임으로써, 의례를 수행할 때에 주의해야 할 점이 실천적으로 표현되는 것이라고 하면서, "마을 원로들의 의견이 제시되면, 그 의견자체가 마을의 '꽁 동'에 기여하게 되므로 그것을 존중해야 한다. 오랫동안 이 마을을 지키고 산 사람들의 심리가 곧 마을의 정신이다"라고 하였다.

행사가 임박하자 도이 껀로의 마을 입구에 빨간 천에 노란 글씨로 "의례행사에 참가하신 귀빈들을 열렬히 환영합니다(*Nhiet Liet Chao Mung Qui Ve Du Le Hoi*)"라고 쓴 현수막을 내걸었다. 행사장인 딩에는 "옥화공주의 제 905주년 생일 기념 의례(*Le Ki Niem 905 Nam Ngay Sinh Ngoc Hoa Cong Chua*)"라는 현수막이 내 걸렸다. 행사장에 입구에 의례의 순서를 적은 안내판도 설치하였다. 그리고 세로의 기둥에는 "나라가 태평성대를 누리고 백성은 안녕하며, 배불리 먹고 행복하다"(*Quoc Thai Dan An, Am No Hanh Phuc*, 國泰民安溫飽幸福)는 의미의 '구대'를 만들었다.[202] 개막일 하루 전 행사의 준비과정에는 집행위원에 이름이 오르지 않은 주민들도 일부 딩에 나와 행사준비를 돕는 모습을 볼 수 있었다. 유적관리위원들은 주민들의 이러한 자발적인 지원을 "후방의 지원"(*hau can*, 後勤)이라고 일컬으며, 보이지 않은 곳에서 사소한 일부터 도와서 처리해주는 것이 매우 중요하고 필요한 일이라고 설명하였다. 참가자들은 한결같이 주

---

202) 행사를 알리는 현판과 현수막은 모두 한자가 아닌 '꾸옥 응어'(*Quoc ngu*, 國語)로 적혀 있다. 딩 내부 유물의 필적은 모두 한자로 표기되어 있는 반면에, 최근에 재생된 의례의 집행에서 동원되는 문구들은 모두 '국어'로 표기되어 있었다.

민들의 능동적인 참여로 행사가 실제 집행될 수 있음을 강조하였고, 준비과정에서부터 이러한 '공동'과 '마을의 정신'이 발휘되고 있음을 자랑하듯이 설명하였다. 매년의 행사가 무사히 끝난 이후의 사후 처리 과정에도 주민들은 자발적으로 참여하고 있음을 강조하였다. 유적관리위원장은 마을 청년 참가자들을 격려하면서, 젊은이들의 참가로 행사의 분위기가 다채로워질 뿐 아니라 "전통이 계승된다"고 여러 차례 강조하였다.

수호신 제사를 위해 제물을 준비하는 과정에서 수행자들의 정성을 기울이는 여러 가지 행위에서, 의례를 통해 주민들이 초자연적인 존재와의 교감을 이끌어내고, 신을 감동시키고자 하는 과정에 부여하는 의미를 해석할 수 있다. 이러한 행위들은 전혁명적인 요소의 재생을 정당화하는 것이며, 동시에 소위 '전통'이라는 이름으로 과거를 복원하려고 하는 시도가 된다. 가령, 제례 과정에서 제물로 올리기 위하여 준비한 물건들을 골라 놓아두는 작업을 '깜 르엉'(*cam luong*)이라고 하는데 이것을 수행하는 과정에서도 원래의 전통의 복원을 통한 초월적인 존재와의 교감을 시도하려는 의례의 목표를 보여준다. 가령, 수행자들은 "수호신에게 바치는 제물은 반드시 큰 쟁반 위에 해두어야 하며, 일반적인 그릇 위에 두어서는 안된다는 원칙"에 따라 제사용으로 준비된 큰 쟁반에 '깜 르엉'을 하고, 이것을 반드시 밝고 넓은 장소에 두어야 한다. 그리고 전통의 예법을 따라서 '중생'(衆生)들은 반드시 '깜 르엉' 한 쟁반 뒤에서 제사를 올려야 하고, 제물을 담은 쟁반을 앞서서 나가면 안된다. 또한 제물을 바치는 의식이 끝나면, 그 쟁반을 다시 들고 나가 방, 창고, 우물, 마당, 나무 등에 존재한다고 믿는 여러 가지 형태의 자연신들에게 나누어

뿌려주며, 제례에 참여하거나 구경한 많은 사람들에게도 제물을 나누어주어야 한다. 제사가 끝난 이후의 제물을 나누어주는 대상을 '중생'이라고 하는데, 여기에는 음양(陰陽)의 두 종류가 있다. 하나는 '陽의 중생'으로 '이승'에 살아있는 사람과 생물을 지칭하는 것이고, 다른 하나는 '陰의 중생'으로 '저승'에 있는 영혼이나 귀신을 가리킨다. 제사가 끝나고 제물을 나누어주고 여러 곳에 뿌리는 것은 이러한 두 가지 중생에 제물을 나누어주는 일종의 성찬식이다. 이것은 현세와 사후 세계를 통일하는 과정이자, 혁명기에 금지되었던 영혼과 살아 있는 사람의 세계를 일치시키는 미신이 상징적인 '전통'으로 복원된 것이었다.

이러한 '전통의례'의 수행과 관련된 언설들은 공식적인 준비 회의에서는 직접 언급되지는 않는다. 그러나 제례의 실천과정에서 형식과 내용적인 중요성, 즉 소위 '전통의례'의 절차를 지키고, 정성을 다해 제물을 준비하고, 청결을 유지하고, 진심으로 구복을 기원하는 등의 행위는 모든 사람들이 반드시 지켜야 하는 원칙으로 강조된다. 이것은 '전통'은 변형된 형태이지만 연속되고 있음을 보여준다. 그리고 주민들의 의례 실천의 과정에서는 이러한 담론들이 핵심적인 내용을 구성하고 있다. 어떤 지도자는 공식 회의에서 이러한 내용이 언급되지 않는 것은 사람들이 다 알고 느끼고 있는 것이고, 너무나 당연한 이치여서 굳이 강조할 필요가 없기 때문이라고 하였다. 주민들이 이미 다 알고 있다고 했다. 그러나 모든 주민들이 의례의 모든 절차와 내용을 알고 있는 것은 아니다. 비공식(민간) 영역에서 전통과 관련된 담론은 혁명 이후 공식(국가) 영역에서 등장하는 것이 금기시 되어 왔다.

<사진 21> 공동의례용 음식 준비와 '마을의 정신'(*tinh lang*)

 그러나 회의의 일정이나 의례의 준비과정에서 공식적인 발언권을 가지지 못한 주민들이 모두 이러한 절차와 의미에 동의하고 있는 것은 아니었다. 가령 모든 주민들이 이 행사를 정교하고 성대하게 열어야 한다고 주장한 것은 아니었다. 오히려 중년층이나 청년층의 남자들은 "노인들은 최근에 복잡한 일들을 많이 겪었다. 의례를 크게 여는 것은 돈도 많이 들고 피곤한 일이다", "노인들은 젊은 사람들이 생계를 유지하기 위해 얼마나 힘들고 바쁘게 사는지 피부로 못 느낀다", "마을공동의 사업, 즉 수호신의례를 제대로 수행하려면 최소한 2-3일은 일에서 손을 놓아야 한다. 특히 시장에서 장사를 잠시 그만둬야 하면 생계에는 막대한 피해가 생길 수밖에 없다. 며칠을 놀면 그것만 수만 동이다", "월급을 받는 고용직에서는 일터를 쉽게 떠날 수도 없다. 그리고 각자 의례에 공여하는 것과 별도의 헌금도 든다. 그런데 어쨌든 노인들이 공동의례를 하자고 결정하면 그 아들 손자들은 그 의견을 따를 수밖에 별 도리가 없다"는 등으로 그러한

결정에 불만이 있음을 비추는 의견이 많았다. 상대적으로 젊은 층에서는 이러한 행사가 "즐거움을 주고, 의미 있는 일인 것"임에 동의하지만, 너무 많은 비용과 시간과 노력을 들여야 하는 일이라고 걱정하였다.[203] 반면에 마을의 중년 또는 청년 부녀자들은 행사 중 놀이와 축제부분인 '호이'(hoi, 會)에 더 많은 긍정적인 관심을 표현하였는데, 이유 중 하나는 모든 사람들이 잘 차려입고 참여할 것이 요구되어 그 자리가 기대된다는 것이었다. 10대 소녀들은 즐거운 놀이와 연행과정에 대해 호기심과 기대가 많았고, 반면에 10대 소년들은 운동이나 게임을 더 재미있어 하였다. 소녀들이 행사에 걸맞은 옷을 준비하여 입지 못하는 가난한 집에서는 딸의 기대를 채우지 못하는 걱정도 생기게 되었다. 어느 할머니는 이러한 손녀를 두고 "불쌍한 내 손녀"라고 하였다.

## (2) 의례의 진행과정 : '레', '호이', '레 호이'

음력 3월 13일 오전 8시 30분 불교식 의례인 '중생의 제례'가 본 행사가 시작되기 전에 진행되면서 실제 공식적인 공주생일의례의 첫 일정이 시작되었다. 참가자들은 이를 단순히 "구복의례"라고 부르기도 하였는데, 이 절차의 준비와 진행은 불자회에서 집행하였다. 불교식 구복의례가 마을의 수호신 공동의례의 한 순서로 편입된 것은 개별적인 구복 신앙의 실천이 공동체화되는 사례이다. 이 날 구

---

203) 행사 관련 전체비용 자료와 항목별로 계산하여 정리된 자료가 제시되었다. 회계의 보고 자료에 따르면 1999년의 경우 행사 지출은 600만 동, 수입은 약 1천만 동이었다. 2000년에는 이틀간의 행사에 드는 비용을 항목별로 점검하여 전체 700만 동을 예상하였다. "꽁 득"을 통한 수입은 이틀 동안 800명이 1-2만 동씩 모두 1,200-1,400만 동을 예상한다. 필자는 행사 이후 실제 수지가 어떻게 결산되었는지에 관한 정확한 자료를 얻을 수는 없었다. 다만 유적관리위원장으로부터, 수입과 지출 모두 예상보다 조금씩 초과되었으며, 행사수익금은 전액 내년까지의 딩 보수사업에 투여될 것이라는 설명을 들을 수 있었다.

복의례에 참가한 주민들은 38명이었는데, 모두 부녀자들이었다. 오후 1시부터 두 시간 동안 다이 옌의 '헌향대'(*doi dang huong*)가 제사의 대상이 되는 신성들을 불러모으는 의식인 '게시의례'(*te yet*, 咽祭)를 벌였다. 이 의례의 주요 내용은 옥화공주의 신위에 생일의례의 시작과 그 간의 준비사항 및 경과를 보고하는 의미를 지니는 것이었다. 게시의례에 이어 성인의례인 '레 타인(*le thanh*, 禮聖)'이 열렸다. 이것은 이웃 동 느억 마을의 헌향대가 집행하였는데, 성인(*thanh*, 聖)인 옥화공주의 제단에 여섯 차례의 순서에 따라 제물을 올리는 의식을 거행하였다.[204] 행사 기간 중 성인의례는 모두 세 차례 반복되었는데, 각각 동 느억, 쟙 뜨, 리에우 쟈이의 여성 '헌향대'가 수행하였다.

<표 6-4> 2000년 옥화공주 905주년 생일 기념의례 프로그램

| 일자 시간 | 프로그램 및 출연자 | |
|---|---|---|
| <제1일> 3월 13일(4월 17일) | | |
| - 10:30-12:00 | 구복의례(*le cau phuc*) | 불자회, 노년여성 |
| - 13:00-15:00 | 게시의례(*te yet*, 祭謁, 알현의례) | 다이 옌 헌향대 |
| - 15:00-16:30 | 聖人의례(*le thanh*, 祭聖) | 동 느억(*Dong Nuoc*) 헌향대 |
| - 20:00- | 문예공연행사 : 민요, 연극 등 | 일반 주민 |
| | 베트남국영라디오방송국의 예술가들 | |
| | '인민예술가'와 '우수예술가'[205] 초청 공연 | |

---

204) 제 1례(*le 1*)에서 6례(*le 6*)에 이르는 '레 타인'의 순서는 신성에게 올리는 제물의 순서에 따라 구성되어 있었다. 그 각각은 (1) '정 흐엉 당'(*dang huong dang*)의 '탑 흐엉 넨'(*thap huong, nen*)은 향과 초, (2) '레 정 호아'(*le dang hoa*)는 꽃, (3) '정 특'(*dang thuc*)은 오안(*oan*), 쌀밥(*gao*), 떡(*banh*) 등의 음식, (4) '정 꾸아'(*dang qua*)는 과일, (5) '정 투이'(*dang thuy*), 차와 음료수를 각각 올린다. 마지막의 '비엔 투 또'(*bien thu to*) 또는 '흐엉 록'(*huong loc*)의 순서는 신으로부터 선물을 받는(*thu loc*, 受祿) 의식이었다.

205) 정부 문화통신부(현 문화체육관광부) 산하 각급 예술단체와 예술학교에서 일하는 유명 '인민예술

<제2일> 3월 14일(4월 18일)

| 시간 | 내용 | 담당 |
|------|------|------|
| - 8:30 | 개막 | 안내-사회자, 꿈장 |
| - 8:30-9:00 | 개막 연설 및 개막 선언 | 인민위원회 부주석 |
| | '신보'(神譜) 낭독(doc than pha) | 조직위원장 |
| - 9:00-9:30 | 헌향의식(dang huong) 및 묘소참배 | 당지부, 인민위원회, 단체대표들 |
| | | 13짜이, 잡 뜨 대표 및 주민들 |
| - 9:30-10:30 | 성인의례 | 남 하의 여관(女官)의례단 |
| | 양생체육시범공연 | 프엉응옥하건강여가클럽 |
| | 민속놀이 및 경연 : 닭싸움, 장기대회 | 일반 주민 |
| - 10:30-11:30 | 성인의례 | 리에우 쟈이(Lieu Giai) 헌향대 |
| - 13:00-15:00 | 민요 공연 대회 | 다이 옌, 잡 뜨 부녀자 청소년들 |
| - 15:00-16:30 | 해산의례(te gia, 祭也, 고별의례) | 다이 옌 헌향대 |
| - 17:00 | 폐막 | |

3월 14일(양력 4월 18일) 수호신의례의 본 행사가 시작되었다. 아침 7시 30분 경부터 유적관리위원회의 성원과 주요 지도자들은 딩에 모이기 시작하였고, 개막연설이 있던 8시 30분까지 분주한 준비사항을 관찰할 수 있었다. 개막 시간이 임박하자 사회자가 행사의 시작을 알리고 참석한 주민들과 내빈들의 집중을 요구하는 몇 차례의 안내 방송을 하였다. 사회자는 행사에 참가한 각급 인민위원회 간부와 행정지도자를 비롯한 내빈들에 대한 소개와 함께 참가자들이 정위치에 자리를 잡을 것을 요구하였다. 사회자의 소개에는 꾸언의 문화정보국의 국장을 비롯한 꾸언 인민위원회의 대표, 그리고 프엉 인민위원회의 주석 및 부주석과 문화국 담당자 등 응옥 하 소재 '정권'의 대표자들의 이름이 나열되었고, 이들의 참석을 감사하는

전문가'에게 '인민예술가'(Nghe si nhan dan), '우수예술가'(Nghe si uu tu) 등의 공식호칭이 부여되어 있다. 보존박물관국, 기초문화국 등 문화통신부(현 문화체육관광부) 산하의 기관에서는 최근 한국의 '무형문화재'를 벤치마킹하여, 수공업, 전통산업과 예술분야의 전통전수자들을 문화재로 지정하여 보존하는 사업을 시작하였다(보존박물관국 국장과의 면담, 2003년 2월). 이와 관련하여 사회주의 국가의 문화정책의 함의에 관한 문화인류학적 연구가 필요하다고 판단된다.

인사의 말이 포함되었다.

8시 30분이 되자 프엉 응옥 하 인민위원회 부주석이 대표로 개막 축하문을 낭독하였다. "정부와 당은 민족의 찬란한 역사와 전통문화(*ban sac van hoa*, 本色文化)를 보존하고 후손들에게 미풍양속을 대대로 전하고자 하는 영도자의 노력으로 오늘 랑 다이 옌의 성황인 옥화 공주의 905주년 생일을 기념하는 의례를 개최하게 된 점을 무한히 기쁘게 생각합니다. 프엉 응옥하 인민위원회를 대표하여 꿈7 랑 다이 옌의 유적관리위원회, 조국전선, 원로회, 부녀회, 청년단과 꿈장 및 각 또장을 비롯한 행사의 조직위원회의 노고와 주민 여러분들의 열성에 감사합니다...<후략>." 이어서 조직위원장이 공주의 생일을 기념 행사의 목적과 의의에 대하여 설명하고 개막을 선포하였다. 그는 "물을 마시더라도 그 기원을 상기하라(*uong nuoc nho nguon*)"는 속담을 강조하면서, 이 행사가 마을의 기원에 해당하는 공주의 업적을 되새기는 목적이 있다고 공포하였다.

이어서 본 행사의 '제주'(*chu te*, 主祭)인 전임 원로회장(81세)이 전통의례복장 차림으로 '신보'(*than pha*, 神譜)를 들고 등장하였다. 그는 신보를 낭독하여 수호신의 역사적 내력을 밝히고(*doc than pha*, '독 턴 파'), 신보를 신상에 올리는 의식(*ruoc than pha*, '즈억 턴 파')을 수행하였다.[206] 그가 낭독한 신보, "옥화공주 성황과 딩 다이 옌의 사적(事跡)"(*Su Tich Thanh Hoang Ngoc Hoa Cong Chua Va Dinh Lang Dai Yen*)의 내용은 다음과 같다.

---

206) '신보'(*than pha*, 神譜)는 신성들의 근원에 관한 역사나 설화를 기록한 문서이다. '즈억(*ruoc*)'한다는 것의 원래 의미는 행렬을 지어서 순례하듯이 모시고 올리는 의례를 뜻하지만, 실제의 행사에서는 단지 '신보'를 낭독하는 것으로 대신하였다. 그래서 '독 턴 파'(讀神譜)한다고 표현하기도 한다. 낭독에 사용된 "신보"는 필자가 유적관리위원장에게 요청하여 기념으로 얻어 간직하게 되었다.

옥화공주의 시호는 쩐 응옥 뜨엉(*Tran Ngoc Tuong*)으로 을해(乙亥, 1095)년 3월 14일 출생하셨다. 부친은 타인 호아에서 한학을 가르치는 선생이셨고, 모친은 다이 옌 사람으로 상업에 종사하였으며, 품행이 바르고 상냥하며 자비심이 깊고 충실한 성정의 사람으로 알려져 있다. 사료와 전해 내려오는 응옥파(*Ngoc pha*, 玉譜)에 따르면, 리조에 마나-점성(占城)국의 적군이 침략해 들어왔을 때에, 임금이 출병을 명하는 격문을 띄우고, 모든 백성이 종군하여 나라를 지키고 적을 물리칠 것을 명하였다. 이 때 쩐 후언은 군대에 입대하여 노장 리 트엉 끼엘의 지휘 군대와 함께 출병하였다. 도오 쩐(*Do Tran*) 여장(女將)이 부녀자들을 동원하여 아버지, 남편과 형제들이 배를 타고 전쟁에 출정하는 것을 전송하였는데, 이 때 응옥 뜨엉이 부친의 옷을 붙잡으며, 자신도 적을 무찌르기 위해 같이 가겠노라며 기다려 달라고 애원하였다. 어린 낭자의 진심 어린 열정 앞에서 총사령관 리 트엉 끼엔 장군도 비록 전쟁의 상황에서 이렇게 어린 여자아이를 어떻게 쓸 것인지를 판단할 수가 없었음에도 거절할 수가 없었다. 적의 점령 지역에 도착하여, 아군과 적군은 서로 치열하게 교전하였으나 승부를 낼 수가 없었다. 점성국의 방어선에서 경계가 매우 엄밀하여, 다이 비엣(*Dai Viet*, 大越, 리조의 국호)의 밀정이 몰래 들어가 적을 염탐하기가 어려운 상황이었다. 이 때에 응옥 뜨엉 아가씨가 구장잎과 까우열매(*trau cau*), 그리고 라오 담배(*thuoc lao*)를 파는 소녀로 변장하여 들어가, 적의 진영을 수색하여 첩보를 캐내어 왔다. 아가씨는 시기를 골라 암호로 아군에 적의 동태를 알렸고, 이 정보를 가지고 아군은 적군을 섬멸하였다. 적은 패배하여 군대를 후퇴시켜 돌아갈 수밖에 없었다. 영토에는 적군을 완전히 소멸시켰고, 이에 임금은 이제 겨우 9세가 지난 응옥 뜨엉 아가씨에게 옥화공주라는 칭호를 수여했다. 공주는 모친의 고향인 다이 비, 즉 지금의 다이 옌으로 돌아왔다. 갑신(甲申, 1,104)년 12월 15일 밤, 갑자기 천지가 암흑으로 돌변하고 폭풍우가 치더니, 옥화는 세상을 떠났다. 다음날 아침이 되자 공주의 시체에 흰개미 떼가 자욱히 싸여 조그만 구릉을 만들었다. 왕은 옥화공주의 사당(*mieu tho*, 廟祠)을 만들게 하였다. 당시의 마을 백성들은 옥화공주의 비문을 새기고 그녀를 마을의 성황신으로 숭배하기 시작하였다. 옥화공주는 이렇게 빛나는 전공을 세운 여러 민족 열사 중 최초의 소녀 열사라고 할 수 있다.

딩 랑 디이 옌에는 오늘날끼지도 여러 가지 신화와 전설이 전해 내려오고 있으며, 그 외에도 옥화의 크고 위대한 공로를 칭송하는 많은 구대(*cau doi*)들이 보존되어 내려오고 있다....<중략>. 딩 다이 옌의 옥화공주의 제단은 역사적으로 여러 시대에 걸쳐서 나라로부터 책봉을 하사 받은 것으로 기록되어 있다....<중략>. 그 여섯 번째 책봉은 베트남사회주의 공화국이 1991년 하사한 역사문화유적의 공인이었다.

낭독이 끝나자 제주는 하얀 종이에 인쇄하여 비닐로 코팅을 하여 낭독한 신보를 큰 쟁반 위에 올려놓고 공주의 신상에 올리는 의식(*ruoc than pha*)을 행하기 위하여 본당에 들어갔다. 몇 차례 머리를 숙여 절하고 엄숙하게 신보를 신상 앞에 올려 두었다가 '헌향대'에 속한 두 여인이 그것을 공주로부터 다시 내려 받아 제주에게 되돌려 주는 의식이 진행되었다. 신보를 올리는 의식에는 사회주의 공화국의 유적공인의 신성성도 포함되어 있었다. 봉건왕조와 사회주의 국가의 권위와 신성함이 동일한 지방의 민간의례의 재현과정에서 연속성을 지니고 재현되고 있음을 보여주는 것이다.

신성한 보고의식에 이어, 세속의 정권에서 참여한 '영도자 동지들'이 상급에서 하급의 순서로 공주의 신상과 묘에 향을 피우고 제례를 올렸다. 꾸언 인민위원회와 당지부, 그리고 각급의 대중조직의 대표자들이 차례로 약식의 제례를 올리는 순서가 이어졌다. 프엉의 조국전선, 인민위원회의 주석과 문화국의 간부들 등 국가의 조직에서 참여한 사람들이 먼저 향을 피우고 꽃다발을 바친 후 머리를 숙이는 약식의 '정 례'(*dang le*)를 올렸다.[207] 이들 간부들은 대부분 깔

---

207) '정 례'(*dang le*)는 원래 제물을 바치며 정성스럽게 올리는 제사라는 의미를 가지지만, 공주의 생일의례에서는 참석자들이 차례로 향을 피우고 선 채 머리를 숙여 몇 차례 절하고 묵념하는 약식의 의식을 모두 정 례라고 하였다.

끔한 평상복 차림이어서, 수호신 의례의 집행에 직접 참여하는 주민들 및 민간 지도자들과 구별되었다. 이들은 소속 기관별로 서너명 혹은 예닐곱 명씩 제단에 도열하여 각자 향을 피우고 머리를 숙여 잠시 묵념을 하는 것으로 제례에 참여하였다. 국가의 조직에서 마을로 '내려 온' 이들의 복장과 간소화된 제례방식은 의례개혁의 영향을 엿볼 수 있게 해주었다. 그러나 그것은 민간이 주도하는 전체적인 전통의 재생 또는 창조에 끼어 든 하나의 절차일 뿐, 의식 전반의 전통적인 요소의 활성화를 무색하게 하는 요소는 아니라고 판단되었다.

수호신의 업적을 기리는 의식이 진행된 후, 같은 공주를 마을의 시조로 숭배하고 있는 형제마을 잡 뜨의 대표가 의견을 발표하고 축사를 하였다. 이어서 잡 뜨의 여성 제단의 성원들이 삼삼오오 떼를 지어 제례를 올렸다. 약 30명에 이르는 잡 뜨의 여성 제단은 "순결한 처녀의 제단"(*Doi te nu trinh*)이라고 소개되었으나, 옥화공주를 상징하는 '순결한 처녀'에 해당하는 연령대는 아니었다. 대부분 30대 후반에서 40대에 이르고, 일부 60세 이상의 노년층도 있었다. 연행자의 연령이 공주의 현신과 일치되지는 않지만, 여성 제단의 역할을 강조함으로써 여신의 업적을 재현하고자 하는 의식의 의미를 드러내주고 있다. 이후 리에우 쟈이에서 초청된 헌향대가 주도하는 제례가 이어졌다. 폐막을 앞둔 마지막 의식인 '해산의례'(*te gia*)는 다시 다이 옌의 헌향대가 담당하였다.

이러한 의식이 진행되는 과정에 유적관리위원장은 '미신' 또는 '악습'에 해당하는 의례의 절차는 회복되지 않았다고 하면서, 진행되는 의식은 모두 '미풍양속'으로 보존가치가 높은 것이라고 주장하였다. 그의 설명에 따르면, 공주의 생일의례 과정에도 소위 낙후된 의식과 돈이 많이 드는 낭비적인 행사는 많이 없어졌다. 가령 소나 물소의 피를 제물로 바치는 의식(*mo trau bo*, '머 쩌우, 보')은 사라졌다.[208] 주민들은 낭비적인 관습과 합리적이지 못한 절차는 회복되지 않는 것이 당연하다고 하였고, 이것을 금지하는 것이 합당하다고 판단하고 잘 따르고 있다고 설명하였다.

'마을공동의 사업'(*viec lang*)인 수호신 의례가 회복되면서 한동안 사라졌던 '민간놀이'(*tro choi dan gian*) 중 '건전하고 좋은 관습'으로 구별된 것은 재현하고 있다. 이 날의 행사에는 반복적으로 수행된 복잡한 절차의 수호신 제례 외에도, 여러 가지 민속놀이 행사가 곁들여졌다. 마을의 공동의례에 흔히 삽입되는 대표적인 민속놀이 또는 민속경연에는 '뜨엉'(*tuong*), '쩨오'(*cheo*), 민요 부르기 등의 공연 행사가 있다. '뜨엉'은 베트남 남부 지방에서 유래된 민속 노래극으로서 중국의 경극과 유사하다. 뜨엉 공연을 위해서 전문 연기자들이 초대되기도 하며, 주로 왕족이나 귀족 또는 영웅의 생활과 역사를 재현하는 내용이 많다. 반면에 '쩨오'는 북부지방의 민간 토속극에 뿌리를 둔 민속극으로, 전문연기자보다 일반인들을 중심으로 행해지는 일종의 풍자극이다. 두 가지 모두 민요와 연극이 곁들여지며, 특히 쩨오는 민간의 일상생활이나 사회관계, 남녀차별이나 신분차별 및 어려운 경제상황 등을 풍자하거나 묘사하는 촌극으로 사회상을 반영해주어 많은 주민들의 관심과 흥미를 유발하고 있다.

2000년의 행사에도 일부 민속놀이를 첨가하여 일반 주민들이 즐겁게 같이 어울리고 경쟁을 벌여 상품도 타는 프로그램을 만들었다.

---

208) 전혁명 시기에는 남자가 만 16세가 되면 비로소 '딩'(*dinh*) 조직에 편입될 수 있었는데, 이때 치르는 일종의 성인식이 '출정'(*xuat dinh*, 出亭)이었다. '출정'을 위해서 소, 돼지, 양 등 가축을 제물로 잡아 올리거나, 돈이나 재물을 바치는 관습이 있었는데, 마을에 따라서는 그러한 절차를 수행하지 않으면 딩의 일원이 되지 못하였다. 이러한 관습은 의례개혁 당시 '시대에 뒤떨어진 부패한 악습'(*hu tuc*, 腐俗)으로 규정되어 금지되었고, 최근의 민간의례가 재활성화되는 과정에도 이러한 관습은 회복되지 않고 사라졌다.

우선 이틀 간 장기대회를 열었다. 장기대회는 이 해 마을에서 처음 시도하는 행사였다. 장기대회는 딩에서 불자회의 구복의례가 진행되는 3월 13일 오전부터 시작되었다. 딩 입구의 마당에 몇 개의 장기판을 배치하여 삼삼오오 구경꾼에 둘러싸인 채 정해진 상대와 순서대로 대회를 벌였고, 첫날의 예선을 통과한 8명이 14일 결승을 하여 우승자를 가려내었다.[209] 장기대회 참가자 대부분은 3-40대였고, 일부 청소년들과 노년층을 포함하여 모두 50여명의 참가자들 모두 남자였다. 그리고 마을의 원로회가 주최가 되어 '양생체육'(*the duc duong sinh*)행사를 벌였다.[210] 양생체육은 일종의 체조형식으로 변형된 전통 무술동작의 시범대회로서, 최근 도시 지역을 중심으로 노년층의 건강과 보건에 대한 관심이 많아짐에 따라 마을 노인들의 참여가 눈에 띄게 많아졌다. 흥미로운 점은 양생시범대회에 사용되는 구호가 합작사 시절의 집단생산에서 제시된 공식어로 구성되어 있다는 점이었다. 가령 각 동작에 주어지는 명령어에는 "계획"(*ke hoach*), "완수"(*hoan thanh*) "초과"(*vuot muc*) 등이 포함되어 있었다. 이것들은 위에서 아래로의 위계적인 명령이나 지시, 각 당지부와 합작사 생산단위에서 수행된 결과, 또는 중앙으로부터의 지시된 목표의 달성 정도를 표현하는 용어를 그대로 사용하는 것이었다. 닭싸움(*thi ga*)도 허용하였다. 투계는 조직위원회에서 공식적인 행사로 정하지 않았지만 일부 주민들이 희망하여 딩 앞의 뜰의 자전거 및 오토바이

---

209) 전혁명기의 이웃(*xom*)이나 찹을 경쟁단위로 벌였던 '인간 장기 행사'의 경우, 다이 옌에서는 사라졌다. 그러나 '동 다 공원'(*Go Dong Da*)의 신춘축제에서는 인간장기대회가 행사의 한 프로그램으로 재생되어 있었다. 동 다 공원은 하노이를 침입한 청나라 군대를 물리친 꽝 쭝(*Quang Trung*) 장군의 기념비와 박물관, 그리고 당시 전사한 중국군의 시체더미 언덕이 있는 곳이다.

210) 양생술 시범은 '노인의 날'(10월 1일)에는 꾸언, 시 등 상급 행정단위에서 경연대회를 개최하기도 한다. 베트남은 국제연합(UN)의 결정을 따라 1999년을 "노인의 해"로 지정하였고, 전국적으로 스포츠와 문화활동을 조직하여, 노인의 날에 맞춰 국가 행사를 준비하였다.

주차장 옆의 공간에 자리를 마련하여 주었고, 비공식적으로 원하는 사람들이 참여하여 서로 내기를 걸기도 하였다.

행사 첫날 저녁에는 문예행사인 '쩌우 반'(*chau van*)이 열렸다. 이는 찬양하고 기리는 노래를 부른다는 의미로서, 과거 기생의 노래(*a dao*, '아 다오')를 부르는 행사를 말한다. '아 다오'는 이제 그 의미가 변형되어 단순히 여성 민요가수의 노래라는 의미로 사용된다. 문화통신부 산하의 예술연행단체에서 활동하는 유명 가수들 중 몇몇을 초대하여 저녁 행사를 만들게 되었다. 이러한 문예행사의 의의는 사람들의 흥미를 유발하고, 즐거운 기분으로 '공동'의 유대를 표현하기 위한 것이라고 설명되었다. 2000년 행사에는 주민들의 흥미와 관심에 대응하기 위해 가급적 흥겨운 프로그램을 가미하기 위해 국영 라디오방송국 소속의 각 예술가들도 함께 초대하였는데, 그들에게는 일정의 수고료가 지불되었다. 그리고 시 낭독, '꽌 호'(*quan ho*)와 '쩨오' 공연도 첨가하였다.

이와 같이 마을 의례와 축제(*le hoi*)에서 엄숙한 의식의 절차인 '레'(*le*)와 민속놀이 또는 축제에 해당하는 '호이'(*hoi*)는 구분되었다. 유적관리위원장은 "레(禮)는 제물의식인 '정 흐엉'(*dang huong*)의 순서가 포함된 제례를 의미한다. 즉 종교적, 신앙적 의식이다. 반면에 호이(會)는 찬양과 기념의 노래와 시, 신성의 공적을 기리는 발표, 마을 주민들의 노래나 극 발표 등의 민속놀이와 민간예술공연 행사를 의미한다"고 설명하였다. 그러나 레와 호이의 구분이 실제 민간신앙의 실천이라는 면에서는 명확하지 않고 그 경계가 모호하였다.

의례의 준비과정에서도 유적관리위원장은 올해의 행사는 주민들의 참여가 예년에 비해 훨씬 크고 많을 것이라는 예상을 표현한 바가 있었는데, 그 이유는 '레'가 아니라 '호이'의 프로그램이 강화되었기 때문이라고 설명하였다. "올해는 꽝 호를 부르고, 장기대회도 하기 때문에 딩 안팎에서 많은 사람들이 교류할 것이다. 레도 중요하지만 호이의 성격을 강화한 것이다. 주민들 중 저녁의 노래발표에 참가하는 사람들은 요즘 저녁이면 집집마다 몇 곳에 모여서 각자 연습을 하고 있고, 개별적으로 부르는 사람도 연습하고 있다. 이렇게 호이를 강화하는 것은 그 만큼 전통의례를 상세히 이해하지 못하는 사람도 적극적으로 참여할 수 있는 프로그램이 필요하기 때문이다. 호이를 풍부하게 함으로써 레의 의미도 보다 '꽁 동'의 것이 될 수 있고 공동체는 강화된다. 주민이 많이 참가할수록 더욱 의례는 빛이 나고 활성화되는 것이다. 많을수록 좋다. 이 마을에 이주한지 얼마 되지 않은 사람이라도 이미 이웃관계를 어느 정도 형성하고 있기 때문에 이날 행사에 참가하는 것은 전혀 문제될 것이 없다."

이상과 같이 딩의 복원과 함께 재생된 마을 수호신 공동의례는, 형식적으로는 민간의 전통이 혁명과 의례개혁의 영향에도 불구하고 유지되어 왔음을 보여준다. 주민들은 전통의 재생이 공동체로서의 '마을의 정신' 즉, '띵 랑'을 회복하는 과정이라고 인식하고 있다. 의식의 구체적인 내용을 보면, 의례개혁을 통해 금지하려고 하였던 관념들이 재생되었음을 알 수 있다. 가령 공동의례에서도 이승에 대한 저승의 영향력이 지속되고 있음을 상징하는 실천들이 공공연히 허용되고 있다. 개인들은 대개 국가의 혁명이라는 의도를 깊게 인식하지 않고 기복과 관련된 신앙을 실천하고 놀이를 즐긴다. 그러나 그 실행과정을 자세히 관찰해 보면 민간의 공동의례의 강화에도 국가의 기능이 여전히 강하게 작용하고 있음을 알 수 있다. 국가의 후광

과 지원이 민간의례의 회복을 보장해주었다는 점에서, 국가의 의도
는 여전히 관철되고 있다. 의례 준비와 집행 과정의 대부분이 국가
와 사회의 영역을 넘나드는 사람들에 의해서 이루어진다.

<사진 22> '헌향대'(*Doi dang huong*)의 도열과 입장

<사진 23> 불교여신도회(*Hoi quy*)의 구복의례(*Le cau phuc*)

<사진 24> 공주 생일의례 제주의 '신보' 낭독

<사진 25> '구대'(*cau doi*) 앞에서 의식을 수행하는 헌향대

<사진 26> '우수인민예술가'의 축하 공연

### 3) 마을간 연대의례의 활성화

하노이 각 전통마을의 고유한 수호신의례가 축제의 성격을 포함하면서 활성화되었을 뿐만 아니라, 지역에 따라서는 여러 마을의 기원 또는 역사와 관련한 유대관계를 기초로 하는 마을간 연대의례가 구성되었다. 마을간 연대의례 또한 1990년대 후반에 이르러 행사의 규모가 확대되고 있다. 다이 옌의 경우 탕롱성 서부 농업마을의 시조격인 13짜이에 속하는 마을로서 13짜이의 기원 마을과의 연대의례에 참가하고 있으며, 같은 수호신을 모시고 있는 마을과의 연대의례 및 의례교환을 실시하고 있다. 뿐만 아니라, 13짜이를 비롯하여 다이 옌과 역사적인 관계가 있다고 전해지는 마을에서의 축제와 의례에 상호 초대의 형식으로 참가함으로써 의례교환 및 연대의례의 성격을 강화하고 있다.

이러한 연대의례가 가능해진 배경으로 우선 역사 및 문화유적을 보존하는 사업의 지속적인 강화와 함께, 각 지방의 고유한 전설과 유적의 발굴과 해석을 통한 '지방의 역사'에 대한 재해석이 진행되었던 점을 지적할 수 있다. 이러한 과정에 관련된 유적의 공인과 함께 전설과 지방의 역사의 사실성을 '역사의 공인'을 통해 확증하는 과정을 거침으로써 마을간의 관계가 공인된 '역사적 사실'로 결정되었기 때문이다. 이러한 과정은 역사적 기원의 동일성에 대한 공공담론의 형성과 마을간 연대를 통한 '상상의 공동체'를 구성하는 과정이기도 하다. 또한 전통 촌락간의 연대는 국가의 지방행정구역의 경계를 초월하는 민간의 '랑'의 결합을 의미하는 것이기도 하다. 그럼에도 마을의 연대의례가 활성화되는 과정에서도 여전히 국가의 기능은 침투하고 있음을 고찰할 수 있다. 마지막으로 이러한 마을간의 연대의례는 '창조된 전통'의 사례로 해석될 수 있다.

## (1) 레 멸과 13 짜이의 연대 의례

하노이 외성의 쟈 럼(*Gia Lam*)현, 싸 비엘 훙(*xa Viet Hung*) 소속
의 마을인 레 멸에서 매년 음력 3월 23일, 하노이의 여러 마을 주민
들이 공동으로 참여하는 "레 멸 마을 축제"(*Hoi Lang Le Mat*)라는
마을간의 연대의례와 축제가 열린다. "해마다 3월 23일이 되면, 마
을 사람들은 니 하(*Nhi Ha*, 珥河)[211]를 건너 고향을 찾아오네. '경
관'(*kinh quan*, 京館)과 '구관'(*cuu quan*, 舊館)이 손에 손잡고,[212] 호
떠이(西湖)의 물고기들도 구름을 타고 오는 듯 뛰어오르고 춤추
네"(Le Trung Vu et al. 2001: 539). 이 날의 마을행사에는 이러한
노래를 부르면서 의례행렬이 줄지어 나가는 것으로 시작된다. 의례
의 중심적인 장소가 되는 '딩 레 멸'(*dinh Le Mat*)에는 마을의 수호
신이자 성황신으로 "호앙(*Hoang*)씨 남자"[213] 영웅을 모시고 있다.
딩 레 멸에는 이러한 전설과 역사를 전하는 몇 가지 '구대'들이 여
전히 남아있다. 최근 수년간 레 멸의 주민들은 '호앙 태제'에 대한
제례를 조직하고 있다. 이 마을의 의례 및 축제, 그리고 성황신과 관

---

211) 홍하의 옛 이름.

212) '경관'은 수도 탕 롱의 전설상의 원천 마을인 13짜이를 의미하며, '구관'은 경관의 고향이라는 의
미로 레 멸을 가리킨다. 음력 3월 23일은 호 떠이(西湖)의 잉어가 딩 레 멸(*Dinh Le Mat*)의 우물
에 돌아와 마을 주민들이 날 생선을 제물로 신성에 대한 제사를 할 수 있도록 한 날이라는 전설
도 전해진다.

213) '호앙씨 남자'(*Chang trai ho Hoang*)의 실명은 정확하게 전해지지 않고 있다. 13짜이 중에 리에우
쟈이, 빙 푹, 응옥 카인(*Ngoc Khanh*) 등 세 마을의 딩에 모신 수호신의 이름은 "호앙 레
멸"(*Hoang Le Mat*)이라고 기록되어 있는데, '레 멸 출신의 호앙씨'라는 의미이다. 일부 다른 마
을의 시조신인 "호앙 푹 쫑"(*Hoang Phuc Chung*)이 동일 인물이라고 주장하기도 한다. 레 멸 사
람들은 그를 황제와 같은 존재로까지 높여 숭배하는 의미에서 "호앙 태제"(*Hoang thai de*)라고
부르기도 한다(Chu Xuan Giao 1996: 12-14 참조).

련하여 다음과 같은 전설이 전해지고 있다.

리 타이 똥(李太宗, 1072-1127)의 공주가 하루는 궁녀들과 함께 용선을 타고 응우옌 득(*Nguyet Duc*)강에[214] 놀이를 나갔다. 그런데 배가 어느 곡류를 지날 때 갑자기 크고 사나운 파도가 나타나 뱃길을 방해하더니 결국 용선을 덮쳐 전복시키고 공주와 많은 시녀들이 죽고말았다. 물결이 사납게 올라가며 배를 삼키듯이 휘몰아 전복시키는 모습을 지켜보던 공주의 수행 신하들은 강변 둑에서 두려움에 떨고 있을 뿐 누구도 위기에서 공주를 구하려고 나서지 못하고 있었다. 이 때 레 멀의 호앙이라는 성씨의 한 농부가 인근에서 쟁기와 괭이질을 하고 있다가 비명 소리를 듣고 달려와 즉시 강물에 몸을 던졌다. 그는 용감하고 총명하게 그 기괴한 물결을 이기고 공주의 시체를 건져내었다. 왕은 이 소식을 듣고 그 공로에 감격하여, 그를 궁으로 불러 많은 상으로 금은보화와 함께 관직을 봉하였다. 그러나 호앙 장사는 경의를 표하였으나 조정이 내린 고귀한 상을 모두 거절하였다. 왕이 놀라며 그 이유를 물었더니, 호앙은 가난한 사람들을 모아 '낑 도'(*kinh do*, 京都) 교외의 황무지를 개간하여 마을을 만들고 농사를 지어 사람들을 배불리 먹이고 나라를 번성시키고 싶다며, 토지를 하사할 것을 요청하였다. 왕은 그의 뜻을 존중하여 이를 허락하였고, 호앙 씨는 레 멀과 인근 마을의 가난한 친척들과 지인들을 불러모아, 니 하(*Nhi Ha*, 紅河)를 건너 탕 롱 성 서부의 황무지에 들어 왔다. 당시에는 이 지역은 늪과 습지였으며 야생의 초목이 널리 퍼져 있던 곳이었다. 호앙은 이 지역의 황무지를 개간하여 농업 촌락을 형성하기 시작하여 인구가 많고 부유한 13개 짜이를 만들게 되었고, 지금까지 그 유래가 전해 내려오고 있다(Bui Thiet 2000: 284-85; Le Trung Vu et al. 2001: 539-41)

필자는 많은 사람들로부터 레 멀 마을과 '13짜이'에 관한 이야기

---

214) 하노이 북부 박 닝(*Bac Ninh*)성을 가로질러 하노이 성 동쪽의 본류에 합류하는 홍하의 한 지류로 지금은 '두옹'(*Duong*) 강으로 불리고 있다.

를 들을 수 있었고, 하노이의 역사를 다룬 여러 서적들에서도 관련된 전설을 접할 수 있었다. 사람이나 서적에 따라 '리 타이 똥'을 막연히 리조의 어느 임금으로 알고 있거나 '쩐'(陳) 왕조로 기억하는 경우가 있었고, 공주를 왕자로 기억하는 사람이 일부 있었고, 호앙 장사가 공주의 죽은 시체를 건져내었다고 하는 사람과 공주를 살려내었다는 사람이 있었다. '두옹'강의 옛 이름을 '응우옛 득'(Nguyet Duc)이라 하기도 하고, '티엔 득'(Thien Duc)으로 부르기도 하였다. 현재 13짜이에 속하는 일부 마을의 딩에 모시고 있는 수호신 중 하나인 '호앙 푹 쭝'이 같은 인물이라는 주장이 있었지만, 호앙 장사의 이름을 정확하게 기억하는 사람은 드물었고 명증적인 기록도 발견할 수 없었다. 단지 많은 사람들이 레멀 마을의 호앙 씨라는 의미로 '호앙 레 멀'이라고 하거나, '레 멀의 호앙씨 장사'라고 부르기도 하였다. 레 멀과 13짜이의 역사를 연구한 베트남의 일부 연구자들의 의견에도 유사한 차이를 내포하고 있었다(Chu Xuan Giao 1996:13-17).

지역 주민들과 역사가들의 전설에 관한 인식과 설명방식의 차이와 변이에도 불구하고 전설의 근간이 되는 주요 내용과 그것이 전달하고자 하는 역사적인 의미는 놀라울 만큼 일치하였다. 즉, 레 멀이 하노이성 서부 13짜이의 근원 마을이며, 13짜이가 하노이의 형성 및 확대과정의 초기 역사를 보여주는 주요 농업 마을들인 점, 레 멀의 용감한 농부의 공덕에 의해 공주의 일행을 위기에서 구하여 나라에 공을 세운 점, 왕이 약속한 관직과 재물 등 세속적인 부귀영화를 거부하고 황무지를 개척하고 마을을 세워 경제를 일으켰다는 점 등은 일치하였다. 조사과정에서 이러한 '지방의 역사'에 관한 '지방의 지식'이 공식적인 역사에 버금가는 정도의 '사실'(史實)로 형성되어 온 구체적인 과정과 방식에 대한 분명한 자료의 수집은 불가능하였으나, 마을의 연대의례 및 축제의 구성과정에서 많은 사람들이 그 역사와 전설을 거듭 되내이고 있으며, 의례를 통히여 상징적으로 재현하고 있었다.[215]

이와 같이 지방에서 사실로 받아들여지는 전설에 근거하여 레 멑과 13짜이의 주민들은 전설 속의 주인공을 성황으로 모시게 된 것이다. 그리하여 매년 음력 3월 23일이면, 과거 13짜이의 후손들, 즉 "경관"(京館)으로 불리는 수도 하노이의 해당 마을 주민들이 "구관"(舊館)인 레 멑의 의례와 축제에 참여하게 되었다. 이 날은 13짜이 지역에 최초로 길을 만들고 황무지를 개간하여 마을을 일으킨 여러 조상들의 공을 기리고 마을의 생일과 연대를 축하하는 날인 셈이다. 레 멑은 곧 13짜이의 원적이자 "고향"으로 인식되고 있고, 이후의 도시 발전과정에서 농업마을의 시조라는 위치를 차지하게 된 13짜이는 곧 하노이의 원형인 '경관'이 된 셈이다. 그리고 13짜이에 다이 옌이 포함되어 있으므로, 다이 옌 사람들에게는 레 멑이 '근원 고향'이라는 인식이 자연스럽게 형성되어 왔다. 다이 옌 '원주민'들은 마을의 전통산업인 투옥 남 재배도 호앙씨가 이 지역을 농토로 개간한 이후에 시작되었다고 믿고 있었다. 13짜이에는, 리에우 쟈이, 쟝 보, 투 레(Thu Le), 반 푹(Van Phuc), 꽁 비(Cong Vi), 흐우 띠엡, 꽁 옌(Cong Yen), 응옥 하, 쑤언 비엔(Xuan Bien), 빙 푹, 응옥 카인, 낌 마(Kim Ma), 그리고 다이 옌이 포함되어 있다.[216] 13개 마을마다 고

---

215) 각급의 국립 연구기관과 국영출판사에서 발간하는 서적들에서, 이러한 전설에 기원을 두고 있는 마을의 유적과 의례에 대하여, 공식적으로 후원하고 그 보존과 전승을 장려하고 있음을 알 수 있다(Le Trung Vu et al. 2001 참조).

216) 이들 마을은 대부분이 현재의 하노이 지방행정구역상 꾸언 바 딘에 집중되어 있으며, 쟝 보의 경우는 일부 지역이 꾸언 동 다(Dong Da)에 편입되기도 하였다. 레 쫑 부의 설명에 따르면, 쑤언 비엔, 빙 푹, 응옥 카인 등 세 마을의 이름 대신에 각각 현재는 지명이 남아 있지 않은 옌 비엔(Yen Bien), 흐우 푹(Huu Phuc), 하오 남(Hao Nam) 등의 이름으로 정리되어 있다(Le Trung Vu et al. 2001: 7).

유한 성황(城隍)의 탄생 또는 사망일을 기념하여 고유한 수호신의례가 독립적으로 존재한다. 그러므로 13짜이는 진설에 따른 동일한 고향마을을 가지고 있는 같은 뿌리를 공유하고 있다는 인식에 따른 횡적 연대의 정체성을 가지고 있으나, 동시에 마을마다 의례적인 독자성을 유지하고 있다.

13짜이와 레 멀의 대표로 '쯔엉 짜이'(truong trai)가 임명되는데, 이들은 각 마을의 고유한 공동의례의 조직을 대표하며 마을간 연대의례에서는 각 마을의 대표자로 참여한다. 쯔엉 짜이들은 해마다 레 멀의 공동의례를 주최하는 '경절반'의 집행위원이 된다. 현재 13짜이의 대표들은 모두 남자이며 연령은 대부분 50-60대이다. 또한 13짜이 각 마을별 행사의 지원과 상호 참가, 그리고 주요 성소의 순례의례를 공동으로 조직하기 위하여 각 마을의 유적관리위원회의 대표들의 협의체인 '13짜이 집행위원회'가 만들어졌다. 13짜이 집행위원회가 창립된 이후, 마을 대표들이 함께 모여 의논과 행사 준비를 할 장소가 필요하여, '딩 호앙 또옹'(Dinh Hoang Tong, 黃總亭)을 건립하였다. 각 마을의 의례를 지원하거나 마을간 연대의례를 준비할 경우, 정기적으로 혹은 비정기적으로 이 곳에서 회합을 갖고 행사의 구체적인 사항을 점검하고 준비한다. 특히, 마을간의 연대의례의 경우 이곳의 회의를 통하여 행사의 초청범위, 집행 절차방식들이 정해지고, 각 마을의 의례단들의 역할이 분담된다. 마을 각각의 의례에 13짜이의 대표자들을 초대하고, 서로의 의례에 사절단을 만들어 참여한다. 레 멀의 공동의례와 같이 규모가 큰 경우에는, 순례의식, 가마 들기, 제물 올리기 등 상대적으로 많은 사람들이 공조해야 하는 의례 절차를 수행하기 위해 공동참가를 전제로 제사단을 구성하고 있었다. 2000년 레 멀 축제에도 일부 순서를 다른 마을 참가자들이 직접 참여할 수 있게 만들었고, 모두 6개 마을의 '헌향대'가 순서에 따라 각각의 헌향의식을 수행하였다. 의례의 마지막 부분인 '제물 나누기'(*thu loc*) 순서는 13짜이의 대표들이 직접 수행하였다.

레 멀의 연대의례 및 축제를 주관한 조직위원회의 한 책임자는 다음과 같이 이 행사의 의미를 설명하였다. "레 멀의 축제는 단지 역사적인 영웅의 공적에 대한 기념과 휘황찬란한 찬가와 무용을 재현할 뿐만 아니라, 매년 '구관'과 '경관'의 후손들이 서로 만나 서로 손을 잡고 얼굴을 익히고 기쁨을 나누는 기회가 된다. 자연으로부터 생명의 위협이 지속되고 먹을 것이 부족하였던 시련의 시기를 겪고 마을을 세운 역사의 한 단면을 축제와 의례를 통하여 반복함으로써 같은 고향을 가진 사람들끼리 희망을 나누고, 한 집안의 형제처럼 서로 사랑하여야 하는 뜻을 되새긴다." 조직위원회와 참가자들은 이 마을들이 여러 세대 동안 호앙 씨 장사의 후손들로서, 자신의 조상과 그들의 업적에 잘 어울리는 삶을 이어받아 왔음을 강조한다. "호앙씨 장사의 도덕과 의지가 훌륭한 본보기가 되어 아름다운 전설을 만들었고, 그에 따른 특별한 전통과 산업을 전해 내려오고 있는 것이다. 그리고 수도의 주변의 여러 마을에서 여러 세대동안 농업의 전통을 이어 받아 온 농민들의 재능과 지혜를 칭송하고, 서로가 지혜롭게 도와서 마을을 발전시켜 왔으니 이것이 곧 수도 '경성'(*kinh thanh*, 京城)을 발전시키고 천년의 문물을 지켜온 빛나는 땅을 만들어 온 것이 아니겠는가?"

"하인 흐엉"(*hanh huong*, 行香)은 13짜이 각 마을의 성소를 순례하는 의식인데, 13개 마을 대부분의 의례단들이 공동으로 참여하여 연대를 과시한다. 13 짜이의 연대 순례의식에서는 각종의 민속 시연 행사도 동원되는데, 2000년의 경우 레 멀의 축제와 응옥 카인(*Ngoc*

*Khanh*) 수호신 의례에서 각 마을의 대표들이 순서대로 민요를 부르는 경연행사가 삽입되었다. 순례행사의 경우 대개 개별 마을의 의례에 비하여 프로그램도 다양하고 참가자의 규모도 커진다. 레 멑에는 '뱀춤'이 재현되었고, 응옥 카인의 순례의례에서는 이마에 뿔이 하나 나있는 기린 모양의 전설의 동물을 가장한 민속춤(*mua lan*) 행사가 벌어졌고, 낌 마와 꽁 비의 행사에는 '용춤'(*mua rong*, 龍舞)을 추며 마을의 화복을 비는 행사가 포함되었다. 이러한 민속놀이의 시연에는 해당 마을의 주민들뿐만 아니라, 연대의례를 벌이는 다른 마을의 사람들이 공동으로 참여하게 된다. 2000년 3월 11일(음력 2월 6일)에 딩 응옥 카인(*Dinh Ngoc Khanh*) 및 인근 호수에서 열린 수호신의례에서도 '하인 흐엉'을 진행하였다. 순례의례를 행하기 전에 13짜이의 마을들은 각 마을 소재의 딩에서 마을 수호신에 대한 제사를 올린 후 순례의례에 참가한다. 다이 옌의 경우 순례의례 참가자들이 딩 다이 옌에 모여 옥화공주에게 연대의례의 참가를 알리고 여섯 가지 제물을 차례로 올리는 여섯 번의 공여의식(6 *van luc cung*)을 지냈다.

이 밖에도 13짜이에 속한 대부분의 마을에서 연대의례를 개최하고 있었다. '투 레'(*Thu Le*)의 수호신의례는 음력 2월 3일에 열리는데, 투 레가 포함된 프엉 응옥 카인(*Ngoc Khanh*) 인근마을과 일부 13짜이 주민들이 초대된다. 투 레, 응옥 하와 흐우 띠엡은 '현천흑제'라는 공동의 수호신을 모시고 있어, 마을을 돌아가며 공동제사를 개최한다. 전설상으로도 이 세 마을은 기원이 일치하는 형제마을로 전해 내려오고 있었다. 프엉 응옥 하에 소속되어 있는 '동 느억'의 수호신 '응옥 르엉'(*Ngoc Luong*) 공주도 국가를 위기로부터 구한 공적을 세운 인물로서 다이 옌의 옥화공주와 같은 여신으로 전해 내려

온다. 동 느억과 다이 옌의 '헌향대'는 서로의 행사에 참가하고 있었다. 그밖에 리에우 쟈이와 빙 쭉에서는 해마나 수호신 "호앙 레 멑"의 공동의례를 개최하고 있다.

이러한 마을간 연대의례는 꾸언, 프엉, 꿈과 같은 사회주의 국가의 공식적인 지방행정단위의 경계를 넘어, 민간의 전설과 관련된 신앙에 근거한 '전통 마을의 연대'를 통해 구성되고 있다. 이런 점에서 마을간 연대의례는 새로운 형태의 지역적 연대의 가능성을 내포하고 있다. 공동의 수호신의 업적을 재현함으로써 역사가 된 허구에 근거한 '상상의 공동체'가 재생산되고 있음이 상징적으로 공포된다. 그러나 민간이 만들어내는 이러한 연대는 모두 "의례규제", 사전 허가, 행정기관의 직접적인 참가와 관리 등 국가의 공식적인 테두리 안에서, 국가의 후광을 업고 실행된다는 점에서 이중성을 지니고 있다.

<사진 27> 다이 옌의 의례에 참가한 동 느억(Dong Nuoc) 여제단

<사진 28> 응옥 카인(Ngoc Khanh)의 '13짜이' 연대의례

## (2) 자매마을 쟙 뜨와 다이 옌의 연대의례

'쟙 뜨'는 남 딩(Nam Dinh)성, 남 하(Nam Ha)현, 싸 남 쪽(xa Nam Truc)의 한 마을이다. 1981년 행정구역 개편 이전에는 남 쪽현, 싸 남 쟝(xa Nam Giang)에 소속되기도 하였으며, 현재는 행정구역 상 '톤 쟙 뜨'라고 불리기도 한다. 이 마을에서는 매년 음력 2월 8일 (2000년 양력 3월 13일), 다이 옌의 성황이기도 한 옥화공주에 대한 제례가 열린다.[217) 다이 옌은 '언니 마을'(lang chi)로서 쟙 뜨의 의례 에서도 먼저 나가 예를 바친다. 두 마을의 이러한 상징적인 형제관 계는 공동의례를 통해서 표현된다. 두 마을의 의례 교환이 시작된 지는 10년이 되었다. 다이 옌의 유적관리위원장에게 전해들은 두 마 을의 관계에 관한 전설을 쟙 뜨의 연대의례에서 만난 여러 노인들에

---

217) 쟙 뜨의 마을 공동의례는 이미 1970년대 후반에 복구되어 벌써 20여 년 간 치르고 있었다. 다이 옌보다 무려 15년 정도 먼저 마을의 공동 의례가 복구된 것이다. 농촌지역의 경우 도이 머이 이 전에도 많은 촌락에서 전통의 마을의례가 회복되고 강화되어 왔음을 알 수 있다(Luong 1992; 1993 참조).

게서 다시 들을 수 있었다. 두 마을 '원주민'들의 이야기를 재구성해 보면 전설은 다음과 같다.

> 리(Ly)조의 어느 해에 잡 뜨의 주민들이 식량을 실어 어려운 뱃길을 타고 성에 도착하여 세금을 바치고 돌아가는 길에 수심이 얕은 지역을 지나다가 배가 좌초할 위기에 빠졌다. 사람들은 위기에서 빠져 나오기 위하여 온갖 방법을 다 써보던 중, 강 한편에 조그만 황무지 위에 작은 연못과 조그만 암자를 발견하게 된다. 그 암자에서 향을 피우고 제를 올렸더니, 잉어 할아버지가 홀연히 나타나 뱃머리를 들어 좌초의 위기에 빠진 배를 구해주었다. 배가 홍강을 따라 남 하에 무사히 도착하자 뱃머리에 있는 돛대의 머리가 백학으로 변화하여 날아갔다. 다이 옌에서 남 하까지의 뱃길을 안전하게 인도하여 온 것이 곧 백학 신이었다. 다이 옌의 암자에서 예를 올리자 이에 대하여 암자에 모신 신성이 잡 뜨 사람들의 신앙과 순수한 숭배의식에 감명하여 이들을 배와 함께 무사히 귀향하여 생명을 연장하고 생업을 계속할 수 있게 해 준 것이었다. 주민들은 나라에 세금을 바치러 간 길에 겪은 일들을 마을로 돌아와 전하고 마을 사람들은 이 사실을 귀히 여겨 백학과 같이 긴 다리를 가진 향대에 향을 피우고 제를 올렸다. 그런데 잉어가 남 하의 강가나 물가에 떠올라 백학을 모시는 모습이 여러 번 사람들의 눈에 발견되었고, 학은 계속 마을 어귀를 떠돌거나 마을사람들에게 간혹 모습을 비추며 살다가 어느 날인가 사라져 버렸다고 전해진다. 그날이 바로 잡 뜨의 의례가 열리는 음력 2월 8일이라고 전하고 있다. 그래서 후대의 이 전설을 전해들은 많은 현학들과 마을의 원로들이 비로소 백학은 돌아가신 공주의 화신이었고, 잉어는 공주를 모시는 신하 또는 공주의 수호신으로 알게 된 것이다. 이러한 일이 있은 이후 백학 한 마리가 마을에 자주 나타났다고 전해지고 있다.

주민들은 전설의 내용대로 잉어와 백학이 그 조그만 암자에 모셔진 한 신위가 현신으로 나타나서 배를 암초에서 구해준 것으로 믿게 되었다. 그리고 그 암자가 바로 지금의 딩 다이 옌과 같은 곳에 위치하였으며, 곧 딩의 전신이라고 전해지고 있다. 필자가 잉어와 백학의 존재에 대하여 거듭 질문하자, 이 전설을 설명하는 '원주민'들은 이것은 허구적인 이야기이지만, 당시 잡 뜨의 배는 수로를 지키는 군사들을 먹일 식량을 세금으로 바치기 위한 것으로, 나라의 의무를 다하는 착한 백성들을 하늘이 도운 것이라는 의미를 되새기게 한다고 설명해주었다. 중앙 정부에 납세의 의무를 다하고 돌아오는 길에 다이 옌의 암자에서 무사 귀환과 다음의 풍년을 기원하는 제례를 올렸다는 내용이 곧 다이 옌의 수호신의 은공으로 인하여 잡 뜨의 사람들이 농사도 무사히 짓고 나라에 세금도 제대로 바칠 수 있었음을 알려주는 것이라고 해석되고 있었다.

두 마을의 주민들로부터 전설의 내용과 의미를 전해 듣는 동안 이 전설에 나오는 잉어와 백학의 존재에 대해서는 사람들 사이에 일부 이견이 있다는 사실을 알 수 있었다. 물고기와 날짐승으로 변화된 신성이 곧 옥화공주였다는 설명도 있고, 백학은 공주이고 잉어는 공주의 신하라는 해석이 있고, 잉어와 백학 모두 공주의 충성스런 신하라는 해석도 있었다. 많은 사람들이 잉어가 배를 들어올리고 물위를 치솟아 날 듯이 오르고, 백학이 배의 머리로 변화하였다가 뱃길을 이끌고 고향으로 돌아왔다는 등 짐승이 초자연적인 힘을 발휘한 것에 대하여서는 하나의 허구적인 전설로 인식하는 경우가 대부분이었다. 두 마을의 관계에 대한 전설에 대하여서는 그것이 사실(史實)에 기반한 것이라고 믿는 경우는 드물었고, 단지 그 의미가 나라에 의무를 다한 충성스런 백성이 곤란에 빠지자 공주의 화신 또는 그녀의 충성스런 신하가 위기에서 구해줌으로써 두 마을이 연결될 수 있었다는 것을 상징적으로 보여주는 것이라고 설명하였다. 잡 뜨와 다이 옌은 이러한 전설에 근거하여 약 110㎞의 간격에도 불구하고 같은 수호신을 모시는 자매마을의 기원을 가진 것으로 해석되어 온 것이다.

1990년에 『청년』(*Thanh Nien*)이라는 잡지에 한 기자가 작성한 두 마을의 관계와 옥화공주의 설화에 관련된 기사가 게재되었다. 그 기사에는 9세의 어린 공주가 하노이의 바 딘 지역에서 나라를 구하는 데 결정적인 기여를 하였고, 그녀의 무덤과 암자를 모신 딩이 다이 옌에 있으며, 쟙 뜨의 전설의 주인공이 곧 이 공주의 화신이었음을 설명하였다. 기사는 당시의 베트남 국립 사학원의 여러 관련 자료를 찾아 그 사실을 역사적인 사실로서 받아들여질 수 있다고 해석하는 내용이었다. 기사의 내용을 확인하기 위하여 두 마을의 원로들은 각자 서로 방문하였고, 쟙 뜨의 마을 사당에서도 딩 다이 옌과 마찬가지로, 4개의 기둥에 같은 내용의 글자가 새겨진 '구대'가 있었음을 발견할 수 있었다. 같은 글귀를 발견한 노인들은 서로 잃었던 형제자매를 다시 찾은 것처럼 감격하며 눈물을 쏟았다고 한다. 어떤 노인은 "비로소 마을의 어머니를 찾았다"면서 울음을 터트리기도 하였다. 이후 두 마을의 원로들을 중심으로 당시의 기록과 관련된 족보(*gia pha*)를 찾아 두 마을의 관계를 규명하는 일에 착수하였다. 초기 2-3년간은 쟙 뜨 주민들의 어려운 경제적 여건 때문에 경비를 충당하기 어려운 상황이어서 성대한 의례행사를 개최하지는 못하고, 일부의 원로들이 서로의 마을을 방문하는 것으로 대신하였다. 1994년 '덴 쟙 뜨'(*Den Giap Tu*)를 유적으로 공인받기 위한 사업을 추진하면서, 마을에 유적관리위원회가 구성되었고, 이후 비로소 두 마을의 의례교환과 공동의례의 조직을 결정하게 되었다. 이후에는 쟙 뜨 사람들이 하 노이 또는 근교의 명승고적에 여행을 할 경우에도 딩 다이 옌을 먼저 찾아 예를 먼저 올리고 관광을 가게 되었다.

이와 같이 다이 옌과 잡 뜨는 두 마을의 유적이 같은 수호신을 공유하고 있다는 사실이 알려진 1990년에 비로소 유대관계를 시작하였다. 두 마을의 관계가 밝혀지고 마을간의 의례교환이 연례화된 이후부터는 이러한 공식적인 행사를 통한 유대의 강화뿐만 아니라, 해가 지날수록 주민들간의 비공식 교류도 활발해지고 있다. 1999년 12월 프엉 응옥 하의 제7꿈 꿈장 딸 결혼식에 잡 뜨의 주민들이 하객으로 참여하여, 부조를 하고 축하를 하였다. 다이 옌의 원로들의 장례식에는 어김없이 두 마을 원로회의 주요 인사들에게 부고를 보내고, 잡 뜨에서도 장례식 참가단을 조직하여 방문하고 있다고 설명한다. 유적관리위원장은 일년에 두세 차례 잡 뜨의 결혼식과 장례식에 참석하고 있었다. 마을간의 공식적인 유대관계를 통하여 주민들간의 비공식적인 의례교환이 강화되고 있는 것이다. 이러한 비공식적인 친교에 열성을 갖는 사람들 대부분은 의례의 조직에 간여하는 '원주민' 지도자들이거나 의례조직의 성원들이었다. 가령 다이 옌의 주민 중에, 잡 뜨의 사람들과 비공식적인 친교를 나눌 정도로 안면을 익히고 있는 사람들은 꿈장과 일부 또장들, 유적관리위원회의 위원들, 그리고 '헌향대'로 두 마을의 의례에 직접 참여하였던 부녀자들이 대부분이었다.

1995년 잡 뜨에서는 대략 12명에 이르는 9-14세의 소녀들로 '제대'(doi te)를 구성하여 다이 옌의 수호신의례에 참석시켰다. 그 해는 옥화공주의 900주년 생일을 기념하여 매우 성대한 행사가 준비되었다. 1990년 이후 처음 두 마을간의 횡적 의례가 만들어지고, 두 마을의 의례지도자들은 공주의 공적을 재현하는 의식행사를 몇 차례 제안한 바가 있었으나, 언니 마을 주민들로만 구성하기에는 어려움이 있어서, 쟙 뜨에서 재현의례를 치르고 다이 옌으로 올라왔다. 공주가 나라를 구한 쑹을 세운 나이로 전해지고 있는 9세를 전후한 어자아이들의 의례가 상징적으로 수호신 의례의 의미를 재현하고, 마을의 청소년들에게 동 행사의 역사적인 의미를 교육적으로 전달할 수 있다는 의견에 따라 이러한 행사를 만들었다. 덴 쟙 뜨에 대한 역사유물 고찰과 심사는 딩 다이 옌이 유적으로 공인 받은 이후에, 두 마을의 연대의례가 강화되면서 시작되었고, 1995년에 비로소 유적으로 공인되었다. 쟙 뜨 인민위원회에서 유적 공인증을 전달하는 의식을 치를 때에 다이 옌의 대표들도 초대하여 참석한 가운데 매우 큰 의례를 열었다. 당시 양쪽에 대칭되게 사열하여 '구대' 기둥을 세우는 의식은 두 마을의 10여 명의 원로회 대표들이 수행하였다.

2000년 음력 2월 8일 새벽 5시 남 하의 연대의례에 참석하기 위해 필자는 다이 옌 마을입구에서 출발하는 임대 버스에 올랐다. 이해의 연대의례에는 프엉의 국가간부들은 초대되지 않은 민간조직 중심의 연대의례로 수행되었다. 프엉의 '정권'(政權)이 참석하지 않는 대신에 꿈장이 인민위원회 부주석을 대신하여 축사를 하였다. 참가자들 중에는 다이 옌의 유적관리위원회와 '헌향대'의 성원들이 주축이었고, 일부 청년층이 순례행사용 깃발과 의례용품의 운반을 돕기 위해 참가하였다. 참가자들은 모두 50여 명이었는데, 유적관리위원장은 1999년에는 더 많은 인원이 참석하여 버스도 두 대를 대절하였었다고 하였다. 쟙 뜨의 시장에 도착하자 '형제 마을'의 촌장(thon truong)을 비롯한 지도자들과 원로들이 미리 와서 손님을 맞이하였고, 잠시 인사가 오간 후 이날의 본행사의 시작인 "순례의식"이 시작되었다. 도시 지역인 다이 옌의 행사와 달리 순례의식에는 화려한 항 마로 장식된 가마에 수호신상을 모시고, 그 뒤를 이어 형형색

<사진 29> 형제 마을 잡 뜨(*Giap Tu*) 연대 순례의식

색의 만장과 깃발이 이어지고, 악대도 동원되는 등 더욱 '전통적'이었다. 수호신 사당(덴 잡 뜨)에서 이어진 제례의식은 앞 절에서 기술된 약 한달 후의 다이 옌에서의 의식의 최종 리허설과 같았다. 두 자매마을은 연대의례를 통하여 전통을 복원하고, 서로의 의례에 인력과 물자의 면에서 유사한 지원을 주고받으면서, 의례적인 형태의 등가교환을 통하여 유대를 강화하고 있었다.

### (3) 마을간 연대의례에 침투하는 국가

13짜이와 잡 뜨의 연대의례에서 유적의 공인, 지방 행정기관과 당지부의 민간의례 관리의 성격을 이해할 수 있었다. 이것은 '참여관리'(participant management)라고 할 수 있다. 마을들간에 횡적인 의례교환을 할 때, 각 마을 소재의 인민위원회, 조국전선 등 행정기관이나 당지부의 조직 등 '정권'(*chinh quyen*, 政權)이 같이 참가한다.

1998년과 1999년에는 응옥 하 인민위원회의 문화정보국 관리가 쟙 뜨를 방문하였다. 2000년에는 쟙 뜨 방문단의 규모가 축소되고 방문 일정도 당일 하루에 그치면서 인민위원회는 축하의 인사만 전하고 직접 참여하지는 않았다. 쟙 뜨의 인민위원회에서는 거의 매년 다이 옌의 의례에 참가하고 있다. 두 마을 소재의 국가기관의 대표가 서로의 마을을 방문하여 연대행사를 공식적으로 축하하고 교류한다. 해당 지방의 '정권'이 참가한다는 사실은 이 연대의례행사가 단지 민간차원에서 뿐만 아니라 국가차원에서도 공식적으로 인정받는다는 사실을 의미한다. 의례 행사의 첫머리에는 '위에 있는' 국가 기관에서 의례 장소인 딩에 '내려온'(*xuong*) 관리들을 소개하고 그들이 이 행사를 빛내주고 보호하고, 축하한다는 사실을 공표하는 절차가 포함된다. 꿈장과 톤장 등 두 마을을 대표하는 행정지도자가 차례대로 호명되고 인사말을 하게 된다.

인민위원회와 공안의 간부가 참석하는 이유는 민간의 집회가 '불순한' 성격을 지니지 않도록 감시 감독하는 역할이 필요하기 때문이다. 1990년대에 민간의 의례가 활성화되고 마을의 공동의례가 강화됨에 따라 주민들의 자발적인 집회의 규모가 커지고, 이를 관리하는 부서의 역할도 강화되었다. 해당 지방의 당지부의 비서가 프로그램을 심사하여 사전 통과시킨다. 인민위원회의 관계자는 집회의 과정과 상황에 대하여 기록하고 상급기관에 보고하는 역할을 한다. 인민위원회는 행사의 안전에 관하여 책임을 진다. 즉 인민위원회의 공안부서가 직접 간여하여 행사가 물의 없이 무사히 진행되도록 관리하고 감찰한다.

민간의 전설을 역사로 재구성하여, 그것을 상징하는 의례로 구성하는 과정은 국가의 행정단위의 경계와 무관하게 민간이 구성하는 지역간 연대의 상징으로 존재한다. 실제의 행사는 민간의 힘으로 이루어진다. 비용, 의례용품, 조직과 준비 일체에 있어서 두 마을의 유적관리위원회를 중심으로 마을 주민들의 자발적인 참여가 두드러진다. 그러나 국가의 후광은 여전히 관철되고 있다. 상급 행정지도자들의 참여와 의식에서의 역할은 그러한 대리인으로의 지방의 간부의 성격을 보여준다. 그럼에도 이들은 대부분이 마을의 주민이기도 하다. 공식화된 공동의례에 삽입되는 개인의 개별적인 의례에는 과거 혁명시기에 국가와 당이 금지하려고 하였던 미신과 이단의 요소로 채워져 있고, 어떤 요소는 재생되거나 이전보다 강화되었다.

## 3. 경제·사회분화와 의례 활성화

<사진 30> 고 동 다(Go Dong Da) 지역축제의 상인들

## 1) 전통산업과 의례활성화

주민들은 최근에 마을 공동의례가 활성화되고 있는 것은 그들이 원래 마음속에 지속적으로 품고 있던 공동체에 대한 관념과 관습 또는 전통을 표현하고자하는 욕구가 발현된 당연한 결과로 보고자 하였다. 그리고 그것을 가능하게 한 것 중에 경제적 여건의 변화를 가장 중요한 요인으로 지적하는 사람들이 많았다. 마을의 수호신 의례가 딩의 유적공인과 함께 재생된 이후 해가 거듭될수록 더 많은 주민들이 공동의례에 참가하고 있었다. 이러한 점에 대해서도 주민들은 경제적 여유 또는 경제적 욕구와 관련시켜 설명하고 있다. 유적관리위원회 위원장은 딩이 공인유적으로 복구된 이후 주민들의 딩에서의 의례가 활성화된 것에 대한 자신의 감상을 다음과 같이 설명하고 있다. "주민들이 신성에 대해 생각하는 것이 딩이 성소로 인정되면서 더욱 엄중해졌다고 느껴진다. 신성을 모신 장소가 바로 '정심'(*trinh tam*, 靜心)을 불러일으킨다. 즉 성소를 자주 찾을수록 사람들의 신앙심과 숭배는 더욱 경건해지고 깊어진다. 그러므로 성소를 제대로 꾸미고 보존하는 일이 매우 중요하다. 의례가 과거처럼 가장 중요한 제일의 의무는 아니지만, 지금은 오히려 점점 더 중요해지고 있다. 경제가 중요해진 만큼 민간의 신앙도 중요해지는 것이다."

<표 6-5> 연도별 '공주생일의례' 참가자 추이(유적관리위원회 자료참고)

| 연도(년) | 1991 | 1995 | 1999 | 2000 | 2001 |
|---|---|---|---|---|---|
| 조직 참가인원(명)* | 30 | 70 | 75 | 118 | 120 |
| 참가인원(명)** | 미상 | 500 | 700 | 1,100 | 900 |

\* 의례 조직위원회, 집행조와 헌향대 중 다이 옌 주민 참가자 수
\*\* 유적관리위원회 '꽁 득' 및 참석자 명부로 파악한 연인원(외부 초대자 포함)

유적관리위원회를 비롯하여 마을 의례의 지도자들은 도시지역에서 이러한 "랑의 전통"이 남아 있는 마을은 어디에나 경제생활이 복잡해지고 도시화가 진행될수록 오히려 전통도 훨씬 강하게 활성화되고 발전되고 있음을 역설한다. 경제적으로 많은 곤란을 겪었던 시기에는 이러한 전통의례를 복구하고 성대하게 치르려는 노력이 훨씬 적었다는 점을 들어 경제적 여유와 '전통'의 지속은 많은 상관관계가 있다고 설명되고 있다. 인민위원회 부주석도 같은 맥락의 설명을 하였다. "개방(mo cua)을 실시하고 나서 비로소 각 마을의 신앙의 성소들이 유적으로 회복될 수 있었다. 대부분의 마을에서 꽁 득을 거두어 이러한 유적들을 보수하여 사람들이 더욱 좋아하고 더욱 자주 찾을 수 있도록 가급적 거대하고 아름답게 꾸미고자 한다. 물론 그 이면에는 베트남 사람들의 고유한 신앙과 관념이 놓여 있기 때문이다. 전쟁과 혁명의 시기에 오랫동안 자유롭게 표현할 수 없었던 민간 신앙을 이제 자유롭게 표현할 수 있게 된 것이다. 그 이전에는 누구도 감히 의례를 조직하거나 참가하기가 어려웠다. 지금은 어디를 가든지 쉽고 편리해졌으며, 자유롭다. 하노이 시내의 각 마을 어디에서든지 딩을 쉽게 찾을 수 있다. 어느 마을이나 어디나 딩이 있고 절이 있으므로, 그것이 있는 곳이면 이러한 의례를 조직하려는 움직이기 있기 마련이다."

이렇게 주민들의 입장에서는 경제적인 조건의 변화가 주민들의 일상적인 의례의 활성화를 통한 관계의 복원에 결정적인 영향을 준 것이라는 인식이 강하였다. "경제가 없을 때에는 친척도 잃어버렸다"(khong co kinh te, mat ho hang)는 이야기를 흔하게 접할 수 있었다. 궁핍하니 친척을 가까이 할 수 없고, 친척을 모을 수 없으니 의례나 신앙도 제대로 할 수가 없었다는 의미다. 같은 맥락에서 "경제가 없으면 정감도 잃는다"(*mat tinh cam*)는 이야기도 있다. 서로의 '띵 깜'을 표현할 물질이 없으니 서로를 찾아 안부를 묻기도 힘들었고, 가까운 이웃과 친척끼리의 정도 표현하기 힘들었다는 의미이다.

그러나 경제 때문에 전통이 유지되고 있는 것은 아니라는 설명도 접할 수 있었다. 마을의 행정관리자 및 공식적인 조직의 지도자들은 마을의례가 활성화 된 것에는 경제적인 여유뿐만 아니라 국가 시책의 변화가 중요한 계기를 마련하였다고 보았다. 또44A의 또장은 최근에 강화되고 있는 마을의 공식 의례와 각종 신앙의식과 행사는 미신이 아니며, 경제발전에 따라서 이러한 행사에 적극 참여할 여유가 어느 정도 생겼기 때문이지만, 경제자체가 의례에 직접 영향을 미친다고 보는 것은 무리이고 이치에 닿지 않는다고 보았다. "왜냐하면, 주민들의 심성에는 항상 초월적인 존재에 대한 숭배와 신앙이 담겨 있고, 언제든지 그러한 힘에 의지하여 세상의 어려운 문제를 해결하고자하는 욕망이 들어 있다. 경제가 문제가 아니다." 이러한 설명은 조상이나 마을의 시조신에 대한 숭배는 그 자체가 의미 있는 종교적 행위로서 공동체적인 삶을 영위하는 주민들의 도덕적인 의무를 수행하는 과정이라는 측면을 강조하는 것이다. 따라서 경제적 동기나 환경이 그것을 가능하게 하였다는 실용주의적인 생각은 올바르지 않다는 입장을 피력하는 사람들이 많이 있었다.

그럼에도 투옥 남 재배나 장사를 하는 사람들과 다이 옌의 전통산업이 투옥 남이라는 점에서 마을의 정체성을 표현하고자 하는 사람들은 최근에 활성화되고 있는 마을의 공동의례가 투옥 남 판매와 관련성을 지니고 있음을 보이고자 한다. 주민들은 1980년대까지만 하여도 다이 옌이 전통 투옥 남 마을이라는 사실은 인근 지역주민들과 약재 매매와 관련 상인들이나 민간의료인들에게는 상식화되어 있었으나, 하노이의 여러 지역의 이주민들과 청년층 등 일반 시민들에게 보편적으로 알려지지는 않았다고 한다. 그러나 수호신의 생일의례가 마을의 공식적인 의례로서 인정되고 외부의 주민들과 국가기관의 간부들이 초청되어 본격적으로 재생된 이후부터 마을의 전통산업도 새로이 알려지기 시작하였다고 설명한다. 실제 서적과 대중매체를 통해 마을의 전통 원예업에 관하여 알려지고, 마을이 소개되어 투옥 남 선전 효과가 있다는 설명도 있었다.[218]

투옥 남 장사를 하고 있는 많은 주민들은 의례의 활성화가 부분적이지만 투옥 남 판매에 긍정적인 영향을 미치고 있음을 설명해주었다. 그리고 행사 기간이나 직후의 며칠간은 실제 마을의 골목시장에서 투옥 남 거래가 보다 활성화되었고, 주민들의 판매고도 상당히 향상되었음을 알 수 있었다. 투옥 남의 판매실적에 대한 명확한 자료가 결여된 상황이어서, 마을의례의 개최와 판매고의 직접적인 상관성을 수치적으로 드러낼 수는 없지만, 주민들의 이야기와 마을 시장에서의 관찰을 통하여 이러한 상관성을 분명히 이해할 수 있었다. 가령, 투옥 남 판매에 종사하는 또38 또장의 부인과 유적관리위원장의 부인은 의례나 행사일 또는 그 이후의 판매고가 어떻게 달라졌는지에 대한 설명을 통해 의례 활성화와 경제의 관련성을 이해하고 있었다. 의례가 개최되는 기간에는 투옥 남 판매가 평소보다 30-50% 이상 늘어났고, 2배 이상 팔았다는 아주머니도 있었다. 행사가 있은 후 몇 주일간은 주문이 늘어나고 마을을 방문하는 구매상인들이 많아졌고, 새로운 고객을 더할 수 있는 기회가 되었다.

유적관리위원장의 부인은 "랑의 전통적인 레 호이는 반드시 마을

---

218) 1999년 3월 월간지 『하노이 사람(*Nguoi Ha Noi*)』과 2000년 3월 국영 영자신문 "Vietnam News"에서 다이 옌과 투옥 남에 관한 기획 기사가 게재되었다.

의 가장 정수인 전통산업으로서 '정화산업'(*nghe tinh hoa*, 藝精華)을 선보여아 하는 것이지만, 다이 옌은 도시화가 진행되어 다양한 직업을 가진 사람들이 함께 살고 있기 때문에, 실제 요즘의 의례에서는 투옥 남의 요소를 직접 선보이는 부분은 없어진 것"이라고 설명하였다. 그러나 경제가 회복되면서 의례도 제대로 부활되기 시작하였다는 점에서 마을의 전통의례부활과 경제는 큰 상관관계를 지니고 있다. 유적관리위원회나 헌향대와 같이 직접 의례를 조직하고 제사를 시행하는 일에 참여하는 사람들 대부분이 과거 투옥 남을 주업으로 하였던 원주민들이거나 아직도 투옥 남 재배 또는 장사를 하고 있는 사람들이었다. 현재의 유적관리위원 8명 중 2명에 지금도 집에서 투옥 남 재배를 하고 있으며, 이 2명을 포함하여 모두 6명이 자신 또는 배우자가 투옥 남 판매를 하고 있다. 나머지 2명도 1980년대에는 가족들이 약재 재배와 판매를 했었던 사람들이다. 2000년의 공주의 생일의례에 참여한 헌향대의 부녀자들 중 뚜렷한 직업을 가지고 있는 20명 중 9명이 투옥 남 판매에 종사하고 있었다. 이들에게 경제적인 부는 곧 투옥 남 산업의 성공의 결과라고 말하여도 크게 지나치지 않다.

그러나 이와 같이 특히 원주민의 경우 전통산업 투옥 남이 마을 공동의례 회복과 활성화의 중요한 물질적 상징적 기반이 되고 있다고 주장하고 있지만, 실제 의례의 수행과정에 투옥 남과 관련된 행사는 직접 표현되지 않고 있었다. 앞 절에서 살펴보았듯이 재활성화된 수호신 생일 공동의례에서도 마을의 전통산업인 투옥 남과 관련된 프로그램은 포함되지 않았다. 그리고 마을의 전통산업의 경제적 효과가 또는 경제적 목표가 수호신의례와 직접 관련되어 있다는 주장은 실제의 조사과정에서 일반적인 타당성을 갖는 것으로 입증되지 못하였다. 오히려 주민들은 경제와 의례가 관련되어 있다고 주장함으로써, "우리 마을"이 지역축제의 활성화를 통하여 새로운 상권을 형성함으로써 부가적인 경제적 부를 가져다 줄 것이라는 희망을 표현하고 있는 것이었다. 특히 투옥 남 산업에 종사하는 대부분의 원주민들은 다른 지역에서의 사례를 들어 자신들도 이러한 효과를 얻기를 기대하고 있었다. 과거 전쟁기와 경제적인 곤란을 겪던 시기와 비교할 때 경제가 회복될수록 유명 사찰과 사당을 찾아 구복을 하는 사람도 증가하고 있다. 사람들의 발길이 많아질수록 주변지역에 오토바이나 차량의 주차시설, 빈랑열매(*cau*), 구장잎(*trau*), 향, 꽃, 과일, 술 등 각종 의례용품과 편의품을 판매하는 상점도 늘어난다. 상업시설이 발달함에 따라 일대의 토지가도 상승하고 지역경제는 더욱 활성화된다.

하노이의 많은 민간의례가 베트남 사람들의 현실 구복적인 신앙관을 반영하고 있는 것에서 알 수 있듯이, 이러한 성격은 현재의 시장경제 도입이후 더 강하게 부각되고 있다. '고 동 다'(*Go Dong Da*)의 의례나 '쭈어 흐엉'(*chua Huong*)과 같이 관광객과 다른 마을 주민들이 많이 찾는 곳의 의례의 경우, 사람들의 왕래가 잦아짐에 따라 행사 일에 일시적으로 시장이 열리거나, 평소에 주변의 상권이 발달하는 데 결정적인 기여를 한 바가 있다. 가령 베트남 북부지방의 사람들은 대부분 매년 혹은 최소한 3-5년에 한 번은 새해가 되면 쭈어 흐엉을 찾아 '봄 여행을 한다'(*di du xuan*). 북부 베트남 사람들의 세속적인 욕구와 민간신앙과 결부된 특화된 효험이 있다고 알려져 의례객과 관광객을 유치하는 데 성공한 유적들이 많이 있다. 가령 박 닌의 '바 쭈어 코'(*Ba Chua Kho*)는 사업의 성공, 부의 축적 등 경제적인 성공을 희망하는 사람들이 연말연시에 발 디딜 틈이 없을 정도로 모여든다. 하노이의 '푸 떠이 호'(*Phu Tay Ho*)는 사랑의 결실을 맺어 혼인이 이루어지도록 기도하는 곳으로 혼기를 놓친 젊은 사람들 또는 그 부모들이 찾아 든다. '고 동 다' 의례는 지역축제로 확대되었고, 교통입지가 좋아 시와 꾸언의 협조로 유적을 공원으로 꾸미고, 놀이시설을 설치하여 축제 기간은 곧 지역상권을 위한 난장으로 전개되고 있었다. 이렇게 관광특구로 지정된 지역, 그리고 꾸언 이상의 규모의 축제가 조직되고, 대로변에 인접하여 주차 및 편의시설을 설치할 수 있는 유적에서의 의례는 상권의 발달과 직접 연관되어 있었다.

국가로부터 공식적인 유적으로 지정된 이후 관광이나 종교적인 이유로 사람들의 왕래가 많아지면서 주민들의 소득을 향상시킬 수 있는 상권 또한 함께 발달해 가는 현상에 주목하여 다이 옌의 유적 관리위원회의 위원들이나 마을의 지도자들도 이 마을의 의례가 하노이 시민들이나 인근 성의 주민들에게도 널리 알려지기를 희망하고 있다. 실제 1990년 프엉 인민위원회와 마을 주민들이 딩의 공인 사업을 추진하면서, 프엉 응옥 하의 마을들이 가지고 있는 지리적인 이점과 더불어 경제적인 효과에 대하여 다양한 의견을 표현한 바가 있었다. 우선, 호찌민 주석의 생가와 호찌민박물관(*Bao tang Ho Chi Minh*) 등 하노이의 최대 관광명소인 바 딘 광장 주변과 인접하여 있다는 점이 강조되었다. 그리고 하노이 성 외곽의 농업전문촌락으로 형성되면서, 하노이 시 형성 및 성장의 역사를 볼 수 있는 13짜이의 하나라는 점도 부각되었다. 다이 옌을 지리적으로 중요한 위치에 있는 마을로 규정함으로써, 마을의 주요 산업인 투옥 남 재배와 판매를 비롯한 경제적인 효과를 올리려고 하는 의도가 들어 있었다.

이러한 의도에 따라 몇 차례 투옥 남 판매 행사를 공동으로 조직하였으나, 그 효과는 지속되지 않았다. 1995년 축제 때 투옥 남 및 꽃 판매조를 결성하고, 호찌민박물관 주변에서 전시회와 함께 기획 판매를 실시하여 일시적으로 소득 증대에 기여한 바는 있었지만, 해마다 연속적으로 집행되지는 못하고 일시적인 행사로 끝나게 되었다. 마을의 공식적인 의례 행사에 필요한 비용과 딩의 복구 및 보존을 위한 공사비용을 조달하기 위해, 투옥 남 특별 판매 행사를 한 경우도 있었다. 1999년 뗏 연휴가 시작되기 약 보름 전에 실시한 행사였다. 특별판매 행사는 유적관리위원회와 마을의 부녀회가 중심이 되어 전개되었다. 이 때 유적관리위원장과 일부 위원들도 참여하여 시내의 시장에 가판을 설치하고 1주일간 약재잎 특별 판매 행사를 하였다. 인파가 많이 모이는 호찌민박물관 앞의 광장을 1차 시장으로 선정하였다. 이 판매 행사에는 연 300여명의 주민들이 참여하여 성공적으로 약재를 판매할 수 있었다. 그러나 이후의 상권확대에는 영향을 미친 바가 없었다. 2000년 뗏 연휴 전에도 이 행사를 준비하자는 의견이 있었으나, 주민들을 동원하기가 여의치 않아 포기하게 되었다.

이와 같이 실제 유적의 공인과 마을의례의 공식적인 부활 및 강화와 경제적인 효과의 상관성에 대해서 명증적으로 파악하기가 용이하지는 않다. 다이 옌에서는 수호신의례의 활성화가 주민들의 소득 향상과 주변 상권의 발달에 지속적이고 직접적인 영향을 미치지 못하고 있는 것으로 판단되었다. 그 이유는 우선 대로변(pho)에서 좁은 골목을 통해 들어가야 찾을 수 있는 프엉(phuong)내의 마을이라는 지리적인 입지, 약재 장사가 주로 원정 판매에 의해 이루어지고 있는 점, 그리고 무엇보다도 투옥 남이 축제의 기획을 통해 일시에 시장을 넓힐 수 있는 상품이 아니라는 점을 들 수 있다. 이런 점에서

의례, 축제, 전통산업과 관련된 관광상품화 현상은 북부베트남에서 많이 접할 수 있지만, 지역에 따라 정도나 영향의 면에서 차이가 있다. 주민들도 이러한 점을 잘 알고 있었다. 그럼에도 불구하고 주민들이 의례가 그러한 기능을 갖기를 희망하고 있음은 분명하며, 이런 점에서 전통산업 및 의례의 관광상품화와 관련된 대안들이 앞으로 만들어질 수도 있다고 생각한다. 다이 옌에서의 의례활성화는 전통산업과의 직접적인 관련성보다는 일반적인 경제적 여유의 증가, 원주민을 중심으로 구성된 사회조직의 특성, 국가의 제도적인 변화에 따른 유적의 복구 등의 요소와 더 관련되어 있다. 특히 실제의 의례조직 과정에서 국가의 영역이 민간에 영역에 침투하는 정도에 따라 민간의례가 강화되는 범위와 성격이 규정되고 있음을 알 수 있다는 점을 지적해야 한다. 거시적인 관점에서 보면, 경제적인 여건의 변화도 국가가 주도하는 제도적인 개혁의 결정적인 영향을 받았다.

결론적으로, 주민의 공통적인 경제적 욕구가 곧 종교적 의례의 활성화의 원인이 된다는 설명 방식은 북부 베트남의 모든 마을의 의례활성화에 적용되지 않는 논리이다. 그리고 물질적, 경제적 가용성의 증대가 곧 의례 활성화를 지속시킨다는 주장(Luong 1993)도 부분적으로만 타당하다. 필자는 조사지역에서 주민들의 사회경제적 분화의 측면에서 의례와 경제의 상관성이 발견되었음에 주목하였다. 마을공동의례가 마을이 동질적인 공동체라고 표현하기 위한 가장 중요한 요소 중의 하나이며, 오늘날 비로소 '경제를 가지게 되어'(*co kinh te*), "정감을 더욱 크게 표현할 수 있는 조건을 가지게 된 것이다"(*co dieu kien tinh cam con lon hon*)는 식의 표현이 일반화되고 있지만, 실제 모든 주민들이 경제를 가진 것이 아니며, 경제를 가지고 있어서 정감을 크게 표현할 수 있는 정도도 일정하지 않았다. 따라서 다음 절에서는 공동의례와 유적의 보수작업에 대한 주민의 기여를 중심으로 마을 전통의례의 강화와 주민들의 사회적 지위의 분화의 상관성에 초점을 두어 이 문제에 접근하고자 한다.

## 2) '꽁 득'(*cong duc*)과 '원주민의 공동체'

### (1) '꽁 득'과 지위의 경합

유적의 공인과 함께 민간의례의 공간으로 재생된 딩에서의 의례에서 혁명의 영향과 상관없이 이전의 많은 관행들이 재생되거나 강화되는 현상이 발견되었다. 그 중에서도 기복을 위한 제물의 공여는 경제적 낭비, 신분차이의 상징 등의 요소라는 이유로 의례개혁과정에서 척결이 필요한 핵심적인 대상이었다. 그러나 딩의 복원으로 활성화되고 있는 민간의례에서는 기복신앙을 실천하기 위한 가장 보편적인 요소로서 제물의 공여가 두드러지게 부활하였고, 단지 그 형식이 대부분 현금을 내는 것으로 달라졌다. 헌금을 비롯한 제물의 기부를 "꽁 득"(*cong duc*, 功德)이라고 한다. 북부 베트남의 각 마을에 소재하는 종교적인 건축물과 의례행사에 대한 헌금 관행은 1980년대 말부터 회복되었다(Kleinen 1999). 1954년 이전에는 이러한 기부금을 마을에 따라서는 '왕 또는 사당에 대한 헌납'의 의미로 '공천'(*cung tien*, 供薦)이라고 불렀는데, 많은 경우 각 촌락의 토지로 이루어졌고, 일부 현금이 헌납되기도 하였었다. 이러한 헌납은 마을의 성소를 건축하거나, 마을 공공사업에 사용되었다(Truong 2001: 249-250). 각 마을에서 가장 큰 기여를 하는 사람들은 부유한 토착종 호의 지도자들이나 유교유력자 원로들이었는데, 한 사람 또는 한 집안의 기부 재산을 사찰이나 사당을 증축하고 마을의 시장터를 건설하는 데 사용하는 경우도 있었다. 이러한 주요 기부자의 이름은 사당의 비석에 남아 있거나 기록이 보존되어 있었다.

1990년대 이후 다시 활성화되고 있는 마을 의례에 드는 비용은 대부분 주민들 각자가 처지와 신앙의 필요에 따라 내는 헌금으로 충당한다. 딩 다이 옌에는 "공덕함"(Hom cong duc)이 본당 입구에 설치되어 있다. 주민들이 딩에서 개인적인 의례를 치를 때에도 대부분 "꽁 득"을 한다. 특히 매월 보름과 초하루 또는 그믐날 밤에는 주민의 방문이 많은 만큼 헌금도 늘어난다. 이들이 헌금을 하는 방식은 크게 두 가지로 구분되는데, 첫째는 1,000, 2,000, 5,000, 10,000동의 지폐를 공덕함에 넣는 것이고, 둘째는 딩 내의 여러 신상 앞에 100, 200, 500, 1,000동 짜리 지폐를 올려놓는 것이다.[219] 공덕함에 넣는 지폐와 신상 앞에 두는 지폐를 구분하는 경계가 1,000동 짜리 지폐가 된다. 한 가지 흥미로운 관행은 공덕함에는 보통 단위에 상관없이 한 장의 지폐를 집어넣는 경우가 대부분이지만, 신상 주변이나 제단 위에는 가급적 작은 단위의 지폐를 여러 장씩 올려 두는 것을 선호한다. 보통의 경우 꽁덕함에 2,000동에서 10,000동 가량을

---

219) 딩이나 사찰과 사당의 각 신상이나 제단에 올려놓은 한 쟁반의 의례음식과 제물을 '멈 레'(mam le)라고 하는데, 멈 레 쟁반 곁에는 어김없이 100동, 200동, 500동 등 지폐가 여러 장씩 놓여 있다. 신상이나 제단의 이곳저곳에 접혀진 지폐들이 꽂혀 있기도 하다. 공덕함에 들어가지 않았지만 이러한 돈도 꽁 득한 것이다. 주민들 중 특히 부녀자들이나 원로들은 이 주변을 지나가다가 그냥 들러서 한 번씩 축원을 하기도 하는데 그때에도 각 신성제위에 잔돈을 얹어 바친다. 딩의 사제는 이것을 "한 방울의 기름"과 같은 헌금이라고 하였다. 한편 딩에 들러 개별적인 의례를 행하는 사람들은 모두 향을 피우고 등 또는 초를 밝혀 신을 숭배한다는 의미에서 "봉향등"(phung huong dang, 燈奉香)을 하는 것이라고 표현되었다. 이러한 표현에서도 알 수 있듯이 향과 초는 의례의 가장 기본적인 제사용품이다. 때에 따라서 꽃을 준비하기도 하지만 필수적인 것은 아니었다. 하노이의 여러 성소와 유적 입구 주변에는 쪼그리고 앉아 향, 초, 종이지폐 등 의례용품을 파는 부녀자들을 쉽게 만날 수 있다. 다이 옌의 경우 딩 주변에서 행상을 하지 못하도록 조치하였기 때문에, 주민들은 가까운 상점에서 이것을 구입하거나 집에 항상 비치해 둔다. 빈손으로 딩을 찾은 의례객들을 위하여 딩에도 항상 이러한 기본적인 제례 용품들이 준비되어 있다. 멈 레나 제단에 놓여진 한 방울의 기름과 같은 잔돈들은 이것들을 구입하는 데에 주로 사용되고 있었다.

넣으며, 각 신성에 작게는 500동에서 많게는 3,000동 정도를 나누어 놓아둔다. 딩의 사제의 설명에 따르면, 매월 초하루에는 공덕함에 25만 동 정도 모이며, 각 신상 앞의 작은 단위의 지폐들은 매 시기마다 집계를 하지 않고 며칠동안 계속 올려두는 경우가 많아서 해당일의 정확한 헌금을 계산하지는 않지만 대략적으로 모두 10-20만 동 정도라고 하였다. 결과적으로 매월 초하루에는 평균 40만 동 내외의 꽁 득이 모인다고 볼 수 있다. 그리고 보름의 경우 초하루에 비해 방문객들이 조금 더 많은 편이어서 많게는 60만 동에 이를 경우도 있었다. 특히 음력설은 전날 밤부터 딩이 매우 붐비는 날이어서 해마다 100만 동 이상의 꽁 득이 모인다. 보름 중에도 유적관리위원회와 헌향대가 공동의례를 주도하는 절기 의례일에는 다른 달에 비하여 많은 주민들이 딩을 찾아 적게는 8-90만 동 많게는 150만 동을 모을 때도 있다고 한다. 이런 날은 공주의 생일의례일과 같이 "꽁 득 증명서"(Phieu ghi cong duc)를 기재하여 주민들마다 기부한 금액과 성명을 적어 배포하기도 한다.220) 초하루와 보름의 의례일 외에도 일상적으로 딩을 찾는 개별적인 방문객들의 헌금을 고려할 때에, 결국 매월 평균 150-200만 동, 1, 4, 7, 12월에는 200-250만 동 정도의 꽁 득이 모이며, 연간 약 2,500-3,000만 동의 꽁 득이 걷히는 것으로 추정되었다.221)

1990년대 초 딩이 유적으로 공인되기 전에는 딩을 찾아 개인적인 예를 올리더라도 대부분 기여는 꽃이나 향, 떡 등의 현물이었다. 당

---

220) 딩 다이 옌의 "꽁 득 증명서"는 1995년 처음 인쇄되었고, 1998년 유적관리위원회 위원장이 직접 디자인과 내용을 수정하여 다시 제작하였다.

221) 마을 의례의 회계(Thu quy, "투 꾸이")를 담당하는 유적관리위원은 장부를 공개할 수는 없지만, 필자의 계산이 거의 정확하다고 하면서, 2000년의 경우 딩의 보수사업을 위한 특별 헌금을 제외하고 약 3천만 동 정도의 수입이 있었다고 설명하였다. 이것은 1999년의 2천여 만 동에 비하여 상당히 많이 증가한 금액이다.

시에는 간혹 현금을 기부하는 주민들도 있었지만 몇 백 동 정도에 지나지 않았나. 닝에서의 의례가 활성화되고, 개인적인 의례 참여의 빈도도 점차 증가함에 따라 방문자들의 현금 기부도 늘어나고 있다. 2000년 조사 당시에는 1만 동 이상의 고액권을 헌금하는 사람도 쉽게 볼 수 있었으며, 마을의 공동의례의 경우 심지어 백만 동 이상을 내는 사람들도 있었다. '꽁 득'은 의례 수행자의 처지와 의사에 맡겨진 자유로운 기복 행위로서 그 금액에 대한 공식적인 제한이나 규정이 따로 존재하지 않는다. 그러나 딩의 의례가 마을의 공식행사로 지정되는 것이 늘어남에 따라, 공식적인 꽁 득의 경우도 늘어나게 되었고, 꽁 득의 금액이 공개되는 기회도 따라서 늘어났다. 이러한 과정에서 주민들 사이에 꽁 득 금액의 차이가 두드러지기 시작하였고, 직업과 소득에 따라, 마을조직에서의 지위와 역할에 따라 사람들 사이의 분화가 어느 정도 드러나게 되었다.

주민들의 현금 꽁 득이 보편화되고 늘어나기 시작한 시점이 1993-4년경인데, 사회주의 토지개혁 이후 40년만에 처음으로 토지의 전유와 매매가 공식적으로 허용되었던 시기와 일치한다. 당시 도시와 교외지역 토지의 개인전유제가 전면적으로 실시되면서 토지의 불법적인 전용 및 매매가 급증하는 등, 소위 '토지매매열기' 현상이 과열화되기 시작하였던 시기이다. 유적관리위원장은 일인당 500동 정도가 대부분이던 꽁 득이 1,000동 단위로 넘어간 시기가 바로 1993-4년이었다고 기억하였다. 그리고 1995년 공주의 900주년 생일 의례를 성대하게 개최한 이후에는 주민들의 현금 꽁 득은 더욱 확대되었다. 특히 1995년 행사에는 13짜이와 잡 뜨를 비롯한 다이 옌의 '형제 마을'의 대표들과, 꾸언 인민위원회와 당지부를 비롯한 상급 정부기관의 간부들이 참석하여 행사 규모가 커지면서, 이전에는 볼 수 없었던 만 동 단위의 꽁 득이 비로소 시작되었다고 설명하였다. 토지의 매매, 주택의 건설과 임대 및 매매로 발생한 부를 통해 비교적 짧은 기간 내에 많은 주민들이 이전에는 만져보지 못하였던 큰 돈을 손에 쥐게 되었고, 이에 따라 의례를 통하여 초월적인 존재에 대한 제물로 바치는 꽁 득의 단위도 자연스럽게 높아진 것이었다.

경제적인 여유의 증가, 혹은 빈곤의 감소 외에, 베트남에서 발행되는 지폐의 단위도 헌금의 증가에 영향을 미쳤다. 1992년 국가중앙은행에서 2만 동과 5만 동권 지폐를 처음 발행하였다. 발행 후 초기에는 정부기관 간의 결재에만 신권 고액권이 사용되었고, 일반 인민들에게 유통되기 시작한 것은 1995년부터이다.[222] 당시에는 고액권이 개인 손에 들어가면 다시 시장으로 유통되지 않고 개인이나 가정에 축적되는 것이 유행이었다. 지금도 많은 베트남 사람들이 특히 100달러 등의 고액권이나 신권을 획득하였을 경우 마치 금이나 보석처럼 집안의 비밀 장소에 저장해 두고 유통시키지 않는 것과 마찬가지 현상이었다. 시장경제제도의 도입 이후 물가의 지속적인 상승과 동화의 순차적인 평가절하와 함께 유통화폐의 급속한 증가에 따라, 고액의 신권일수록 마치 성스러운 화폐로 인식되기 시작하였다. 1996년 처음 발행되었으나 정부기관간의 거래에만 사용되다가 2000년 말부터 일반 시장 유통이 시작된 10만 동권 지폐도 마찬가지이

---

222) 1995년 2월 필자가 처음 베트남에 입국하여 남부의 호찌민시에서 조그만 여관에 행장을 풀고 호텔 직원에게 미화 100달러 지폐를 현지 화폐로 바꾸어 달라고 요청하였다. 약 한 시간이 지난 후 근처의 금은방에서 돈을 바꿔온 직원은 과일가게에 사용하는 듯한 봉지 두 개에 화폐를 가득 담아 가져다주었다. 당시의 환율이 미화 1달러에 약 10,900동이었으니, 109만 몇천 몇백 동의 금액을 500동, 1,000동, 그리고 2,000동권이 대부분인 지폐 뭉치로 바꾸어 준 것이었다. 5,000동과 10,000동권도 있었으나 몇 장 되지 않았다. 그러니 단지 100달러를 바꾸었는데도 수백 장의 지폐 다발을 손에 넣을 수 있었다. 필자는 호찌민시 일대를 관광하던 3일간 돈 뭉치 봉투를 들고 다녀야 했다. 당시에는 이미 정부가 5만 동권 지폐도 일반 시장에 유통을 시키기 시작하였으나, 고액권이 개인 손에 들어가면 다시 시장으로 유통되지 않고 개인이나 가정에 축적되는 것이 유행이었다.

다. 많은 주민들이 손에 넣게 되면 행운으로 여기고 축장하고 있다. 1995년 당시에는 5만 동 지폐가 그러한 가치를 지니고 있었고, 심지어 깨끗한 2만 동 짜리 신권을 모아두는 사람도 많이 있었다. 고액권이 처음 유통되었을 때에는 개인간의 거래의 결재 시에 저액권보다 고액권이 많이 들어갈수록 결재금액을 낮추어 주는 경우도 허다하였다. 가령 100만 동을 갚아야 할 때에, 1만 동권 이하의 지폐로 결재할 경우에는 제 금액을 다 받으려고 하지만, 5만 동권으로 갚을 경우에는 몇 %를 감해주는 방식이었다.[223]

그러나 의례에서의 '꽁 득'은 일상적인 세속의 거래와는 차별이 있다. 주민들은 생활형편에 상관없이 꽁 득은 자주 할수록 그리고 가급적 많이 할수록 좋은 일이라고 인식하고 있었다. 제물로 바쳐지는 것은 무엇이든 정성이 들어가고 깨끗한 것이어야 한다. 돈도 마찬가지이다. 1만 동을 꽁 득하기 위하여 1천 동권 열 장, 혹은 2천 동권 다섯 장을 내는 경우는 거의 없었다. 딩이나 절에서는 시장에 비하여 2만 동, 5만 동권도 쉽게 사용된다. 성스러운 의례를 위하여 깨끗한 신권은 아니더라도 고액권을 내는 것은 아까울 것이 없는 일이다.

주민들은 꽁 득과 지위의 문제와 관련 다음과 같은 의견을 피력하였다. "꽁 득을 얼마나 하느냐는 완전히 자유다. 사실 여유가 있으면 많이 할수록 좋은 것 아닌가. 나는 꽁 득이 절대로 헛되게 사용되지 않는다고 믿는다. 일상적으로 괴로운 일이 있거나 부처님, 천지신과

---

[223] 마치 5만 동권 한 장을 사는데 몇천 동의 이윤을 붙여 구입하는 것과 같은 셈이다. 시내의 암달러상들이 은행의 환율보다 높은 가격으로 달러를 사지만, 돌려주는 동화는 저액권이나, 낡은 고액권이 대부분인 것에도 이러한 교환비율이 어느 정도 적용되고 있는 것이다. 마을 시장에서 과일, 채소와 같은 식료품이나 일상용품을 구입할 경우 잔돈으로 깨끗한 고액권을 돌려 받는 경우가 드물다. 10만 동권이 발행된 이후에는 이것이 이전의 5만 동의 자리를 차지하게 되었다.

성황에게 빌고 싶은 소망이 있을 때에 먼 곳의 절을 찾지 않고 딩이 복구되어 마을에서 레를 올릴 수 있다는 것은 참으로 다행이다." "돈이 많으면 꽁 득도 많이 할수록 좋은 일이다. 세상은 점점 복잡해지고, 걱정거리가 한두 가지가 아닌데… 우리 베트남 사람들은 신앙을 매우 중요시한다. 그렇다고 많이 번다고 꽁 득으로 표를 낼 수는 없는 일이다. 보통은 몇 천 동이고 많이 해도 몇 만 동 정도이다." "나는 한 10년 전만 해도 밥을 해서 올렸다. 매월 보름이면 정성스럽게 찹쌀밥을 짓고, 오안(oan)을 만들어 딩에 가서 빌곤 하였다. 딩에는 항상 향이 준비되어 있지만, 이왕이면 내가 새 향을 사서 모든 신성들에게 향을 피우고 절을 하면 더욱 좋은 일이다. 정성이 문제니까. 언제부터인가 마을 사람들이 정성을 들이지 않는다. 돈을 내기 시작하였다. 물론 돈은 편리하고 좋은 것이지만, 떡을 만들고 과일을 깨끗이 씻어서 올릴 때와 같은 정성은 없는 것이다. 나도 요즘은 돈으로 한다. 딩의 사제가 과일, 꽃, 향, 초는 항상 준비해 둔다. 따로 사서 갈 필요가 없지만, 특별한 날이 있다. 조상 제사일도 그렇고, 공주 성황님 생일 때도 새로운 향을 사서 피워야 한다. 돈도 돈이지만 그래도 정성을 들이는 것이 중요하다." "젊은 사람들도 꽁 득을 한다. 요즘 젊은 친구들이 사실 예법대로 제사를 올리는 것을 제대로 아는 경우는 별로 없지만, 나는 부모로서 자식들이 다른 세상에 살아도 배울 것은 배워야 한다고 생각한다. 가급적 보름날 저녁에는 아이들을 불러 같이 딩을 찾아 예를 올린다. 100동, 200동, 500동 짜리 잔돈을 준비하였다가 한 다발씩 아이들 손에 쥐어주고 각 신성들에게 바치도록 한다."

마을의 행정지도자들이나 상급 기관의 간부들도 민간의례에 참여하면서, 주민들이 구성하고 있는 꽁 득의 규칙을 실천하고 있었다. 가령, 꿈장은 의례에 참가하는 마을의 지도자들도 주민들과 별 차이가 없는 생활형편을 가진 사람들이라고 하면서, 그런 점에서 마을 의례나 성소에서 관습적으로 행해지는 공여에 대하여 같은 주민의 입장에서 참여하고 있음을 설명하였다. "꿈장이나 또장이나 모두가 사실 주민이다. 인민은 평등하고, 우리는 단지 책임을 지고 있는 공직자일 뿐이다. 사는 것도 마찬가지 아닌가. 그런데 이왕이면 평균보다는 많이 해야겠다고 생각한다. 공식적인 행사가 있으면 요즘은 꽁 득 증명서를 주고 날인을 하기 때문에 어느 집에서 얼마를 했는지 알게 되는 것 아닌가."

지방의 당-국가 간부들도 마을의 행사에 내려와 사회적 지위와 관련된 공동체적인 헌금에 참여하게 된다. 프엉 인민위원회가 마을의 민간 의례 및 종교행사를 관리 감독하는 일차적인 국가 기관이며 민간의 공동의례에 직접 참여한다. 부주석과 문화정보국이 프엉의 민간의례와 유적의 관리를 책임지는 행정부서인데, 특히 수호신 생일 기념의례의 경우 부주석이 행사의 명예위원장이 된다. 그러나 마을의례의 경우 국가 행정조직이 공식적으로 지원하는 행사경비는 없으며, 지방의 국가간부들도 일반 주민들과 마찬가지로 의례에 참가하면서 꽁 득을 내는 것으로 경비 조달에 참가한다. 프엉 인민위원회 부주석의 경우 1999년에 이어 2000년에도 공주 생일의례를 주관하면서 5만 동을 꽁 득 하였다. 2000년에는 주석도 참가하여 예를 올렸는데, 꾸언의 문화국 간부들이 초대받았기 때문이었다. 꾸언의 간부들은 다른 마을의 의례조직 관련 참가자들과 함께 이날 행사의 귀빈으로 대접받았는데, 인민위원회의 주석이 그들을 안내하고 접대하는 역할을 맡아 주었다. 개별적으로 모든 참가자들의 꽁 득이 공개되지는 않았지만, 이들은 한결같이 방명록에 이름을 기재하여 참가사실을 기록으로 남겼고, 꽁 득 관리자의 설명에 따르면 각각 5만 동 또는 10만 동을 꽁 득하였다. 꿈장은 1999년의 경우 2만 동을 꽁 득하였으나, 2000년의 행사의 규모에 비추어 10만 동이라는 큰돈을 내 놓았다. 유적관리위원장은 5만 동을 유적관리위원회의 다른 위원들을 2만 동 또는 5만 동씩을 꽁 득하였다. 그밖에 꿈의 당지부 비서가 5만 동, 조국전선 주석, 부녀회장, 원로회장, 불교여신도회장 등 중요 대중조직의 지도자들도 대개 2만 동 또는 5만 동을 꽁 득하였다.

마을의 일반 주민들도 일부를 제외하고 보통 1-2만 동 정도를 꽁 득하므로 행정기관의 간부들이나 민간 조직의 지도자들의 헌금액은 부유층이나 지도자급에 해당하는 것이라고 볼 수 있다. 한 또장의 설명으로는 명부에 기록을 남기는 공식 행사의 경우 헌금자의 이름이 알려지고, 각자의 지위와 수입에 따라 내는 금액에 차이가 생길 수 있지만, 금액의 다소에 따라 그 사람의 기여를 공개적으로 평가하지는 않는다고 덧붙였다. 꽁 득은 이제 신앙의 대상에게 의례를 수행하고 바치는 제물일 뿐만 아니라 처지에 따라 기대되는 금액이 달라지는 일종의 기부금으로 성격이 바뀐 듯하다. 유적관리위원장은 주민의 꽁 득이 공동체를 위한 것이라고 하면서, "마을의 딩을 보수하는 일에 주민들이 우선 참여하는 것도 '공동체'의 성격이다"고 했다. 성소를 말끔하게 하여 의식을 보다 정결하게 치르기 위한 종교적인 공여이지만, 동시에 기여하는 사람 자신의 처지와 세속적인 목표를 표현해준다. 유적관리위원회나 의례조직위원회에서 꽁 득 금액을 증명하는 서류를 주는 것은, 한국사회에서 소득 중에서 종교기관에 헌금한 부분에 대한 세금을 감면해 주는 것과 같은 이치라고 볼 수 있다.

사람들은 직접적으로 사회적 지위나 경제적 능력의 차이가 꽁 득의 금액을 결정한다고 표현하지는 않지만, 꽁 득에는 그것이 반영되어 있음을 간접적으로 표현하였다. 어떤 사람은 이러한 관계에 대하여 "마음에 따라 하는 것이지 아무도 강제하지 않는다. 부자이면 한 묶음, 어려우면 한 냥"(*con giau 1 bo, con kho 1 nen*)[224]이라고 표현한다. 형편이 되는대로 낸다는 의미이다. 이런 점에서 마을 공동의 례에 대한 개인의 경제적인 기여는 소득이나 부의 차이를 최소화하려는 공동체적 기제라고 볼 수도 있다. 즉, 마을 성원간의 경제적인 격차에 따른 이질성을 최소화하고 세속에서 받은 몫에 따라 신성에게 되돌려 줌으로써 마을 공동의 목표에 기여하고, 부를 균등화하려는 기제로 작용한다. 그러나 종교적 기여가 현실의 경제적 격차를 줄이는데 실제 어느 정도 효과적인지 계산할 수는 없으며, 이것을 통해 이질성이 최소화되었다고 판단할 근거도 분명하지 않다. 그럼에도 불구하고 주민들은 "형편에 비례한 헌금"을 긍정적으로 평가함으로써 대체로 그러한 효과를 지닌다고 인식하고 있음을 보여주었다. 이런 점에서 행사를 관장하는 지도자들은 "내는 대로 받는 것이지만, 그 사람의 경제적 형편을 고려하여 서로 암묵적으로 인정하는 금액이나 공여물의 양이 어느 정도 정해져 있는 것"이라고 인식하고 있었다.

---

[224] '넨'(*nen*)은 왕조기의 화폐 단위인 한 냥 또는 작은 금괴 하나를 의미하고 '보'(*bo*)는 한 묶음을 의미한다.

<사진 31> '꽁 득'(cong duc) 접수와 헌금의 기록

<사진 32> 딩에 내려와서 헌향의식을 하는 프엉의 당-국가 간부들

## (2) 유적의 보수를 위한 모금과 '원주민의 공동체'

마을 공동의례나 개별적인 구복의례에 참여한 주민들이 자발적으로 내는 헌금과는 별도로, 유적관리위원회가 주관하여 유적의 보수와 재건 등 특수한 목적을 위한 기금마련도 '꽁 득'이라고 불린다.

1991년 딩이 유적으로 복원된 이후 몇 차례의 '모금사업'에 마을의 '원주민' 원로들이 나섰다. 이러한 기금을 바탕으로 거의 10년 동안에 걸쳐 유적은 보수되고 재건축되었다. 본당 내부의 가구들과 장식물들도 복원되거나 새로운 형태로 대체되었다. 1991년 이후 약 10년 동안 재건축과 보수를 위해 기여된 물질이나 현금은 계산에 포함된 것만을 기준으로 약 1억 5천만 동(약 1,500만원)에 달했다. 1991년 유적공인은 마을 의례의 재생운동을 정당화하는 계기가 되었고, 기금마련 과정에 결정적인 변화가 초래되었다. 유적공인이 이루어지기 전에는 마을의 의례재생을 추진하던 지도자들은 수호신 공동의례에서 제물공여 절차를 다시 시작할 엄두를 내지 못하고 있었다. 왜냐하면 제물 올리기 과정은 가령 신성의 고귀한 직위를 상징하는 '가마'(kieu)에 입힐 복장과 장식물, 북, 깃발, 용인형을 비롯한 매우 비싼 물건들이 필요하였기 때문이다. 어느 의례 지도자는 "우리에게 돈이 없어서가 아니었다. 이러한 제물 올리기 과정은 쓸데없이 복잡하게 꾸며야 하고 낭비적인 과정이라고 생각하는 사람들이 있었기 때문이었다. 당시에 우리는 공개적으로 연회나 회식을 벌이지 못하였다. 먹고 마시는 것은 비위생적인 것으로 생각했기 때문이다. 그러나 제물 올리기는 젊은 사람들에게 우리의 기원과 뿌리를 상기시켜준다."고 하면서, 이러한 제물의 구비를 정당화하는 설명을 하였다.

헌납에 참여하는 주민들이 점차 늘어나기 시작하자 마을의 원로들은 도자기부터 다양한 의례복장, 보다 가치있는 장식물과 의례용품 등을 포함하여 필요한 물건의 목록을 만들기 시작하였다. 이 목록은 매년 새롭게 항목을 추가하여 작성되었고, 이후에는 기부자들이 스스로 원하는 기여품과 금액을 선택하여 헌납하는 경향이 시작되었다. 현금도 가능하였지만 현물공여를 더 환영하였다. 기여자의 수와 기여품목은 1993-95년 기간에 상당히 증가하였다. 기여자는 개별적인 가구의 이름뿐만 아니라, 여자의 이름을 포함한 친척집단의 이름으로 올려졌다. 대부분이 과부들인 여자 기여자의 수는 전체 기여자의 30%까지 달하게 되었다. 2000년 905주년 공주 생일 의례일에는 기금마련사업의 목표가 훨씬 값비싼 품목들과 보다 부유한 잠재적인 기부자들에게 맞추어지기 시작하였다. 그리고 딩의 재보수사업을 위한 꽁 득에 참여한 기관과 주민의 이름을 올려 "공덕비"(*Ghi nhan cong duc*)를 세우기로 결정하였다. 결과적으로 2000년의 기부금은 이전 약 9년에 걸쳐 모은 헌금과 비슷한 금액이 기여되었다.

유적관리위원회의 기록장부에 따르면 이 기간의 모금운동에 모두 250여 명의 주민과 단체가 참여하였다. 모금에 참여한 모든 사람을 모두 꽁 득비에 등재하자는 의견이 있었지만, 등재의 범위는 30만 동 이상을 기여한 사람으로 제한되었다. 비석에는 모두 실제 모금기간에 꽁 득에 참여한 총 250명의 주민 중 62명의 주민 또는 단체가 등재되었다. 등재된 62명의 모금액은 총헌납액 5,930만 동의 72%에 달하는 4,303만 동이었다.

프엉응옥하인민위원회에서 60만동의 예산을 지출하였고, 국가의 지방정권을 대표하는 인민위원회가 헌납비의 최상위의 자리를 차지하게 되었다. 100만 동을 기부한 설계를 맡은 국영업체는 문화부 산하의 공사로, 국영기업체를 대표한다. 그 외에 하노이 복권공사, 하노이맥주회사, 그리고 베트남-프랑스맥주합작회사 등 세 회사가 회사 이름으로 각각 100-300만 동을 기부하였다. 두 맥주회사의 경우 마을 인근에 위치하여 일대 유적의 보수사업에 여러 차례 기부를 한 바가 있었다. 하노이복권공사도 본사가 마을 북쪽 호앙 호아 탐로에 위치하고 있을 뿐만 아니라, 현재의 총사장이 응옥 하 출신인 점이 작용하였다.

13짜이 또는 형제 마을인 쟙 뜨, 응옥 하, 빙 푹, 리에우 쟈이 등에서 기부금을 냈다. 쟙 뜨와 리에우 쟈이는 마을의 이름으로 기부하였는데, 유적관리위원의 설명에 따르면 두 마을 모두 공동의례 지원을 위한 마을공동기금을 관리하고 있다고 한다. 응옥 하의 경우 딩의 이름으로 기부하였는데, 실제는 응옥 하 유적관리반이 딩에 기부된 기금 중 일부를 관련 마을에 대한 기부에 지출하고 있었다. 그리고 빙 푹은 마을의 장노년으로 구성된 불교신도모임인 '자선회'(*Hoi tu thien*)와 다이 옌의 헌향대와 유사한 '빙푹유적의례단'(*Doi te Di tich Vinh Phuc*)의 이름으로 각각 기부하였다.

개인의 이름으로 30만 동 이상을 기부한 주민들은 모두 49명이었다. 이 중에 제6꿈(*Cum 6*)에 거주하는 다이 옌 주민이 4명, 그리고 인근의 도이 껀과 리에우 쟈이로 이주한 2명이 포함되어 있다. 이들은 모두 대부분의 공동행사에 금전적인 기여를 하는 등 마을의 공동의례에 적극 참여하는 원주민들로서, 다이 옌 사람으로서의 성원권을 유지하고 있다. 즉 이들은 제3장에서 살펴본 바와 같이 봉건시대 '리 하오'(*ly hao*, 里豪)를 비롯하여 딩의 서열에 참여할 수 있는 마을유력자위원회와 지방관직의 '자리'를 구입하는 이주민과 유사하게, 마을의 공동의 성소에 공식적인 헌납을 하면서 마을의 원주민으로서 성원권의 '자리'를 유지하고자 하는 사람들이었다. 도이 껀으로 이주한 한 노인(여, 76세)은 무려 100만 동을 기여하였는데, 그녀는 마을 토착 종 호의 일원이자 쟙 뜨와의 연대의례를 처음 구성하였을 때 여성 제주(*chu te*)로 활약한 인물이었다.

금액별로 보면 개인 최대 기부자는 200만 동을 기부한 또38의 주민이었다. 그녀는 하이 즈엉 출신으로 어릴 때 하노이로 이주하였다가 다이 옌의 호앙 반(黃文)씨 집안에 시집을 와서 1940년대 초부터 마을에 거주하는 '원주민'이다. 그녀는 2000년 80세 생일을 맞아, 마을에서 장수축하연에 장수패를 받고 축하연을 벌였고, 이웃의 인사에 보답하는 의미로 모아둔 축하금과 일부 자식들의 기부금을 모아 큰돈을 냈다고 하였다. 다음으로는 모두 10명의 주민들이 100만 동을 기부하였는데, 이 중 8명이 마을의 4대 토착 종 호의 가족이었다. 나머지 2명은 토착 종 호의 일가는 아니지만, 1954년 이전 이주한 원주민이었다. 흥미로운 사실은 100만 동 이상을 기부한 11명의 주민 중 여성이 최대 기부자를 포함하여 모두 6명이었다. 이들 중에는 도이 껀으로 이주한 사람을 포함하여 5명이 4대 종 호 출신이었고, 나머지 한 명은 4대 종 호 출신 남자에게 혼인한 '종 호 사람'이었다. 즉 전원이 4대 종 호의 여성들이라는 것이다. 이들 중 세 명은 전현직 유적관리위원회 위원, 전직 부녀회장 등 마을의 대중조직의 주요 지도자들이었다. 두 명은 50대로서 현재 헌향대에서 활동하고 있다. 마을 원주민 가구의 경우 여호주 등록 가구가 많은 특성을 반영하는 것이기도 하지만, 최근 헌향대를 비롯하여 여성이 마을 공동행사나 사회조직에서의 활동이 강화되는 성격을 반영해준다. 확대해 보면 마을의 생계구조와 가계지출에서 여성, 특히 노인 여성의 몫을 반영하는 것이기도 하다.

이주민과 젊은 부녀자들로 구성된 헌향대의 성원들은 각 개인의 이름으로 "공덕비"에 이름을 올릴 만큼 큰 금액의 기여를 하지 못하는 한계를 '헌향대'의 이름으로 올림으로써 해결하였다. 일부의 회원들이 소액 기부의 명부도 올릴 기회를 주어야 한다는 주장이 있었지만, 단체의 이름으로 큰 돈을 기부할 수 있다는 결정을 함으로써 쉽게 무마되었다. 헌향대가 회비로 운영하는 비용에 2만 동씩 추가로 모아 단체의 이름으로 총 100만 동을 지출하는 것으로 결정하였다. 헌향대의 이름은 소액을 낼 수밖에 없는 상대적으로 가난한 가구의 부녀자들의 이름을 대신하는 셋이었다. 또한 위세경쟁에서 소외된 사람들이 단체의 이름으로 보상받는 경우라고 해석할 수 있다.

경제적인 번영이 없었다면 이러한 기금마련사업을 지속할 수 없었을 것이라는 것이 분명하다. 그러나 기금마련운동의 실제는 누가 기꺼이 응했으며, 얼마나 헌납하였느냐 하는 문제를 넘어서는 다른 면이 포함되어 있다. 헌납 그 자체가 기부자와 기부금을 받는 측 사이의 기존의 사회적 관계들과 관련된 매우 복잡한 절차들이 포함되어 있었다. 유적관리위원회가 공식적인 절차를 담당하였지만, 실제 헌납자를 설득하고 적절한 헌납액을 정하는 일들을 원로회가 주도하였다. 재정적인 활동과 기여의 방향에 관련된 주요한 결정을 하는 것은 기부금을 받는 측, 즉 원로회였다. 원로회의 주도는 곧 마을의 사회적 지위체계를 구성하는 원리가 혁명이후에도 크게 바뀌지 않았음을 보여주고 있다.

점차 많은 현금이 의례적인 용도에 사용되고 있으며, 점차 마을의 공식적인 행사에의 참여욕구가 증가함에 따라, 개인별 그리고 가구별 의례 비용이 계속 증가하는 추세이다. 사람들은 "부귀가 의례를 가능하도록 해준다"라는 속담을 자주 들먹이고, "경제가 있으니 의례를 크게 연다"라는 신조어를 사용하기도 한다. 가족과 이웃의 경조사에 참여하는 일상적인 의례비용의 지출 외에 다양한 종류의 마을 의례나 공동 행사에 의무적으로 혹은 자발적으로 내는 기부금이 그러한 언설의 실천적인 표현이다. 특히 공동의 성소의 보수와 장식에 기여하는 것은 주민들이 할 수 있는 가장 위신 있는 비용지출이 된다. 이 모든 것이 의례활성화와 관련되어 있지만, 특히 공동체 내에 잠재하고 있는 이질성과도 연관되어 있음을 지적할 수 있다.

결론적으로 의례활성화는 활성화를 주도하는 측에서 주장하는 바와 같이 "공동체의 전통"의 단순한 지속이 아니다. 마을에는 경제적인 측면만이 아니라, 특징적인 역사적, 문화적 요소에 의한 분화가 존재해왔으며, 이러한 복합적인 사회분화가 의례활성화 과정에 반영되어 있다. 관광상품화를 비롯한 경제적인 욕구 및 효과와 관련된 요소가 의례활성화에 영향을 미치지만, 지역에 따라 구체적인 양상에는 차이가 있다. 단지 주민들의 희망에는 그러한 요소들이 포함되어 있음은 지적할 수 있다. 결국 조사 지역에서 활성화되고 있는 공동의례와 '전통'은 이질적인 공동체가 만들어내는 공동체 이념의 재생산 기제다.

<사진 33> 공인유적의 보수를 위한 모금 기념비

제 7 장

# 결론

본서는 (탈)사회주의 국가의 전환기적 상황에 관한 민족지적 연구의 한 결과이다. 본 연구의 주제는 민간의례 활성화 현상의 배경에 관한 해석을 중심으로 베트남 도시지역에서의 국가-사회관계의 성격을 탐색하는 것이다. 1990년대 들어 북부베트남에서 다양한 형태의 전통 민간의례가 활성화되고 있는 현상을 쉽게 목격할 수 있다. 많은 연구에서 의례활성화에 대해 도이 머이 이후 경제적인 여유가 증대하였고 민간의 영역에 대한 국가권력의 통제가 완화되었기 때문이라고 설명해 왔다. 그러나 하노이의 프엉 응옥 하(*Phuong Ngoc Ha*)에서 장기적인 현지연구를 수행하면서, 필자는 의례활성화를 비롯한 민간 전통의 지속과 재생이 단순히 도이 머이 이후의 결과가 아니라, 많은 부분 혁명이전 시기부터 재생산되어 온 지방 내부의 사회관계와 도덕적인 요구에서 비롯된 것임을 알 수 있었다. 그리고 국가정책에 대항하는 지방 사회의 힘이 강화되었거나 당-국가가 일시적으로 지방 사회에 대한 지배력을 완화하였기 때문에 발생하는 것이 아니라, 의례활성화 자체가 지방의 문화적·도덕적 자원을 활용하여 국가의 권위가 유지되고 강화되는 중요한 통로가 되고 있었다.

필자는 프엉의 '전통 마을'의 사례를 통해 미세한 지방 수준의 변화는 보다 광범위한 지역 및 국가의 변화와 연결되어 있으며, 역으로 국가적인 정책의 실제 집행과정은 각 지방 내부의 문화적인 역동성에 따라 상이한 결과를 만들어내고 있음에 주목하였다. 1945년 혁명 이후 사회주의 국가는 역사적인 경과를 통하여 지방의 마을에 대하여 지속적으로 작용하여 왔으며, 국가와 상호작용하는 지방의 사회는 성, 세대, 토착민과 이주민, 당의 조직과 민간의 조직 등 다층적인 복합성을 가진 내부구성을 지니고 있다. 마을 주민들 사이의 그리고 국가의 정책지시 및 집행과 지방 공동체의 우선적 이해 사이의 상호작용을 살펴봄으로써, 마을의 집합적인 정체성의 이면에 존재하는 이질적인 요소와 그 요소들간의 관계를 해석하고자 하였다.

사회주의 혁명, 탈집단화와 도이 머이 등 일련의 역사적 과정은 몇 가지 중요한 특징을 보여주었다. 우선, 집단경제의 실현, 의례개혁 등 혁명과정에서 당이 주도하는 국가정책의 추진과정에서 지방의 공식적 지도체제와 주민간에는 지속적인 조화와 긴장의 관계가 공존하고 있었다. '공동체' 내의 이러한 조화와 긴장에는 주민들 사이의 사회분화가 반영되어 있다. 마을의 사회경제적 분화는 전혁명기에서부터 계속된 이주 과정과 관련되어 있었고, 1945년 혁명 이후 시장경제제도의 도입에 이르기까지의 변화 과정에서 지속적으로 토지와 정치적 자원에 근접해 있었던 '원주민'이 지방에서의 사회경제적 지위 향상에 유리한 위치에 있었다. 의례의 재활성화 과정에서 외관상으로 마을 전체가 하나의 공동체로서 표현되고 있었고, 공식적인 담론을 통해 공동체의 동질성과 그 역사적인 뿌리가 거듭 강조되고 공포되고 있지만, 그 이면에는 마을 내부의 이질성이 반영되어 있었다. 따라서 본 연구에서 분석의 초점은 국가-사회관계에 있지만,

지방 사회의 동질성뿐만 아니라 내부의 분화를 설명함으로써 그 관계의 핵심적인 성격에 접근할 수 있다고 보았다. 필자가 국가·사회관계의 연속성을 강조하는 것은 이러한 맥락에서이다. 지방의 국가·사회의 연속성은 마을의 '전통'을 장악하고 있는 사람들의 자원, 즉 조사지역 사회분화의 특징적인 요소로서 '원주민 정체성'과 국가기구와의 근접성에 의해 드러나고 있다.

필자는 민간의례의 재활성화 현상에 관하여 마을에 원래 내재되어있던 독자적인 문화 현상으로서가 아니라, 지난 40여 년 동안 마을 주민들이 국가의 정치·경제적, 문화적 정책들에 대하여 집합적인 대응을 형성하는 다른 많은 방식들 중의 하나라는 측면에서 살펴보았다. 수호신 의례와 축제의 재생과정을 기술하면서, 그것의 배경이 되는 조건의 다면적인 성격을 고찰할 필요가 있었다. 무엇보다도물질적인 자원의 가용성이 증가하였다는 것만으로 마을 의례의 재구성과 활성화를 충분히 설명해줄 수 없다는 점을 제시하였다. 단순히 물질적 욕구와 경제적 번영에 대한 기대만으로 넘쳐나는 의례의강력한 동기를 해석할 수 없다. 프엉과 프엉 이하 수준에서 민간의례의 활성화와 전통의 재생은 지방 내부의 사회분화에서 유리한 위치를 유지하고 있는 사람들, 즉 '원주민'을 중심으로 하는 집합적인정체성의 상징이며, 당-국가가 지방에서 권위를 유지하기 위해 활용하는 중요한 자원이다.

본 연구의 결론은 다음과 같다.

첫째, 주민들의 사회적 분화를 구성하는 것에는 경제적 요소뿐만아니라, 역사적으로 축적되어 온 문화적 요소가 강하게 작용하고 있다. 조사 지역에서 사회분화의 특징적인 요소는 '원주민' 정체성이며, 원주민은 '4대 토착 종 호'를 중심으로 1954년 이전에 정착한 이주민들로 구성되어 있다. '전통 마을'에서 주장되는 '원주민'의 기원과 경계는 애매모호한 것임에도 불구하고, 그것의 여부가 마을 주민들의 경제적, 사회정치적인 입지를 구분하는 강력한 요소가 되고 있다. 도시 지역이 꾸언과 프엉의 행정적인 위계를 단위로 재구성되면서 전통촌락의 경계가 허물어졌음에도 불구하고, '랑'(lang)의 정체성이 유지되어 왔으며, 각종의 유물과 신화를 비롯한 '역사적 증거'와 수호신의례 등이 상징적인 자원으로서 그것을 재생산하고 있다. 또한 마을의 전통산업 '투옥 남'이 주민들의 다른 많은 다양한 직업과 생계수단에도 불구하고 '랑'의 정체성을 표현하는 것으로 선택되고 있으며, 곧 원주민의 정통성을 주장하는 근거가 되고 있다.

겉으로는 평등주의를 원칙으로 하지만, 원주민과 이주민, 원로와 청년, 남과 녀, 공식적인 '정권'의 조직과 민간조직 등 마을 수준에서는 다양한 기준에 의한 사회분화가 형성되어 있다. 이것은 단순히 도이 머이 이후 새로 구성된 것이 아니라, '전통'과 '사회주의'가 결합된 방식의 위계화이다. 전혁명기의 봉건적 엘리트의 자원이 되었던 친족과 연배, 이웃관계 등이 혁명 이후의 지방 사회에서 여전히 중요한 지위의 자원으로 간주되어 왔다. 전혁명기의 유교유력자 원로의 경우와 유사하게, 당-국가조직 및 간부들과의 친밀성과 지방의 권력기관에 대한 접근을 용이하게 하는 효과적이고 강력한 사회적 연망이 보다 높은 지위를 부여해주는 차별적인 자원으로 작용하고 있다. 그런데 '원주민'이 대부분 당-국가 조직과 근접한 마을 대중조직의 지도자의 위치에 있다는 것은, 원주민이 곧 그러한 자원으로 활용되고 있다는 것을 의미한다.

둘째, 현재의 사회적 분화와 지방의 정치구조는 혁명과 도이 머이를 계기로 단절을 경험한 후 새로 구성되었거나 부활된 전통에 따른 것이 아니라, 그 기원이 훨씬 오래된 역사적 과정을 통하여 지속적으로 형성되어 왔다. 이미 20세기 초반 홍하델타 지역 벼농사의 생산력 한계는 이 지역 사람들의 생계수단을 다변화하는 조건이 되었고, 경제적 성패는 다양한 농업작물 경작뿐만 아니라 수공업과 상업, 이주노동 등 비농업부문의 활동을 통하여 환경 변화에 대한 적응의 유연성을 갖추는 정도에 있었다. 이러한 생계수단의 다변화는, 지속적인 이주의 과정을 통하여 더욱 증가하게 되었고, '동질적인 공동체'의 이질성을 구성하는 역사적, 물질적 토대가 되어 왔다.

그리고 사회주의 집단화과정은 모든 부문의 인민의 자원에 대한 국가의 장악과 인민들 사이의 경제적 동질성을 목표로 한 것이었지만, 지방에서는 정책의 요구와는 별개의 사영경제, 즉 '사적인 계략'이 계속 발휘되었다. 이러한 '저항'의 이면에는 가족, 친족, 이웃과 마을공동체의 일상적인 도덕과 의무를 비롯한 문화적인 동기들이 내재되어 있었다. 필자는 사회주의 국가의 요구와 상반되는 지속적인 가구경제의 활성화와 분화는 단순히 정치경제학적이 상황의 결과라기보다는 '문화'와 연계되어 있음을 알 수 있다. 이러한 문화적인 측면에 편승되어 있는 한 가지 특징으로 주목할 수 있는 것이 곧 지방의 국가인 '프엉'이 갖는 조정지대로서의 역할이다. 정치혁명에 성공한 사회주의 국가가 지방의 모든 수준에 혁명의 영향을 부과하기 위해서는 지방토착의 문화적, 도덕적 역동성을 경과하여야 하였다. 그 결과 당과 중앙정부의 정책 목표와는 상관없는 지방 고유의 이해에 걸쳐 있는 '지방사회 속의 국가'가 형성되어 왔다.

셋째, 사회주의 국가와 공산당은 당의 이념과 국가권력의 영향력을 사회의 모든 요소와 수준에 미치도록 하는 총체적인 의미의 혁명을 위하여 의례개혁을 추진하였으나, 개혁의 내용과 성격 및 실제의 영향은 다면적이며 모호하다. 당-국가는 구래의 민간의례를 개혁함으로써 새로운 국가의 공식적 이데올로기와 규범을 주입하는 데에 봉사하도록 개조하고자 하였다. 이를 위해서 사회주의 혁명의 정신에 위배되는 미신적 관념과 봉건적인 신분관계, 낭비의 악습 등이 포함되어 있는 민간의례를 금지하거나 규제해 왔다. 그러나 이러한 의례개혁 운동의 실제적인 과정과 결과는 복합적인 성격을 지니고 있다.

혁명 이후 "새생활운동"의 일환으로 추진된 의례개혁운동의 과정에서나, 도이 머이 이후 본격화된 '전통의 부활', '전통의례의 활성화' 등의 현상에는 단절과 지속이라는 모순적인 요소들이 공존했다. 국가가 주도한 의례개혁의 성격도 이중적이고 애매모호하다. 민간의례의 많은 요소가 새로운 사회를 위한 혁명에 역행하는 것으로 간주되어 금지되었지만, 또한 어떤 요소는 장려되거나 방관되었다. 국가의 의도대로 성공적으로 제거된 요소들도 있지만, 한편으로 많은 요소들이 '전통'의 이름으로 지속되거나 변형된 형태로 유지되어 왔다. 국가가 의례개혁에서 강조하였던 것 중에 민간의 관념과 실천에서 무시되어 온 요소들이 많이 있는 반면에, 공식적인 이데올로기의 어떤 요소들은 재생된 '전통'과 민간의례에서도 여전히 관철되고 있다.

현지 연구를 통하여 혁명기에 금지되었던 대부분의 절기의례가 재생되거나 유지되어 왔으며, 조상의례뿐만 아니라 혼례, 장례 등의 통과의례에서 혁명이 제거하고자 하였던 '반혁명적' 요소들이 뚜렷하게 재생되거나 유지되고 있음을 알 수 있었다. 마을 공동의례와 마을간 연대의례, 혁명과 전쟁 열사를 추념하는 국가의 의식에 이르기까지 의례의 활성화는 민간의 '전통'이 지속되어 왔음을 보여준다.

심지어 어떠한 요소는 더욱 강화되고 있다고 판단되었다. 그러나 이것이 곧 당-국가가 주도한 의례개혁을 통한 문화와 사상혁명이 완전히 실패하였음을 뜻하는 것은 아니다. 민간의례에 대한 국가의 기능이나 국가권력의 침투가 마비되고 있음을 뜻하는 것도 아니다. 의례개혁의 실제적인 과정은 그것을 집행하는 간부들의 문화적 토대에 근거한 것이며, 이런 점에서 개혁의 결과에는 당과 국가의 이념이 '전통적' 관념을 이용해서 재등장하는 측면이 있다. 의례개혁 자체가 공식적으로는 일소하고자 하였던 지방의 가치와 도덕적 사회관계를 기반으로 하여 가능했던 것이다.

넷째, 지방의 국가 대리인들이 구성하고자 하는 마을의 공동체성을 통한 국가 이념의 실현과 마을 의례의 재생과정은 국가가 부여한 바를 주민이 일방적으로 수용하는 과정이 아니라 항상 주민들과 국가, 또는 지방의 국가기구 사이의 중요한 상호작용과 관련되어 있다. 여기에는 마을 토착의 복합적인 사회관계에서 일상적으로 중요한 역할을 담당하고 있는 원주민 출신의 국가 대리인들이 능동적으로 참여하고 있는 점이 중요한 요소로 작용하고 있었다.

의례를 복원하고 활성화하려는 주민들의 집합적인 대응이 곧 전통의 지속과 재창조의 가장 중요한 동인이다. 그러나 의례의 활성화에서 표현되는 것은 분명 전통의 집합적인 형태이지만, 이것이 곧 마을 내부구성의 동질성을 표현하는 것은 아니며 의례의 수행과정에는 주민들의 분화된 구성이 반영되어 있었다. 수호신 공동의례와 공인유적의 보존사업에 대한 물질적인 기여가 그러한 분화를 보여준다. 연구지역에서는 '원주민'과 당-국가기구를 비롯한 마을 수준의 공식적 지위에의 근접성이 다른 분화의 기준을 응집하고 있는 핵심적인 요소였다. '공동체'라고 주장되지만 실제 갈등이 잠복되어 있다면, 관계의 의례적인 실행이 필요하다. 베트남에서 의례활성화는 이러한 성격을 지니고 있다. 그런데 여기에서 의례 참가자들은 반드시 의례의 모든 사회적인 함의를 완전히 파악할 필요는 없지만, 의례가 지속되기 위해서는 갈등의 당사자 모두에게 그들의 사회관계가 중요한 것으로 인식되어야 한다. 필자는 의례활성화가 합의를 유발하려는 요구와 갈등을 표현하는 측면이 공존하고 있음에 주목하였다.

다섯째, 베트남의 지방에서 발견된 국가-사회관계에서 양자는 뚜렷하게 구분되어 있는 실체가 아니라 상호침투하고 공존하는 연속성을 지니고 있었다. 지방의 이해에 대한 국가의 침투와 문화관리의 여러 측면들에도 이러한 연속성이 드러난다. 왜냐하면 베트남의 지방 수준, 즉 프엉의 전통마을에서 국가는 곧 인민들 사이에 존재하기 때문이다. 지방에서 국가와 사회의 구분은 명확하지 않으며, 지방의 구성원 중 많은 사람들이 두 영역에 동시에 참여하고 있다. 지방 수준에서는 당의 대중조직, 지방 행정조직의 지도자 등 국가와 사회 두 영역이 상호 중첩되어 있는 다양한 형태의 중간지대가 존재하고, 중간지대에 참여하는 행위자들의 구체적인 이해는 맥락에 따라 매우 유동적이다.

유적공인, 행사의 승인, 예산 지원, 주요한 행정인사들의 초청 및 참여 등의 사례를 살펴보면, 실제 국가의 의도대로 민간의례가 재생되고 있다고 해도 과언이 아님을 알 수 있다. '역사문화유적'의 공인 과정을 보면 국가는 여전히 세밀하고 강력하게 지방의 '문화' 재창출에 간여하고 있다. 유적의 공인은 문화관리 정책의 한 중요한 요소로서 지방의 성소와 민간의례 조직에 대하여 국가 권위가 직접 침투하는 현장이 된다. 민간의례의 구성에도 각급의 국가기구가 직접 참여한다. 프엉의 당지부와 인민위원회의 간부들과 당 산하 대중조직의 지도자들이 직접 의례를 조직하고 주관한다. 즉 국가는 기획단계에서부터 행사의 집행과 사후처리에 이르기까지 민간의례 활성화에 깊이 침투하고 있다. 이러한 현상은 국가가 인민의 모든 영역을 강력하게 통제하는 전체주의적 권력을 가진 실체이기 때문이 아니라, 국가가 곧 인민들 사이에 존재하는 것이기 때문이다. 베트남 역사에서 지난 20세기가 다른 어떤 시기보다 지방의 마을이 국가에 의존적인 상황이 되었다고 평가하는 것은 정당하다. 지금의 국가는 과거 어느 때보다 지방 인민의 일상적인 삶에 깊이 침투해 있으며, 마을의 일상의 영역에서 국가는 뚜렷하게 구분되지 않을 정도이다. 그것은 중앙의 당-국가 권력이 지방 공동체에 직접 간여하고 있기 때문이 아니라, 지방의 대리자가 국가-사회관계의 조정지대로서의 역할을 수행하고 있기 때문이다.

따라서 필자는 이러한 상호작용의 복합성과 다면성을 이해하기 위해서 지방의 공동체와 국가의 재개념화가 필요함을 지적하고자 한다. '국가-사회', 혹은 '국가-지방'의 이분법을 벗어나기 위해서 지방의 공동체와 국가가 각각 하나의 실체로 간주되는 시각의 한계를 벗어나야 한다. 이런 점에서 '국가 안의 사회', '사회 안의 국가'라는 관점이 유용할 수 있다. 즉 양자를 구분하여 힘의 불균형 또는 균형을 설명하고자 하는 대신에 그것들을 끊임없이 변화, 상호작용, 교차하는 과정에 놓여있는 것으로 파악하는 것이 훨씬 실용적인 개념이다. 이러한 과정들을 밝혀내는 것, 그리고 어떻게 이러한 과정들에서 지방 주민들 사이에, 그리고 서로의 사회적 관계들이 재생산되고 변형되는지를 밝히는 것이 인류학적 연구의 과제가 될 것이다.

베트남에서 발견이 국가 개념에 대해 재고하는 단서를 제공한다. 본 연구를 통해 인민들의 사회경제적 분화와 전통의 지속과 단절의 역사적인 계기마다 국가가 등장하고 있음을 알 수 있었다. 이러한 과정에서 국가는 실제 인민의 일상 속에서 역사의 구체적인 계기들을 통해 변화하는 일련의 제도와 행위들로서 인식될 수 있다. 조사 지역 주민들에게 관련되어 있는 것은 단지 국가가 아니라 혁명, 전쟁, 그리고 개혁의 역사적인 마디마디에 연속하거나 단절되어 있던 사회주의 국가이며 그것의 정책과 유산이다. 그리고 각 지방의 국가 대리자가 곧 주민이거나, 동일한 사회관계와 도덕적 요구에 따라 주민들과 직접 상호작용하는 존재이다. 국가는 지방의 대리자를 통해 마을과 주민들에 대한 자신의 인식과 통치에 영향을 주는 나름대로의 이질적인 경험들을 하게 된다. 이런 점에 비추어 국가는 단지 통치기구나 정책만으로 구성되는 것이 아니라, 피통치자들에게 호소하는 규범과 가치들, 즉 문화적인 정당성으로 구성되어 있다.

끝으로 본 연구의 의의 및 이와 관련된 향후의 과제를 제시하고자 한다. 본 논문은 한국의 인류학도에 의해 시도된 북부베트남 사회에 관한 개척자적인 민족지적 연구의 결과로서, 향후 베트남 지역연구의 개발과 진척에 도움을 줄 것으로 기대한다. 우선, 본 연구는 탈사회주의 혹은 전환기에 있는 사회의 비교연구의 자료로서 의의를 갖는다. 특히 라오스, 캄보디아, 미얀마 등 인도차이나 사회주의 국가뿐만 아니라 개혁개방 이후의 중국 및 동구권 사회와의 비교에 활용될 수 있다. 나아가 향후 북한 사회의 변화에 관한 분석에서 연구의 구체적인 주제와 항목뿐만 아니라 적용 가능한 분석틀을 마련하는 데에도 도움이 될 것이라고 생각한다. 둘째로, 본 논문은 비교정치학 및 문화인류학적인 시각에서 국가를 연구하는 문제와 관련한 이론적인 함의를 지니고 있다. 무엇보다도 본 연구가 지방에서의 국가의 존재형태에 초점을 두고 있으므로, '국가 속의 사회' 혹은 '사회 속의 국가'라는 관점과 관련된 이론을 정교화하는 데에 일조할 것으로 생각한다. 셋째는 위의 두 가지 의의와도 상관된 것으로서, 본 연구는 전환기 사회주의 국가의 연구에서 국가와 사회를 구성하고 있는 양극에 대한 동시적인 연구의 필요성과 가능성을 제기하고 있다. 그 중 한 측면은 인류학적인 현지연구에서 이미 충분히 이루어지고 있는 지방 말단의 미시적인 공동체에 관한 연구이며, 반대편 한 극은 중앙정부와 당의 문화정책과 문화관리에 관한 질적 연구이다.

# 참고문헌

## 1. 문서 및 자료

"Bao ve va su dung di tich lich su, van hoa va danh lam thang canh"[역사
　　문화유적 및 명승고적의 보존과 사용에 관한 법령]. Hoi dong Nha
　　Nuoc, 4-4-1984, Phap lenh so 14-LCT/HDNN[1984년 4월 4일 발
　　효된 제14호 전국인민회의 법령].

"Bien ban De nghi Xep hang Di tich"[유적공인 제의서, 1990년 5월 29일
　　자 딩 다이 옌 유적공인을 위한 신청서류]. Ban Quan Ly Di Tich
　　va Danh Thang, So Van hoa va Thong tin Ha Noi[하노이문화통신
　　국 하노이유적명승관리반].

"Cac Doan The va Nhan dan Cum 7 Tham Gia Le hoi Ky niem 905 nam
　　Ngay sinh Duc Thanh Ba Ngoc Hoa Cong Chua"[905주년 응옥 호
　　아 공주 생일 기념 의례 참가 제 7꿈의 각 단체 및 인원표].

"Cong bo ve viec quy dinh che do quan ly va su dung dat dai cua di tich"
　　[유적의 토지 관리와 사용에 관한 제도 관련 규정]. 6/1/1988. Hoi
　　dong Nha nuoc[베트남사회주의공화국 전국인민회의].

"Cong Nhan Di tich Dinh Dai Yen"[딩 다이 옌 유적 공인 승인서]. Bo
　　Van hoa Thong tin, The thao va Du lich, 27/12/1990, So 1539-QD
　　[문화정보체육관광부 제1539 결정].

"Danh gia gia tri cua di tich"[유적의 가치에 관한 평가, 1990년 5월 29일
　　자 딩 다이 옌 유적공인을 위한 유적고찰보고서]. Ban Quan Ly Di
　　Tich va Danh Thang, So Van hoa va Thong tin Ha Noi[하노이문
　　화통신국 하노이유적명승관리반].

"Danh Muc Di Tich da Xep hang Cap Quoc gia va Thanh Pho"[국가급 및
　　하노이시급의 공인을 받은 유적목록], 2002. Ban Quan Ly Di Tich
　　va Danh Thang, So Van hoa va Thong tin Ha Noi[하노이문화통신
　　국 하노이유적명승관리반].

"Ghi Nhan Cong Duc, Trung tu Dinh Dai Yen, 20-2-Canh Thin(2000)"[딩
　　다이 옌 보수공사에 대한 기부금 명부 비석, 2000년 2월 20일].

"Quy che Le hoi"(636/QD-QC)[제636호 결정-규제; 의례 규제], Bo Van

hoa Thong tin[문화통신부] 1994. 5. 7. (5월 21일 문화통신부 장관 공포).

"Quy che mo hoi truyen thong"[전통 행사의 개최에 관한 규제], 1989년 10월 4일, 문화통신부의 '54호 결정(54/VHQC)' 결정에 따라 공포.

"Quy che To chuc Le hoi truyen thong dan toc"[전통민속의례 조직에 관한 규제], 1991년 1월, 하노이인민위원회, 문화통신부의 '54호 결정'의 내용을 옮겨서 시인민위원회 '제179호 문화사회결정'(179/VHXH) 으로 공포.

"Quy che to chuc Le hoi"[의례 조직 규제]. 2001년 8월 23일, 문화통신부의 '제 39호 결정'(Quyet dinh so 39/2001/QD-BVHTT)에 따라 공포.

"So lieu tong hop Nganh Bao ton bao tang"[보존박물관 영역의 종합 통계 자료], 2000. Cuc bao ton bao tang[보존박물관국 자료] www.cinet.vnnews.com/chuyende/55vhtt/vanhoa/baotslth.htm

"Su Tich Thanh Hoang Ngoc Hoa Cong Chua Va Dinh Lang Dai Yen"[옥화 공주 성황과 딩 랑 다이 옌에 관한 사적(事跡)], 905주년 옥화 공주 생일 기념 의례 중, "신보낭독 의식"(*Ruoc than pha, doc than pha*)의 자료.


## 2. 한글 문헌

김광억 1993. 「현대중국의 민속부활과 사회주의 정신문명화 운동」, 『비교 문화연구』 창간호: 199-224.

_____2000. 『혁명과 개혁속의 중국 농민』, 집문당.

김종욱 2003. 「프랑스 식민지배 하의 북베트남 촌락 행정 개혁: 하 동 띤 (省) 메 찌 싸(社) 사례」, 『동남아시아연구』 13(1): 199-237.

박종철 2001. 「도이모이와 베트남공산당의 적응: 통제와 실용주의의 딜레 마」, 고우성, 김성주 외 편, 『동남아의 정당정치』, 오름. pp.279-318.

송정남 2002. 「베트남 딩(dinh: 亭)에 관한 研究: 옌 서(Yen So: 安所)마을 을 중심으로」, 『아시아의 여성·사회구조·문화적 정체성』, 부산외 국어대학교 아시아지역연구소, 2002년도 공동학술대회 발표논문집 (2002. 6. 8). pp.185-201.

유인선 1982. 「월남 전통사회에서의 여성의 지위」, 『아세아연구』 25-2: 167-81.

_____1994. 「베트남의 도이머이(刷新)정책과 베트남사의 재해석」, 『동남아시아사연구』 3: 1-26.

_____1996. 「前近代 베트남사회의 兩系的 性格과 女性의 地位」, 『歷史學報』 150: 215-48.

_____2002. 『새로 쓴 베트남 역사』, 이산.

이한우 1999. 「베트남의 농업개혁정책, 1975-1993: 탈집체화의 전개과정」. 서강대학교 대학원 박사학위논문.

_____2001. 「'도이 머이' 정책 하 베트남 북부 농촌에서 생산조직과 통치구조의 변화: 박닌(Bac Ninh)성 꿰보(Que Vo)현의 사례를 중심으로」, 『동남아시아연구』 11권 가을호: 219-239.

장수현 1998. 「개혁개방 이후 중국 농촌 민간의례의 활성화에 관한 고찰: 국가이데올로기와 농민의 생활철학」, 『한국문화인류학』 31(2): 439-480.

전경수·한도현 1996. 「현대 베트남 대도시내 농촌 지역의 토지이용과 생산시스템: 하노이시 싸 다이모의 사례」, 『지역연구』 5(3): 103-144.

정연식 1998. 「베트남의 혁명윤리와 사회주의시장경제」, 『동북아연구』 4: 259-275.

_____1999. 「사회주의시장경제와 조합주의: 중국과 베트남의 시민사회에 대한 비교연구」, 『韓國政治學會報』 33(2): 303-24.


## 3. 베트남어 문헌

Ban Chap Hanh Dang Bo Phuong Ngoc Ha 1996. 『Lich Su va Truyen Thong Phuong Ngoc Ha』[프엉 응옥 하의 역사와 전통]. Hanoi, UBND Phuong Ngoc Ha.

Bang Son 1997. 『Duong Vao Ha Noi』[하노이로 들어가는 길]. Hanoi: Nha Xuat Ban(NXB) Thanh Nien.

_____1998. 『Nhung Neo Duong Ha Noi』[하노이의 길들]. Hanoi: NXB Giao Thong Van Tai.

Bo Van Hoa 1975. 『Doi Song Moi』[새생활]. Hanoi: Bo Van Hoa.

Bui Dinh Phong (ed.) 2001. 『Tu Tuong Ho Chi Minh ve Xay dung nen Van Hoa moi Viet Nam』[베트남의 새로운 문화 건설에 과한 호찌민의 사상], Ha Noi: NXB Lao Dong.

Bui Thiet 1993. 『Tu Dien Ha Noi Dia Danh』[하노이지명사전]. Hanoi:

NXB Van Hoa Thong Tin.

_____2000. 『Tu Dien Hoi Le Viet Nam』[베트남 의례 사전]. Hanoi: NXB
Van Hoa Thong Tin.

Chu Van Lam et al. (eds.) 1992. 『Hop tac hoa nong nghiep Viet Nam,
Lich su, Van de, Trien vang』[베트남 농업집단화: 역사, 문제 및 전
망]. Hanoi: Su that.

Chu Van Vu et al. (eds.) 1995. 『Kinh Te Ho trong Nong Thon Viet Nam』
[베트남 농촌의 가구경제]. Hanoi: Khoa hac Xa hoi.

Chu Xuan Giao (ed.) 1996, 『Buoc Dau Tim Hieu Lang Dai Yen va Nghe
Thuoc Nam Co Truyen』[다이 옌 마을과 고전 투옥 남 산업에 관
한 이해]. Vien Van Hoa Dan Gian(민간문화연구원).

Dang Canh Khanh 1991. 「Ve Su Phan Tang Xa Hoi o Nong Thon Hien
Nay」[오늘날 농촌의 사회계층], Ban Nong Nghiep Trung Uong
(ed.) 『Kinh te xa hoi nong thon Viet Nam ngay nay, Tap 2』[현대
농촌베트남의 사회경제, 제2집]. Hanoi: Tu tuong Van hoa.

Dang Kim Son 2000. 「55 nam Su nghiep Bao ton Bao tang」[박물관보존 사업
55년], (www.cinet.vnnews.com/chuyende/55vhtt/vanhoa/baot50nam.htm),
Cuc Bao ton bao tang(베트남문화통신부 보존박물관국).

Dang Nghiem Van et al. (eds.) 1998. 『Ve Tin nguong Ton giao Viet Nam
Hien nay』[현대 베트남의 신앙과 종교에 관하여]. Hanoi: NXB KHXH.

Dao Duy Anh 1992. 『Viet Nam Van hoa Su cuong』[베트남 문화사 강의].
NXB TP HCM.

Dao The Tuan 1997. 「Kinh te Ho Nong dan」[농민의 가구경제]. Ha Noi:
NXB Chinh tri Quoc gia.

Dinh Xuan Lam & Bui Dinh Phong 2001. 『Ho Chi Minh: Van hoa va
Doi moi』[호찌민: 문화와 도이 머이]. Hanoi: NXB Lao Dong.

Duong Ba Phuong 2001. 『Bao Ton va Phat Trien cac Lang Nghe』[촌락 전
통산업의 보존과 발전]. NXB Khoa Hoc Xa Hoi.

Giang Quan 1999. 『Ha Noi Pho Phuong』[하노이의 포 프엉]. Hanoi: NXB
Ha Noi.

Ha Van Tan va Nguyen Van Cu 1998. 『Dinh Viet Nam』[베트남의 딩(亭)].
NXB TP HCM.

Hoang Dao Thuy 1969. 「Thang Long - Dong Do - Ha Noi」[탕 롱- 동 도-

하노이]. Hoi Van nghe Ha Noi.

Le Mau Han et al. (eds.) 1998. 『Dai Cuong Lich Su Viet Nam- Tap II, III』 [베트남역사대강 제2권, 3권]. Hanoi: NXB Giao Duc.

Le thi Nham Tuyet 1976. 『Phu Nu Viet Nam Qua Cac Thoi Dai』[각 시대별 베트남 여성]. Hanoi: Khoa hac Xa hoi.

Le Trung Vu et al. (eds.) 2001. 『Le Hoi Thang Long』[탕롱의 의례]. Hanoi: NXB Ha Noi.

Luu Minh Tri & Hoang Tung (eds.) 1999. 『Thang Long Ha Noi』[탕롱 하노이]. Hanoi: NXB Chinh Tri Quoc Gia.

Ngo Duc Thinh 2001. 「Tin Nguong Thanh Hoang」[성황 신앙], 『Tin Nguong va Van Hoa Tin Nguong o Viet Nam』[베트남의 신앙과 신앙문화]. Ha Noi: NXB Khoa hoc Xa hoi.

Ngo Tat To 1977[1957]. 『Viec Lang』[촌락의 사업]. Hanoi: Hoi Nha Van.

Ngo Van Thau 1999. 『Hoi Dap ve Luat Mat Tran To Quoc Viet Nam』[베트남조국전선 법률 문답서] NXB Chinh tri Quoc gia.

Nguyen Duy Hinh 1996. 『Tin nguong Thanh hoang Viet Nam』[베트남의 성황신앙]. NXB KHXH.

Nguyen Khac Dam 1999. 『Thanh Luy Pho Phuong va Con Nguoi Ha Noi: Trong Lich Su』[하노이의 성루, 도로와 사람]. Hanoi: NXB VHTT.

Nguyen Quang Ngoc 1986. 「Gop them y kien ve van de hoang thanh Thang Long thoi Ly Tran va Lich su thap tam trai」[리-쩐 시대의 황성 탕롱과 13짜이 문제에 관한 의견에 덧붙여], 『Tap chi Nghien cuu Lich su』, so 1.

_____1993. 『Ve Mot So Lang Buon o Dong Bang Bac Bo The Ky XVIII-XIX』[18-19세기 홍하델타의 상업촌락들에 관하여], Hanoi: Hoi Su hoc Viet Nam.

_____1996. 「Lang-Thon Trong He Thong Thiet Che Chinh Tri-Xa Hoi Nong Thon」[농촌의 사회정치 제도적 체계내의 랑-톤], Phan Dai Doan et al. (eds.) 『Quan Ly Xa hoi Nong Thon Nuoc Ta Hien Nay, Mot So Van de va Giai Phap』[오늘날 우리 나라의 농촌관리: 문제점과 해법]. Hanoi: NXB Chinh tri Quoc gia.

Nguyen The Long 1998. 『Dinh va Den Ha Noi』[하노이의 딩과 덴]. Hanoi: NXB Van Hoa.

_____2000. 『Ha Noi Xua Qua Huong Uoc』[향약을 통해 본 옛 하노이].
Hanoi: NXB Ha Noi.

Nguyen Tu Chi [Tran Tu] 1993[1984]. 『Co Cau To Chuc Cua Lang Viet
Co Truyen o Bac Bo』[북부델타지역의 전통 비엣 촌락의 조직구조].
Hanoi: Khoa Hac Xa Hoi

Nguyen Van Chinh 1985. 「Tim hieu them van de thap tam trai」[13짜이
문제에 관한 추가 탐구], 『Tap chi Dan toc hoc』, so 2.

Nguyen Van Huan 1995. 「Kinh Te Nong Ho: Khai Niem, Vi Tri, Vai Tro
va Chuc Nang」[농민가구경제: 개념, 위치, 중요성과 기능], Chu
Van Vu et al. (eds.) 『Kinh Te Ho trong Nong Thon Viet Nam』[베
트남 농촌의 가구경제]. Hanoi: Khoa hac Xa hoi.

Nguyen Van Huyen 1995. 『Gop phan Nghien cuu mot vi Thanh hoang
Viet Nam, Tap 1』[베트남의 성황에 대한 연구, 제 1권]. NXB KHXH.

_____2000. 「Van Minh Viet Nam」[베트남 문명], Pham Minh Hac va Ha
Van Tan (eds.) 『Nguyen Van Huyen Toan Tap: Van Hoa va Giao
Duc Viet Nam, Tap 1』[응우웬 반 후엔 선집: 베트남의 문화와 교
육 제 1집]. Hanoi: Giao Duc.

Nguyen Van Tham- Phan Dai Doan 1986. 「Phuong phap he thong va
nghien cuu cac nguon su lieu cua lich su Viet Nam」[베트남 역사에
관한 각 사료의 체계적 연구방법], 『Tap chi Nghien cuu Lich su』
so 5.

Nguyen Van Van 1986. 『Ha Noi nua dau the ky XX-Tap I』[20세기 초반
의 하노이, 제1권]. NXB Ha Noi.

Nguyen Vinh Phuc va Tran Huy Ba (eds.) 1979. 『Duong Pho Ha Noi』[하
노이의 도로와 지역]. NXB Ha Noi.

Nha Xuat Ban Su That (ed.) 1984. 『Ha Noi: Thu Do Nuoc Cong Hoa Xa
Hoi Chu Nghia Viet Nam』[하노이: 베트남사회주의공화국의 수도].
Hanoi: NXB Su That.

Phan Dai Doan 1982. 「Lang Que Thanh Thi, Mot The Thong nhat ve
Kinh te Xa hoi」[농촌과 도시: 하나의 사회경제적 단위], 『Dan toc
hoc』 3: 49-53.

Phan Dai Doan et al. (eds.) 1996. 『Quan Ly Xa hoi Nong Thon Nuoc Ta
Hien Nay, Mot So Van de va Giai Phap』[오늘날 우리 나라의 농촌

관리: 문제점과 해법]. Ha Noi: Chinh tri Quoc gia.

Phan Huy Le 1999. 『Thang Long Ha Noi』[탕롱 하노이]. Hanoi: NXB Ha Noi.

Phan Ke Binh 1999[1932]. 『Viet Nam Phong Tuc』[베트남 풍속]. Hanoi: NXB Ha Noi.

Quan Ba Dinh 1995. 『Nua the ky dau tranh cach mang cua Dang bo va nhan dan quan Ba Dinh』[꾸언 바 딘 의 당지부와 인민의 혁명투쟁 반세기]. UBND Quan Ba Dinh(꾸언 바 딘 인민위원회).

SRV(Vietnam Government) 1994. 『Luat To Chuc Hoi dong nhan dan va Uy ban nhan dan』[인민회의와 인민위원회 조직에 관한 법] (1994 년 6월 21일). NXB Chinh Tri Quoc Gia.

_____1993. 『Luat Dat Dai』[토지법]. NXB Chinh Tri Quoc Gia.

_____1995. 『Hien Phap Viet Nam, nam 1946, 1959, 1980 va 1992』[각 연 도별 베트남 헌법]. NXB Chinh Tri Quoc Gia.

_____1997. 『Luat Hop Tac Xa』[합작사법]. NXB Chinh Tri Quoc Gia.

_____2000[1959]. 『Luat ve Hon nhan va Gia dinh』[혼인과 가정에 관한 법 률]. NXB Chinh Tri Quoc Gia.

Toan Anh 1974. 『Hoi he Dinh dam』[딩에서의 축제와 의식]. NXB SM.

_____1991[1968]. 『Nep Cu, Lang Xom Viet Nam』[구래의 관습: 베트남 촌락]. NXB TP HCM.

Tran Manh Truong et al. (eds.) 1998. 『Dinh Chua, Lang tam Noi tieng Viet Nam』[베트남의 유명한 딩, 사찰과 마을사당]. NXB VHTT.

Tran Quoc Vuong and Do Thi Hao (eds.) 1996. 『Nghe Thu Cong Truyen Thong Viet Nam va Cac Vi To Nghe』[베트남의 전통 수공업과 기 능전수 전문가들]. NXB Van Hoa Dan Toc.

Tran Van Tho et al. (eds.) 2000. 『Kinh Te Vietnam, 1955-2000: Tinh Toan Moi, Phan Tich Moi』[베트남 경제, 1955-2000: 새로운 정산 과 새로운 분석]. Hanoi: NXB Thong Ke.

Truong Chinh 1985. 『Ve Van Hoa Nghe Thuat』[문화와 예술에 관하여]. Hanoi: Van Hoc.

Truong Chinh & Vo Nguyen Giap 1959[1937]. 『Van De Dan Cay』[농민 문제]. Hanoi: Van Su Dia.

Truong Trieu Vu 1991. 「Lao Dong va Viec Lam o Nong Thon」[농촌의 노

동과 직업]. Ban Nong nghiep Trung Uong (ed.) 『Kinh te Xa hoi Nong thon Viet Nam Ngay nay, Tap 1』[오늘날 베트남 농촌의 사회경제, 제1집]. Hanoi: Tu tuong Van hoa.

Van Chieu 1997. 「Nen to chuc chi bo theo to dan pho」[또 전 포 조직과 평행되게 당지부를 조직해야 한다], *Ha Noi Moi*[새하노이(일간신문)] 1997년 5월 7일자 2면.

Vu Ngoc Khanh 1994. 『Tin Nguong Lang Xa』[촌락의 종교]. Hanoi: Van Hoa Dan Toc.

Vu Tuan Anh va Tran thi Van Anh 1997. 『Kinh Te Ho: Lich Su va Trien Vong』[가구경제: 역사와 전망]. Hanoi: Khoa hoc Xa hoi.

## 4. 영어 문헌

Abrami, Regina 2001. "Economies under Different Commands: Socialist Era Norms and the Making and Market Power in Contemporary Hanoi, Vietnam and Chengdu, China." Paper presented at Annual Meeting of the Association for Asian Studies, Chicago, March 22-25.

Anagnost, Ann 1987. "Politics and Magic," *Modern China* 13(1): 40-61.

_____1994. "The Politics of Ritual Displacement," Charles Keyes et al. (eds.). *Asian Vision of Authority: Religion and the Modern States of East and Southeast Asia*. Honolulu: University of Hawaii Press. pp.221-54.

Anderson, B. 1983. *Imagined Communities*. London: Verso.

Barfield, Thomas 1997. *The Dictionary of Anthropology*. Oxford: Blackwell.

Barry, Kathleen (ed.) 1996. *Vietnam's Women in Transition*. London: Macmillan.

Beresford, Melanie 1988. *Vietnam: Politics, Economics and Society*. London & New York: Pinter Publishers.

_____1989. *National Unification and Economic Development in Vietnam*. London: Macmillan.

_____1993. "The Political Economy of Dismantling the 'Bureaucratic Centralism and Subsidy System' in Vietnam," Kevin Hewison et. al. (eds.) *Southeast Asia in the 1990s: Authoritarianism, Democracy & Capitalism*. St Leonards: Allen & Unwin. pp.215-236.

Burawoy, Michael and Katherine Verdery (eds.) 1999. *Uncertain Transition:*

*Ethnographies of Change in the Post-Socialist World.* Lanham MD: Rowman and Little Field.

Chaliand, Gerard 1969. *The Peasants of North Vietnam.* Harmondsworth: Penguin.

Cohen, Anthony P. 1985. *The Symbolic Construction of Community.* London & New York: Routledge.

Craig, David 1996. "Household Health in Vietnam: A Small Reform," *Asian Studies Review* 20(1): 53-68.

Dang Nguyen Anh. 1997. *Development, Government Policy and Internal Labor Migration in Vietnam.* Doctoral Dissertation, Department of Sociology, Brown University.

Dao The Tuan 1995. "The Peasant Household Economy and Social Change." Benedict T. Kerkvliet and Doug J. Porter (eds.) *Vietmam's Rural Transformation.* Boulder: Westview Press. pp.139-63.

_____1996. "Initial Thoughts about the Institutionalisation and Organization of Cooperation among the Peasants," *Vietnamese Studies* 119: 6-24.

Duiker, William J. 1983. *Vietnam: Nation in Revolution.* Boulder: Westview Press.

Evans, Peter, D. Rueschemeyer, & T. Skocpol (eds.) 1985. *Bringing the State Back In.* Cambridge: Cambridge University Press.

Evans, Grant 1988. "Accursed Problem: Communism and Peasants." *The Journal and Peasant Studies* 15(2): 73-101.

Fforde, Adam 1989. *The Agrarian Question in North Vietnam, 1974-1979.* Armonk, NY.: An East Gate Book.

Fforde, Adam and Steve Seneque 1995. "The Economy and the Countryside: The Relevance of Rural Development Policies," Benedict T. J. Kerkvliet and Doug J. Porter (eds.) *Vietnam's Rural Transformation.* Boulder: Westview Press. pp.97-138.

Fforde, Adam and Stefan de Vylder 1996. *From Plan to Market: The Economic Transition in Vietnam.* Boulder: Westview Press.

Gammeltoft, Tine 1999. *Women's Bodies, Women's Worries: Health and Family Planning in a Vietnamese Rural Community.* Richmond: Curzon Press.

Geertz, Clifford 1973. "Religion as a Cultural System," Clifford Geertz, *The Interpretation of Cultures*. New York: Basik Books. pp.87-125.

Gourou, Pierre 1955[1936, 1965]. *The Peasants of the Tokin Delta: A Study of Human Geography*. New Haven: Human Relations Area Files.

Hardy, Andrew 1998. *A History of Migration to Upland Areas in Twentieth Century Vietnam*. Doctoral Dissertation, Australian National University.

Hickey, Gerald C. 1964. *Village in Vietnam*. New Haven: Yale University Press.

Hirschman, Charles and Vu Manh Loi 1996. "Family and Household Structure in Vietnam: Some Glimpses from a Recent Survey," *Pacific Affairs* 69: 226-49.

Ho Tai, Hue-Tam. 1987. "Religion in Vietnam: a World of Gods and Spirits," *Vietnam Forum* 10: 113-145.

_____2001. "Introduction: Situating Memory," Hue-Tam Ho Tai (ed.) *The Country of Memory: Remaking the Past in Late Socialist Vietnam*. Berkeley & Los Angeles: University of California Press. pp.1-17.

Hoang Hue Phe & Hans Orn (eds.) 1995. *The Phuongs of Hanoi*. Hanoi.

Hobsbawm, E. and T. Ranger (eds.) 1983. *The Invention of Tradition*. Cambridge: Cambridge University Press.

Houtart, F. & G. Lemercinier 1984. *Hai Van: Life in a Vietnamese Commune*. London: Zed Books Third World Studies.

Jamieson, Leil L. 1993. *Understanding Vietnam*. Berkeley: University of California Press.

Joiner, Charles 1990. "The Vietnamese Communist Party Strives to Remain the 'Only Force'," *Asian Survey* 30(11): 1053-1065.

Kabeer, Naila 1994. *Reversed Realities: Gender Hierarchies in Development Thoughts*. London: Verso.

Kelliher, Daniel Roy 1992. *Peasant Power in China: The Era of Rural Reform, 1979-1989*. New Haven & London: Yale University Press.

Kendall, Laural 1994. "A Rite of Modernization and Its Postmodern Discontents: Of Weddings, Bueeaucrats, and Morality in the Republic of Korea," Charles Keyes et al. (eds.) *Asian Vision of Authority: Religion and the Modern States of East and Southeast Asia*. Honolulu:

University of Hawaii Press. pp.165-92.

Kerkvliet, Benedict J. Tria and Doug J. Porter (eds.) 1995. *Vietnam's Rural Transformation*. Boulder: Westview Press.

Kerkvliet, Benedict J. Tria 1995a. "Rural Society and State Relations," Benedict J. Tria Kervliet and Doug J. Porter (eds.) *Vietnam's Rural Transformation*. Institute of Southeast Asian Studies, Singapore: Westview Press. pp.65-96.

_____1995b. "Village-State relations in Vietnam: the Effect of Everyday Politics on De-collectivization," *The Journal of Asian Studies* 54(2): 396-418.

_____1997. "Partial Impressions of Society in Vietnam," Adam Fforde (ed.) *Doi Moi: Ten Years after the 1986 Party Congress*. Canberra: Political & Social Change Monograph 24, RSPAS, Australian National University. pp.47-49.

_____1998. "Land Regimes and State Strengths and Weaknesses in the Philippines and Vietnam," Peter Duavergue (ed.) *Weak and Strong States in Asia-Pacific Societies*. Sydney: Allen & Unwin. pp.158-174.

Keyes, Charles, Helen Hardarce, and Laurel Kendall 1994. "Contested Visions of Community in East and Southeast Asia," Charles Keyes et al. (eds.) *Asian Vision of Authority: Religion and the Modern States of East and Southeast Asia*. Honolulu: University of Hawaii Press. pp.1-16.

Kim Kwang-Ok 1998. "The Communal Ideology and Its Reality: With Reference to the Emergence of Neo-Tribalism," *Korea Journal* 38(3): 5-43. Korean National Commission for UNESCO.

Kim Ninh 1996. *Revolution, Politics and Culture in Socialist Vietnam, 1945-1965*. Doctoral Dissertation, New Haven: Yale University.

Kimura, Tetsusaburo 1989. *The Vietnamese Economy 1975-1986: Reforms and International Relations*. Tokyo: Institute of Developing Economies.

Kleinen, John 1999. *Facing the Future, Reviving the Past: a Study of Social Change in a Northern Vietnamese Village*. Singapore: Institute of Southeast Asian Studies.

Koh, David Wee Hock 2000. *Wards of Hanoi and State-Society Relations in the Socialist Republic of Vietnam*. Ph. D. Dissertation of the Australian

National University.

Lane, Christel 1981. *The Rite of Rulers: Ritual in Industrial Society - The Soviet Case*. Cambridge: Cambridge University Press.

Leach, E. R. 1968. "Ritual," *International Encyclopedia of the Social Sciences*, vol. 13: 521-23.

Li, Tana 1996. *Peasants on the Move: Rural-Urban Migration in the Hanoi Region*. Singapore: Institute of Southeast Asian Studies.

Logan, William S. 2000. *Hanoi: Biography of A City*. Singapore: Select Publishing.

Luong, Hy Van 1988. "Discursive Practices, Ideological Oppositions, and Power Structure: Person-referring Forms and Sociopolitical Struggles in Vietnam," *American Ethnologist* 15: 153-174.

_____1989. "Vietnamese Kinship: Structural Principles and the Socialist Transformation in Twentieth-Century Vietnam," *Journal of Asian Studies* 48: 741-756.

_____1992. *Revolution in the Village: Tradition and Transformation in North Vietnam, 1925-1988*. Honolulu: University of Hawaii Press.

_____1993. "Economic Reforms and the Intensification of Rituals in Two Northern Vietnamese Villages, 1980-1990," Borje Ljunggren (ed.) *The Challenge of Reform in Indochina*, Cambridge: Harvard Institute of International Development. pp.259-91.

_____1994. "The Marxist State and the Dialogic Re-Structuration of Culture in Rural Vietnam," David W. P. Elliott (ed.) *Indochina: Social and Cultural Change*. The Keck Center for International and Strategic studies, Monograph Series, 7.

_____1997. "Capitalism and Non-Capitalist Ideologies in the Structure of Northern Vietnamese Ceramics Enterprises." Timothy Brook and Hy V. Luong (eds.) *Culture and Economy: The Shaping of Capitalism in Eastern Asia*. Ann Arbor: University of Michigan Press. pp.187-206.

_____1998. "Engendered Entrepreneurship: Ideologies and Political-Economic Transformation in a Northern Vietnamese Center of Ceramic Production." Robert Hefner (ed) *Market Cultures: Society and Morality in New Asian Capitalisms*. Boulder: Westview Press. pp.290-314.

Luong, Hy Van and Jonathan Unger 1998. "Wealth, Power, and Poverty in the Transition to Market Economies: the Process of Socio-Economic Differentiation in Rural China and Northern Vietnam," *The China Journal* 40: 61-93.

Malarney, Shaun K. 1993. *Ritual and Revolution in Vietnam.* Doctoral Dissertation, Ann Arbor: University of Michigan.

_____1996. "The Limits of "State Functionalism" and the Reconstruction of Funerary Ritual in Contemporary Northern Vietnam," *American Ethnologist* 23(3): 540-560.

_____1997. "Culture, Virtue, and Political Transformation in Contemporary Northern Vietnam," *The Journal of Asian Countries* 56(4): 889-920.

_____1998. "State Stigma, Family Prestige and the Development and Commerce in the Red River Delta of Vietnam," Robert Hefner (ed.) *Market Cultures: Society and Morality in New Asian Capitalisms.* Boulder: Westview Press. pp.268-89.

_____2001. ""The Fatherland Remembers Your Sacrifice": Commemorating War Dead in North Vietnam," Hue-Tam Ho Tai (ed.) *The Country of Memory: Remaking the Past in Late Socialist Vietnam.* Berkeley & Los Angeles: University of California Press. pp.46-76.

Marr, David and Christine White (eds.) 1988. *Postwar Vietnam: Dilemmas in Socialist Development.* Ithaca: Cornell University Southeast Asia Program.

Migdal, Joel S. 1988. *Strong Society and Weak States: State-Society Relations and State Capability in the Third World.* Princeton: Princeton University Press.

_____1994. "The State in Society: an Approach to Struggles for Domination," Joel S. Migdal, Atul Kohli, & Vivienne Shue (eds.) *State Power and Social Forces: Domination and Transformation in the Third World.* Cambridge: Cambridge University Press. pp.7-34.

Miller, Robert (ed.) 1992. *The Developments of Civil Society in Communist Systems.* Sydney: Allen & Unwin.

Moise, Edwin 1976. "Land Reform and Land Reform Errors," *Pacific Affairs* 46.

Murray, Martin 1980. *The Development of Capitalism in Colonial Indochina (1870-1940)*. Berkeley: University of California Press.

Munn, Nancy D. 1973. "Symbolism in a Ritual Context," John J. Honigmann (ed.) *A Handbook of Social and Cultural Anthropology*. Chicago: Rand McNally. pp.579-612.

Ngo Vinh Long 1993. "Reform and Rural Development: Impact on Class, Sectoral, and Regional Inequalities," William S. Turley and Mark Selden (eds.) *Reinventing Vietnamese Socialism*. Boulder: Westview Press. pp.165-207.

Nguyen Khac Vien 1974. *Tradition and Revolution in Vietnam*. Berkeley: The Indochina Resource Center.

Nguyen Tu Chi, Nguyen Khac Tung et al. (eds.) 1993. *The Traditional Village in Vietnam*. Hanoi: The Gioi Publishers.

Nguyen Van Canh 1990. "A Party in Decay: The New Class and Organized Crime," Thai Quang Trung (ed.) *Vietnam Today: Assessing The New Trends*. New York: Crane Russak.

Oh Myung-Seok 1998, "Peasant Culture and Modernization in Korea: Cultural Implications of *Saemaŭl* Movement in the 1970s," *Korea Journal* 38(3): 77-95. Korean National Commission for UNESCO.

O'Harrow, Stephen. 1995. "Vietnamese Women and Confucianism: Creating Spaces from Patriarchy." Wazir Karim (ed.) *'Male' and 'Female' in Developing Southeast Asia*. Washington DC.: Berg.

Oi, Jean 1989. *State and Peasant in Contemporary China: The Political Economy of Village Government*. Berkeley: University of California Press.

Ortner, Sherry B. 1973. "On Key Symbols", *American Anthropologist* 75(5): 1338-46.

_____1975. "Gods, Bodies, God's Food: A Symbolic Analysis of Sherpa Ritual," R. Willis (ed.) *The Interpretation of Symbolism*. London.

Pham Van Bich 1999. *The Vietnamese Family in Change: the Case of the Red River Delta*. Richmond: Curzon Press.

Popkin, Samuel 1979. *The Rational Peasant: The Political Economy of Rural Society in Vietnam*. Berkeley: University of California Press.

Porter, Gareth 1993. *Vietnam: The Politics of Bureaucratic Socialism*. Ithaca:

Cornell University Press.

Potter, Sulamith H. & Jack M. Potter 1990. *China's Peasants: The Anthropology of a Revolution.* Cambridge: Cambridge University Press.

Rambo, A. Terry 1983. *A Comparison of Peasant Social Systems of Northern and Southern Vietnam.* Carbondale: Center for Vietnamese Studies.

Redfield, Robert 1955. *The Little Community: Viewpoint for the Study of a Human Whole.* Chicago: University of Chicago Press.

Scott, James C. 1976. *The Moral Economy of the Peasant: Rebellion and Subsistence in Southeast Asia.* New Haven and London: Yale University Press.

_____1985. *Weapons of the Weak: The Everyday Forms of Peasant Resistance.* New Haven: Yale University Press.

Sider, Gerald M. 1986. *Culture and Class in Anthropology and History.* Cambridge, UK: Cambridge University Press.

Shue, Vivienne 1988. *The Reach of the State: Sketches of the Chinese Body Politics.* Stanford: Stanford University Press.

Smith, Gavin A. 1989. *Livelihood and Resistance.* Berkeley: University of California Press.

Thayer, Carl 1992. "Political Reform in Vietnam: Doi Moi and the Emergence of Civil Society," Robert F. Miller (ed.) *The Development of Civil Society in Communist Systems.* Sydney: Allen and Unwin.

Thompson, Virginia 1947. *Labor Problems in Southeast Asia.* New Haven: Yale University Press.

Thrift, Nigel and Dean Forbes 1986. *The Price of War: Urbanization in Vietnam, 1954-1985.* London: Allen and Unwin.

Truong Huyen Chi 2001. *Changing Processes of Social Reproduction in the Northern Vietnamese Countryside: An Ethnographic Study of Dong Vang Village(Red River Delta).* Ph.D. Dissertation of the University of Toronto.

Turley, William S. 1993. "Party, State, and People: Political Structure and Economic Prospects," William Turley and Mark Selden (eds.) *Reinventing Vietnamese Socialism.* Boulder: Westview Press. pp.257-76.

Unger, Jonathan 1989. "State and Peasant in Post-Revolution China," *Journal of Peasant Studies* 17(1): 114-36.

Vickerman, Andrew 1986. *The Fate of the Peasantry: Premature "Transition to Socialism" in the Democratic Republic of Vietnam.* New Haven: Yale University Southeast Asian Studies Program.

Vo Nhan Tri 1990. *Vietnam's Economic Policy since 1975.* Singapore: Institute of Southeast Asian Studies.

Vo Tong Xuan 1995. "Rice Production, Agricultural Research, and the Environment," Benedict J. Tria Kervliet and Doug J. Porter (eds.) *Vietnam's Rural Transformation.* Singapore: Institute of Southeast Asian Studies, Westview Press. pp.185-200.

Watts, Michael 1999. "Agrarian Thermidor: State, Decollectivization, and the Peasant Question in Vietnam," Ivan Szelenyi (ed.) *Privatizing the Land, Rural Political Economy in Post-Communist Society.* London: Routledge. pp.149-88.

Werner, Jayne 1988. "The Problem of the District in Vietnam's Development Policy." David Marr and Christine Pelzer White (eds.) *Postwar Vietnam: Dilemmas in Socialist Development.* Ithaca: Cornell University Press. pp.147-62.

White, Christine Pelzer 1982. "Socialist Transformation of Agriculture and Gender Relations: the Vietnamese Case," *Bulletin of Institute of Development Studies* 13(4): 97-114.

_____1983. "Peasant Mobilization and Anti-colonial Struggle in Vietnam: The Rent Reduction Campaign of 1953," *Journal of Peasant Studies* 10: 187-213.

_____1985. "Agricultural Planning, Pricing Policy and Cooperatives in Vietnam," *World Development* 13(1): 97-114.

_____1986. "Everyday Resistance, Socialist Revolution and Rural Development: The Vietnamese Case," *Journal of Peasant Studies* 13(2): 49-71.

White, Christine P. and David G. Mar. 1988. "Introduction," David G. Marr and Christine P. White (eds.) *Postwar Vietnam: Dilemmas in Socialist Development.* Ithaca: Cornell University. pp.1-11.

Whitehead, Ann 1981. "I'm Hungry, Mum." Young et al. (eds.) *Of Marriage and the Market: Women's Subordination in International*

*Perspective.* CSC Books.

Wiegersma, Nancy 1988. *Vietnam: Peasant Land, Peasant Revolution, Patriarchy and Collectivity in the Rural Economy.* New York: St. Martin's Press.

Wilk, Richard (ed.) 1989. *The Household Economy: Reconsidering the Domestic Mode of Production.* Boulder: Westview Press.

Williams, Raymond 1977. *Marxism and Literature.* Oxford, UK: Oxford University Press.

Wolf, Eric 1969. *Peasant Wars of the Twentieth Century.* New York: Harper and Row.

Womack, Brantly 1987. "The Party and the People: Revolutionary and Postrevolutionary Politics in China and Vietnam," *World Politics* 39(4): 479-507.

_____1992. "Reform in Vietnam: Backward Toward Future," *Government and Opposition* 27: 177-89.

Woodside, Alexander 1976. *Community and Revolution in Modern Vietnam.* Boston: Houghton Mifflin.

_____1989. "Peasants and the State in the Aftermath of the Vietnamese Revolution," *Peasant Studies* 16(4): 283-97.

_____1997. "The Struggle to Rethink the Vietnamese State in the Era of Market Economics." Brook Timothy and Hy V. Luong (eds.) *Culture and Economy.* Ann Arbor: University of Michigan Press. pp.61-77.

## 최호림

부경대학교 국제지역학부 교수. 서울대학교에서 인류학박사 학위를 받았다. 베트남 사회문화에 관한 연구를 비롯하여 종족, 관광, 이주, 개발협력 등의 주제로 동남아연구를 지속하고 있다. 서강대 동아연구소, 한국동남아연구소, 전남대, 호주국립대, 베트남 사회과학원 등에서 연구하고, 외교부 정책기획국, 하노이 KOTRA 등에서 일했다. 현재 한국문화인류학회와 한국동남아학회 부회장이고, 베트남 사회과학원 저널 편집위원 등을 맡고 있다. 주요 저서로는 『동남아시아의 박물관: 국가 표상과 기억의 문화정치』(편저)와 *Multicultural Challenges and Redefining Identity in East Asia*, *The Historical Construction of Southeast Asian Studies*, 『아시아, 이주의 중심을 가다, 베트남편』, 『동남아 문화 예술의 수수께끼: 다양성 vs 통일성』, 『한국 속 동남아 현상: 인간과 문화의 이동』등의 공저가 있고, "War Tourism and Reconstruction of Memery: Korean Veterans' Battlefield Trip in Vietnam", "베트남 관광개발과 고산 소수종족 관광 이미지: 역사적, 비판적 접근", "베트남의 소수종족과 국가: 종족분류 체계 및 종족정책에 관한 비판적 고찰", "베트남 화인의 귀환이주와 정체성 변화에 관한 연구", "국제결혼에서 귀환까지: 베트남 여성의 한국행 결혼이주 경험에 관한 연구", "Cultural Politics of Communal Festival in Ha Noi", "베트남 전쟁과 관광: 과거의 체현과 진정성의 경합" 등의 논문을 발표했다.

(hrchoivn@hanmail.net)

# 전환기 베트남의 전통과 공동체, 그리고 국가

초판인쇄  2019년 2월 25일
초판발행  2019년 2월 25일

지은이  최호림
펴낸이  채종준
펴낸곳  한국학술정보㈜
주소  경기도 파주시 회동길 230(문발동)
전화  031) 908-3181(대표)
팩스  031) 908-3189
홈페이지  http://ebook.kstudy.com
전자우편  출판사업부  publish@kstudy.com
등록  제일산-115호(2000. 6. 19)

ISBN  978-89-268-8794-3 93380